D0297911

Helemaal gelukkig word je nooit

Vertaald door Patrick Castelijns en Mario Molegraaf

Anna Gavalda

Helemaal gelukkig word je nooit

2009 Prometheus Amsterdam

Henri Bertaud du Chazaud, ik dank u.

Net zo egoïstisch
en bedrieglijk
als het kan overkomen,
is dit boek, Charles,
voor jou.

Oorspronkelijke titel *La Consolante*

Omslagontwerp Janine Jansen
Foto auteur Vincent Leloup
www.uitgeverijprometheus.nl
ISBN 978 90 446 1287 5

Hij stond altijd apart. Daar, ver van de hekken, ver buiten ons bereik. Met een koortsachtige blik en gekruiste armen. Meer dan gekruist zelfs, gesloten, in elkaar gehaakt. Of hij het koud had of buikpijn. Of hij zich aan zichzelf had vastgeklemd om niet te vallen.

Trotseerde ons allemaal maar keek naar niemand. Zocht de gestalte van één jongetje en hield een papieren zak stevig tegen zijn hart.

Het was een chocoladebroodje, dat wist ik best, en vroeg me iedere keer af of het niet helemaal geplet was, ondertussen...

Ja, daaraan klampte hij zich vast, aan de bel, aan hun minachting, aan de omweg via de banketbakker en aan al de vetvlekjes op zijn revers als nooit verwachte medailles.

Nooit verwacht...

Maar... Hoe kon ik het destijds weten?

Destijds maakte hij me bang. Zijn schoenen waren te spits, zijn nagels te lang en zijn wijsvinger te geel. En zijn lippen te rood. En zijn jas te kort en te strak.

En de kringen rond zijn ogen te donker. En zijn stem te bizar.

Toen hij ons uiteindelijk opmerkte, glimlachte hij en haalde hij zijn armen van elkaar. Bukte in stilte, raakte zijn haren, zijn schouders, zijn gezicht aan. En ik telde, terwijl mijn moeder me stevig tegen zich aan drukte, gefascineerd opnieuw alle ringen op de wangen van mijn vriend.

Aan elke vinger had hij er een. Echte ringen, mooie, kostbare, net als die van mijn grootmoeder... Op dat moment wendde ze zich altijd ontsteld af en ik liet haar hand los.

Alexis niet, hij niet. Ontweek nooit. Gaf hem zijn schooltas aan en met de andere hand, de vrije, at hij zijn vieruurtje op, intussen liep hij naar de Place du Marché.

Alexis, met zijn buitenaardse vriend met hoge hakken, zijn kermismonster, zijn hofnar van de lagere school, voelde zich veiliger dan ik, en was geliefder.

Dacht ik.

Op een dag had ik het hem toch gevraagd: 'Maar, eh... is het een mijnheer of een mevrouw?'

'Wie?'

'Die... hij... zij... wie je 's avonds komt ophalen?'

Hij had zijn schouders opgehaald.

Een mijnheer natuurlijk. Maar die hij zijn nounou, zijn min noemde.

En zij, zijn nounou, had bijvoorbeeld beloofd om voor hem bikkels van goud mee te brengen en die zou hij voor deze knikker ruilen als ik dat zou willen, of, hé... ze is te laat vandaag, mijn nounou... Ik hoop dat ze haar sleutels niet heeft verloren... Want ze verliest altijd alles, weet je... Ze zegt vaak dat ze op een dag haar hoofd zal vergeten bij de kapster of in een paskamer van de Prisunic en dan lacht ze, ze zegt dat ze gelukkig benen heeft!

Maar een mijnheer, dat zie je toch.

Wat een vraag...

Het lukt me niet zijn naam te herinneren. Toch was het iets bijzonders...

Een variéténaam, van slap fluweel en koude tabak. Een naam als Gigi Lamor of Gino Cherubini of Rubis Dolorosa of...

Ik weet het niet meer en word razend omdat ik het niet weet. Ik zit in een vliegtuig naar het einde van de wereld, ik moet slapen, ik móet slapen. Ik heb er pillen voor geslikt. Ik heb geen keus, anders ga ik kapot. Ik heb al zo lang geen oog dichtgedaan... en ik...

Ik ga kapot.

Maar niets helpt. De middelen niet, het verdriet niet, de uitputting niet. Op meer dan dertigduizend voet, zo hoog in de leegte, vecht ik nog als een zot om vrijwel uitgedoofde herinneringen op te poken. En hoe meer ik blaas hoe meer mijn ogen prikken, en des te minder ik zie hoe lager ik kniel.

Mijn buurvrouw heeft me al twee keer gevraagd mijn nachtlampje uit te doen. Sorry maar nee. Het was veertig jaar geleden, mevrouw... Veertig jaar, snapt u? Ik heb licht nodig om de naam van die oude travestiet terug te vinden. Die briljante naam die ik natuurlijk vergeten ben, omdat ook ik hem Nounou noemde. En die ook ik aanbad. Want dat kreeg je bij hen: aanbidding.

Nounou, die in de puinhoop van hun leven was verschenen, op een avond in het ziekenhuis.

Nounou die ons verwend had, verpest, gevoed, volgepropt, getroost, ontluisd, echt gehypnotiseerd, ons duizend keer had betoverd en weer had onttoverd. Ons de hand had gelezen, de kaarten had gelegd, ons een leven had beloofd als sultans, koningen, rijkaards, levens van amber en saffieren, van lome houdingen en verfijnde liefdes, en Nounou die er op een ochtend op dramatische manier uit was gestapt.

Dramatisch zoals het hoort. Zoals hij het aan zichzelf verplicht was. Zoals hij het aan hen allemaal verplicht was.

Maar ik... Later. Ik vertel het later wel. Ik heb nu niet de kracht. En ik heb er ook geen zin in. Ik wil ze nu niet nog eens verliezen. Nog even op de rug van mijn olifant van formica blijven zitten met mijn keukenmes in mijn lendendoek gestoken, zijn kettingen, zijn make-up en al zijn tulbanden uit het Alhambra.

Ik heb slaap nodig en ik heb mijn lampje nodig. Ik heb alles nodig wat ik onderweg verloren heb. Alles wat ze me hebben gegeven en weer afgenomen.

En ook verpest...

Omdat het zo ging in hun wereld, ja. Dat was hun wet, hun credo, hun leven als ongelovigen. Ze aanbaden, ze beukten op elkaar in, ze huilden, ze dansten de hele nacht door, en zetten alles in vuur en vlam.

Alles.

Niets mocht overblijven. Niks. Nooit. Nada. Bittere monden, gekreukt, gebroken, kromgetrokken, bedden, as, verslagen gezichten, urenlang huilen, jaren en jaren eenzaamheid, maar geen herinneringen. Absoluut niet. Herinneringen, die waren voor de anderen.

De bangeriken. De boekhouders.

'De mooiste feesten, zullen jullie zien, mijn schatteboutjes, zijn 's ochtends vergeten,' zei hij. 'De mooiste feesten zijn *tijdens* het feest.

’s Ochtends bestaat niet. ’s Ochtends is wanneer je de eerste metro neemt en weer lastig wordt gevallen.’

En zij. Zij. Zij sprak altijd over de dood. Altijd... Om die te trotseren, om die kapot te krijgen, de smeerlap. Omdat ze wist dat we er allemaal aan zouden gaan, dit besef was haar leven, en daarom moesten we elkaar aanraken, van elkaar houden, drinken, bijten, genieten en alles vergeten.

‘Steek het in de fik, kinderen. Steek alles in de fik.’

Het is haar stem en ik... ik hoor die nog steeds.

Barbaren.

*

Hij kan het licht niet uitdoen. Niet zijn ogen sluiten. Hij wordt, nee, hij *is* gek aan het worden. Hij weet het. Ontdekt zichzelf in het zwart van het raampje en...

‘Mijnheer... Gaat het?’

Een stewardess tikt zijn schouder aan.

Waarom hebben jullie me in de steek gelaten?

‘Gaat het niet goed?’

Hij zou willen antwoorden van wel, dat alles goed gaat, dank u, maar hij kan het niet: hij huilt.

Eindelijk.

I

I

Begin van de winter. Een zaterdagochtend. Luchthaven Paris Charles de Gaulle, terminal 2E.

Melkachtige zon, kerosinegeur, immense moeheid.

'Heeft u geen koffer?' vraagt de taxichauffeur me, terwijl hij z'n kofferbak aanraakt.

'Toch wel.'

'Die is dan goed verstopt!'

Hij ligt in een deuk, ik draai me om: 'Nee toch... ik... De lopende band... Ik ben vergeten...'

'Ga maar! Ik wacht wel op u!'

'Nee. Laat maar. Ik heb de kracht niet meer, nou... ik... laat maar...'

Hij lacht niet meer.

'Hé! U laat hem toch niet staan?'

'Ik pik hem binnenkort wel op... Ik kom overmorgen toch sowieso terug... Het is net of ik hier zou wonen, ik... Nee... Laten we maar gaan... het maakt me niks uit. Ik wil nu niet terug.'

'*Hé, U,* klap, klap, *mijn God, ja U, ik kom naar U toe... te paard!*

O yeah, ja, te paard!

Hé, U, klap, klap, *mijn God, ja U, ik kom naar U toe... op de fiets!*

O yeah, ja, op de fiets!'

Het swingt nogal in de 407 van Claudy A'Bguahana nr. 3786. (Zijn vergunning zit met plakband op de rugleuning.)

'*Hé, U,* klap, klap, *mijn God, ja U, ik kom naar U toe... in een heteluchtballon!*

O yeah, ja, in een heteluchtballon!'

Hij spreekt me aan in de achteruitkijkspiegel: 'U heeft toch geen last van geestelijke liederen?'

Ik glimlach.

'*Hé, U,* klap, klap, *mijn God, ja U, ik kom naar U toe... in een raket!*'

Met dit soort kerkliederen hadden we allemaal niet zo vroeg ons geloof verloren, wel?

O, yeah!

O, ja...

'Nee, nee, het is goed. Dank u. Perfect.'

'Waar komt u vandaan?'

'Rusland.'

'Aha! Het is koud daar, niet?'

'Heel koud.'

Als schaap van dezelfde kudde had ik *vurig* meer broederlijk willen zijn, maar... Hier toon ik berouw, ja ik weet hoe dat moet, ik toon te laat berouw, het lukt me niet.

En dat is een heel grote fout van mij.

Ik heb te veel last van jetlag, ben te uitgeput, te smerig en te uitgedroogd om ter communie te gaan.

Een afrit verder op de autosnelweg: 'Is God in uw leven, nu?'

Verdomme. Jezus. Heb ik dat weer...

'Nee.'

'Weet u, ik had het meteen door. Een man die gewoon zijn koffer laat staan, dan denk ik: God is hier niet.'

Hij herhaalt het en slaat op het stuur.

'God-is-hier-niet.'

'Zeker niet,' biecht ik op.

'En toch is Hij er! Hij is er! Hij is overal! Hij wijst ons de we...'

'Nee, nee,' val ik hem in de rede. 'Waar ik van terugkom, waar ik vandaan kom daar... is Hij niet. Dat verzeker ik u.'

'En waarom dan niet?'

'De ellende...'

'Maar God *is* in de ellende! God doet wonderen, weet u?'

Een blik op de teller, 90, onmogelijk dus om mijn deur open te maken.

'Ik bijvoorbeeld... vroeger was ik... Ik was niets!' Hij begon zich op te winden. 'Ik dronk! Ik gokte! Ik ging met veel vrouwen naar bed! Ik was geen mens, ziet u... Ik was niets! En de Heer heeft me opgenomen. De Heer heeft me geplukt als een bloempje en Hij heeft me gezegd: "Claudy, jij..."'

Ik zal nooit weten waarmee de Ouwe hem voor de gek heeft gehouden, ik was ingedut.

We stonden voor de deur van mijn huis toen hij in mijn knie kneep.

Had op de achterkant van de rekening de gegevens van het paradijs geschreven: *Kerk van Aubervilliers. Rue Saint Denis 46-48. 10-13 uur.*

'U moet aanstaande zondag komen hoor! U moet maar denken: als ik in deze auto ben gestapt, was het geen toeval want het toeval...' (enorme ogen), 'dat bestaat niet.'

Het raampje bij de passagiersstoel stond open, ik bukte om mijn herder te groeten: 'Maar... eh... U... u gaat helemaal niet meer naar bed... eh... met vrouwen?'

Brede glimlach.

'Alleen met degenen die de Heer me stuurt...'

'En hoe herkent u die?'

Heel brede glimlach.

'Het zijn de mooisten...'

*

Ze hebben ons alles verkeerd geleerd, mediteerde ik en deed de koetspoort open, ik, het enige moment dat ik oprecht was geweest, herinner ik me, was toen ik had herhaald: 'Ik ben niet waardig U te ontvangen.'

Toen, ja. Toen geloofde ik er echt in.

En *U, klap, klap* mijn vier etages beklimmend, *ja U*, besefte ik met huivering dat ik nog steeds dat verrekte deuntje in mijn kop had, *in een taxi, ja in een taxi.*

O, yeah.

De veiligheidsbeugel zat vast en die tien centimeter die me van mijn thuis weerhielden, maakten me gek. Ik kwam van veel te ver, ik had te veel gezien, het vliegtuig had te veel vertraging en God was te kieskeurig. Ik flipte helemaal.

'Ik ben het! Doe open!'

Ik gilde en beukte op de deur: 'Doe toch open in godsnaam!'

De snuit van Snoopy verscheen in de kier.

'Hé, 't is al goed... Kalm aan, oké... Kalm aan...'

Mathilde opende de deurklink, ging opzij en draaide haar rug al naar me toe op het moment dat ik naar binnen stapte.

'Hallo!' zei ik.

Ze beperkte zich tot het uitsteken van een arm en het slapjes bewegen van een paar vingers.

ENJOY stelde de achterkant van haar T-shirt voor. Ja hoor. Even overwoog ik om haar bij de haren vast te pakken en haar nek te breken om haar te dwingen zich om te draaien en pal voor haar neus die ouderwetse twee lettergreepjes te herhalen: Hal-lo. En dan, o... Ik liet het maar varen. Haar kamerdeur was trouwens al dichtgeklapt.

Ik was een week weg geweest, ik zou overmorgen weer vertrekken en... wat voor nut, al dit...

Nou? Wat voor nut? Ik kwam alleen maar langs, niet?

Ik liep de kamer van Laurence binnen die ook mijn kamer was, geloof ik. Het bed was onberispelijk opgemaakt, het dekbed glad, de kussens bol, buikig, arrogant. Treurig. Ik liep langs de muren en ging met mijn billen op de rand van de matras zitten om niks te kreuken.

Ik keek naar mijn schoenen. Vrij lang. Ik keek uit het raam. De daken over de rand en Val de Grâce in de verte. En haar kleren op de rugleuning van de stoel...

Haar boeken, haar fles water, haar agenda, haar bril, haar oorbellen... Dat alles moest toch iets betekenen, maar ik zag echt niet meer wat. Ik... ik begreep het niet meer.

Ik friemelde wat aan een van de buisjes pillen op het nachtkastje.

Nux Vomica 9CH, slapeloosheid.

Ja, dat moest het zijn, deze plaats op dit moment, knarste ik terwijl ik weer opstond.

Nux Vomica.

Iedere keer was het hetzelfde en werd het erger. Ik snapte er niks meer van. De jaren verstreken, ik...

Toe, hou op, tuchtigde ik mezelf. Je bent moe en je raaskalt. Stop nou.

Het water was gloeiend. Met open mond, ogen dicht, wachtte ik tot het me zou bevrijden van al die kwade schubben. Van de kou, de sneeuw, het tekort aan licht, de urenlange files, de eindeloze gesprekken met die klootzak van Pavlovitch, de van tevoren verloren veldslagen en al die blikken die me nog achtervolgden.

Van die vent die me de vorige dag zijn helm in m'n gezicht had gesmeten. Van die woorden die ik niet begreep maar die ik moeiteloos kon raden. Van dat bouwterrein, dat me boven het hoofd groeide... In alle opzichten...

Waarin was ik eigenlijk verzeild geraakt? En wat nu! Ik kon zelfs mijn scheerapparaat niet terugvinden tussen al die schoonheidsproducten! Cellulitis, pijnlijke menstruatie, stralende tint, strakke buik, vette huid, gespleten haar.

Waar sloeg deze rotzooi nou allemaal op! Waar sloeg dit nou op?

En voor het liefkozen van wie?

Ik sneed me en smeet al dat spul in de vuilnisemmer.

'Weet je wat... Ik denk dat ik een kopje koffie voor je ga zetten, goed?'

Mathilde, met de armen over elkaar, stond met een half doorgezakte heup tegen de deurpost van onze badkamer.

'Goed idee.'

Ze staarde naar de grond.

'Ja... eh... Ik heb twee drie dingen laten vallen, tja... Ik ga... maak je niet druk...'

'Nee hoor. Ik maak me niet druk. Je flikt het elke keer weer.'

'O?'

Ze schudde haar hoofd.

'Een goede week gehad?' vervolgde ze.

'...'

'Oké! Koffie.'

Mathilde... Kleine meid die ik met zo veel moeite had getemd... Zo veel moeite... Wat was ze groot geworden, mijn god.

Gelukkig hadden we Snoopy nog...

'Gaat het al wat beter?'

'Ja,' zei ik, over mijn kopje blazend, 'dank je. Ik heb het gevoel dat ik eindelijk aan het landen ben... Heb je geen school?'

'Hè hè...'

'Werkt Laurence de hele dag?'

'Ja. Ze zal ons bij oma treffen... O, neeee... Zeg me niet dat je het vergeten bent... Je weet toch dat vanavond haar verjaardag is...'

Ik was het vergeten. Niet dat het morgen de verjaardag van Laurence was, wél dat we ons moesten voorbereiden op nog zo'n leuk avondje. Een echt familiemaal waar ik zo dol op was. Daar had ik echt behoefte aan.

'Ik heb geen cadeau.'

'Ik weet het... Daarom ben ik niet bij Léa blijven slapen. Ik wist dat je me nodig zou hebben...'

De tienertijd... Wat een afmattende jojo.

'Weet je Mathilde, je hebt een manier om de baas te spelen die me altijd zal blijven verrassen...'

Ik was opgestaan om nog eens in te schenken.

'Ik verras tenminste iemand...'

'Oké...' reageerde ik en liet mijn hand over haar rug gaan, 'laten we enjoyen.'

Ze had gesteigerd. Licht.

Net als haar moeder.

We hadden besloten te voet te gaan. Na enkele zwijgzame straten leek het of elke vraag die ik stelde haar nog meer uitputte dan de vorige, ze begon aan haar iPod te friemelen en stak haar oortelefoon in.

Ja, ja, ja... Ik denk dat ik een hond zou moeten nemen, niet? Iemand die van me zou houden en me blij zou ontvangen wanneer ik zou terugkomen van een reis... Opgezet eventueel, hè? Met grote zachte ogen en een machientje waardoor hij met z'n staart zou kwispelen als ik aan zijn kop zat.

Ach... Ik hou al van hem...

'Ben je chagrijnig of zo?'

Vanwege haar apparaat had ze die woorden te luid uitgesproken en mijn buurvrouw op het zebrapad had zich omgedraaid.

Ze zuchtte, sloot haar ogen, zuchtte opnieuw, trok haar linkeroortelefoon uit en stopte die in mijn rechteroor: 'Oké... Ik ga iets voor jouw leeftijd opzetten, daar zul je van opknappen...'

En toen, tussen het geroezemoes en de opstoppingen, aan het eind van een heel korte draad, die me nog verbond met een heel verre kindertijd, een paar gitaarakkoorden.

Een paar noten en de perfecte stem, schor en een beetje lijzig, van Leonard Cohen.

Suzanne takes you down to her place near the river
You can hear the boats go by
You can spend the night beside her
And you know that she's half crazy...

'Gaat het al beter?'

But that's why you want to be there.

Ik schudde mijn hoofd als een wispelturig jongetje.

'Super.'

Ze was blij.

Het voorjaar was nog ver weg, maar de zon, die zich lui uitstrekte boven de koepel van het Pantheon, was al begonnen met wat warming-up-oefeningen. Mijn-dochter-die-niet-mijn-dochter-was-maar-ook-niet-minder-was gaf me haar arm om het geluid niet kwijt te raken en we waren in Parijs, mooiste stad van de wereld, ik had het uiteindelijk toegegeven omdat ik haar zo vaak had verlaten.

Wandelden in deze buurt waarvan ik zoveel hield, de rug afgewend van de Grote Mannen, wij tweeën, kleine stervelingen van wie niemand opkeek, in de rustige weekendmenigte. Gekalmeerd, niet meer op hun hoede, en in hetzelfde ritme for *he's touched* our perfect bodies *with his mind.*

'Dit is te gek,' schudde ik het hoofd, 'en trappen ze hier nog steeds in?'

'Yep...'

'Ik moet dit meer dan dertig jaar geleden al geneuried hebben in deze zelfde straat... Zie je die zaak, daar...'

Met mijn kin wees ik naar de etalage van Dubois, de schilderswinkel in de Rue Soufflot.

'Als je wist hoeveel uur ik voor hun etalage heb staan kwijlen... Alles deed me dromen. Alles. Hun papiersoorten, hun pennen, hun tubes Rembrandt... Op een dag heb ik zelfs Prouvé naar buiten zien komen. Jean Prouvé, stel je eens voor! Nou, die dag was ik zeker al aan het wiegen en neuriën op Jezus *was a sailor* en al die troep, zeker weten... Prouvé... als ik eraan terugdenk...'

'Wie is dat?'

'Een genie. Zelfs dat niet. Een uitvinder... Een ambachtsman... Een ongelooflijke figuur... Ik zal je boeken laten zien... Maar eh... om naar onze vrolijke frans terug te keren... Mijn favoriet was *Famous Blue Raincoat*, heb je die?'

'Nee.'

'Ach. Wat leren ze jullie eigenlijk wel op school? Ik was gek op dat liedje! Gek! Ik denk zelfs dat ik mijn cassette gemold heb door hem constant terug te spoelen...'

'Waarom?'

'Ach, ik weet het niet meer... Ik zou er weer naar moeten luisteren, maar in mijn herinnering was dit het verhaal van een vent die aan een van zijn vrienden had geschreven... Een gozer die zijn vrouw vroeger had afgepikt, en hem vertelde dat hij geloofde het hem te hebben vergeven... Er was nog een verhaal over een haarlok, denk ik en... ach... ik die geen enkel meisje kon versieren, grote kluns die ik was, onhandig en zo somber dat het aandoenlijk was, ik vond dat verhaal hyper-, *hyper*sexy. Enfin... op mijn lijf geschreven, eigenlijk...'

Ik lachte.

'Ik zal je zelfs zeggen... Ik had net zo lang aan mijn vaders kop gezeurd tot ik zijn oude Burberry kreeg, had hem blauw geverfd en het was een complete flop. Dat ding had de kleur van kippenstront gekregen. Zo lelijk! Je kunt het je nauwelijks voorstellen...'

Zij lachte.

'Dacht je dat dit een beletsel voor me was! Ben je gek. Ik snoerde me erin vast, kraag omhoog, trekband los, mijn vuisten in de gescheurde zakken en liep door...'

Ik bootste de loser na die ik was. Peter Sellers in zijn beste dagen.

'...met grote stappen, dwars door de menigte, geheimzinnig, ongrijpbaar, negeerde ik zorgvuldig al die blikken die niet eens voor mij bestemd waren. Ha! Hij zal wel hard gelachen hebben de oude Cohen vanaf zijn sokkel bij de grote zenmeesters, dat kan ik je wel vertellen!'

'En wat is er van hem geworden?'

'Nou... Hij is nog niet dood voor zover ik weet...'

'Neee, van de regenjas...'

'O, die! Verdwenen... Net als de rest... Maar vraag vanavond aan Claire of zij het nog weet.'

'Ja... En ik zal het downloaden...'

Ik trok een nors gezicht.

'Hé, het is wel goed hoor! Je gaat je hierover niet wéér opwinden... Hij heeft poen genoeg verdiend...'

'Het is geen kwestie van geld, dat weet je best... Het is erger dan dat. Het is...'

'Stop. Ik weet het. Je hebt het me al duizend keer gezegd. De dag dat er geen kunstenaars meer zijn, zijn we allemaal dood en blablabla enzovoorts.'

'Inderdaad. We zullen nog wel leven, maar we zijn allemaal dood. Nou kijk, precies wat ik bedoel...'

We stonden voor Gibert.

'Ga maar naar binnen. Je krijgt mijn oude vale jas cadeau...'

Ik aarzelde voor de kassa. Op wonderbaarlijke wijze waren nog drie cd's op de toonbank verschenen.

'Hé!' zei ze fatalistisch. 'Ik was van plan deze ook te downloaden...'

Ik betaalde en haar lippen scheerden vluchtig langs mijn wang. Pijlsnel.

Weer terug in de stroom van de Boulevard Saint Michel vatte ik moed: 'Mathilde?'

'Yes.'

'Mag ik je een lastige vraag stellen?'

'Nee.'

En een paar meter verderop, terwijl ze haar gezicht verborg: 'Zeg het maar.'

'Waarom is het zo geworden tussen ons? Zo...'

Stilte.

'Zo wat?' vroeg haar capuchon.

'Ik weet het niet... te koop... verkoopbaar... Ik trek mijn bankpas en dan heb ik recht op een teder gebaar. Nou ja, teder... Een gebaar, dus... Wat... hoeveel kost een kus van jou ook weer?'

Ik deed mijn portefeuille open en bekeek het bonnetje.

'Vijfenvijftig euro zestig. Goed...'

Stilte.

Gooide het in de straatgoot.

'Ook nu weer, het is geen kwestie van geld, het deed me plezier ze je cadeau te doen, maar... ik had zo graag gewild dat je zojuist hallo tegen me gezegd had, toen ik thuiskwam, ik... zo graag...'

'Ik héb je hallo gezegd.'

Ik trok aan haar mouw om zo haar aandacht te trekken, stak mijn hand omhoog en bootste haar slappe vingers na. Of eerder de slapheid van haar vingers.

Met een bruusk gebaar trok ze haar arm terug.

'Het is niet alleen met mij trouwens,' vervolgde ik, 'ik weet dat het met je moeder net zo gaat... Iedere keer als ik haar bel, terwijl ik zo ver weg ben en behoefte heb aan... Ze heeft het alleen maar daarover. Over jouw houding. Jullie geruzie. De voortdurende chantage... Een beetje aardig doen voor een beetje geld... De hele tijd. De hele tijd. En...'

Ik bleef staan en hield haar weer tegen.

'Geef antwoord. Waarom is het zo geworden tussen ons? Wat hebben we gedaan? Wat hebben we jóu aangedaan om dit te verdienen? Ik weet het... Laten we het maar op de tienertijd houden, de moeilijke leeftijd, de tunnel en al die kolder, maar jij... Jij, Mathilde. Ik dacht dat je intelligenter dan de anderen zou zijn... Ik dacht niet dat het op jou vat zou krijgen. Dat je te slim was om deel uit te maken van hun statistieken...'

'Nou, je zit ernaast.'

'Ik zie het...'

'Die ik met zo veel moeite had getemd...' Waarom zojuist die debiele voltooid verleden tijd boven mijn kop koffie? Omdat ze de enorme moeite had genomen een capsule in een apparaat te doen en op het groene knopje te drukken?

Hé... ik ben zelf ook een beetje traag...

Maar nee, toch niet...

Ze was zo'n... zeven, acht jaar misschien, en had net de finale van een concours verloren... Ik zie haar weer haar ruiterpet in de sloot smijten, haar hoofd ging omlaag en kwam zonder pardon op me af. Bam. Een echte ramstoot. Ik moest me aan een paal vasthouden om niet te vallen.

Ik had, ontroerd, aangeslagen, kortademig en mijn handen helemaal verstrikt, ten slotte de slippen van mijn jas over haar heen getrokken, intussen besmeurde ze mijn overhemd met tranen, snot en paardenstront en klampte ze zich uit alle macht aan me vast.

Kun je zo'n gebaar 'iemand in de armen nemen' noemen? Ja, vond ik, ja. En het was de eerste keer.

De eerste keer... en wanneer ik acht jaar zeg, zit ik er zeker naast. Ik ben waardeloos met leeftijden. Misschien was het wel nog later... Mijn god, er waren heel wat jaren overheen gegaan, niet?

Maar ze was er, toen, ze was er. Ze paste helemaal onder mijn voering, met ijskoude voeten en zere benen, straks vastgemetseld in die klote Normandische steengroeve, ik genoot er lang van om haar voor de wereld verborgen te houden en idioot te glimlachen.

Later, in de auto, terwijl ze achterin in elkaar gedoken lag: 'Hoe heette jouw pony ook weer? Pistache?'

Geen reactie.

'Karamel?'

Mis.

'Ah, ik weet het weer! Chouquette!'

'...'

'Tja, wat had je anders verwacht van zo'n lompe en lelijke pony, en met zo'n naam als Chouquette... Hé? Wees eens eerlijk! Het is de eerste en de laatste keer dat hij tot de finale is gekomen, die dikke Chouquette, dat kan ik je wel vertellen!'

Ik speelde slecht. Deed er scheppen bovenop, en was niet eens zeker van de naam. Als ik er goed over nadenk, was het misschien wel Cacahuète...

Goed, ze had zich in ieder geval omgedraaid.

Ik beet op mijn tanden en deed de achteruitkijkspiegel weer op z'n plaats.

We waren voor dag en dauw opgestaan. Ik was bekaf, ik had het koud, ik had het erg druk en moest die avond nog langs kantoor voor de zoveelste slapeloze nacht. En ik was altijd bang voor paarden geweest. Zelfs voor kleintjes. Zeker voor kleintjes... Ai ai ai... dit telde allemaal heel zwaar in de file. Heel zwaar... En terwijl ik er zo aan toe was, ik maalde, opgefokt was, gespannen, bijna barstte, ineens deze woorden: 'Soms zou ik willen dat jij mijn vader was...'

Ik had niets gezegd uit angst alles te verpesten. Ik ben je vader niet, of ik ben net als je vader, of ik ben beter dan je vader, of nee, ik wil zeggen, ik ben... Pff... Het leek me dat mijn zwijgen dit alles duidelijker kon zeggen dan ikzelf.

Maar vandaag... Vandaag nu het leven zo... Zo wat? Zo moeizaam geworden was, zo *ontvlambaar* op onze honderdtien vierkante meter. Vandaag nu we het bijna nooit meer met elkaar deden, Laurence en ik, vandaag nu ik een illusie per dag armer werd en per dag een levensjaar op het bouwterrein verloor, nu ik in de leegte met Snoopy praatte en gedwongen was mijn pincode te gebruiken om bemind te worden, miste ik die alarmlichten...

Ik had ze natuurlijk aan moeten zetten.

Ik had naar de vluchtstrook moeten gaan, zoals ze het zo mooi zeggen, in de nacht moeten uitstappen, haar portier opendoen, haar bij haar voeten uit de auto trekken en haar op mijn beurt stevig tegen me aan drukken.

Wat had me dat nu gekost? Niets.

Niets, omdat ik geen woord had hoeven te zeggen... Maar goed... Zo stel ik me het voor, die gemiste scène: probaat en zwijgend. Omdat woorden, goeie god, woorden... Daarmee heb ik nooit goed om kunnen gaan. Die wapenrusting heb ik nooit meegekregen...

Nooit.

En nu ik me naar haar toe draai, daar, voor de hekken van de École de médecine, en ik haar harde, gespannen gezicht zie, bijna lelijk vanwege één enkel vraagje, ik die er nooit een stel, ik denk bij mezelf dat ik weer eens beter mijn bek had kunnen houden.

Ze liep voor me, met grote stappen, hoofd naar beneden.

'Enulliedenkbeervoorstaat?' hoorde ik haar brabbelen.

'Wat zeg je?'

'En jullie? Denk je dat het er beter mee voorstaat?'

Was woedend.

'Denk jij dat het er beter voorstaat, met jullie? Nou? Denk je dat het er beter voorstaat? Jullie zijn zeker niet voorspelbaar, jullie?'

'Wie bedoel je?'

'Wie, wie... Jullie dus! Jullie! Mama en jij! Ik, ik vraag je, onder welke statistieken jullie allebei vallen. Die van de wegrottende koppels, die...'

Stilte.

'Hoezo?' waagde ik als een lul.

'Je weet het best...' fluisterde ze.

Ja, ik wist het. En daarom hebben we tot het eind toe niets meer gezegd.

Ik benijdde nu haar oortelefoons, ik had alleen nog met mijn eigen onrust te kampen.

Mijn geloei en mijn helemaal door de motten aangetaste raincoat.

Bij de Rue de Sèvres, tegenover de grote minachtende winkel die me al ontmoedigde, ging ik de kant van een kroeg op.

'Mag ik? Ik heb een koffie nodig vóór de strijd...'

Grijnzend volgde ze me.

Ik brandde mijn lippen terwijl ze weer aan dat ding zat te rommelen.

'Charles?'

'Ja.'

'Wil je me vertellen wat hij nu zingt... Want ik kan wel iets volgen maar niet alles...'

'Geen probleem.'

En opnieuw deelden we het geluid. Voor haar de dolby en voor mij de stereo. Ieder een oor.

Maar de eerste pianoakkoorden verdwenen snel onder het geluid van het espressoapparaat.

'Wacht...'

Voert me mee naar het andere eind van de toog.

'Ben je klaar?'

Ik knikte.

Een andere mannenstem. Warmer.

En ik begon aan mijn simultane vertaling: '*Als jij de richting zou zijn, zou ik naar*... Wacht even... Want het kan de richting zijn *of* de weg, dat hangt van de context af... Wil je poëzie of woord voor woord?'

'O...' kreunde ze en ze zette het geluid uit, 'je gaat er een puinhoop van maken... Ik hoef geen Engelse les, ik wil alleen dat je me vertelt wat hij zegt!'

'Goed,' zei ik ongeduldig, 'laat me er een keer alleen naar luisteren, daarna vertel ik het je.'

Ik pakte haar dingetjes en bedekte mijn oren met mijn handen terwijl ze me zenuwachtig vanuit een ooghoek bekeek.

Ik kreeg een klap. Erger dan ik had verwacht. Meer dan ik had gewenst. Ik... Ik kreeg een klap.

Verrekte liefdesliedjes... Altijd even achterbaks... Binnen vier minuten laten ze ons door de knieën gaan. Verrekte pijlen in onze statistische harten.

Gaf haar de koptelefoon terug en zuchtte.

'Goed hè?'

'Wie is het?'

'Neil Hannon. Een Ierse zanger... Goed, zullen we nu?'

'Doen we.'

'En niet stoppen, hè?'

'*Don't worry sweetie it's gonna be all right,*' kauwde ik als een cowboy.

Ze lachte weer. Goed gedaan, Charly, goed gedaan...

En ik ging verder op mijn weg waar ik die had verlaten, want het ging inderdaad over een weg, geen twijfel aan.

'*Als je de weg was, zou ik je tot het eind volgen... Als je de nacht was, zou ik de hele dag slapen... Als je de dag was, zou ik de hele nacht huilen...*' Ze hing aan mijn lippen om er geen kruimeltje van te missen... '*Omdat je de weg bent, de waarheid en het licht...*

Als je een boom was, zou ik mijn armen om je heen kunnen slaan... en...

jij... jij had dan geen klagen. Als je een boom was... zou ik mijn initialen in je flank kunnen krassen en je zou niet kunnen kreunen want bomen kreunen niet...' (Hier had ik enige vrijheid genomen, 'Cos trees don't cry', oké, goed, Neil, je vergeeft het me wel, hè? Ik ben met een tiener onder druk online.) '*Als je een man was zou ik... zou ik toch van je houden... Als je een drank was, zou ik van je drinken tot ik voldaan was... Als je werd aangevallen, zou ik voor je moorden... Als je naam Jack was, zou ik de mijne voor jou in Jill veranderen... Als je een paard was, zou ik de stront uit je stal vegen zonder ooit te klagen... Als je een paard was, zou ik je vanaf de vroege ochtend kunnen berijden... de hele dag tot de dag zou verdwijnen*' (eh... geen tijd voor verfijningen)... '*Ik zou over je kunnen zingen in mijn liedjes*' (ook niet briljant)... (Ze zat er niet mee en ik voelde haar haren tegen mijn wang.) (En ook haar parfum. Haar Eau Précieuse van jonge tiener met gaten bij de ellebogen.) '*Als je mijn dochtertje was, zou ik moeite hebben je te laten gaan... Als je mijn zus was, zou ik* eh...' find it doubly... oké, dan maar op de bonnefooi, '*zou ik me tweezijdig voelen. Als... als je mijn hond was, zou ik je zo van tafel de restjes voeren*' (sorry) '*Al zou mijn vrouw daarover zeuren... Als je mijn hond was*' (en toen begon hij in crescendo te zingen), '*Ik weet zeker dat je dat liever had en dan zou je mijn trouwe vriend op vier poten zijn en je*' (hij gilde bijna) '*zou niet meer hoeven te denken, en...*' (nou gilde hij regelrecht, maar op een verdrietige manier) '*en we zouden tot het eind bij elkaar blijven.*' (Tot het *eeeeeeeeeeeeeeeeeind* in feite, maar het was wel duidelijk dat hij de zaak niet meer in de hand had... Helemaal niet in de hand had...)

Zwijgend gaf ik haar haar spullen terug en bestelde een tweede kopje koffie waarin ik helemaal geen zin had, om haar tijd voor de aftiteling te gunnen. Tijd om weer aan het licht te wennen en zich een beetje uit te schudden.

'Ik ben gek op dit liedje...' zuchtte ze.

'Waarom?'

'Weet niet. Omdat... Omdat bomen niet kreunen.'

'Ben je verliefd?' vroeg ik, op eieren lopend.

Pruillipje.

'Nee,' bekende ze, 'nee. Wanneer je verliefd bent, hoef je niet naar zulke woorden te luisteren, neem ik aan...'

Na een paar minuten die ik had gebruikt om de prut onder in mijn kopje zorgvuldig los te krabben: 'Om op je verhaal terug te komen...'

Ze richtte haar ogen daarheen, naar mijn vraag van zojuist.
Ik bleef muisstil.
'De tunnel en zo... Nou eh... Ik denk dat... dat we het hierbij zouden moeten laten in feite... Dus dat we niet te uitbundig met elkaar omgaan, snap je?'
'Eh... niet echt nee...'
'Nou... jij kunt op mijn hulp rekenen bij het zoeken van een cadeau voor mama en ik kan op jou rekenen om de liedjes waar ik van hou te vertalen... en... En dat is het.'
'Is dat alles?' verzette ik me kalm. 'Is dat álles wat je me kunt bieden?'
Ze had haar capuchon weer opgezet.
'Ja. Voorlopig wel, ja... Maar eh... in feite is het veel. Het is... yep... het is veel.'
Ik staarde haar aan.
'Waarom lach je zo, als een idioot?'
'Omdat ik,' antwoordde ik, terwijl ik de deur voor haar openhield, 'omdat ik als je mijn hond was je de restjes toe zou kunnen schuiven en jij eindelijk mijn trouwe friend zou zijn.'
'Ha, ha! Heel slim.'
En terwijl we op de stoeprand onbeweeglijk de stroom van auto's afwachtten, tilde ze haar been omhoog en deed of ze tegen mijn broek zou pissen.

Ze was eerlijk tegen me geweest en op de roltrappen besloot ik om dat ook tegen haar te zijn.
'Weet je, Mathilde...'
'Wat?' (Op de toon van *wat nou weer?*)
'We zijn allemaal te koop...'
'Dat weet ik,' antwoordde ze onmiddellijk.
De vastbeslotenheid waarmee ze me net had gevloerd, verbluft me. Ik had het idee dat we in de tijd van Suzanna edelmoediger waren...
Of minder uitgekookt misschien?
Ze ging een tree verder staan.
'Goed, hè, zullen we nu ophouden met die loodzware gesprekken? Oké?'
'Oké.'
'En wat nemen we nu voor mama mee?'
'Wat jij wilt,' antwoordde ik.
Er viel een schaduw.

'Ik heb mijn cadeau al,' zei ze op haar tanden bijtend, 'het gaat nu om jóuw cadeau...'

'Uiteraard, uiteraard,' vrolijkte ik me moeizaam op, 'gun me de tijd om even te zoeken, eens kijken...'

Ging dat dus zo, vandaag de dag veertien zijn? Nuchter genoeg om te weten dat alles een prijs had in deze wereld, en tegelijk naïef en teder genoeg om twee volwassenen tegelijk een hand te willen geven, en tussen hen in te blijven, precies in het midden, zonder te huppelen, maar hen stevig vasthoudend, heel stevig, om hen tegen wil en dank *bij elkaar* te houden.

Het was veel, nietwaar?

Zelfs met mooie liedjes moet het wel zwaar zijn geweest...

Hoe was ik op haar leeftijd? Volstrekt onvolwassen, neem ik aan...

Toen ik de bovenverdieping bereikte, struikelde ik. Ach... totaal niet belangrijk. Totaal niet interessant. Totaal niet.

Ik kan me sowieso niks herinneren.

Kom, moppie, ik ben het al zat, besefte ik, terwijl ik me aan de trapleuning vasthield. Uitzoeken, inpakken en wegwezen.

Een handtas. Nog een... De vijftiende, denk ik...

'Als het artikel haar niet bevalt, kan mevrouw het altijd komen ruilen,' slijmde de verkoopster.

Ik weet het, ik weet het. Dank u. Mevrouw ruilt vaak. En daarom doe ik geen moeite meer, weet u...

Maar ik hield mijn mond en betaalde gewoon. Ik betaalde.

Nauwelijks waren we de winkel uit of Mathilde was hem alweer gesmeerd en ik bleef als een lul achter, voor een krantenkiosk, de koppen lezend zonder ze te snappen.

Had ik honger? Nee. Had ik zin om te wandelen? Nee. Was het niet beter geweest te gaan slapen? Ja. Maar nee. Ik zou niet meer opstaan.

Zou ik... Een vent duwde me opzij om een tijdschrift te pakken en ik verontschuldigde me.

Alleen en fantasieloos, misplaatst in het gekrioel, stak ik mijn arm uit naar een taxichauffeur en gaf hem het adres van mijn kantoor.

Ik ging terug om te werken, omdat dat het enige was wat ik wist te bedenken. Kijken wat voor stommiteiten ze hier hadden uitgehaald, terwijl ik weg was om te controleren met welke ze daar bezig waren... Daarop kwam mijn werk ongeveer neer, sinds enkele jaren... Grote scheuren, een belachelijk mes en een hoop plamuur.

De veelbelovende architect was gepromoveerd tot een metselaartje. Hij kitte af in het Engels, tekende niet meer, haalde *miles* binnen zoveel hij wilde en viel in slaap, gewiegd door het zachte gezoem van oorlogen op CNN, op voor hem veel te grote hotelbedden...

Het was bewolkt geworden, ik hield mijn voorhoofd tegen de kou van het raam en vergeleek de kleur van de Seine met die van de Moskova, op mijn schoot hield ik een onbenullig cadeau vast.

Was God hier?

Dat viel moeilijk te zeggen.

2

Ze zijn er, ze zijn er allemaal.

We gaan ze crediteren op volgorde van binnenkomst, dat is het eenvoudigst.

Degene die de deur voor ons opendoet en tegen Mathilde zegt o, wat is ze groot geworden, ze is een vrouw aan het worden, is de man van mijn oudste zus. Ik heb er nog een, maar hij is echt mijn lievelingszwager. Zeg eens, je bent weer wat haren kwijt, jij, heb je deze keer aan de wodka gedacht? voegt hij eraan toe en maakt mijn haar in de war. Hé, wat voer je nou eigenlijk uit bij die Ruskies? De kazatchok dansen of zo?

Heb ik te veel gezegd... Hij is geweldig, niet? Hij is perfect. Oké, goed, we duwen hem een beetje opzij en de kaarsrechte mijnheer die onze jassen aanneemt, net achter hem, dat is mijn papa, Henri Balanda. Hij praat juist weinig. Hij heeft het opgegeven. Hij is me nu aan het verkondigen dat ik post heb, door naar de console links van me te wijzen. Ik kus hem, zonder er lang bij stil te staan. De post die nog bij mijn ouders voor me komt, bestaat altijd uit wissewasjes van maatjes van vroeger. Reünies van jaargenoten, verlengingen voor abonnementen van bladen die ik al twintig jaar niet meer lees en uitnodigingen voor symposia waar ik nooit heen ga.

Prima, antwoord ik hem, terwijl ik al op zoek ben naar de prullenmand, die geen prullenmand is, zal mijn moeder straks fronsend herhalen, ik wijs je er namelijk op dat het een paraplubak is. Een goed gesmeerd scenario inmiddels...

Mijn moeder zien we net op haar rug, aan het eind van de gang, in haar keuken, met haar schort om het vlees barderen.

Kijk, ze draait zich om, ze kust Mathilde en vertelt haar dat ze is gegroeid, je bent nu een jonge vrouw geworden! Ik wacht mijn beurt af en begroet mijn andere zus, niet de vrouw van Serafijn Lampion, die van de lange magere vent die daar zit. Hij is een heel ander iemand. Directeur van een Champion-supermarkt in de provincie, maar hij is goed op de hoogte van alle zorgen en het economische beleid van Bernard

Arnault. Ja, dé Bernard Arnault van de LVMH-groep. Een soort collega van hem, kun je zeggen. Omdat ze een beetje in hetzelfde vak zitten, snapt u en... Ik stop nu. Straks wordt het beter.

Zij, zij heet Edith en we zullen haar ook horen. Ze zal het hebben over het gewicht van de schooltassen en over de ouderavonden, maar echt, zal ze erbij zeggen terwijl ze een tweede stukje taart afslaat, het is ongelooflijk hoe weinig mensen zich tegenwoordig inzetten. Neem nou de oudejaarsbazaar, *wie* heeft me vervangen bij het hengelkraampje, nou? Niemand! Als ook de ouders het erbij laten zitten, wat kunnen we dan van de kids verwachten, vraag ik jullie? Oké, we moeten haar niet te hard aanpakken, tenslotte is haar man de directeur van de Champion, terwijl hij het voorkomen had voor een hypermarkt, dat heeft hij bewezen, en de poel met zaagsel van het Saint Joseph College is voor haar een soort einde van de wereld, dus nee, we kunnen niet boos op haar zijn. Ze vermoeit ons enkel en ze zou af en toe van plaat moeten veranderen. En nu we toch bezig zijn ook van kapsel... Laten we haar volgen naar de woonkamer waar ons het andere gezicht wacht: mijn zus Françoise. De nummer een. De mevrouw Kazatchok voor diegenen die niet volgen of in de keuken gebleven zijn. Zij wel, zij verandert vaak van kapsel, maar ze is nog voorspelbaarder dan haar jongere zus. Er valt verder niks over haar te zeggen, je hoeft alleen haar eerste reactie over te schrijven: 'Charles toch, je ziet er vreselijk uit... En je... je bent dikker geworden, niet?' Kom, de tweede ook maar, anders word ik beschuldigd van partijdigheid: 'Nee, echt! Je bent pafferig geworden sinds de laatste keer, ik verzeker het je! Je bent ook altijd zo smakeloos gekleed...'

Nee, heb geen medelijden met mij, over drie uur zijn ze uit mijn leven vertrokken. Tot de volgende kerst in elk geval, als het een beetje meezit. Ze kunnen tegenwoordig niet meer mijn kamer binnenlopen zonder te kloppen, en als ze gaan klikken, ben ik al ver weg...

En de beste heb ik voor het laatst bewaard. We zien haar niet, maar we horen haar op de bovenverdieping lachen met alle tieners van de familie. Laten we dit leuke gelach maar opsporen, jammer van de cashewnoten...

*

'Nee, ongelooflijk!' vuurt ze op me af, terwijl ze over de hoofdhuid van een van mijn neven wrijft. 'Weet je waarover ze het hebben, die idioten?'

Kusjes in het voorbijgaan.

'Zie ze eens, Charles. Zie eens hoe jong en mooi ze allemaal zijn... Zie die mooie tanden!' (Doet de bovenlip van die arme Hugo omhoog.) 'Hou die mooie jeugd een beetje in de gaten! Al die miljarden kilo's hormonen die alle kanten op spoelen! En... en weet je waarover ze het hebben?'

'Nee,' zei ik, terwijl ik me eindelijk ontspande.

'Over hun giga's, verdomme... Ze zijn met z'n allen op hun muziekdinges aan het klooien om hun aantal giga's te vergelijken... Ontstellend, hè? Als ik bedenk dat ons pensioen door hen moet worden betaald, hou me vast. Wat gaan jullie hierna vergelijken, de abonnementsprijzen van jullie mobieltjes zeker?'

'Is al gebeurd,' grinnikte Mathilde.

'Hé, serieus, jullie maken me verdrietig, schatjes... Op jullie leeftijd moet je aan liefde doodgaan! Gedichten schrijven! De revolutie voorbereiden! De rijke lui plunderen! De rugzakken tevoorschijn halen! Weggaan! De wereld veranderen! Maar giga's, tja... giga's... pff... waarom niet jullie spaarhypotheken als we toch bezig zijn?'

'En jij?' vraagt de argeloze Marion. 'Waarover had jij het met Charles toen je onze leeftijd had?'

Mijn zusje draait zich naar mij toe.

'Nou wij... wij waren al naar bed op deze tijd,' mompelde ik op mijn beurt, 'of we maakten ons huiswerk, nietwaar?'

'Inderdaad. Of misschien hielp je me met mijn opstel over Voltaire?'

'Waarschijnlijk wel. Of we gingen al vooruit werken voor de komende week... En weet je nog, we amuseerden ons met het uit het hoofd opzeggen van meetkundige formules...'

'Echt hoor!' riep hun geliefde tante. 'Of vergel...'

Het kussen dat ze in het gezicht kreeg maakte een eind aan haar zin.

Ze reageerde meteen met gegil. Er ging nog een kussen door de lucht, vervolgens een Converse, meer oorlogskreten, een opgerolde sok, een...

Claire trok aan mijn mouw.

'Oké, kom. Laten we beneden de zaak op stelten zetten, nu we er hier de stemming in hebben gebracht...'

'Dat wordt lastiger...'

'O... Ik hoef alleen maar met die mongool aan te pappen en de spullen van de Casino aan te prijzen en het is geregeld...'

In het trapgat draait ze zich om en zegt ernstig: 'Want bij de Casino krijg je nog plastic tassen! Terwijl je het bij de Champion wel kunt schudden...'

Ze ligt in een deuk.

Zo is ze. Zo is Claire. En dit verzoent ons met de andere twee, nietwaar? Mij heeft het tenminste altijd met hen verzoend...

'Waar waren jullie nou toch mee bezig daarboven,' tobde mijn moeder en ze wreef over haar schort, 'waarom al dat gegil?'

Mijn zus verdedigt zich door haar handpalmen te tonen: 'Hé, dat lag niet aan mij, het lag aan Pythagoras.'

Inmiddels was Laurence aangekomen. Was aan het eind van de bank gaan zitten en moest al aan de grote reorganisatie van de kruiderijafdeling geloven.

Goed, oké, het was haar avond, haar verjaardag en ze had de hele dag gewerkt maar... toch... We hadden elkaar bijna een week niet gezien... Had ze niet naar me toe kunnen komen? Opstaan? Naar me glimlachen? Of misschien gewoon naar me kijken?

Ik schoof achter haar.

'Nee, nee, maar het is een goed idee om de ketchup bij de tomatensauzen te zetten, je hebt gelijk...'

Daartoe inspireerde mijn hand op haar schouder haar.

Enjoy.

Toen we ons naar de eetkamer begaven, werd ik eindelijk meegeteld, zoals ze het op de bovenverdieping noemen: 'Goede reis gehad?'

'Uitstekend. Dank je.'

'En heb je een cadeau meegebracht voor mijn twintigste verjaardag?' koketteerde ze en ze ging aan mijn arm hangen. 'Misschien een juweel van Fabergé?'

Het zit ongetwijfeld in de familie...

'Russische poppen,' gromde ik, 'je weet wel, een mooie vrouw, en hoe meer je je voor haar interesseert des te kleiner ze blijkt te worden...'

'Zeg je dat tegen mij?' schertste ze en liep weg.

Nee. Tegen mezelf.

Schertste ze.

Schertste ze en liep weg.

Door dit soort tussenwerpingen was ik verliefd op haar geworden, jaren geleden, haar voet schoof langs mijn been omhoog terwijl haar man met het bandje van zijn sigaar speelde en me uitlegde wat hij van mijn diensten verwachtte. Dat onschuldige papiertje bewoog heen en weer op een manier die ik... nogal onbezonnen vond...

Ja... Een andere manier was voorspelbaarder geweest, agressiever. Zeg je dat tegen mij? had ze gehoond of geknarst of gespot of gebeten of gebluft of met een blik gedood of wat dan ook dat minder wreed is. Nee, zij niet. Niet de mooie Laurence Vernes...

Het was winter en ik had hen in een deftig restaurant in het VIIIste arrondissement getroffen. 'Om koffie te drinken,' had hij duidelijk gezegd. Nou ja... om koffie te drinken... Ja, ik was leverancier, geen klant.

Een bonbon, hooguit.

Ik had me tenslotte voorgesteld.

Buiten adem, slonzig, omvangrijk. Met mijn helm in de hand en mijn kokers papier onder de arm. Achtervolgd door een even ontstelde als onderdanige ober die geen rust zou hebben eer hij mijn vodden had afgepakt en die zenuwachtig achter me aan kwam. Hij had mijn afschuwelijke jack uit mijn handen getrokken en terwijl hij verdween, inspecteerde hij zijn fletse tapijt. Op sporen van smeerolie, modder, of andere mogelijke viezigheid, neem ik aan.

Het voorval had slechts een paar tellen geduurd maar had me verrukt.

Daar stond ik dus, sluw, sarcastisch, deed mijn lange sjaal af en rilde nog een laatste keer toen mijn blik toevallig de hare kruiste.

Ze dacht, of wist, of wilde dat deze glimlach haar gold, al gold hij een absurde situatie, de domheid van een wereld, de hare, die me tegen mijn zin te eten gaf (in die tijd vond ik dat het komen voorleggen van een offerte aan een vent die een fortuin had verdiend in de leerhandel voor het verbouwen van z'n nieuwe flat 'zonder aan het marmer te zitten' heel smakeloos van me was... Maar de vaste lasten, mijn god, de vaste lasten! Het was of Le Corbusier werd vermoord!) (sindsdien ben ik veranderd. Tijdens de zakelijke etentjes heb ik heel wat riemgaatjes verspeeld en praktische bezwaren tegen de sociale-verzekeringsbank vergaard. Ik heb zo'n last van m'n scherpzinnigheid, ik heb er zo'n last van. Wat het marmer...), tegen mijn zin, zei ik, en zonder me uit te nodigen, me te verzoeken aan een bevlekt tafellaken te gaan zitten dat door een andere ober van de laatste kruimels werd ontdaan.

Mijn boosaardigheid voor een glimlach. Een vergissing dus.

De eerste.

Maar mooi...

Mooi, maar al een beetje doorgestoken kaart, omdat ik jammer genoeg vrij snel door had dat haar zelfvertrouwen, haar steelse blikken, haar vleiende lef meer te danken waren aan de deugden van mijnheer Taittinger dan aan mijn onwaarschijnlijke charmes. Maar goed... Het was wel degelijk haar grote teen die ik voelde, hier, tegen de binnenkant van mijn knie, terwijl ik me probeerde te concentreren op zijn wensen.

Vroeg me om nadere gegevens over hun slaapkamer. 'Iets ruims en tegelijkertijd intiems,' bleef hij herhalen en boog zich over mijn cijfers.

'Nietwaar, schat? Zijn we het eens?'

'Sorry?'

'De kamer!' fluisterde hij in een geïrriteerde rookwalm. 'Toe nou, een beetje opletten...'

Ze was het ermee eens. Alleen verdwaalde haar mooie voetje.

Ik hield met kennis van zaken van haar en zie niet hoe ik vandaag zou mogen klagen omdat zij schertst nu ze wegloopt...

Zíj hield de verbouwing in de gaten. We spraken vaker af en naarmate het werk vorderde werden mijn vooruitzichten vager, haar handgrepen minder krachtig, de draagmuren minder riskant, en de arbeiders steeds lastiger.

Op een avond eiste ze ten slotte, met de smoes dat een parketvloer te donker of te licht was, ze wist het niet meer, dat ik binnen een uur bij haar kwam.

Zo waren we de eersten die deze prachtige slaapkamer inwijdden... Op een schilderszeil, ruim en intiem, tussen de peuken en de potten White-Spirit...

Maar toen ze zich weer zwijgend had aangekleed, zette ze een paar stappen, deed een deur open en meteen weer dicht, kwam naar me terug, streek haar rok glad, en zei simpelweg: 'Ik zal hier nooit wonen.'

Dit keer werd het zonder arrogantie gezegd, zonder bitterheid en zonder agressie. Ze zou hier nooit wonen...

We deden de lichten uit en liepen in het halfdonker de trap af.

'Ik heb een dochtertje, weet u,' vertrouwde ze me tussen twee verdiepingen toe, en terwijl ik op het raam van de conciërge klopte om die de sleutels terug te geven, vulde ze heel zachtjes aan, alleen voor zichzelf: 'Een dochtertje dat beter verdient dan dit, vind ik...'

Ha! De tafelschikking! Dat is altijd het fijnste moment van de avond, dat...

'Dus... Laurence... rechts van me,' verklaart mijn oude papa, 'en dan jij, Guy (arm kind... Afdeling verse producten, winkeldiefstal en zeikpersoneel komen je tegemoet...), jij, Mado, dan Claire, en...'

'Welnee!' windt mijn moeder zich op en ze rukt hem het papiertje uit zijn hand. 'Charles daar, hadden we gezegd, en dan Françoise hier... Ach, welnee, dit klopt niet... We komen nu een man tekort...'

Waar zouden we zijn zonder tafelschikking?

Claire keek me aan. Zij wist dat we een man tekortkwamen... Ik glimlachte naar haar en ze haalde op een kordate manier haar schouders op, om die tederheid van me waar ze niet van hield te verdrijven.

Onze blikken waren toch meer waard...

Zonder langer te wachten trok ze de stoel die voor haar stond weg, vouwde haar servet open en richtte zich tot onze lievelingskruidenier: 'Kom! Kom hier, Guitou van me! Kom naast me zitten en vertel me waar ik met mijn drie vaste klantpunten recht op heb.'

Mijn moeder zuchtte en gaf het op: 'Och... ga maar zitten waar jullie willen...'

Wat een talent, dacht ik.

Wat een talent...

Maar de intelligentie van deze geweldige meid, die het voor elkaar kreeg in twee tellen een tafelschikking te saboteren, een familiebijeenkomst draaglijk te maken, onverschillige kinderen wakker te schudden zonder ze te vernederen, zich bij een vrouw als Laurence geliefd te maken (onnodig te zeggen dat het met de twee anderen nooit heeft geklikt, waar ik trouwens altijd blij om ben geweest...) en te worden gerespecteerd door haar collega's, ze wordt de kleine Vauban genoemd in de gedempte vertrekken van bepaalde uitverkorenen ('Een door Balanda bestreden zaak is een gewonnen zaak, een door Balanda verdedigde zaak is niet te verliezen', las ik eens in een heel serieus stedenbouwkundig tijdschrift), die finesse, dit gezond verstand, dit alles eindigde abrupt in de buurt van het hart.

De man die we die avond misten, en inmiddels al jaren, bestond echt. Alleen moest hij ook bij zijn familie zijn. Bij zijn vrouw ('bij moeders' zoals ze zei met een lachje van een boer die kiespijn heeft) en voor zijn servetring.

Heldhaftig.

Een held op sokken...

Hij had bijna een ruzie tussen ons veroorzaakt, die dikke zak... 'Nee Charles, dat kun je niet zeggen... Hij is niet dik...' Dit soort debiele reacties kreeg ik van haar in de tijd dat ik nog Don Quichot speelde en probeerde tegen woordwindmolens te vechten. Maar sindsdien heb ik het opgegeven, heb ik het opgegeven. Een man, zelfs een slanke man, die zonder te grijnzen en in volle ernst tegen een vrouw als zij kan zeggen: 'Heb geduld, als mijn dochters groot zijn, ga ik weg' is het stro van de oude Rossinante niet eens waard.

Laat hem verrekken.

'Maar waarom blijf je nou bij hem?' heb ik haar op alle manieren voorgehouden.

'Ik weet het niet. Omdat hij me niet wil, neem ik aan...'

Meer weet ze niet voor haar pleidooi te verzinnen. Ja, zij... Die van ons... Ons lichtend baken en de schrik van het Paleis...

Ontmoedigend.

Maar ik heb het opgegeven... Ik werd het beu en uit eerlijkheid, ik kan mijn eigen zaakjes niet eens op orde houden.

Ik heb te weinig mogelijkheden een goede zaakgelastigde te zijn.

En verder krioelt het onder dit verhaal van de vaagheden, van duistere plekken, en dingen waarover je makkelijk uitglijdt, zelfs voor een broer met een zo verwante ziel als ik. Dus hebben we het er niet meer over. En ze zet haar mobieltje uit. En ze haalt haar schouders op. En zo is het leven. En ze lacht. En ze spot met de kampioen van dienst om haar gedachten te verzetten.

De rest hoeft niet verteld. Al te bekend.

Het etentje. Het maal op zaterdagavond bij goed opgevoede mensen waar iedereen zijn partituur onverschrokken speelt. Het huwelijksservies, die lelijke messenleggers in de vorm van een dashond, het glas dat omvalt, de kilo zout die op het tafellaken wordt gestrooid, de debatten over televisiedebatten, de werkweek van vijfendertig uur, Frankrijk dat op de rand van de afgrond staat, de belastingen die we betalen en de flitspaal die we niet in de gaten hadden, de slechterik die zegt dat Arabieren te veel kinderen krijgen en de goeierd die zegt dat je niet mag generaliseren, de vrouw des huizes die om tegenspraak uit te lokken beweert dat het eten te gaar is en de patriarch die tobt over de temperatuur van zijn wijn.

Kom... Ik bespaar u dit allemaal... U kent ze van buiten, die warme en altijd een beetje deprimerende invoegingen die we familie noemen en je er af en toe aan herinneren hoe kort hij is, de afgelegde weg...

Het enige wat mag blijven, is het gelach van de kinderen daar boven, en wie het hardst lacht is uitgerekend Mathilde. En haar gegiechel brengt ons weer terug naar de conciërgewoning aan de Boulevard Beauséjour, terug naar de geheimen van de beeldschone vrouw van mijn opdrachtgever die mijn hart en mijn zinnen had ingepakt in een smerig schilderszeil.

Ik zal nooit weten waaraan dit kleine meisje ontsnapt is en evenmin waarop ze precies recht had, maar ik weet hoezeer ze mijn taak heeft vereenvoudigd... Na die laatste 'werkbijeenkomst' hoorde ik niets meer van haar. Ze kwam niet meer, werd onbereikbaar, erger nog, onwaarschijnlijk, en mijn laatste suggesties gingen in rook op.

Toch was ik door haar geobsedeerd. Door haar geobsedeerd. En omdat ze te mooi voor me was, verzon ik een list.

Ook mijn paard van Troje was van hout. En ik werkte er wéken aan.

Het ging om het laatste werkstuk voor mijn studie, ik had nooit de moed gehad het af te maken. Mijn proefstuk, mijn dagdromen met de lijmpot, mijn steentje onder in de put gegooid...

Hoe minder de hoop werd haar te zien, hoe meer ik het verfijnde. Daagde de beste ambachtslieden van de Faubourg Saint Antoine uit, ijsbeerde langs modelbouwwinkels, benutte zelfs een reis naar Londen om de weg kwijt te raken tussen de katten van een verbazingwekkende oma, *Mrs Lily Lilliput*, die in staat was Buckingham Palace in een vingerhoedje te stoppen, ik liet een klein fortuin bij haar achter. Ze heeft me zelfs, nu ik erover nadenk, een hele batterij koperen taartvormen in de maag gesplitst, niet groter dan lieveheersbeestjes. *An essential in the kitchen, indeed*, beweerde ze terwijl ze de nota opmaakte... *oversized*. En op een dag moest ik me bij de feiten neerleggen: er zat niets anders op, ik moest haar terugvinden.

Ik wist dat ze bij Chanel werkte en trok mijn stoute schoenen aan, ik vervlocht de Letters v van Verovering en Vleselijk, welnee opschepper, eerder van Verlegen en Verliefd, en opende de deur in de Rue Cambon. Te glad geschoren, zelfs hier en daar gesneden, maar met een schone boord en nieuwe veters.

Iemand riep haar, ze deed verbaasd, speelde met de parels van háár halssnoer, was charmant, nonchalant en... Och, wat was het wreed... Maar ik raakte niet van mijn stuk en nodigde haar de volgende zaterdag op kantoor uit.

En toen haar kleintje mijn cadeau had ontdekt, dat wil zeggen háár cadeau, en ik haar had laten zien hoe je de lichtjes aan deed in het mooiste poppenhuis van de wereld, wist ik dat de zaak op de goede weg was.

Maar na de gebruikelijke kreten bleef ze iets te lang op haar knieën zitten...

Eerst was ik verwonderd, daarna verward en zwijgzaam, ik vroeg me al af welke prijs ik zou moeten betalen voor zo veel uren van nauwgezette hoop. Het werd tijd mijn laatste schot af te vuren: 'Kijk,' zei ik, me over haar hals buigend, 'er is daar zelfs marmer...'

Toen glimlachte ze en liet me van haar houden.

'Toen glimlachte ze en ging van me houden' had sterker geklonken, nietwaar? Krachtiger, romantischer. Maar ik heb het niet aangedurfd... Omdat ik het nooit gekund heb, denk ik... En als ik haar nu bekijk, aan de andere kant van de tafel zittend, vrolijk, vriendelijk, zo vergevensgezind, zo *grootmoedig* met mijn familie, en nog steeds zo verleidelijk, nog steeds zo... Nee, ik heb het nooit echt gekund... Na het tapijt van de Bristol en de kunstgrepen van de alcohol was Mathilde misschien het derde misverstand van ons verhaal geweest...

Dit is nieuw voor mij, dit soort duizelingen... Deze introspectie, deze vergeefse vragen over ons tweeën en dit past niet bij me. Te veel op reis geweest misschien? Te veel jetlag, te veel hotelkamerplafonds en nachten zonder rust? Of te veel leugens... Of te veel gezucht... Te veel het dichtklappen van een mobieltje wanneer ik stilletjes opduik, gemaaktheid en grillige buien, of... Te veel niets eigenlijk.

Het was niet de eerste keer dat Laurence me bedroog en tot nu toe had ik er niet te veel veren bij gelaten. Niet dat ik er zo blij mee was, maar zoals ik al heb gezegd, had ik me in het hol van de leeuw gewaagd en het beest in het voorbijgaan gestreeld. Ik had snel door dat het een beetje te hoog voor me gegrepen was. Ze had altijd geweigerd om met me te trouwen, wilde geen kind meer, geen... En dan... ik werkte zo hard en was zo vaak weg, ik ook... Ik zette dus een hoge rug op en hield mijn zelfrespect voor de gek om haar van de wijs te brengen.

Het lukte me trouwens aardig. Ik geloof zelfs dat haar... tussendoortjes vaak een goede brandstof waren voor onze zogenaamde verbondenheid. In ieder geval waren onze kussens er verrukt van.

Ze verleidde, nam hen in de armen, kreeg er genoeg van en kwam naar me terug.

Kwam naar me terug en sprak tegen me in het donker. Schopte de lakens weg, ging een beetje rechtop zitten, streelde mijn rug, mijn schouders, mijn gezicht, lang, langdurig, teder, en eindigde altijd met het fluisteren van zinnen als: 'Jij bent de beste, weet je...' of 'Er is niemand zoals jij...' Ik hield me stil, bewoog niet, probeerde nooit de meanders van haar hand tegen te werken.

Ook al was het mijn huid, in die nachten van terugkeer had ik vaak de indruk dat het haar littekens waren die ze probeerde te verkleinen en te verzachten door ze zachtjes te masseren.

Maar dit ligt achter ons... Tegenwoordig vertrouwt ze haar slaapproblemen aan de homeopathie toe, en zelfs in het donker laat ze me niet meer zien wat onder haar mooie pantser wringt en trilt...

Aan wie ligt het? Aan Mathilde die te groot geworden is en die, net als de Alice uit het verhaal, uit haar huisje is gegroeid en het heeft versplinterd? Die mij niet meer nodig heeft om haar stijgbeugels vast te houden en binnenkort beter Engels zal spreken dan ik...

Aan haar vaders achteloosheid die vroeger zo misdadig leek en in de loop van de jaren haast lachwekkend is geworden? De ironie heeft de plaats ingenomen van de bitterheid en dat is maar goed ook, maar de vergelijking werkt niet zo sterk meer in mijn voordeel. Ook al vergis ik me nooit in de data van de schoolvakanties, ik...

Aan de tijd die haar werk slecht doet? Want indertijd was ik jong, ik was iets jonger dan zij, ik was zelfs haar 'jong ventje'. En ik heb haar ingehaald. En ik ben haar voorbijgegaan, geloof ik.

Op bepaalde dagen voel ik me zo oud.

Zo oud...

Aan dit barbaarse vak waar je altijd moet vechten, overtuigen en nog eens vechten? Waar nooit iets binnen is, waar ik, bijna vijftig, nog de indruk heb die verwilderde student te zijn, verslaafd aan de cafeïne, die tegen iedereen die het horen wil 'ik zit tegen een deadline, ik zit tegen een deadline' raaskalt en over zijn tekeningen struikelt als hij het zoveelste ontwerp voor de zoveelste jury presenteert, met als enige verschil dat het zwaard van Damocles met de jaren scherper is geworden.

Zeker... Het gaat nu niet meer om cijfers of om over te gaan naar de volgende klas, maar om geld. Om veel, veel geld. Om geld, macht en ook megalomanie.

En niet te vergeten om politiek. Nee, niet te vergeten.

Of aan de liefde, misschien? Aan haar...

'En jij, Charles? Wat denk jij ervan?'

'Sorry?'

'Van het Musée des Arts Premiers?'

'O dat! Daar ben ik lang niet geweest... Ik ben een paar keer op het bouwterrein geweest, maar...'

'In ieder geval,' vult mijn zus Françoise aan, 'kun je er beter geen plasje doen... Ik weet niet hoeveel dat geval ons gekost heeft maar ze hebben op de bordjes naar de wc bezuinigd, dat kan ik je wel vertellen!'

Onwillekeurig stelde ik me de kop van Nouvel en zijn team voor als zij er die avond waren geweest...

'Getver... doen ze expres,' neemt haar grapjas van een man over. 'Denk je dat de primitieve mensen zich soms geneerden om de lendendoekjes uit te doen? Een struikje en hop!'

Nee, het was maar beter dat ze er niet bij waren.

'Tweehonderdvijfendertig miljoen,' laat de andere, de niet-grapjas zich ontvallen, en hij klampt zich aan zijn servet vast.

En omdat het gezelschap niet snel genoeg reageerde, zegt hij erbij: 'Ik heb het natuurlijk over euro's. Dat geval, zoals jij het zo goed omschrijft, mijn beste Françoise, zal Franse belastingbetalers de luttele som hebben gekost van... (hij haalt zijn bril tevoorschijn, zijn mobiele telefoon, friemelt eraan, en sluit zijn ogen)... één miljard vijfhonderdveertig miljoen francs.'

'Oude francs?!' verslikt mijn moeder zich.

'Nee hoor...' reageert hij scherp en voldaan, 'nieuwe!'

Hij jubelt. Het werkt deze keer. Ze bijten. Het gezelschap is ondersteboven.

Ik zoek de ogen van Laurence, die me een verdrietig glimlachje terugstuurt. Er zijn van die dingen van me waarvoor ze nog respect heeft. Ik keer terug naar mijn bord.

Het gesprek is weer op gang, met zijn gezond verstand en eerlijke domheid. Enkele jaren geleden ging het over de Opéra Bastille of de nieuwe nationale bibliotheek, tja, het begint weer van voren af aan.

Claire, die naast me zit, buigt zich naar me toe: 'En hoe gaat het in Rusland?'

'De Berezina,' biecht ik met een glimlach op.

'Hou nou op...'

'Ja, ik kan je verzekeren... Ik zit op de dooi te wachten en daarna ga ik de doden tellen...'

'Shit.'

'Ja, *tchort*, zoals ze daar zeggen.'

'Is het vervelend?'

'Pff... voor het kantoor, nee, maar voor mij...'

'Voor jou?'

'Ik weet het niet... Ik ben niet zo'n goede Napoleon... Ik mis zijn... *visie*, geloof ik...'

'Of zijn waanzin...'

'O, dat, dat komt nog wel!'

'Je houdt me voor de gek, nietwaar?' voegt ze bezorgd toe.

'*Da!*' stel ik haar gerust en laat mijn hand tussen twee knopen van m'n overhemd glijden. 'Veertig eeuwen architectuur kunnen wel tegen een stootje!'

'Wanneer moet je terug?'

'Maandag...'

'Nee toch?'

'Ja hoor...'

'Waarom zo snel?'

'Nu het allerlaatste... hou je vast... omdat de hijskranen verdwijnen... 's Nachts, pfuitt, vliegen ze weg.'

'Dat kan niet...'

'Je hebt gelijk... Ze hebben een paar dagen meer nodig om hun wijde vleugels uit te strekken... Vooral omdat ze ook de andere machines meenemen... De laadmachines, de betonmolens, de boormachines... Alles.'

'Meen je dat...'

'Absoluut.'

'En? Wat ga je nu doen?'

'Wat ik ga doen? Goede vraag... In de eerste plaats ga ik een beveiligingsbedrijf inhuren om ons beveiligingsbedrijf in de gaten te houden en als dat ook weer gecorrumpeerd raakt, zal ik...'

'Ja wat?'

'Ik weet het niet... Ik zal de Kozakken erbij halen!'

'Wat een bende...'

'Dat heb je goed gezien...'

'En jij beheert die klotezooi?'

'Geen sprake van. Er valt niets te beheren. Niets. Zal ik je vertellen wat ik doe?'

'Je drinkt!'

'Dat is niet het enige. Ik herlees *Oorlog en vrede*. En dertig jaar later ben ik weer verliefd op Natacha, net als de eerste dag... Dat doe ik dus.'

'Wat een ellende... En sturen ze je geen geweldige meiden voor een beetje ontspanning?'

'Nog niet...'

'Leugenaar...'

'En jij? Wat heb jij voor nieuws van het front?'

'Och, ik...' zucht ze en grijpt naar haar glas, 'ik had deze baan genomen om de planeet te redden en nu ben ik de stront van de mensen onder stukken vloerbedekking van genetisch gemanipuleerd gras aan het verstoppen, maar verder gaat alles goed.'

Ze lacht hard.

'En je zaak met die stuwdam?' vulde ik aan.

'Dat is geregeld. Ze zijn de lul.'

'Zie je wel...'

'Pff...'

'Wat pff? Het is toch prima... Enjoy, jij ook!'

'Charles?'

'Mmm...'

'We zouden partners moeten worden, weet je...'

'Om wat te doen?'

'Een ideale stad...'

'Maar *we leven* in een ideale stad, liefje, dat weet je best...'

'O, maar toch...' zei ze met een pruillip, 'we missen nog een paar zaken van Champion, niet?'

Toen ze dit zei, dling, his master's voice, haakte de ander aan.

'Pardon?'

'Niets, niets... We hadden het over jouw laatste actie met kaviaar...'

'Pardon?'

Claire glimlacht naar hem. Hij haalt zijn schouders op en keert terug naar zijn bekende deun, namelijk: *Waar* blijft ons belastinggeld toch?

O... Wat ben ik ineens moe... Moe, moe, moe, en ik geef zonder iets te nemen het kaasplateau door om een beetje tijd te winnen.

Ik kijk naar mijn vader, altijd zo fijngevoelig, hoffelijk, elegant... Ik kijk naar Laurence en Edith, die elkaar verhalen over psychisch verstijfde docenten en over onhandige werksters vertellen, of misschien wel andersom, ik kijk naar het interieur van deze eetkamer waar de laatste vijftig jaar niets veranderd is, ik kijk naar de...

'Wanneer komen de cadeaus?'

De kinderen zijn van de trap komen rollen. Ik ben hun dankbaar. Mijn bed is niet meer al te ver weg.

'Verwissel de borden en kom bij me in de keuken,' beveelt hun oma.

Mijn zussen staan op om hun pakjes te gaan halen. Mathilde knipoogt naar me en wijst me de tas van onze tas aan. Felix Rockefeller Kletsmajoor sluit zijn grote debat af en veegt zijn mond af: 'We zijn toch op weg naar de afgrond!'

Ziezo. Dat is gezegd. In het algemeen wacht hij tot de koffie, maar nu, prostaatproblemen neem ik aan, heeft hij een kleine voorsprong genomen. Kom... kop dicht nu.

Sorry maar ik ben moe, zei ik.

Françoise komt terug met haar fototoestel, doet de lichten uit, Laurence brengt onopvallend haar kapsel weer in orde en de kinderen steken lucifers aan.

'Er is nog licht in de gang!' roept een stem.

Ik offer me op.

Maar terwijl ik op zoek ben naar de schakelaar, ontdek ik een envelop boven op mijn stapel post.

Een witte lange envelop met een zwart handschrift dat ik ken zonder het te herkennen. Het stempel zegt me niets. De naam van een stad en een postcode die ik op een landkaart niet zou kunnen aanwijzen, maar toch een handschrift dat...

'Charles! Wat voer je uit?' wordt er gemopperd, terwijl de taart al in de weerspiegeling van de ramen trilt.

Ik doe het licht uit en ga naar hen terug.

Maar mijn hoofd is er niet meer bij.

In het licht van de kaarsen kan ik het gezicht van Laurence niet zien. Ik begin niet 'Lang zal ze leven' te zingen. Ik probeer niet eens te klappen. Ik... Ik ben net als die sukkel bij Proust toen hij in zijn koekje beet, alleen is het bij mij precies andersom. Ik trek me al terug. Ik wil niets naar boven laten komen. Ik voel dat een kant van een vergeten wereld zich voor mijn voeten aan het openen is, ik voel de leegte aan de tapijtrand en ik verstar, instinctief op zoek naar de deurpost of een stoelleuning waaraan ik me vast kan grijpen. Omdat ik, inderdaad, dat handschrift ken en er iets niet klopt. Iets in mij verzet zich ertegen. Iets is er al bang voor. Ik denk na. De klinkklank van mijn hersenen verhult het rumoer van buiten. Ik hoor hun kreten niet, ik hoor niet dat ze me vragen het licht weer aan te doen.

'Charl-les!'

Pardon.

Laurence pakt haar cadeaus uit en Claire geeft me de taartschep aan: 'Hé! Wat doe je nou? Ga je staand eten?'

Ik ga zitten, bedien mezelf, stop de dessertle... en ga weer staan.

Omdat de envelop me bezighoudt, open ik hem voorzichtig met een sleutel om hem niet kapot te scheuren. Het vel is in drieën gevouwen. Ik vouw de eerste zijde open, hoor mijn hart kloppen, daarna de tweede zijde, hoor het stoppen.

Drie woorden.

Zonder handtekening. Zonder iets.

Drie woorden.

Tsjak.

Haal de guillotine weer omhoog.

Als ik weer opkijk, kom ik mijn evenbeeld tegen in de spiegel die boven de console hangt. Ik heb zin die figuur door elkaar te schudden, tegen hem te zeggen: Waar dacht je nou dat je mee bezig was om ons met je Proust en al die troep in de mist te hullen...? Terwijl je wist...

Je wist het toch?

Hij kan geen antwoord bedenken.

Hij kijkt me aan en omdat ik niet reageer, mompelt hij uiteindelijk iets. Ik hoor niets, maar zie zijn lippen trillen. Zoiets als: Blijf nou maar, jij, blijf bij haar. Ík ga wel. Ik moet, dat snap je, maar jij, jij blijft. Ik regel het wel.

Hij gaat dus terug naar zijn aardbeientaart. Hoort geluiden, stemmen, gelach, neemt het champagneglas aan dat iemand hem aangeeft en klinkt met een glimlach tegen het andere. De vrouw met wie hij al jaren het leven deelt, loopt de tafel rond en kust iedereen. Zij kust hem ook. Ze zegt: het is heel mooi, dank je. Hij beschermt zich tegen deze tedere opwelling door te bekennen dat Mathilde het heeft uitgekozen en hoort haar hem hevig tegenspreken, alsof hij haar verraden had. Maar hij heeft haar parfum geroken en heeft haar hand gezocht, maar ze is al ver weg en kust iemand anders. Hij steekt zijn glas weer uit. De fles is leeg. Staat op en gaat een tweede halen. Maakt die te snel open. Een geiser van schuim. Schenkt zichzelf in, drinkt zijn glas leeg, begint opnieuw.

'Gaat het?' vraagt zijn buurvrouw.

'...'

'Wat is er? Je ziet helemaal bleek. Het lijkt wel of je een spook bent tegengekomen...'

Hij drinkt.

'Charles...' fluistert Claire.

'Niets. Ik ben kapot...'

Hij drinkt.

Hij scheurt. Splijt. Barst. Wil niet.

Het vernis barst, de scharnieren springen, de moeren laten los.

Hij wil niet. Hij vecht. Hij drinkt.

Zijn oudste zus kijkt hem kwaad aan. Hij toost op haar. Ze dringt aan. Hij zegt haar glimlachend, met een nadruk op elke lettergreep: 'Françoise... Eén keer, *één keertje* in je leven... Zeik niet aan mijn kop...'

Ze kijkt of ze haar fiere ridder van een ezel van een echtgenoot kan vinden om haar te verdedigen, maar hij begrijpt niets van haar verontwaardigde gebaren. Ze stort in. Gelukkig, tadaa... komt er een ander!

Edith neemt hem vriendelijk over met een knik van haar haarband: 'Charlot...'

Hij toost ook op haar en zoekt al naar zijn woorden, maar een hand heeft zich op zijn pols gelegd. Hij draait zich naar de eigenaresse toe. Het is een vaste hand, hij bedaart.

Het rumoer begint opnieuw. De hand is er nog steeds. Hij kijkt naar haar.

Hij vraagt: 'Heb je sigaretten?'

'Huuuum... Je bent vijf jaar geleden gestopt, moet ik je zeggen...'

'Heb je ze?'
Ze schrikt van zijn stem. Ze neemt haar arm terug.

*

Ze leunen allebei met hun ellebogen op de balustrade van het terras, de rug naar het licht en de wereld gekeerd.

Tegenover hen de tuin van hun kindertijd. Dezelfde schommel, dezelfde onberispelijk onderhouden bloemperken, dezelfde brander voor dode bladeren, hetzelfde uitzicht, hetzelfde ontbreken van de horizon.

Claire haalt haar pakje sigaretten uit haar zak en laat het op de steen glijden. Hij probeert het te pakken maar zij laat het niet los: 'Weet je nog hoe zwaar het de eerste maanden was? Weet je nog hoe je hebt afgezien om te stoppen?'

Hij klemt zijn hand over de hare. Hij doet haar nu echt pijn, hij zegt haar: 'Anouk is dood.'

3

Hoe lang duurt dat, een sigaret?

Vijf minuten?

Ze blijven dus vijf minuten zonder iets te zeggen.

Zij gaat als eerste door de knieën en de woorden die ze zegt verpletteren hem. Omdat hij ze al vreesde, omdat...

'Je hebt dus nieuws van Alexis gekregen?'

'Ik wist dat je me dit zou zeggen,' zegt hij met een heel vermoeide stem, 'ik had er mijn hand voor in het vuur gestoken en je kunt je niet voorstellen hoe dat me...'

'Hoe dat je wat?'

'Hoe dat me in de war brengt... Hoe dat me stoort... Hoe kwalijk ik je dat neem, geloof ik... Ik dacht dat je over deze slag een beetje edelmoediger zou zijn... Ik dacht dat je me zou gaan vragen "Waaraan dan?" of "Sinds wanneer?" of... ik weet het niet. Maar niet hij, godverdomme... Nee, niet hij... Niet zo, zonder omwegen... Dat verdient hij niet meer.'

Opnieuw stilte.

'Waaraan is ze gestorven?'

Hij haalt de brief uit zijn binnenzak.

'Hier... En ga me niet vertellen "Het is zijn handschrift", dan vermoord ik je.'

Ook zij vouwt de brief open, doet hem weer dicht, fluistert: 'Ja hoor. Het is wel zijn handschrift...'

Draait naar haar toe.

Zou haar van alles willen zeggen. Tedere dingen, verschrikkelijke dingen, snijdende woorden, heel zachte woorden, domme woorden, woorden van wapenbroeders of woorden van nonnen. Of haar door elkaar schudden, of haar mishandelen, of haar in tweeën splijten, maar het enige wat hij kreunend kan uitbrengen is haar lettergreep: 'Claire...'

En zij, zij, met haar bluf, glimlacht naar hem. Maar hij kent haar goed, dus speelt hij ook open kaart en grijpt haar bij haar elleboog om haar terug te brengen naar de kant.

Ze verzwikt haar enkels in het grind en hij, hij praat helemaal alleen. Hij praat in het donker.

Hij praat voor haar, voor zichzelf, voor de brander of voor de sterren, hij zegt: 'Zo... Het is voorbij.'

Scheurt de brief kapot en gooit hem in de vuilnisbak in de keuken. Wanneer hij zijn voet weer van het pedaal af haalt en het deksel, klak, weer dichtvalt, lijkt het hem dat hij, op tijd, een soort doos van Pandora weer heeft gesloten. En omdat hij voor de gootsteen staat, maakt hij zuchtend zijn gezicht nat.

Keert terug naar de anderen, naar het leven. Voelt zich al beter. Het is voorbij.

*

En het frisse gevoel van een straal koud water op een vermoeid gezicht, hoe lang duurt dat?

Twintig seconden?

We zijn er. Zijn ogen zoeken naar zijn glas, hij drinkt het in één teug leeg en schenkt weer in.

Gaat op de bank zitten. Tegen zijn vriendin aan. Ze trekt aan de onderkant van haar jasje.

'En jij, jij... Wees lief voor me, jij...' waarschuwt hij haar, 'want ik ben al behoorlijk zat, weet je...'

Zij vindt dat helemaal niet leuk, het irriteert haar eerder, het brengt haar van haar stuk. En dat ontnuchtert hem.

Hij buigt zich, legt zijn hand op haar knie en staart haar van onderen af aan: 'Je weet toch dat je op een dag doodgaat, ook jij? Weet je dat, lieveling van me? Dat je kapotgaat, ook jij?'

'Hij heeft echt te veel gedronken!' zegt ze boos, met een geforceerde lach, dan hervat ze zich: 'Sta op alsjeblieft, je doet me pijn.'

Klein leed boven de suikerpot. Mado werpt blikken vol vraagtekens naar haar jongste dochter, die beduidt haar dat ze haar koffie moet blijven drinken of er niets aan de hand is. Roer, mama, roer. Ik zal het je uitleggen. Kazatchok begint een grapje in de leegte en de provincie begint zenuwachtig te worden: 'Goed,' zucht Edith, 'we moeten weg, echt... Bernard, roep je de kinderen alsjeblieft...'

'Goed idee!' doet Charles er een schepje bovenop. 'Laad alles maar in de dikke terreinwagen! Hé, mijn champion. Je hebt een mooie SUV tegenwoordig? Ik heb hem zojuist gezien... Met getint glas, en zo...'

'Charles, alsjeblieft, je bent niet leuk meer...'

'Maar... ik ben nooit leuk geweest, Edith. Dat weet je toch...'

Hij staat op, stelt zich onderaan de trap op en gilt: 'Mathilde! Hondje, zit!'

Nadat hij zich naar de verzameling stomverbaasde juryleden heeft omgedraaid: 'Geen paniek. Dat is een grapje tussen ons...'

Heel pijnlijke stilte, plotseling door hysterisch gekef verstoord.

'Heb ik te veel gezegd...'

Hij keert zich om, houdt zich aan de messing bol vast en vaart tegen de koningin van het feest uit: 'Je dochtertje is op het ogenblik inderdaad lastig, maar zal ik je wat vertellen? Het is het enige mooie dat je me ooit hebt gegeven...'

'Kom. We gaan,' zegt Laurence woedend, 'en geef me de sleutels. Ik laat je in deze staat niet rijden.'

'Goed gesproken!'

Knoopt zijn colbert dicht en buigt het hoofd.

'Welterusten allemaal. Ik ben dood.'

4

'Maar waaraan?' vraagt Mado meteen.

'Meer weet ik niet...' antwoordt Claire, die na de laatste kussen was achtergebleven om hen bij het uitschudden van het tafellaken te helpen.

Haar vader komt, met een stapel vuile borden, ook naar de keuken.

'Wat gebeurt er nu weer in dit gekkenhuis?' zucht hij.

'Onze vroegere buurvrouw is gestorven...'

'Wie is het deze keer? Moeder Verdier?'

'Nee. Anouk.'

O, wat wegen die borden ineens zwaar... Hij zet ze neer en gaat aan het eind van de tafel zitten.

'Maar... wanneer?'

'Dat weten we niet...'

'Heeft ze een ongeluk gehad?'

'Dat weten ze niet, zeggen ze!' herhaalt zijn vrouw geërgerd.

Stilte.

'Ze was toch jong. Ze was...'

'Drieënzestig,' fluistert haar man.

'O... Het is niet te geloven. Niet zij. Zij was... te levendig om ooit dood te gaan...'

'Kanker misschien?' oppert Claire.

'Ja of...'

Met haar ogen wijst haar moeder naar een lege fles.

'Mado...' wijst hij haar met fronsende ogen terecht.

'Wat Mado? Wat Mado? Ze dronk, dat weet je toch!'

'Ze is al zo lang geleden verhuisd... We weten niet hoe ze daarna heeft geleefd...'

'Jij verdedigt haar door dik en dun, hè?'

Wat was ze ineens vals geworden. Claire vermoedde dat ze een paar afleveringen had gemist, maar ze kon zich niet voorstellen dat ze er deze avond nóg mee bezig zouden zijn...

Zij, Charles, en nu haar vader... Mooi potje kegelen...

Och... Wat was dit alles al ver weg... Maar nee, toch niet... Charles die het niet meer ziet zitten en jij, papa... Ik heb jou onder deze lamp nog nooit zo oud gezien... Die...

Anouk... Anouk en Alexis Le Men... Wanneer zullen jullie ons met rust laten? Kijk eens, jullie twee... Het gras is na jullie nooit meer groen geweest...

Had ineens veel zin te gaan huilen. Beet op haar lippen en stond op om het apparaat te vullen.

Kom. Rot nu maar op. Wegwezen.

Je schiet niet op herstellenden.

'Geef me de glazen eens door, mama...'

'Ik kan het niet geloven.'

'Mama... Het is toch zo. Ze is dood.'

'Nee. Niet zij.'

'Hoezo niet zij?'

'Zulk soort mensen gaat nooit dood...'

'Ja hoor! Dat blijkt... Kom, help me even, want daarna moet ik weg...'

Stilte. Gezoem van de vaatwasser.

'Ze was gestoord...'

'Ik ga naar bed,' kondigt haar vader aan.

'Jawel, Henri, ze was gek!'

Hij draait zich om, is het beu: 'Ik heb alleen gezegd dat ik ging slapen, Mado...'

'O, ik weet wel wat je denkt!'

Ze zei even niets, toen keek ze door het raam de verte in naar een schaduw die niet meer bestond en zei met een toonloze stem, zonder zich erom te bekommeren of iemand het hoorde: 'Op een dag, herinner ik me... Het was in het begin... Ik kende haar nauwelijks... ik had haar een plant cadeau gegeven... of een bloem in een pot, ik weet het niet meer... Om haar te bedanken dat ze Charles opgevangen had, geloof ik... Och! Niks bijzonders, hè? Een heel gewone plant die ik vast van de markt had meegebracht... En een paar dagen later, toen ik er niet meer aan dacht, heeft ze aangebeld. Ze was in alle staten en gaf me mijn cadeau terug, duwde het stevig in mijn handen.

"Ja," zei ik ongerust, "is er iets?" "Ik... Ik kan hem niet houden," stotterde ze. "Hij gaat dood..." Ze was lijkbleek. "Maar... waarom zegt u dat? Het gaat heel goed met deze plant!" "Nee, kijk... Er zijn bladeren die helemaal geel geworden zijn, kijk..." Ze trilde. "Kom op," zei ik lachend, “dat is niets bijzonders! U hoeft die bladeren maar weg te halen en alles is in orde!” En toen, ik herinner het me of het gisteren is gebeurd, begon ze te snikken, ze heeft me opzij geduwd om hem voor mijn voeten te zetten.

Ze was niet meer te bedaren.

“Neem me niet kwalijk, neem me niet kwalijk. Maar ik kan het niet,” hikte ze, “ik kan het niet, begrijpt u... Ik heb de kracht niet... Ik heb de kracht niet meer... Voor mensen, ja, voor de allerkleinsten, ja, dan wil ik het wel... En soms helpt het ook niet, ik... ze verdwijnen toch, weet u... Maar nu, nu ik deze plant zie die ook kapot aan het gaan is, ik...” Een ware stortvloed. “Ik kan het niet... En u kunt me dit niet aandoen... Omdat... het is minder belangrijk, begrijpt u... Nou? Het is toch zeker minder belangrijk?”

Ik was bang voor haar. Het is niet eens bij me opgekomen haar een kopje koffie aan te bieden of haar te vragen te gaan zitten. Ik keek hoe ze haar neus in haar mouw snoot met haar uitpuilende ogen en zei bij mezelf: Die vrouw is gestoord. Ze is zo gek als een deur...'

'En toen?' vroeg Claire ongerust.

'Daarmee was het uit. Wat had je gewild dat ik deed? Ik heb mijn plant teruggenomen en bij de andere in de woonkamer gezet, en waarschijnlijk jaren gehouden!'

Claire worstelde met de vuilniszak.

'Wat had jij in mijn plaats gedaan?'

'Ik weet het niet...' fluisterde ze.

De brief... Twijfelde een halve seconde, gooide toen de restjes van de borden, de stukjes vet en het koffiedrab boven op wat haar van Alexis restte. De inkt droop. Maakte de zak met al haar kracht dicht, het touwtje brak. Godverdomme, kreunde ze en smeet hem in de bijkeuken. En godverdomme.

'Maar... Je herinnert je haar toch wel?' drong haar moeder aan.

'Natuurlijk wel... Kom, ga even opzij zodat ik het met de spons af kan nemen...'

'En je hebt nooit gedacht dat ze gek was?' zei ze en legde haar hand op de hare om haar even tegen te houden.

Claire kwam overeind, blies opzij om de haarlok die in haar ogen kriebelde te verjagen en doorstond haar blik. De blik van deze vrouw die haar zo vaak de les had gelezen met haar principes, haar moraal, en al haar goede manieren: 'Nee.'

En terwijl ze zich weer op de strepen in het hout concentreerde: 'Nee. Dat heb ik echt nooit gedacht...'

'O,' zei de ander een beetje teleurgesteld.

'Ik heb altijd gedacht dat...'

'Dat wat?'

'Dat ze mooi was.'

Rimpels van ergernis: 'Natuurlijk was ze knap, maar daarover heb ik het niet hoor, ik heb het over háár, haar gedrag...'

Ik heb het best begrepen, dacht Claire.

Spoelde de spons uit, droogde haar handen af, en voelde zich plotseling oud. Of misschien weer kind maar dan een nakomertje.

Wat op hetzelfde neerkwam.

Gaf een kus op dit verslagen voorhoofd en ging weg, op zoek naar haar jas.

Wierp vanuit de gang een welterusten papa. Hij was, dat wist ze, binnen gehoorsafstand gebleven, en ze trok de deur achter haar dicht.

Eenmaal in haar auto zette ze haar mobieltje aan, geen berichten natuurlijk, deed de stadslichten aan, wierp een blik in de achteruitspiegel om weg te rijden en merkte dat haar onderlip twee keer zo dik was geworden. En dat ze bloedde.

Stommeling, schold ze zichzelf uit, terwijl ze op de plek bleef bijten waar het zo lekker was pijn te hebben. Arme toga. In staat om miljoenen kubieke meters water in bedwang te houden door tegen een reusachtige stuwdam aan te leunen, maar niet in staat om drie tranen in te dammen en binnenkort meegesleept, verdronken, in een belachelijk verdriet.

Ga naar bed.

5

Ze was bij hem in de badkamer gekomen.

'De balie van Air France heeft een bericht achtergelaten. Ze hebben je koffer...'

Hij mompelt drie woorden terwijl hij zijn mond spoelt. Ze vult aan: 'Wist je het?'

'Sorry?'

'Dat je hem op de luchthaven hebt laten staan?'

Hij beaamt en hun spiegelbeeld ontmoedigt haar. Draait zich om om de knoopjes van haar blouse los te maken.

Ze gaat door: 'Mogen we weten waarom?'

'Hij was te zwaar...'

Stilte.

'En dus je... heb je hem laten staan?'

'Dit is toch een nieuwe bh, niet?'

'Mogen we weten wat er aan de hand is?'

Het tafereel speelde zich in de spiegel af. Twee bovenlijven. Slechte poppenkast. Hebben zichzelf lang aangestaard, van heel dichtbij, maar zonder elkaar aan te kijken.

'Mogen we weten wat er aan de hand is?' heeft ze herhaald.

'Ik ben moe.'

'En omdat je moe bent, heb je me maar voor iedereen vernederd?'

'...'

'Waarom heb je dat gezegd, Charles?'

'...'

'Wat Mathilde betreft...'

'Wat is het? Is het zijde?'

Ze stond op het punt om... en nee. Verliet het vertrek en deed het licht uit.

Ze is weer opgestaan toen hij tegen de fauteuil ging leunen om zijn schoenen uit te trekken en dat was een opluchting. Als ze in slaap had kunnen vallen zonder haar make-up af te doen, was dat een teken geweest dat de toestand echt ernstig was. Maar zo ver was het nog niet met haar.

Zo ver zou het nooit komen. De zondvloed misschien, maar eerst de oogschaduw eraf. De aarde beeft maar we brengen vocht in.

We brengen vocht in.

Ging op de rand van het bed zitten en voelde zich dik.

Eerder zwaar. Zwaar.

Anouk... ging hij zuchtend liggen. Anouk...

Wat zou ze vandaag van hem hebben gevonden? Wat zou ze van hem hebben herkend? En dat departement, daar... Welk departement was het ook alweer? Wat deed Alexis zo ver weg? En waarom had hij hem geen echte rouwbrief gestuurd? Een envelop met een grijs randje. En een preciezere datum. Een plaats. Namen van mensen. Waarom? Wat was dit? Straf? Wreedheid? Een simpele mededeling, mijn moeder is dood, of een ultieme fluim, en je zou er nooit iets van hebben geweten als ik niet de immense goedheid had gehad een paar eurocenten uit te geven om je op de hoogte te stellen...

Wie was hij tegenwoordig? En sinds wanneer was ze dood? Hij had niet de tegenwoordigheid van geest gehad naar de datum van het stempel te kijken. Hoe lang had deze brief bij zijn ouders op hem liggen wachten? Hoe ver waren de maden? Wat was er van haar over? Had hij haar organen gedoneerd zoals zij hem zo vaak had laten beloven?

Zweer het, zei ze. Zweer het op mijn hart.

En hij zwoer.

Anouk... Vergeef me. Ik... Wie heeft je uiteindelijk om zeep geholpen? En waarom heb je niet op me gewacht? Waarom ben ik nooit meer teruggegaan? Ja. Ik weet waarom. Anouk, jij... Het gezucht van Laurence maakte opeens een eind aan zijn ijlen. Vaarwel.

'Wat zeg je?'

'Niks, sorry... Ik...'

Stak zijn hand naar haar uit, vond haar heup en legde hem erop. Ze hield haar adem in.

'Sorry.'

'Jullie zijn te hard voor mij,' fluisterde ze.

'...'

'Mathilde en jij... Jullie zijn... Ik heb het idee dat ik met twee tieners leef... Ik word moe van jullie. Jullie slopen me, Charles... Wat ben ik vandaag de dag voor jullie geworden? Degene die haar portemonnee openhoudt? Haar leven? Haar lakens? Wat? Ik trek het niet meer zo... Ik... Begrijp je me?'

'...'

'Hoor je wat ik zeg?'

'...'

'Slaap je?'

'Nee. Ik vraag je me te vergeven... Ik had te veel op en...'

'En wat?'

Wat kon hij haar zeggen? Wat zou ze ervan begrijpen? Waarom had hij het er nooit met haar over gehad? Wat had hij trouwens te vertellen? Wat was er van al die jaren overgebleven? Niets. Een brief.

Een anonieme brief, kapotgescheurd onder in een vuilnisbak in het huis van zijn ouders...

'Ik had net gehoord dat er iemand dood was.'

'Wie?'

'De moeder van een jeugdvriend...'

'Van Pierre?'

'Nee. Een andere. Eentje die je niet kent. We... we zijn niet meer bevriend...'

Ze zuchtte. Ze gaf niet om de schoolfoto's, de boterhammen, de talentenjacht. Nostalgie, ze walgde ervan.

'En je bent ineens een klootzak geworden vanwege de dood van de moeder van een vent die je al veertig jaar niet meer hebt gezien, zit het zo?'

Zo zat het precies. Wat een geniale gave had ze toch om altijd alles samen te kunnen vatten, vouwen, etiketteren, opruimen en vergeten. En hoe hij van die eigenschap van haar had gehouden... Haar gezond verstand, haar vitaliteit, dat vermogen om alles omver te schoppen om de dingen beter aan te zien komen. Hoe hij zich daaraan al die jaren had vastgehouden. Hoe... gemakkelijk het was... En heilzaam, waarschijnlijk.

Dus klampte hij zich er weer aan vast. Aan haar pit, aan het krediet dat hij bij haar had, om zijn hand te bewegen en die langs haar dij te laten glijden.

Draai je om, smeekte hij in stilte. Draai je om. Help me.

Ze bewoog niet.

Hij bracht zijn kussen dichter bij het hare en nestelde zich in haar nek. Zijn hand ging door met het oprollen van haar nachtjapon.

Laat je gaan, Laurence. Laat iets merken, ik smeek het je.

'En wat had die dame voor speciaals,' plaagde ze, 'bakte ze lekkere taarten?'

Liet de zijden plooien los.

'Nee.'

'Had ze grote borsten? Nam ze je op schoot?'

'Nee.'

'Zij...'

'Ssst...' onderbrak hij haar en schoof haar haren weg. 'Stil, hou op. Niets. Het is niets. Ze is dood, meer niet.'

Laurence draaide zich om. Hij werd teder, hij werd attent, zij hield daarvan en het was vreselijk.

'Mmmmm... begrafenissen doen je goed,' kreunde ze ten slotte en trok het dekbed omhoog.

Deze woorden maakten hem van streek en een halve seconde wist hij zeker dat... maar nee, niets. Beet op zijn tanden en verjoeg deze gedachte voor die zelfs te overwegen.

Stop.

Ze viel in slaap. Hij stond weer op.

*

Terwijl hij zijn computer uit de tas haalde, zag hij dat Claire hem meerdere keren had geprobeerd te bellen. Grijnsde.

Zette koffie voor zichzelf en ging in de keuken zitten.

Na een aantal klikken lokaliseerde hij het. Duizeling.

Tien cijfers.

Slechts tien cijfers scheidden hen, terwijl hij zo veel wrangheid, en dagen, en nachten had gebruikt om de kloof groter te maken.

Wat was het leven grappig... tien cijfers voor een kiestoon. En opnemen.

Of ophangen.

En net als zijn zus was hij grof tegen zichzelf. Op zijn scherm waren de details te zien van de route die hem erheen zou kunnen brengen. Het aantal kilometers, de afritten van de snelweg, de toltarieven en de naam van een dorp.

Zogenaamd vanwege die rillingen ging hij zijn colbert halen en zogenaamd omdat hij dat over zijn schouders hing, pakte hij zijn agenda. Zocht naar de nutteloze bladzijden, die van de maand augustus bijvoorbeeld, en noteerde in grote lijnen die onwaarschijnlijke tocht.

Ja… In augustus misschien? Misschien… Hij zou wel zien…

Noteerde zijn gegevens op dezelfde manier: als een slaapwandelaar. Misschien zou hij hem een woordje schrijven, op een avond… Of drie?

Net als hij.

Om te kijken of de guillotine nog steeds werkte…

Maar zou hij daarvoor de moed hebben? Of zin? Of de zwakheid? Hoopte van niet.

Sloeg zijn agenda weer dicht.

Zijn mobieltje ging weer over. Weigerde de oproep, stond op, spoelde zijn kopje om, kwam terug, zag dat ze een boodschap voor hem had achtergelaten, twijfelde, zuchtte, zwichtte, luisterde ernaar, kreunde, tierde, ging tekeer, vervloekte haar, stortte zich in het duister, pakte zijn colbert en ging op de bank liggen.

'Over drie maanden zou hij negentien zijn geworden.'

En het ergste was dat ze deze woorden heel kalm had uitgesproken. Ja, kalm. Zomaar, midden in de nacht en na de piep.

Hoe kon je zoiets aan een apparaat vertellen?

Dit bedenken?

Daar plezier in hebben?

Kreeg een woedeaanval. Ho, hé, wat was dit voor melodramatisch gezeik?

Stekker eruit, oma, stekker eruit.

Hij belde haar terug om haar uit te kafferen.

Ze nam op. Je bent belachelijk. Ik weet het, antwoordde ze.

'Ik weet het.'

En de zachtheid van haar stem maaide het gras voor zijn voeten weg.

'Alles wat je me gaat vertellen, Charles, weet ik al lang… Je hoeft me niet eens door elkaar te schudden of me in mijn gezicht uit te lachen, ik kan het helemaal zelf af. Maar met wie kan ik hier anders over praten? Als ik een goede vriendin had, zou ik die wakker maken, maar… jij bent mijn beste vriendin…'

'Je hebt me niet wakker gemaakt...'

Stilte.

'Zeg iets tegen me,' fluisterde ze.

'Het ligt aan de nacht,' ging hij verder en hij schraapte zijn keel. 'De angst van de nacht... Daar had ze mooie verhalen over, weet je niet meer? Hoe de mensen flipten, het spoor bijster waren en in hun glas water verdronken terwijl ze haar hand vasthielden... Morgen zal het beter gaan. Je moet nu gaan slapen.'

Lange stilte.

'Jij...'

'Ik...'

'Weet je nog wat je me die dag hebt gezegd? In dat rotcafé tegenover de kliniek?'

'...'

'Je hebt me gezegd: "Je zult andere kinderen krijgen..."'

'Claire...'

'Neem me niet kwalijk. Ik ga ophangen.'

Hij ging rechtop zitten.

'Nee! Dat zou te simpel zijn! Zo gemakkelijk laat ik je er niet van afkomen... Denk goed na. Denk eens een keer aan jezelf. Nee, dat kun je niet... Zie jezelf dan als een heel ingewikkeld dossier. Kijk me in de ogen en zeg het recht in mijn gezicht: Je hebt spijt van die... die beslissing? Je hebt er echt spijt van? Wees eerlijk, edelachtbare...'

'Ik word eenen...'

'Mond houden. Het maakt me geen zak uit. Ik wil alleen dat je "ja" of "nee" zegt.'

'...veertig,' ging ze door, 'ik ben stapelverliefd geweest op een vent en daarna heb ik gewerkt om hem te vergeten en ik heb zo hard gewerkt dat ik mezelf onderweg ben kwijtgeraakt.'

Ze grinnikte.

'Het is klote, hè?'

'Die vent deugde niet...'

'...'

'De enige keer dat hij zich netjes tegen je gedragen heeft, was toen hij jou heeft gezegd dat hij geen zin had in die zwangerschap...'

'...'

'En ik zeg bewust zwangerschap, Claire, om niet... Omdat het niets was. Niets. Alleen maar...'

'Hou op,' kapte ze hem af, 'je weet niet waarover je het hebt.'

'Jij ook niet.'
Ze hing op.
Hij gaf niet op.
Kreeg haar voicemail. Belde haar weer op haar vaste lijn. Na negen keer rinkelen gaf ze toe.
Ze was omgezwaaid. Haar stem was vrolijk. Een beroepstruc waarschijnlijk. Een list om haar pleidooi te redden.
'Jaaa, sos Pathos, halloo... Lieve Lita hier...'
Glimlacht in het donker.
Hij hield van die meid.
'We zijn niet in vorm, hè?' begon ze opnieuw.
'Nee...'
'Destijds zouden we met je studievriendjes naar het buurtcafé zijn gegaan en we zouden zoveel hebben gedronken dat we niet in staat waren geweest om al deze onzin uit te kramen... En daarna... weet je? Zouden we *goed* hebben geslapen... Goed, goed geslapen... Minstens tot twaalf uur...'
'Of tot twee uur...'
'Je hebt gelijk. Twee uur, kwart over twee... En daarna zouden we honger hebben gekregen...'
'En er zou niets te eten zijn geweest...'
'Yep... en het ergste was dat er in die tijd niet eens een Champion was...' zuchtte ze.
Ik kon me haar in haar kamer voorstellen met die scheve glimlach, haar stapels dossiers aan het voeteneind van haar bed, haar in een bodempje kruidenthee verdronken peuken en die afschuwelijke pluizige nachtjapon die ze haar oudevrijstersnegligé noemde. Ik hoorde haar trouwens haar neus erin snuiten...
'Het is maar geraaskal, nietwaar?'
'Niets dan geraaskal,' bevestigde ik.
'Waarom ben ik zo lomp?' smeekte ze.
'Aan de genetica te wijten, neem ik aan... Jouw zussen hebben alle intelligentie ingepikt...'
Ik hoorde de kuiltjes in haar wang.
'Kom... Ik laat je met rust,' besloot ze, 'maar jij, lieve Charles, moet ook goed op jezelf passen...'
'Ach ik...' cijferde ik me met een vermoeid gebaar weg.
'Ja, jij. Jij die nooit iets zegt. Jij die nooit je hart uitstort en jezelf voor prins Andrej houdt als je op de Caterpillar jaagt...'

'Wat mooi gezegd...'

'Bah!... Het is uiteindelijk mijn vak, weet je. Kom... Welterusten...'

'Wacht... Nog één ding...'

'Ja?'

'Ik weet niet zeker of ik het wel leuk vind om je beste vriendin te zijn, maar goed, laten we aannemen dat het zo is. Ik ga jou dus ook aanspreken als mijn allerbeste, allerbeste vriendin, oké?'

'...'

'Ga bij hem weg, Claire. Ga bij die man weg.'

'...'

'Het ligt niet aan je leeftijd. Het ligt niet aan Alexis. Het ligt niet aan het verleden. Het ligt aan hem. Híj doet je pijn. Op een dag, herinner ik me, hadden we het over jouw werk en toen heb je me gezegd: "Het is onmogelijk om recht te spreken, omdat recht niet bestaat. Maar onrecht wel degelijk. Het onrecht is makkelijk te bestrijden omdat het je zonder meer bespringt en dan wordt alles glashelder." Nou, het is wel duidelijk... Ik geef niets om die vent, wat hij is of wat hij voorstelt, maar ik weet wel dat hij, op zichzelf, iets *onrechtvaardigs* in jouw leven is. Schop hem de bak in.'

'...'

'Ben je er nog?'

'Je hebt gelijk. Ik ga een dieet volgen, en dan ga ik stoppen met roken, en daarna ga ik hem opruimen.'

'Precies!'

'Makkie.'

'Kom, ga slapen en droom van een leuke jongen...'

'Met een mooie SUV...' zuchtte ze.

'Een gigaaaantische.'

'En een flatscreen...'

'Uiteraard. Kom... Kusje.'

'Ik... ookgl...'

'Potd, je bent lastig... Ik hoor je weer huilen...'

'Yep, maar het gaat weer,' snoof ze. 'Het gaat. Het zijn goeie dikke tranen die rollen en 't is jouw schuld, stommeling.'

En ze hing weer op.

Hij greep naar een kussen en rolde zich in zijn colbert op.

Einde van het zaterdagavonddrama.

*

Als Charles Balanda, een meter tachtig, achtenzeventig kilo, op blote voeten, broek los en ceintuur los, zijn armen onder zijn borst had gevouwen en met zijn neus weggezonken in dat oude blauwe kussen eindelijk in slaap was gevallen, was het verhaal afgelopen geweest.

Hij was onze hoofdfiguur. Hij zou over een paar maanden zevenenveertig worden, hij heeft zo weinig beleefd. Zo weinig... Had daar niet zo'n talent voor. Moet zichzelf voorhouden dat het beste achter de rug is en maakt zich er nauwelijks druk over. Het beste, zegt u? Van wat? En voor w... Nee, het doet er niet toe, hij is te moe. We komen woorden tekort, hij en ik. Zijn koffer is te zwaar en ik heb niet zo'n zin die voor hem te dragen. Ik begrijp het.

Ik begrijp het.

Maar.

Er is nog dat kleine stukje uit die zin, daar... Dat hem achterhaalt en een spons vol water op zijn gezicht drukt terwijl hij halfdood in z'n hoek ligt.

Dood en al verslagen.

Verslagen en volkomen onverschillig. De winst was te klein, de handschoen te strak, het leven te voorspelbaar.

'Over drie maanden.'

Dat heeft ze toch gezegd?

Die drie woorden vindt hij erger dan al het andere. Zou ze vanaf het begin zo hebben geteld? Vanaf de eerste dag nadat haar laatste menstruatie voorbij was? Nee... Dat kon niet...

En door al die gedachtepuntjes, die ellendige berekeningen, die weken, die maanden en die jaren in een dal, wordt hij gedwongen zich om te draaien.

Hij stikte toch al.

Zijn ogen zijn wijd open. Omdat ze over drie maanden heeft gezegd, denkt hij: in april dus... En de machine begint weer en hij telt de leegte nog eens op zijn vingers na.

Dus juli, dus september, omdat het al twee maanden geleden al. Ja, dat is het... Hij herinnert het zich nu...

Het eind van de zomer... Hij had net zijn stage bij Valmer afgemaakt en zou naar Griekenland vliegen. Het was de laatste avond, ze vierden zijn vertrek. Ze was toevallig langsgekomen.

Het komt goed uit, had hij blij gezegd, kom hier, kom, dan stel ik je voor en, had toen hij zich had omgedraaid om haar bij de schouders te pakken, begrepen dat ze...

Ja. Hij herinnert het zich. En omdat hij het zich herinnert, is hij verpletterd. Dit *ondraaglijke* bericht, het was de valstrik die uit een heel slecht opgerolde knot stak en toen hij zijn hand opendeed om in het duister negen maanden, twintig jaar dus, open te vouwen heeft hij eraan getrokken.

Jammer. Jammer voor hem. Hij zal niet in slaap vallen. Het verhaal is nooit af. En hij is nog zo eerlijk om te bekennen dat die drie maanden maar een voorwendsel waren. Als ze dit niet had gezegd, zou hij iets anders hebben gevonden. Het verhaal is nooit af. De bel is net gaan luiden en je moet weer opstaan.

Weer in de ring gaan staan om de klappen op te vangen.

Anouk is dood en Claire was die avond niet toevallig gekomen.

6

Hij was haar gevolgd op straat. Het was een mooie avond, zacht, warm, rekbaar. Het asfalt rook lekker naar Parijs en de terrassen zaten propvol. Vroeg zich herhaaldelijk af of ze geen honger had, maar ze liep voor hem uit, de hele tijd, en steeds, steeds verder.

'Goed,' wond hij zich op, '*ik* heb honger en ik ben het beu. Ik stop hier.'

Ze keerde zich om, haalde een papier uit haar tas en legde het op zijn menukaart.

'Morgen. Om vijf uur.'

Het was een adres in een buitenwijk. Een volkomen onwaarschijnlijke plaats.

'Om vijf uur zit ik in een vliegtuig,' glimlachte hij naar haar.

Maar niet lang.

Hoe kon je glimlachen naar zo'n gezicht?

*

En dubbelgevouwen was ze het café binnengelopen. Of ze wat ze zojuist had verloren nog tegen wilde houden. Hij was opgestaan, had haar bij haar hals gegrepen en haar laten uithuilen. Achter haar wierp de kroegbaas hem ongeruste blikken toe die hij, voor zover hij kon, met zijn andere hand beantwoordde, terwijl hij de lucht om hen heen samenperste. Later had hij een flinke fooi achtergelaten, wegens de veroorzaakte overlast, en had hij haar meegenomen naar zee.

Het was stom, maar wat kon hij anders?

Hij had zojuist de wc-deur dichtgedaan en een trui aangetrokken, voor hij zich weer op de bank zou storten.

Wat kon hij anders?

Ze maakten lange wandelingen, dronken veel, rookten allerlei grappige kruiden en gingen soms zelfs dansen. Maar deden het grootste deel van de tijd niets.

Bleven zitten en keken naar het licht. Charles tekende wat, dagdroomde, ging afdingen in de haven en maakte hun eten klaar, terwijl zijn zus eindeloos de eerste pagina van haar boek las voordat ze haar ogen sloot.

Toch sliep ze nooit. Als hij haar de minste vraag had gesteld, zou ze hem hebben gehoord en hem hebben geantwoord.

Maar stelde er geen.

Ze hadden samen op school gezeten, hadden bijna drie jaar lang dezelfde minuscule flat gedeeld en kenden Alexis al eeuwen. Niets kon hen tegenhouden.

Er was geen enkele schaduw op dit steile terras.

Geen enkele.

De laatste avond gingen ze naar het restaurant en bij de tweede fles retsina voelde hij aan haar pols: 'Red je het wel?'

'Ja.'

'Echt?'

Ze schudde haar hoofd van boven naar beneden.

'Wil je weer thuis komen wonen?'

Van links naar rechts.

'Waar ga je heen?'

'Naar een vriendin... Een meisje van de universiteit...'

'Goed...'

Hij had net zijn stoel verzet om samen met haar naar wat er op straat gebeurde te kunnen kijken.

'Je hebt in ieder geval nog steeds de sleutels...'

'En jij?'

'Ik, wat?'

'Je hebt het met mij nooit over je liefdesverhalen...' Ze grijnsde: 'Nou ja... over de liefde... je verhalen en zo...'

'Er is niets spannends, denk ik...'

'En die meetkundige van je?'

'Is andere plannen gaan tekenen...'

Ze glimlachte.

Haar gezicht leek hem uitermate bros, al was het gebruind. Hij schonk de glazen weer in en dwong haar om op betere dagen te klinken.

Na een lange stilte probeerde ze een sigaretje te draaien.

'Charles?'

'Hier ben ik.'

'Je gaat toch niets zeggen?'

'Wat wil je dat ik zeg?' grinnikte hij. 'Moet ik het over eergevoel hebben?'

Het vloeitje was gescheurd. Hij nam het pakje uit haar handen, vulde zorgvuldig het papieren gleufje en bracht het naar zijn mond om het dicht te likken.

'Ik doelde op Anouk...'

Verstijfde.

'Nee,' zei hij en spuugde een plukje tabak uit, 'nee. Natuurlijk niet.'

Gaf haar de sigaret aan en schoof een beetje naar de zee toe.

'Heb... heb je nog contact met haar?'

'Zelden.'

Zijn bril was weer op zijn neus gevallen. Ze drong niet aan.

*

Het regende in Parijs. Deelden een taxi en gingen bij de Gobelins uit elkaar.

'Dank je,' fluisterde ze in zijn oor. 'Het is voorbij, ik beloof het je. Het komt weer goed...'

Hij keek hoe ze de metrotrap af holde.

Moet het gevoeld hebben want ze draaide zich halverwege om en met een knipoog maakte ze met duim en wijsvinger de O van de duikers.

Dit kleine gebaar dat opbeurt en verzekert dat alles goed komt.

Hij had haar geloofd en was met een verlicht hart vertrokken.

Was jong en naïef toen... Geloofde in tekens...

Het was gisteren en over een paar weken negentien jaar geleden.

Ze had hem flink voor de gek gehouden.

7

Hij was ingedut en toen hij weer bijkwam, zat Snoopy stil naar hem te staren. Het was de Snoopy van vroeger, rond gezicht, door de slaap opgeblazen en hij wreef met zijn voorpootje aan z'n oor.

De dageraad tikte op het raam en hij vroeg zich even af of hij nog steeds aan het dromen was. De muren waren zo roze...

'Heb je híer geslapen?' vroeg ze treurig.

Mijn god, nee. Zo was het leven. Nieuwe *round.*

'Hoe laat is het?' geeuwde hij.

Ze had zich omgedraaid en liep terug naar haar kamer.

'Mathilde...'

Stond stil.

'Het is niet wat je denkt...'

'Ik denk niets,' antwoordde ze.

En verdween.

6.12 uur. Sleepte zich naar het koffiezetapparaat en verdubbelde de dosis. Het zou een lange dag worden...

Verlamd door de kou, sloot zich in de badkamer op.

Met een bil op de rand van het bad en met zijn kin tegen zijn vuist aan gedrukt, liet hij zijn geest in de kolken van water en lauwe stoom de vrije loop. Wat hem nu in beslag nam, kon in een paar woorden worden uitgedrukt: Balanda, wat zeik je toch. Stop ermee, en beheers je.

Tot nu toe is het je altijd gelukt zonder te veel nadenken je weg te vinden, begin er vandaag niet mee. Het is te laat, snap je? Je bent te oud om je zo'n afgang te kunnen permitteren. Zij is dood. Ze zijn allemaal dood. Trek het gordijn dicht en hou je met de levenden bezig. Achter deze muur heb je een Saksisch porseleinen beeldje dat de harde tante uithangt, maar inmiddels krijgt ze rake klappen. Staat veel te vroeg op voor haar leeftijd... Doe die verrekte kraan dicht en trek even haar oordopjes los.

Klopte zachtjes en ging op de grond zitten, aan haar voeten, met de rug tegen het hoofdeind van haar bed.

'Het was niet wat je denkt...'

'...'

'Waar ben je nou, mijn trouwe vriendin?' fluisterde hij. 'Slaap je? Luister je onder je dekbed naar droevige liedjes of vraag je je soms af wat die zak van een Charles nou weer komt zeuren?'

'...'

'Dat ik op de bank heb geslapen, kwam gewoon omdat ik niet kon slapen... En omdat ik je mama niet wilde storen...'

Hoorde dat ze zich omdraaide en iets van haar, haar knie misschien, raakte zijn schouder aan.

'En terwijl ik je dit vertel, houd ik mezelf voor dat ik ongelijk heb... Ik hoef me namelijk niet tegenover jou te verantwoorden... Je hebt met dit alles niets te maken, of liever gezegd, het *betreft* jou niet. Het zijn grotemensenverhalen, nou ja... voor volwassenen, en...'

Och, verdorie, dacht hij, wat ben je nu weer bezig jezelf vast te praten? Praat toch over iets anders met haar.

Hief het hoofd en inspecteerde haar muur in het halfduister. Het was een tijdje geleden dat hij zich met haar wereldje had beziggehouden, terwijl hij het zo heerlijk vond. Het heerlijk vond haar foto's te bekijken, haar tekeningen, haar rommel, haar posters, haar leven, haar souvenirs...

De muren van een opgroeiend kind zijn altijd een leuke etnologische les. Spannende vierkante meters die zich, Pritt verslindend, steeds vernieuwen. Waar stond zij nu? Met welke vriendinnen was ze in een automatische fotocabine de clown uit gaan hangen? Wat waren de amuletten van de dag en waar was het gezicht verstopt van degene die beter een boom had kunnen zijn, om zich zonder klagen te laten omhelzen?

Stuitte tot zijn verbazing op een foto van Laurence en hem die hij niet kende. Een foto die ze had gemaakt toen ze nog een kind was. In de tijd dat haar wijsvinger steeds in een hoek van de lucht te zien was. Ze oogden gelukkig en achter hun glimlach was de Montagne Sainte Victoire te zien. En daar een capsule in een doorzichtig zakje waarop *Be a Star instantly* te lezen was, een op een vel papier met grote ruitjes overgeschreven gedicht van Prévert dat zo eindigde:

In Parijs
Op de aarde
De aarde die een ster is.

Foto's van blonde actrices met volle lippen, op bierviltjes geschreven gegevens van internetsites, sleutelhangers, stomme pluchebeesten, vlijtige flyers voor Made in RER-concerten, lintjesarmbanden, reclame voor Meneer G die ervoor zorgt dat je geliefde terugkeert en dat je je eindexamen in één keer haalt, de glimlach van Corto Maltese, een oud skiabonnement en zelfs die reproductie van de Afrodite van Kallimachos die hij haar had gestuurd om een lastig dossier af te sluiten.

Hun eerste grote crisis.

Was gek geworden omdat ze haar buik bloot liet.

'Je haar verven, tattoos, piercings, wat je maar wilt!' schreeuwde hij. 'Desnoods veren in je reet, als je het leuk vindt! Maar niet je buik, Mathilde. Niet je buik...' Dwong haar 's ochtends, voor ze naar school ging, haar armen in de lucht te steken en stuurde haar terug naar haar kamer als haar T-shirt boven haar navel kwam.

Waarop wekenlang heel zure gezichten waren gevolgd, maar hij had volgehouden. Het was de eerste keer dat hij niet voor haar was gezwicht. De eerste keer dat hij zijn rol als oude zak aanvaardde.

Maar niet haar buik. Nee.

'Een vrouwenbuik is de meest mysterieuze zaak van de wereld, het ontroerendste, het mooiste, het meest sexy zelfs, om de taal te gebruiken van jullie debiele weekbladen,' bazelde hij onder de neerbuigende blik van Laurence. 'En... Nee... Verstop hem. Laat ze dat jou niet afpakken... Ik ben niet bezig met moraalridder te spelen of je een lesje in fatsoen te geven, Mathilde... Ik heb het over liefde. Allerlei figuren zullen proberen de maat van je kont of de vorm van je tieten te raden en dat is hun goed recht, maar bewaar je buik voor degene van wie je zult houden, je... Begrijp je me?'

'Ja, ik geloof dat het ons inmiddels wel duidelijk is,' concludeerde haar moeder droogjes, ze had het liever over iets anders. 'Ga je monnikspij aantrekken, lieve dochter.' Hoofdschuddend had hij naar haar gekeken en had uiteindelijk gezwegen. Maar was de volgende dag naar de museumwinkel van het Louvre gegaan en had haar deze kaart gestuurd en op de achterkant geschreven: 'Kijk, hij is zo mooi omdat je hem niet kunt zien.'

Het gezicht en de kleren van de tiener werden langer, maar ze had die kaart nooit ter sprake gebracht. Hij was er zelfs van overtuigd dat ze die had weggegooid. Nee hoor... Daar is hij weer... Tussen een in een string gehulde rapzangeres en een halfnaakte Kate Moss.

Ging door met zijn verkenning...

'Hou jij van Chet Baker?' verbaasde hij zich.
'Van wie?' gromde ze.
'Hij daar...'
'Weet niet eens wie dat is... Ik vind hem gewoon té knap.'
Het was een zwart-witfoto. Toen hij nog jong was en op James Dean leek. Maar onrustiger. Intelligenter en uitgemergelder. Was tegen een muur gezakt en hield zich aan de rugleuning van een stoel vast om niet verder weg te zakken.
Trompet op de knieën en blik op oneindig.

Ze had gelijk.
Gewoon. Te. Knap.
'Grappig...'
'Wat?'
Haar adem was nu dichter bij zijn nek.
'Toen ik net zo oud was als jij... Nee, wij waren iets ouder... Ik had een vriend die gek op hem was. Gek, gek, gek. Compleet gestoord. Die denk ik hetzelfde witte T-shirt moet hebben gedragen en deze foto door en door kende... En het ligt uitgerekend aan hem dat vannacht op de bank m'n reet is bevroren...'
'Waarom?'
'Waarom mijn reet is bevroren?'
'Nee... Waarom hield hij zoveel van hem?'
'Omdat het Chet Baker was, wat denk je! Een geweldige muzikant! Een vent die alle talen en alle gevoelens van de wereld met zijn trompet sprak! En ook met zijn stem... Ik zal je mijn platen lenen, dan begrijp je waarom je hem zo knap vindt...'
'Wie was die vriend?'
Charles zuchtte een glimlach. Hij zou er nooit uitkomen... Nu zeker niet, hij moest het maar aanvaarden.
'Hij heette Alexis. En hij speelde ook trompet... Niet alleen trompet trouwens... Hij speelde van alles... Piano, mondharmonica, ukelele... Hij was...'

'Waarom spreek je in de verleden tijd over hem? Is hij dood?'

Daar heb je het...

'Nee, maar ik weet niet wat er van hem is geworden. Ook niet of hij met de muziek is doorgegaan...'

'Hebben jullie ruzie gehad?'

'Ja... En zo erg dat ik dacht hem te hebben uitgewist... Ik dacht dat hij niet meer bestond en...'

'En wat?'

'En nee. Hij is er nog steeds... En omdat ik gisteravond een brief van hem gekregen heb, heb ik in de woonkamer geslapen...'

'Wat had hij je te vertellen?'

'Wil je het echt weten?'

'Ja.'

'Hij berichtte me dat zijn moeder dood is.'

'Nou... Niet echt vrolijk...' bromde ze.

'Zeg dat wel...'

'Hé... Charles...'

'*Hey*, Mathilde?'

'Ik heb een mega natuurkundeopdracht voor morgen... superzwaar...'

Kwam met een grimas overeind. Haar rug...

'Geweldig!' verheugde hij zich. 'Goed nieuws! Dat is precies wat ik nodig had. Superzware natuurkunde met Chet Baker en Gerry Mulligan. Een droomzondag in het verschiet! Kom... Ga nu weer slapen. Haal nog een paar uur binnen, kleintje van me...'

Was al bezig de knop van haar deur te zoeken toen ze aandrong: 'Waarom hebben jullie ruzie gekregen?'

'Omdat... Nu net omdat hij zich inbeeldde dat hij Chet Baker was... Omdat hij zich in alle opzichten net als hij wilde gedragen... En zich in alle opzichten net als hij gedragen bracht ook een hoop rottigheid met zich mee...'

'Zoals wat?'

'Zoals dope bijvoorbeeld...'

'En wat dan nog?'

'Nou, hé kleine mei-eid,' mopperde hij, met de handen op zijn heupen, terwijl hij de dikke Teddy uit *Welterusten kindertjes* nadeed. 'Het zandmannetje is langs gewe-eest en ik ga terug op mijn wolkje-je klimmen... Morgen krijg je een nieuw verhaaltje te horen... En alleen maar als je lie-ief bent. *Pom pom podom.*'

Zag haar glimlach in het blauwachtige schijnsel van de wekkerradio.

Liet opnieuw warm water stromen en liet zich in het bad zakken tot over de rand, haren en gedachten inbegrepen, verscheen daarna weer aan de oppervlakte en deed z'n ogen dicht.

*

En tegen alle verwachtingen in werd het een mooie dag aan het eind van de winter.

Een dag vol katrollen en de wet van traagheid. Een dag van *Funny Valentine* en van *How High The Moon*. Een dag die zich helemaal niets van de natuurkundige wetten aantrok.

Zijn voet tikte de maat onder het bureautje, veel te vol om iets goed te zien, en met een liniaal in de hand trommelde hij de maat mee op haar schedel wanneer ze fout redeneerde.

Een paar uur lang vergat hij zijn moeheid en zijn dossiers. Zijn medewerkers, zijn verdwijnende hijskranen en zijn stuk voor stuk overschreden termijnen. Een paar uur lang werden de krachten van beweging uitgeoefend en waren ten slotte in evenwicht.

Een wapenstilstand. KO na opgave. Een koperkuur. Een infuus van nostalgie en 'poésie noire', zoals het op het hoesje van een van de cd's stond.

De luidsprekers van Mathildes computer waren helaas niet zo goed, maar de titels van de nummers waren op het scherm te zien en hij kreeg de indruk of ze allemaal voor hem waren bedoeld.

Voor hen.

In A Sentimental Mood. My Old Flame. These Foolish Things. My Foolish Heart. The Lady Is A Tramp. I've Never Been In Love Before. There Will Never Be Another You. If You Could See Me Now. I Waited For You en... *I May Be Wrong...*

Wat een griezelige samenvatting, dacht hij. En ook... En misschien... Zoiets als een min of meer passende grafrede, niet?

Je moest behoorlijk naïef zijn om je zulke versleten woorden toe te eigenen. Zo vaak uitgesproken, herhaald en met zo'n ruime pasvorm dat elke sukkel op de planeet zich erin zou kunnen hullen. Maar pech gehad, hij aanvaardde het. Hij vond het leuk om zijn vroegere ik terug te vinden in liedjes of muziektitels. Om weer de lange slungel te zijn die zijn leven afbakende met de emoties van anderen.

Een vent die op een trompet blies en ja hoor. Dit was Jericho.

Hij was niet zo kapot van het 'tramp', dat was dubbelzinnig... Eerder een zwerfster... Ja, een bedelares, maar over de rest was hij tevreden, en zijn *foolish heart* had schijt aan Newton.

September Song.

Opende zijn hand. Dit nummer hadden ze samen gehoord...

Het leek zo ver weg... In de New Morning toch? En wat was hij nog mooi...

Verschrikkelijk mooi.

Maar helemaal toegetakeld. Mager, uitgehold, tandeloos en door de alcohol aangetast. Met een verwrongen gezicht en lopend of hij net in elkaar was geramd.

Na het concert hadden ze uitgerekend daarover bonje gekregen... Alexis kón niet stil blijven zitten, hij raakte weer in trance, bewoog heen en weer, hamerde op de tapkast en sloot zijn ogen. Hij die de muziek *hoorde,* die de muziek bleef *zien,* die een partituur kon lezen zoals anderen over een advertentiepagina glijden, maar die niet zo weg was van het lezen van partituren... Charles was juist gedeprimeerd uit het concert gekomen. Het gezicht van die vent toonde zo veel pijn en uitputting dat hij niet naar hem had kunnen luisteren, zo was hij geschrokken van in stilte naar hem kijken.

'Wat vreselijk... Als je zo veel talent hebt jezelf zo naar de verdommenis helpen...'

Zijn vriend had hem bij zijn strot gegrepen. Slecht chorus. Een regen van beledigingen daalde neer op wie hem zijn kaartje had gegeven.

'Jij kunt het niet begrijpen...' had Alexis uiteindelijk met een boosaardige glimlach gezegd.

'Nee...'

En Charles knoopte zijn jasje weer dicht.

'Dat kan ik niet.'

Het was laat. Moest de volgende ochtend opstaan. Werkte.

'Je snapt sowieso nergens iets van...'

'Natuurlijk...' Ontdeed zich van z'n kleingeld. 'Ik weet het... En steeds minder... Maar op jouw leeftijd had hij al geweldige dingen gedaan, hij...'

Had deze woorden zo zacht uitgesproken dat de ander ze niet had hoeven te horen. Hij had trouwens al zijn rug naar hem toe gekeerd. Maar hij hoorde ze wel. Hij had een fijn gehoor, de smeerlap... Maakte niets uit, stak alweer zijn glas over de toog heen...

Bukte om het gummetje van Mathilde te pakken en wist toen hij weer omhoogkwam dat hij hem zou bellen.

Chet Baker was een paar jaar na dit concert uit een hotelraam gesprongen. Voorbijgangers waren over hem heen gestapt, in de veronderstelling dat het om een slapende zuiplap ging, en zo had hij, helemaal kapot, de nacht op een Amsterdams trottoir doorgebracht.

En zij?

Wilde weten. Wilde voor één keer begrijpen.

Begrijpen.

'Charles?'

'...'

'Hallo hallo! Verkeerstoren voor Charlie Bravo, ontvangt u mij?'

'Sorry. Goed... en? Wat staat tegenover het gewicht van dat bewegend lichaam?'

'Hè?'

'Wat?'

'Ik ben jouw muziek beu...'

Zette glimlachend het geluid uit. Hij had bereikt wat hij wilde. Einde van de improvisatie.

Hij zou bellen.

*

Toen Laurence met haar vriendin Maud uit de hammam terugkwam, nam Charles de hele meute mee naar de pizzeria op de hoek en ze vierden haar verjaardag nog eens op de noten van *Come Prima*.

Er werd een kaars in haar portie tiramisu geprikt en ze schoof haar stoel naar de zijne.

Voor de foto.

Om Mathilde een plezier te doen.

Om samen te glimlachen op het minuscule scherm van haar mobieltje.

Want hij moest de volgende ochtend om zeven uur een vliegtuig halen, hij zette z'n wekker op vijf uur en wreef over zijn wangen.

Sliep weinig en slecht.

Nooit had men zeker geweten of hij uit dat raam gevallen was of eruit gesprongen.

Natuurlijk waren er op zijn tafel sporen van heroïne achtergebleven, maar toen zijn vederlichte karkas ten slotte werd omgedraaid hield hij nog steeds de raamknop in de hand...

Zette om halfvijf zijn wekker uit, schoor zich, deed zachtjes de deur achter zich dicht en liet geen woordje achter op de keukentafel.

Waaraan was Anouk gestorven? Had zij zich ook opgewonden over een vervloekte spanjolet om het hachje van hen allemaal te redden?

Ze had zo veel mensen zien doodgaan... Voor haar maakte een raam of een ergernis meer of minder niet meer uit... Vooral in die tijd niet... De grote tijd van de New Morning, begin jaren tachtig, toen voortdurend gezonde jongelui aan aids doodgingen.

Ze hadden samen gegeten in die duistere wateren en voor de eerste keer had hij haar zien twijfelen: 'Het ergste is dat we het aan hen moeten vertellen...'

Ze stikte bijna.

'...vanwege de besmettingsrisico's, snap je... We moeten hun vertellen dat ze als honden gaan creperen en dat we niks voor hen kunnen doen. Het is zelfs het eerste wat we hun meedelen... Ze moeten namelijk opletten dat ze geen anderen gaan mollen als ze eropuit gaan... Ja, je gaat kapot, maar, hé, geen tijd te verliezen... Ga het snel zeggen aan degenen van wie je gehouden hebt. Dat die ook meteen weten dat ze eraan gaan, zij ook... Vooruit! Rennen! En, we zien elkaar volgende maand weer, hè!

En dit, zie je, dit is de eerste keer dat ons dit overkomt... De eerste keer... En nu zitten we allemaal in hetzelfde schuitje... De hoge heren én de kleine man... Allemaal weggevaagd, verdomme... O, ze is bezig hoor. Ze stampt ons helemaal fijn, die hoer... Geen pardon. Niemand die er iets tegen kan doen. Weet je... ik heb heel wat oogleden gesloten, en tot nu toe, nou, het was mijn leven, tja... Inderdaad, jawel, je kent me... En ook al moest ik altijd op mijn tanden bijten, ik riep de verpleeghulp wanneer het lichaam naar de koeling beneden was gebracht en we maakten de kamer weer in orde. Inderdaad, we legden weer schone lakens neer voor de volgende, en daarna wachtten we op de volgende, en als die er was, zorgden we voor hem. We lachten tegen hem en verpleegden hem. Wij *verpleegden* hem, hoor je me? Dat is ook de reden dat we hiervoor hebben gekozen, voor dit vak voor idioten...

Maar nu? Vandaag de dag? Wat worden we geacht te doen?'

Jatte mijn sigaret.

'Het is de eerste keer van mijn leven dat ik artiestje speel, Charles... De eerste keer dat ik haar zie, de Dood, dat ik haar een hoofdletter geef. Weet je, dat gedoe in jullie huiswerk voor Frans, ja, waar jullie leraren zo gek op waren, wat was dat ook alweer?'

'Een personificatie.'

'Nee, het klonk chiquer...'

'Een allegorie?'

'Precies! Ik allegoriseer haar. Ik zie haar rondsluipen met haar schedelhoofd en hoerige zeis. Ik zie haar. Ik ruik haar. Als ik mijn dienst begin, ruik ik haar geur in de gangen en vaak gebeurt het zelfs dat ik me plotseling omdraai omdat ik haar achter mijn rug hoor lopen en...'

Haar ogen glansden.

'Denk je dat ik gek aan het worden ben? Denk je dat ik ook de kluts kwijtraak, jij ook?'

'Nee.'

'En het ergste is dat dit nieuws boven op de stapel is beland... De schaamte. De schandelijke ziekte. Spuiten of neuken. Eenzaamheid dus. Dood *en* eenzaamheid. De familie die wegblijft, de moeilijke woorden om die debiele ouders, die nooit verder zijn gekomen dan aan het beddengoed van hun kinderen te ruiken, van de wijs te brengen... Ja, mevrouw, het is een longontsteking, nee mevrouw, het is niet te genezen. O ja, u heeft gelijk, mijnheer, men beweert dat het ook andere organen aantast... Heel scherpzinnig, zie ik... Zo vaak wilde ik gaan gillen en ze bij de kraag grijpen om ze door elkaar te schudden tot eindelijk al hun stomme vooroordelen te pletter zouden vallen aan de voet van... Van wat? Van het kinderlijke dat er nog in hen is... Van... het heeft niet eens een naam die we... Van patiënten die niet eens de kracht meer hebben de ogen te sluiten om dit allemaal niet meer te hoeven verdragen...'

Ze liet haar hoofd zakken.

'Wat heeft het voor zin kindjes te maken als ze het recht niet hebben om, wanneer ze groot zijn, met jou over hun liefdes te kunnen praten, hè?'

Schoof haar bord opzij.

'Nou? En wat blijft er dan over? Wat blijft er voor ons over als we niet over liefde of plezier kunnen praten? Onze loonstrookjes? Het weerbericht?'

Wond zich op.

'Kinderen zijn het leven, verdomme! En ze zijn er omdat ook wij hebben geneukt, niet? Wat hebben we te maken met de papieren van de sekse van de ander? Twee jongens, twee meisjes, drie jongens, een hoer, een dildo, een pop, twee zwepen, drie handboeien, duizend fantasieën, wat is daar het probleem mee? *Wat?* Het is toch nacht? En 's nachts is het donker! De nacht is heilig! En ook al is het overdag, dan is... Dan is het ook goed...'

Ze probeerde te glimlachen en schonk tussen ieder vraagteken iets voor zichzelf in.

'Zie je, voor de eerste keer in mijn carrière, ben... ben ik nutteloos...'

Ik raakte haar elleboog aan. Ik wilde haar in mijn armen nemen, ik...

'Je mag dit niet zeggen. Als ik in het ziekenhuis dood zou moeten gaan, zou ik willen dat het dichtbij...'

Ze onderbrak me tijdig. Voordat ik voor de zoveelste keer alles zou verknollen.

'Stop. We praten langs elkaar heen. Jij ziet een grote bleke jongeman die zijn arm uitsteekt naar een hoerige allegorie, terwijl ik het over stront, herpes en necrose heb. En toen ik zojuist tegen je zei als een hond, zat ik er ver naast. Wanneer honden te veel pijn hebben, krijgen ze een spuitje, zij wel.'

Onze tafelburen keken vreemd naar haar. Ik was eraan gewend. Dat ging al twintig jaar zo. Anouk praatte altijd te hard. Of lachte te snel. Of zong in te hoge tonen. Of danste te vroeg, of... Anouk ging altijd te ver, de mensen keken naar haar en fluisterden stompzinnige dingen. Laten we het maar vergeten. Normaal gesproken had zij hen met haar glas in de lucht aangesproken. 'Op de liefde!' had ze naar die brave huisvader geknipoogd, of 'Op het neuken!', of nog erger, hing af van het aantal eerder geheven glazen, maar die avond niet. Die avond had het ziekenhuis gewonnen. De gezonde mensen interesseerden haar niet meer. Redden haar niet meer.

Ik wist niks meer te zeggen. Ik dacht aan Alexis die ze al een aantal maanden niet meer had gezien. Aan diens duikvluchten en voortdurend verwijde pupillen. Aan deze zoon die haar altijd verweet als blanke te zijn geboren en die net als Miles, Parker en al die anderen wilde leven.

Die zich uitholde. Die niet meer op kon houden met stampvoeten. Die overal naar zichzelf op zoek was en heel de dag op z'n bed bleef liggen.

En die in het daglicht met zijn ogen knipperde...

Had ze mijn gedachten gelezen?

'Met de junkies ligt het weer anders... Of er is niemand, of de ouders zijn zo verpletterd dat ze ook zouden moeten worden opgenomen. En zij, zij die er nog steeds zijn, die er *altijd* geweest zijn, weet je wat die tegen ons zeggen?'

Ik schudde mijn hoofd.

'"Het is onze schuld."'

In de tijd van dat etentje... rond '85 of '86, zou ik zeggen... was Alexis nog betrekkelijk clean. Ik denk dat hij vooral blowde... Ik kan het me niet meer herinneren, maar hij was nog niet aan het afbinden van de arm en de lange mouwen toe, anders had ik me mijn antwoord herinnerd. Ze had het nu over ouders van anderen en ik stemde kalm in. Van anderen...

Wat ik me kan herinneren, is dat ik erin was geslaagd het gesprek een andere wending te geven en dat we over veel luchtiger zaken babbelden, over mijn studie, de smaken van onze respectieve desserts en de film die ik vorig weekend had gezien, toen plots haar gezicht verbleekte.

'Ik had zondag dienst,' vervolgde ze, 'en... En er was dat joch... amper ouder dan jij... een danser... Hij had me foto's laten zien... Een danser, Charles... Een *prachtig* lichaam en...'

Ze draaide haar gezicht naar het plafond om alles terug te dringen, haar speeksel, haar snot en wat haar gezichtsvermogen kon vertroebelen, en draaide terug terwijl ze me in de gaten hield.

'...en op die zondag dus – ik depte zijn lichaam met kamferwater, dat wil zeggen, ik deed niets en hield hem openlijk voor de gek – heb ik hem geholpen zich te buigen om zijn rug op te frissen en weet je wat er onder mijn hand is gebeurd?'

Ze liet me haar hand zien.

'Onder deze hand, hier... Deze gediplomeerde verpleegstershand die in ruim twintig jaar duizenden zieken heeft verbonden?'

Ik reageerde niet.

'Op...'

Ze stopte even om haar glas te legen. Haar neusgaten trilden.

'Op de rand van zijn ruggengraat, zijn huid, zijn huid is gaan...'

Ik gaf haar mijn servet.

'...scheuren...'

*

Hij had net zijn koffer opgehaald en trappelde voor de incheckbalie. Overal om hem heen werd al Russisch gesproken en drie meisjes kakelden terwijl ze de omvang van elkaars inkopen vergeleken.

Je zag hun buiken.

Had zin in koffie.

En in een sigaret...

Liet toen hij zijn boek pakte het strookje van de vorige vlucht dat als boekenlegger fungeerde vallen. Geen paniek, over een paar meter zou hij weer een nieuw krijgen...

XXXIII

De belangrijkste handelingen van de slag bij Borodino speelden zich op een gebied van twee werst af tussen Borodino en de affuiten van Bagration (buiten dit gebied voerde tegen het midden van de dag de cavalerie van Ouvarov een schijnmanoeuvre uit en stootte, aan de andere kant, Poniatowsky bij Outi...

Geen raam...

Ze had altijd last gehad van hoogtevrees...

...tsa op Tchoukov; maar dat waren geïsoleerde en onbelangrijke gevechten vergeleken met wat er gebeurde in het centr...

Hij snapte niks van wat hij las.

Zijn mobieltje begon te trillen, zijn kantoor. Zo vroeg?

Nee. De boodschap was van de vorige dag. Het was Philippe. Een van de handlangers van Pavlovitch had een catastrofale mail gestuurd. De tweede deklaag moest opnieuw worden aangebracht, dat was verknold in de berekeningen, die lui van Voradine wilden er niets over horen en er was een dode vent op het westen van het terrein gevonden. Een vent die natuurlijk nergens ingeschreven stond. De politie zou terugkomen.

Nou ja... Waarom was die vent niet verdwenen?

Was er geen beton meer?

Nam een flinke teug lucht om zijn woede af te blazen, zocht naar een vrije stoel, deed zijn boek dicht, legde de twee keizers en hun half miljoen doden per persoon onder in zijn aktetas en pakte zijn dossiers. Keek op zijn horloge, zette dat twee uur vooruit, stuitte op een voicemail en begon weer in het Engels te vloeken. Good Lord, genoot ervan. Die fucking bastard zou in ieder geval niet tot het bittere eind naar hem luisteren.

Ineens werd alles helder. Alexis, zijn ellendige wreedheid, Claire en de kapelletjes op Skopelos, het grillige humeur van Laurence, de pruillippen van Mathilde, zijn herinneringen, hun toekomst, het geklots van het verleden en al dit drijfzand. Hop, aan de kant. De janboel van deze janboel begon hem woedend te maken en hij zou zijn leven later wel weer opvatten.

Sorry, nu even niet, hij had er geen tijd meer voor.

En Balanda, van Rijkswaterstaat, *Master of Sciences*, afgestudeerd aan Belleville, gediplomeerd architect, lid van de Orde, de werkezel, de man met bekroningen en medailles, alles wat je maar wilt. Ja, wat jullie maar willen, alles wat je nog op een visitekaartje kunt drukken wanneer je het spuugzat bent, schopte de ander, de weifelaar, eruit.

Aaah... Voelde zich beter.

Iedereen had hem, op een gegeven moment, verwijten gemaakt over het belang dat hij aan zijn werk hechtte. Zijn verloofdes, zijn familie, zijn collega's, zijn medewerkers, zijn klanten, de schoonmaaksters die 's nachts hun werk deden, en zelfs een keer een arts. Wie welwillend was, zei over hem dat hij nauwgezet was, de anderen noemden hem een onbenul of nog erger, schools, en hij had zich nooit echt kunnen verweren.

Waarom had hij al die jaren zo hard gewerkt?

Waar sloegen al die slapeloze nachten op? Dit leven van 1 procent? Dit zo slecht in elkaar geflanste stel? Die lichte stijfheid in de nek? Die drang om muren te bouwen?

Die op voorhand verloren krachtmeting?

Dat... Nee, had nooit geweten hoe zich te rechtvaardigen om te worden vergeven. Had eerlijk gezegd nooit de behoefte gevoeld. Maar nu wel, dus.

Deze ochtend, toen hij weer opstond, zijn paspoort tevoorschijn haalde, zich nog eens verbaasde over het gewicht van zijn bagage en het *De passagiers van Air France vlucht AF1644 vertrektijd zeven uur tien met als bestemming Moskou Sheremetyevo wordt verzocht zich naar gate 16 te begeven* klonk, kwam hij op het antwoord: het was om te kunnen ademen.

Ademen.

De uren die voorafgaan, het beetje dat voorafgaat, de afgrond die voorafgaat, zouden ons op het idee kunnen brengen, hoe moet je dat zeggen... enige twijfel over de scherpzinnigheid van dit weerwoord, maar goed... Laten we hem voor één keer het voordeel van de twijfel gunnen.

Laten we hem maar op adem laten komen tot gate 16.

8

De vlucht ging met negenhonderd kilometer per uur voorbij. Hij had amper de tijd gehad zijn computer aan te zetten toen de gezagvoerder al twee graden aan de grond aankondigde, iedereen een goed verblijf wenste en de gebruikelijke praatjes van het Alliance Sky Team.

Hij zag Viktor weer, zijn chauffeur met de *zo zachte glimlach* (een gat, een tand, een gat, weer twee tanden), die, had hij uiteindelijk begrepen na tientallen uren in de file (in geen enkel ander land ter wereld had Charles zo lang achter in een auto gezeten. Eerst verbijsterd, daarna ongerust, daarna geïrriteerd, daarna gek, daarna... gelaten. Ach, dit was dus dat legendarische Russisch fatalisme? Door een beslagen raampje je goede wil zien verwateren in de enorme rotzooi die je omgaf?), in een ander leven geluidsingenieur was.

Het was een kletsmajoor, vertelde geweldige verhalen waarvan zijn passagier niets begreep en rookte intussen sigaretten met een afschuwelijke lucht die hij uit prachtige pakjes haalde.

En wanneer het mobieltje van Charles overging, en zijn klant zich weer schrap zette, haastte hij zich de muziek zo hard mogelijk te zetten. Uit kiesheid. Geen Balalaika of Chosta, nee, echte lokale rock, de zijne. En de versterker roodgloeiend.

Ellende.

Op een avond had hij zijn overhemd uitgetrokken om hem te laten zien hoe zijn leven was verlopen. Alle fasen puilden eruit: perfect getatoeëerd. Had zijn armen uitgestrekt en voor een benzinepomp voor de verbaasde ogen van Charles als een ballerina gedraaid.

Het was... wonderbaarlijk...

Zag zijn Franse vriendjes, zijn Duitse vriendjes en zijn Russische vriendjes weer terug. Doorstond een reeks vergaderingen, net zo veel zuchten, gezeur en gezeik, een te lange lunch, en had zijn helm weer opgezet en z'n laarzen aangetrokken. Er werd veel tegen hem gepraat, hij werd van de wijs gebracht, hij werd op de rug geklopt, en uiteindelijk ging hij lol trappen met de jongens uit Hamburg. (Die voor het installeren van de airco waren gekomen.) (Maar... waar?)

Ja, lachte er uiteindelijk om. Met de vuisten op de heupen, de hand boven de ogen en met zijn voeten in de stront.

Ging vervolgens naar de geprefabriceerde huizen van de chefs waar twee figuren die regelrecht uit een film van de Karl Marx Brothers leken te zijn gestapt op hem stonden te wachten. Echter dan echt met hun grote blaffers en hun mislukte cowboylook. Zenuwachtig, bleek en al gejaagd. Al zo ijverig...

Militsia, kreeg hij te horen.

Uiteraard.

Alle anderen die waren verhoord, vooral arbeiders, spraken alleen Russisch. Balanda verbaasde zich over de afwezigheid van zijn gebruikelijke tolk. Hij belde het bureau van Pavlov' op. Er was een jonge man onderweg die heel goed Frans sprak, werd hem verzekerd. Mooi. Hij klopte net op de deur, rood en helemaal buiten adem.

Het onderhoud begon. De ondervraging eerder.

Maar toen hij zich op zijn beurt verweerde, bleek al snel dat de wenkbrauwen van Starsky en Hutchoff op een rare manier bewogen.

Wendde zich tot de vertaler: 'Begrijpen ze wat u nu zegt?'

'Nee,' antwoordde de ander, 'ze zeggen de Tadzjiek niet drinken. Eh...'

'Nee, maar wat ik u eerder heb gezegd... Over de contracten van meneer Korolev...'

Hij stemde in, begon opnieuw, en de militiepupillen werden weer groot.

Nou?

'Zij zeggen u garanteur.'

??!?

'Sorry dat ik u dit vraag, maar... hoe lang spreekt u nu Frans?'

'Bij Greynoble...' antwoordde hij met een engelachtige glimlach.

Gvd...

Charles wreef in zijn ogen.

'Sigaryèt?' vroeg hij aan de jongste van de twee sheriffs en tikte met zijn wijs- en middelvinger tegen zijn lippen.

Spassiba.

Blies een grote wolk uit, een heerlijke wolk koolmonoxide en pure moedeloosheid, intussen staarde hij naar het plafond waaraan een gebroken neonlamp tussen twee pijltjes bungelde.

En toen dacht hij aan Napoleon... Die geniale technicus die, had hij een paar hoofdstukken eerder gelezen, de Slag van Borodino niet had gewonnen omdat hij last had van een voorhoofdsholteontsteking.

Kom daar maar eens achter, voelde zich opeens heel solidair. Nee, maatje, we zijn niet boos op je... Jouw zaakje was al van tevoren verloren... Die kerels zijn veel te slim voor ons. Veel, veel te slim...

Uiteindelijk arriveerde Pavlovitch, Fiat Lux, vergezeld door een 'official'. Een vriend van de zwager van de zus van de schoonmoeder van de rechterhand van Loejkov, of zoiets.

'Loejkov?' reageerde Charles verbaasd. '*You mean... the... the mayor?*'

De ander nam niet eens de moeite hem antwoord te geven, zo druk was hij al met zijn verhaal.

Charles vertrok. Bij dit soort gevallen vertrok hij altijd en iedereen was hem er dankbaar voor.

Werd meteen ingehaald door zijn super Taalwonder en ook hij begon zich een beetje uit te sloven: 'U bent dus in Grenoble geweest?'

'Nee, nee!' verbeterde hij. 'Ik me hier wonen bij de dag.'

Mooi.

Het licht daalde. De machines verstomden. Sommige arbeiders groetten hem, terwijl anderen hen in de rug porden om ze vlugger te laten lopen, en Viktor bracht hem terug naar zijn hotel.

Hij kreeg opnieuw Russische les. Steeds dezelfde.

Roebels, dat is roebli, euro's, dat is yévra, dollar, hé... dat is dollar, idioot in de zin van 'Kom... Rij nou door...', dat is kaziol, idioot in de zin van 'Laat me erdoor, lul!', dat is moedak, en 'Vooruit met je luie reet!', dat is Cheveli zadam.

(Onder meer...)

Charles repeteerde het verstrooid, zo gehypnotiseerd was hij door de kilometers en kilometers en kilometers en kilometers kippenhokken aan één stuk door. Dat was hem het meest opgevallen tijdens zijn eerste verblijf in het Oosten toen hij nog studeerde. Alsof de verbreiding van onze ergste voorsteden en van onze meest deprimerende sociale-woningbouw nooit te stoppen viel.

Toch was de Russische architectuur... Ja, de Russische architectuur, was toch wel wat...

Herinnerde zich een monografie over Leonidov die hij van Jacques Madelain cadeau had gekregen...

We zijn op de hoogte van de Geschiedenis... Wat mooi was, werd vernield omdat het mooi was, dus burgerlijk, daarna hadden ze een heel volk in... hierin opeengepakt, en in het weinige mooie dat was overgebleven had zich, jawel, de nomenklatuur genesteld.

Ja. We zijn op de hoogte. Het heeft geen zin achter in een met leer beklede Mercedes, waarvan de verwarming twintig graden hoger kan dan het in hun trapgat is, over kroegverdriet te worden beleerd.

Hé, Balanda?

Ja?

Toe nou... Cheveli zadam.

*

Terwijl het water stroomde, belde hij naar kantoor en vatte zijn dag samen aan Philippe, zijn meest betrokken collega. Er waren hem mails doorgestuurd die hij binnen een uur moest doorlezen om zijn instructies te kunnen geven. Hij moest ook de afdeling ontwikkeling terugbellen.

'Waarom?'

'Tja... Voor dat gedoe met die deklaag... Waarom grinnik je zo?' deed men ongerust in Parijs.

'Sorry, het zijn de zenuwen.'

Hadden het vervolgens over andere bouwplaatsen, andere bestekken, andere marges, andere rotzooi, andere regelingen, andere geruchten uit de wandelgangen van hun wereldje en voor hij ophing, had Philippe hem gezegd dat Maresquin en zijn bende Singapore hadden binnengehaald.

O?

Hij wist niet meer of hij er blij of teleurgesteld over moest zijn.

Singapore... 10.000 kilometer en een tijdsverschil van zeven uur...

En herinnerde zich plotseling meteen dat hij vreselijk moe was, dat hij in... maanden, jaren niet genoeg slaap had gehad, en dat zijn bad zou overlopen.

Eenmaal terug ging hij op zoek naar stekkers om zijn diverse accu's op te laden, gooide zijn colbert over het bed, maakte de eerste knopen van zijn overhemd los, zakte op zijn hurken, bleef een tijdje verward in het koude licht van de minibar, en ging weer naast zijn kleren zitten.

Haalde zijn agenda tevoorschijn.

Deed of hij in de afspraken van de volgende dag was geïnteresseerd.

Deed of hij aan het bladeren was voordat hij hem weglegde.

Zomaar. Zoals je aan een vertrouwd ding friemelt wanneer je ver van huis bent.

En ineens...

Stuitte op het nummer van Alexis Le Men.

Niet te geloven...

Zijn mobieltje lag nog op het nachtkastje.

Overwoog het.

Hij had amper de tijd het kengetal te draaien en de twee eerste cijfers van zijn nummer of zijn buik begon te ro... Balde zijn vuist en holde naar het toilet.

Toen zijn hoofd overeind kwam, stootte hij zich aan z'n spiegelbeeld.

Broek op de voeten, witte kuiten, knokige knieën, armen als in een dwangbuis, gespannen gezicht, ongelukkige blik.

Een oude man...

Deed zijn ogen dicht.

Liet zich leeglopen.

Zijn bad leek hem lauw. Hij rilde. Wie kon hij verder opbellen? Sylvie... De enige echte vriendin over wie hij ooit had gehoord... Maar... hoe vond je haar terug? Hoe heette ze ook weer? Brémand? Brémont? Hadden ze nog contact gehad? Tegen het eind in elk geval? Zou zij hem kunnen informeren?

En... wilde hij het zelf wel weten?

Ze was dood.

Dood.

Zou het geluid van haar stem nooit meer horen.

Het geluid van haar stem.

Noch haar gelach.

Noch haar woedeaanvallen.

Zou nooit meer haar lippen zien vertrekken, trillen of zich eindeloos uitstrekken. Zou nooit meer naar haar handen kijken. De binnenkant van haar pols, de lijn van haar aderen, de diepte van de kringen om haar ogen. Zou nooit meer te weten komen wat zij zo goed, zo slecht, zo ver achter haar vermoeide glimlach of haar stupide grijnzen verborg. Zou haar nooit meer stiekem bekijken. Zou haar arm niet meer spontaan vastpakken. Zou...

Wat zou hij ermee opschieten al deze dingen door een doodsoorzaak te vervangen? Wat zou hij erbij winnen? Een datum? Details? De naam van een ziekte? Een lastig raam? Een laatste misstap?

Wees eerlijk...

Was dit smerigs wel de moeite waard?

Charles Balanda trok schone kleren aan en maakte zijn veters vast, met zijn kiezen op elkaar.

Hij wist het. Dat hij bang was voor de waarheid.

En de stoere bink in hem legde een hand op zijn schouder en kletste op hem in: Kom... Laat toch zitten... Hou het bij je herinneringen... Bewaar haar zoals je haar hebt gekend... Beschadig haar nog niet meer... Het is het mooiste eerbewijs dat je haar kunt geven, dat weet je best... Om haar zo bij je te houden... Een en al leven.

Maar de lafaard lag daarentegen zwaar in zijn nek en fluisterde hem in het oor: En je gelooft toch dat ze heeft geleefd zoals ze is vertrokken, hè?

Eenzaam. Eenzaam en in de war.

Het spoor helemaal bijster in deze voor haar veel te kleine wereld. Waaraan moest ze doodgaan? Maar dat is eenvoudig te raden... Haar asbakken. Of die glazen die haar nooit rust brachten. Of dat bed dat ze niet meer opensloeg. Of... En jij? Wat kom jij hier zeiken met je wierookvat? Waar was jij toen? Als jij daar was geweest, zou je het hier nu niet in je broek doen...

Kom, een beetje waardigheid, jongen, weet je wat ze met jouw medelijden zou doen?

Koppen dicht, knarste hij, koppen dicht.

En omdat hij zo trots was, werd het de lafbek die nog eens het nummer van zijn grootste vijand ging draaien.

Wat zou hij zeggen? 'Balanda hier', 'Met Charles...' of 'Met mij'?

Toen de telefoon voor de derde keer overging, voelde hij zijn overhemd aan zijn rug plakken. Deed bij de vierde keer zijn mond dicht om weer wat speeksel aan te maken. Bij de vijfde keer...

Bij de vijfde keer hoorde hij het getik van een antwoordapparaat en het tjilpen van een vrouwenstem: 'Hallo, dit zijn Corinne en Alexis Le

Men, laat alstublieft een bericht achter, wij zullen u terugbellen zodra...'

Schraapte z'n keel, liet een paar seconden stilte verstrijken, duizenden kilometers verder nam een apparaat zijn adem op, en legde neer.

Alexis...

Trok zijn regenjas aan.

Getrouwd...

Sloeg de deur dicht.

Met een vrouw...

Drukte op de liftknop.

Een vrouw die Corinne heette...

Vloog erin.

En die met hem in één huis woont...

Ging zes verdiepingen naar beneden.

Een huis met een antwoordapparaat...

Liep de gang door.

En...

Liep nu in de richting van de tocht.

En... en ook nog pantoffels?

'*Please, sir!*'

Draaide zich om. De conciërge schudde met iets boven de balie. Hij kwam terug, tikte op zijn voorhoofd, nam zijn sleutelbos weer en gaf hem de kamersleutel ervoor terug.

Er stond een andere chauffeur op hem te wachten. Lang niet zo exotisch en in een Franse auto. De uitnodiging was aardig geformuleerd, maar Charles maakte zich geen enkele illusie: het brave soldaatje ging terug naar het front... En toen ze de hekken van de ambassade waren gepasseerd, besloot hij eindelijk zijn mobieltje los te laten.

Hij at weinig, bewonderde deze keer niet de sublieme wansmaak van het Igoumnov-huis, gaf antwoord op de vragen die hem werden gesteld, en sleet anekdotes aan wie ze wilde horen. Speelde perfect zijn rol, stond recht, klemde zich aan de heften van zijn bestek vast, liep op naar het net, retourneerde grapjes en toespelingen, haalde wanneer het nodig was zijn schouders op, knikte, en lachte zelfs op de juiste momenten, maar raakte in de war, verbrokkelde en scheurde zachtjes open.

Keek hoe langs zijn glas z'n vingerkootjes verschrompelden en verbleekten.

Hoe het brak, hoe hij misschien bloedde en van tafel wegliep...

Anouk was teruggekomen. Anouk had haar plaats weer ingenomen. Heel haar plaats. Zoals vroeger. Zoals altijd.

Waar ze ook was, waar ze ook vandaan kwam, ze keek naar hem. Lachte hem lief uit, leverde commentaar op het gedrag van zijn buren, de arrogantie van deze kerels, de juwelen van die dames, de legitimiteit van dit alles en vroeg hem wat hij bij hen had te zoeken.

'Wat doe jij daar, Charles van me?'

'Ik werk.'

'O ja?'

'Ja.'

'...'

'Anouk... Alsjeblieft...'

'Je herinnert je dus mijn voornaam?'

'Ik herinner me alles.'

En haar gezicht werd somber.

'Nee, dat moet je niet zeggen... Er zijn dingen... momenten dat... Ik... Ik zou willen dat je ze vergeten was...'

'Nee. Ik denk het niet. Maar...'

'Maar?'

'Misschien hebben we het over verschillende dingen...'

'Ik hoop het,' glimlacht ze.

'Jij...'

'Ik...'

'Je bent nog steeds zo mooi...'

'Hou op, gek. En kom overeind. Kijk... Ze gaan allemaal naar de salon terug...'

'Anouk?'

'Ja, kleintje?'

'Waar was je?'

'Waar ik was? Dat moet jij me maar vertellen... Kom, ga naar ze terug. Iedereen staat op je te wachten.'

'Alles in orde?' vroeg zijn gastvrouw en ze wees hem een stoel aan.

'Ja, dank u.'

'Echt?'

'Moe...'

Ja hoor...

De moeheid had een brede rug. Hoeveel jaar had hij niet gebruik van haar gemaakt, lekker weggedoken in haar losse panden? Zo'n eerbiedwaardig scherm en zo, zo handig...

Inderdaad, vermoeidheid geeft een chic spoor aan een mooie carrière. Het flatteert zelfs. Een mooie medaille op een ledig hart.

Hij dacht aan haar toen hij naar bed ging, weer eens getroffen door hoe toepasselijk de grootste gemeenplaatsen waren. Die wezenloze zinnen die we uitspreken wanneer het deksel dicht is: 'Ik heb geen tijd gehad om afscheid van haar te nemen...' of 'Als ik het geweten had, zou ik op een betere manier afscheid van haar hebben genomen...' of 'Ik had haar nog zoveel te vertellen...'

Ik heb helemaal geen afscheid van je genomen.

Verwachtte deze keer geen enkele reactie. Het was nacht, en 's nachts was zij er niet meer. Of was ze aan het werk, of vertelde ze zichzelf haar verhaal of haar grote strijdplannen, waarbij ze het omslaan van de bladzijden en het verplaatsen van de lichte cavalerie aan Johnnie Walker en Peter Stuyvesant overliet, tot ze uiteindelijk zichzelf vergat, zichzelf overgaf, en in slaap viel.

Anouk van me...

Als er een hemel zou bestaan, zou je nu Petrus al verleiden...

Als.

Ik zie je.

Ik zie je aan zijn baard frunniken en zijn sleutels afpakken om ze tegen je heup op te wrijven tot ze blinken.

Niets kon je weerstaan toen je in goede doen was, en toen we kinderen waren, nam je ons mee naar de hemel als je wilde.

Hoeveel deuren zijn door jouw glimlach ingeduwd? Hoeveel wachtrijen hebben we omzeild? Hoeveel meters hebben we gejat? Hoeveel verkeersborden hebben we omgedraaid, ontdoken, genegeerd?

Hoeveel opgestoken middelvingers, oude knarren, dranghekken en verboden?

'Geef me jullie hand, kerels,' bekokstoofde je, 'en alles komt in orde...' En we vonden het prachtig, dat jij ons kerels noemde terwijl we nog op onze duimen zogen en dat je onze vingerkootjes verbrijzelde wanneer we tot de aanval overgingen. We deden het in onze broek en hadden soms zelfs een beetje pijn, maar we waren jou tot het einde van de wereld gevolgd.

Jouw weggerotte Fiat beschouwden we als onze boot, als ons vliegende tapijt, onze koets. Je moedigde je vier fiscale pk'tjes aan door net als dikke Hank in *Lucky Luke* te vloeken, yeah! Vort, sufpoot!!! Je zweep knalde langs de ringwegen en je kauwde op je sigaret omdat je het leuk vond ons te zien schrikken wanneer je je pruim uit het raam spuugde.

Met jou was het leven uitputtend, maar de televisie bleef uit. En alles was mogelijk.

Alles.

Als we je hand maar nooit loslieten...

Je had die truc zelfs nog eens met ons uitgehaald toen de pakjes Nestlé door Marlboro's waren vervangen, weet je nog? We kwamen terug van de bruiloft van Caroline en waren waarschijnlijk achterin bezig van de polonaise bij te komen toen we wakker werden van jouw angstkreten.

'Hallo, hallo, XB 12, hoort u mij?'

We waren brommend, met alle lichten uit, ergens midden op een weiland beland, en jij sprak in het zwakke daklampje tegen de sigarettenaansteker. 'Hoort u mij?' smeekte je. 'Ons ruimteschip laat ons in de steek, mijn Jedi zitten in de stront en ik heb de rebellenclub achter me aan... Wat moet ik doen, Obi-dinges-Kenobi?'

Alexis was heel moe en uitte, onder het oog van een stomverbaasde koe, een vette vloek, maar je lachte te hard om hem te kunnen horen. 'Waarom nemen jullie me ook naar zulke stomme films mee?' En vervolgens hadden we de sporen van hyperspace weer teruggevonden en ik had je een hele tijd in de achteruitspiegel zien glimlachen.

Ik zag het kleine meisje dat je geweest zou moeten zijn of had moeten zijn, als ze jou toen grappen hadden laten maken...

Terwijl ik achter je zat, keek ik naar je nek en zei bij mezelf: Komt het door haar rotjeugd dat zij onze jeugd heeft betoverd?

En ik besefte dat ook ik oud aan het worden was...

Een paar keer raakte ik je schouder aan om zeker te weten dat je niet in slaap viel en op een gegeven moment heb je jouw hand op de mijne gelegd. De tol had die weer teruggepakt, maar wat een sterren rond ons ruimteschip die nacht, hè!

Wat een sterren...

Ja, als er een hemel bestaat, moet je er wel een rotzooi van maken, daarboven...

Maar... wat was er?

Wat was er na jou?

Viel in slaap met zijn handen langs zijn lichaam. Naakt, misselijk, en eenzaam, in de Smolenskayastraat, in Moskou, Rusland. Op deze kleine planeet die, en dat was zijn laatste bewuste gedachte, vreselijk saai was geworden.

9

Stond op, ging terug naar zijn modderpoel, sloot zich weer op in een rokerige barak, liet opnieuw zijn papieren zien, nam opnieuw het vliegtuig, haalde zijn koffer op, stapte in een taxi met aan de achteruitspiegel een hand van Fatma, zag een vrouw terug die niet meer van hem hield en een jong meisje dat nog niet van zichzelf hield, kuste beiden, kwam zijn afspraken na, ging met Claire lunchen, raakte amper zijn bord aan, verzekerde haar dat het goed met hem ging, schipperde wanneer het gesprek zich van de natuurmonumenten verwijderde of van het voorgeschreven onderhoud aan de uit de decentralisatie vrijgekomen panden, besefte dat de kloof tussen hen aan het verbreden was toen hij haar om de hoek van de straat zag verdwijnen en dat zijn moed hem in de schoenen zonk, schudde het hoofd, probeerde zich op de Boulevard des Italiens te ontleden, ging stilletjes in zichzelf boren, analyseerde de grondkwaliteit, concludeerde dat hij met een uiting van pure eigenliefde te maken had, verachtte zichzelf, geselde zichzelf, ging in de tegenaanval, zette een voet voor de andere en begon opnieuw, verving zijn lijfspreuken, ging weer roken, was voortaan tegen niet de minste druppel alcohol bestand, raakte gewicht kwijt, kreeg er aanvragen voor bestekken bij, schoor zich minder vaak, voelde dat de huid van zijn gezicht op bepaalde plaatsen vervelde, zag af van het nakijken van de afvoer wanneer hij zijn haar had gewassen, werd minder spraakzaam, scheidde van Xavier Belloy, maakte weer een afspraak met de oogarts, kwam steeds later thuis, en vaak te voet, kreeg last van slapeloosheid, liep zo vaak mogelijk, oriënteerde zich op de stoepranden, stak naast de zebra's over, passeerde de Seine zonder te kijken, bewonderde Parijs niet meer, raakte Laurence niet meer aan, besefte dat ze tussen hun lichamen een soort goot in het dekbed maakte wanneer ze als eerste ging slapen, begon voor de eerste keer van z'n leven televisie te kijken, was overdonderd, slaagde erin om naar Mathilde te glimlachen toen ze haar cijfer voor natuurkunde had verteld, reageerde niet meer wanneer hij haar erop betrapte op LimeWire te shoppen, had volkomen lak aan het plagiaat dat hem omringde, stond 's nachts op, dronk liters water op de koude tegels in de keuken, probeerde te lezen, liet uiteindelijk Koetoezov en zijn troepen bij Krasnoi in de steek, beantwoordde de vragen die hem werden gesteld, zei nee toen Laurence hem dreigde met een echt gesprek, herhaalde het toen ze hem vroeg of het uit lafheid was, trok zijn riem aan, liet zijn derby's verzolen, aanvaardde een uitnodiging in Toronto voor een conferentie over de environmental issues in the construction industry wat hem volstrekt koud liet, snauwde een stagiaire af, trok uiteindelijk de stekker uit haar computer, greep op goed geluk een pen en duwde die in haar hand, kom, laat me eens zien, zei hij ongeduldig, u daar, laat me eens zien wat ik zou moeten zien, startte een project voor een hotelcomplex in de buurt van Nice op, maakte met zijn sigaret een gat in de mouw van zijn colbert, viel in een bioscoop in slaap, verloor zijn nieuwe bril, vond zijn boek over Prouvé terug, herinnerde zich zijn belofte, klopte dus op de deur van zijn grote meid en las haar met luide stem deze passage voor: 'Ik herinner me mijn vader die tegen me zei: *Zie je hoe de doorn vastzit aan de stengel van die roos?* Intussen opende hij zijn handpalm en volgde met een vinger de omtrek: *Kijk... Net als de duim aan de hand. Wat zit het allemaal prachtig in elkaar, wat is het allemaal stevig, het zijn vormen die sterk zijn en toch soepel.* Dit is me bijgebleven. Als je bepaalde meubelen bekijkt die ik heb gemaakt kun je zo'n beetje overal een patroon terugvinden in de dingen die...', onderkende dat ze er niets om gaf, vroeg zich af hoe dat kon, zij die vroeger zo nieuwsgierig was, liep achteruit haar kamer uit, zette het boek op goed geluk in de rij, leunde met zijn rug tegen de deurpost van de boekenkamer, keek naar zijn duim, sloot zijn vuist weer, zuchtte, ging liggen, stond op, ging terug naar zijn modderpoel, sloot zich weer op in een rokerige barak, liet opnieuw zijn papieren zien, nam opnieuw het vliegtuig, haal...

Dit duurde weken en het had net zo goed maanden of jaren kunnen duren.

Omdat het uiteindelijk de stoere bink was die er met de buit vandoor ging.

En omdat het logisch was... De stoere binken winnen toch altijd?

Al bijna twintig jaar leefde hij met haar zonder haar ooit te zien, waarom zou hij dan vandaag onder de indruk moeten zijn van drie woordjes die niet eens het fatsoen hadden gehad zich voor te stellen? Ja, het was Alexis' handschrift maar... wat dan nog? Wat stelde die nu voor, die Alexis?

Een dief. Een vent die zijn vrienden had laten barsten en zijn vriendinnetje zich helemaal alleen en zo ver mogelijk weg had laten aborteren.

Een ondankbare zoon. Een kleine blanke. Een kleine blanke met talent misschien, maar zo laf...

Jaren geleden, toen hij... Nee, toen zij... Nee, toen het leven, laten we zeggen, het in hun plaats had opgegeven, besefte Charles, wat heel pijnlijk was, dat hij grote moeite had de cijfers van het plan dat anderen het bestaan noemen, te lezen. Begreep nauwelijks hoe alles rechtop kon blijven staan terwijl de fundering zo poreus was en vroeg zich zelfs af of hij het niet vanaf het begin fout had gezien... Hij? Die puinhoop? Iets bouwen? Wat een onzin. Hield iedereen voor de gek omdat hij geen andere keus had, maar mijn god, wat was het... saai.

En schudde zich op een ochtend uit, gromde, kreeg zijn eetlust terug, kreeg plezier in het plezier en had de smaak van zijn vak weer te pakken. Hij was jong en talentvol, kreeg hij altijd te horen. Was zo zwak het opnieuw te geloven, forceerde zich, en begon net als de anderen zijn stenen op te stapelen.

Hij ontkende haar. Nog erger, bagatelliseerde haar.

Verkleinde de schaal.

Goed... Dit had hij in elkaar geknutseld... Tot hij, op een zondagmiddag, op een weekblad stuitte dat bij zijn ouders rondslingerde... Had de pagina uitgescheurd en in de metro nog eens gelezen, staand, met zijn kliekjes onder de arm.

Het stond er allemaal, zwart op wit, tussen een advertentie voor een kuuroord en de ingezonden brieven.

Het was meer dan een openbaring, het was een opluchting. Zoiets zou hij dus hebben opgelopen? Het syndroom van fantoomledematen? Ze hadden hem geamputeerd maar zijn stomme hersenen waren achtergebleven en gingen door met het sturen van valse berichten. En hoewel er niets meer was, want er was niets meer, dat kon hij niet ontkennen, ging het voelen van heel echte ervaringen door. 'Warm, koud, gekriebel, prikkelingen, krampen, en soms zelfs pijn', leerde het artikel.

Ja.

Precies.

Daarvan had hij allemaal last.

Maar op geen enkele plaats.

Maakte er een propje van, gaf de plakken koud vlees aan zijn medehuurder, dempte het licht, zette zijn tafel weer goed. Hij had een cartesiaanse geest die bewijs nodig had om verder te kunnen. Dit had hem overtuigd. En hem gekalmeerd.

Waarom moesten de dingen twintig jaar later veranderen?

Hij hield van dat spook, en spoken, tja, die gaan nooit dood...

Onderging dus de voorafgaande opsomming, zonder er al te veel onder te lijden. Magerder geworden? Maar goed ook. Werkte harder? Niemand zou het verschil merken. Weer gaan roken? Hij kon nog eens stoppen. Botste tegen de voorbijgangers? Werd hem niet kwalijk genomen. Laurence begon haar houvast te verliezen? Ieder zijn beurt. Mathilde keek graag naar debiele series? Haar probleem.

Niets ernstigs. Alleen een verkeerde duw tegen het stompje. Dat zou overgaan.

Misschien inderdaad.

Misschien was hij zo door blijven leven, maar dan ontspannener. Misschien had hij al de komma's weg moeten gooien en de moeite doen vaker een nieuwe regel te beginnen.

Ja, misschien had hij tegen ons uit zijn nek geluld...

Maar uiteindelijk was hij gezwicht.

Voor haar aandrang, voor haar lieve chantage, voor haar stem die ze een beverige toon had meegegeven waardoor de telefoondraad kronkelde.

Goed, had hij gezucht, goed.

En was teruggekomen om tussen zijn oude ouders in te lunchen.

Hij lette niet op de overvolle console en de spiegel in de gang. Terwijl hij zichzelf de rug toekeerde, hing hij zijn regenjas op en ging naar hen toe in de keuken.

Ze waren ideaal met z'n drieën, kauwden langzaam op elke hap en meden heel zorgvuldig het onderwerp waarvoor ze bijeen waren. Maar bij de koffie bezweek Mado, en ze zei tegen haar zoon op een toon van och-wat-dom-ik-was-het-bijna-vergeten en met een blik ver over zijn schouder: 'Ach, ik heb trouwens gehoord dat Anouk Le Men vlak bij Drancy is begraven.'

Hij hield zijn stem in bedwang.

'O ja? Ik dacht dat ze in de Finistère woonde... En hoe weet je dat?'

'Van de dochter van haar vroegere huiseigenares...'

Gaf het toen op.

'Dus het is zover? Jullie hebben uiteindelijk de oude kersenboom om laten hakken?'

'We moesten wel... Vanwege de buren, weet je... Raad eens wat het ons heeft gekost?'

Gered.

Dat dacht hij tenminste, maar toen hij opstond, legde ze haar hand op z'n knie: 'Wacht...'

Boog zich naar de salontafel en gaf hem een grote envelop van kraftpapier.

'Toen ik laatst wat opruimde, heb ik foto's teruggevonden die je leuk zult vinden...'

Charles verstijfde.

'Het is allemaal zo snel voorbijgegaan,' fluisterde ze. 'Kijk hier eens naar... Wat waren jullie allebei schattig...'

Alexis en hij hielden elkaar bij de schouders vast. Twee hilarische Popeyes die een pijp rookten en hun minuscule bicepsen spanden.

'Weet je nog... Het was die vreemde figuur die jullie altijd verkleedde...'

Nee. Hij had geen zin eraan terug te denken.

'Kom,' viel hij haar in de rede, 'ik moet nu gaan...'

'Je zou ze moeten bewaren...'

'Welnee. Wat moet ik ermee?'

Was zijn autosleutels aan het zoeken toen Henri bij hem kwam staan.

'Goeie genade,' lachte hij, 'je gaat me toch niet vertellen dat ze de taart heeft ingepakt!'

Charles zag hoe de envelop onder de duim van zijn vader trilde, volgde de ribbels van zijn vest, zijn versleten knopen, zijn witte overhemd, die onberispelijke stropdas die hij al meer dan zestig jaar iedere ochtend die God gaf strikte, die stijve boord, zijn doorschijnende huid, die spoortjes wit haar die het scheermes was vergeten en ten slotte die blik.

De blik van een bescheiden man die zijn hele leven bij een autoritaire vrouw had gesleten, maar haar niet alles had toegegeven.

Nee. Niet alles.

'Neem ze mee.'

Hij gehoorzaamde.

Kon zijn autodeur niet openmaken zo lang de ander stil bleef staan.
'Papa, alsjeblieft...'
'...'
'Hé! Je moet nu even opzij!'
Ze staarden elkaar aan.
'Gaat het?'
De oude heer die hem niet had gehoord, ging opzij met de bekentenis: 'Mijn houding was minder...'
Een vrachtwagen ging voorbij.

Zolang de weg het toeliet, keek Charles naar het silhouet dat aan de andere kant van de horizon steeds kleiner werd.
Wat had hij nou eigenlijk gemompeld?
We zullen het nooit te weten komen. Zijn zoon, die moest wel enig idee hebben gehad maar was het vergeten bij het volgende stoplicht op de pagina's van zijn kaart van de buitenwijk.
Drancy.
Iemand toeterde naar hem. Hij viel stil.

10

Zijn vliegtuig naar Canada zou om negentien uur vertrekken en zij bevond zich maar een paar kilometer van de luchthaven vandaan. Verliet het kantoor op lunchtijd.

Je hart in een bandelier, wat een leuke uitdrukking.

Dus vertrok hij met zijn hart in een bandelier.

Met lege maag, ontroerd, zenuwachtig als bij een eerste afspraakje.

Belachelijk.

En onjuist.

Hij ging niet naar een bal maar naar een begraafplaats, en hij droeg eerder zijn ziel onder de arm dan dat gebrekkige spiertje.

Want het klopte wel degelijk, hoor, maar vraag niet hoe. Het klopte alsof zij leefde, alsof zij onder de iepen op hem lette en hem af zou gaan snauwen. Ah, eindelijk! Maar wat heeft het lang geduurd! En wat een afschuwelijke bloemen heb je voor me meegebracht! Weg ermee en laten we afnokken. Wat een idee ook met me af te spreken op een kerkhof... Ben je op je achterhoofd gevallen of zo?

Ze was weer eens aan het overdrijven... Keek er vlug naar. Die bloemen waren prima...

In een dwangbuis, ja.

Hé, Charles...

Ik weet het, ik weet het... Maar laat me nou...

Nog een paar kilometer, kwelgeesten...

*

Het was in een voorstad, een kleine provinciale begraafplaats. Geen iepen, nee, wel smeedijzeren hekken van de Heilige Geest op de ramen van de grafkelders en klimop tegen de muren. Een begraafplaats met een koster, een verroeste kraan en zinken gieters. Hij deed snel de ronde. De laatst aangekomenen, dat wil zeggen de lelijkste graven dateerden uit de jaren tachtig.

Gaf kennis van zijn verwarring aan een dametje dat haar betreurden schrobde.

'U moet het door elkaar halen met dat van Mévreuses... Tegenwoordig worden de mensen daar begraven... Wij, het is een familiegraf... En dan nog, we hebben moeten knokken weet u, want de...'

'Maar... is het ver?'

'Bent u met de auto?'

'Ja.'

'Dan kunt u het best weer de Nationale nemen tot de Leroy-Merlin en... U weet toch waar dat is?'

'Ne... nee...' antwoordde Charles, die zijn bos bloemen een beetje lastig begon te vinden. 'Maar eh... ga maar door, ik vind het wel...'

'Anders kunt u zich op de Leclerc oriënteren...'

'O?'

'Ja, u rijdt erlangs, dan onder het spoor door, en na de stortplaats is het rechts.'

Wat was dit nou weer voor een idiote route?

Hij bedankte haar en liep piekerend weg.

Had zijn gordel nog niet losgemaakt of hij was al van de kaart.

Het was precies zoals ze het hem had gezegd: na de Leroy-Merlin en de Leclerc, een lijkenput tegen het terrein van Wegbeheer aan. Met de RER erboven en de gedempte transportvliegtuigen.

Bakken voor diverse soorten afval op de parkeerplaats, plastic zakken aan de struiken en muren van betonplaten die als pisbakken dienden voor al de taggers uit de buurt.

Nee, schudde hij het hoofd, nee.

Hij was toch heel wat gewend. Het was zijn werk te bekijken wat een troep projectontwikkelaars achterlieten, maar nee.

Zijn moeder had zich blijkbaar vergist... Of de ander had het door elkaar gehaald... De dochter van de eigenares, bedoel je... Ook die had haar gek gemaakt... Het was niet moeilijk een jonge vrouw bang te maken die haar zoon alleen opvoedde en doodop thuiskwam, als die trut haar rattenvangers op het plantsoen uitliet om te schijten... Maar goed... nu kwam het weer bij hem boven... Mevrouw Fourdel... Een van de weinige mensen op de wereld van wie Anouk het benauwd kreeg. De huur... De huur van moeder Fourdel...

De ongerijmdheid van deze parkeerplaats, dat was de laatste rotstreek van de woekeraarster. Een linke list, een ongegrond kletspraatje, een verkeerd onthouden adres. Anouk had niets met deze plek te maken.

Charles hield zijn hand lang verkrampt op z'n sleutel en de sleutel in het contact.

Goed. Een snel rondje.

Liet de bloemen achter.

Arme doden...

Wat moet het hard zijn aangekomen, al die wansmaak...

Marmeren graven die blonken als keukenformica, plastic bloemen, geopende boeken waarvan het porselein kunstig gecraqueleerd was, foeilelijke foto's in vergeeld plexiglas, voetballen, tritsen azen, montere snoeken, idiote apostroffen, druiperig en lullig berouw. En dat allemaal voor de eeuwigheid gegraveerd.

Een Duitse herder van goud.

Rust mijn baasje, ik waak aan je zijde.

Waarschijnlijk was het niet zo erg, aandoenlijker in elk geval, maar onze man had besloten ze allemaal te haten.

Zowel in de hemel als op aarde.

Een typisch kleinburgerlijke Franse begraafplaats, in vakken verdeeld als een Amerikaanse stad. Met genummerde lanen, vierkante bedden, pijltjes naar de ziel van B23 en de rust van H175, in chronologisch gelid, de koude vooraan, de meest lauwe achteraan, fijn gemalen grind, een waarschuwingsbord voor recyclebaar afval en nog eentje voor in China geproduceerde troep, en steeds, steeds de herrie van die verdomde treinen op de rand van hun slaap.

En de architect kwam in opstand. Je moest toch wel een aantal regels jegens de doden in acht nemen? Een paar op z'n minst?! Een beetje vrede, pardon, dat was niet geregeld?

Nee hoor... Toen ze leefden, waren ze voor de gek gehouden, opgestapeld in de rothuizen van Phénix waarvoor ze drie keer te veel hadden betaald en zich voor twintig jaar in de schulden hadden gestoken, waarom zou het dan anders moeten zijn nu ze de pijp uit waren? En hoeveel had hun een uitzicht op de stortplaats tot in eeuwigheid gekost?

Ach... en uiteindelijk moest het hun probleem maar blijven... Maar zijn liefste? Als hij haar op deze vuilnisbelt zou vinden, dan...

Toe nou. Maak je zin af. Wat zou je doen, zak van me? Zou je gaan wroeten om haar hier weg te halen? Zou je haar rok afborstelen en haar in je armen nemen?

Heeft geen zin. Hij hoort ons hoe dan ook niet. Een goederentrein tilt supermarkttassen op en hangt die een eindje verder neer.

*

Het was niet de Fiat meer en nog niet de Falcon Millenium van Han Solo, het moet dus in de gelukkige jaren van haar kleine rode R5 zijn geweest, haar eerste *nieuwe* auto, en de gebeurtenissen spelen zich af rond hun tiende... Elfde misschien... Zaten ze al op de middelbare school? Hij weet het niet meer... Anouk was anders dan gebruikelijk. Had zich mooi aangekleed en lachte niet meer. Rookte aan één stuk door, vergat de ruitenwissers uit te zetten, snapte niets van de moppen over Pietje en herhaalde elke vijf minuten dat ze haar eer moesten bewijzen.

De jongens antwoordden ja, ja, maar begrepen niet zo goed wat het betekende, haar eer bewijzen, en omdat Pietje al het bier had opgedronken en in het glas van zijn vader plaste en...

Ze nam ze mee naar haar familie, naar haar ouders die ze in jaren niet had gezien, en had ook Charles bij dit avontuur betrokken. Voor Alexis vermoedelijk. Om hem te beschermen tegen wat haar toen al zo nerveus maakte en omdat ze zich sterker voelde wanneer ze hen achterin over pikkies, worstjes etc. hoorde grinniken.

'Als we bij oma zijn, houden jullie op over Pietje, hè?'

'Jaaa...'

Het was in een buitenwijk van Rennes, een armoedig stuk. Dat herinnert Charles zich nog precies. Ze zocht de weg, reed langzaam, vloekte, klaagde dat ze niks herkende, en hij kon, net als vijfendertig jaar later in Rusland, zijn ogen niet afhouden van die aaneenschakeling van gloednieuwe huizen die hij toen al zo treurig vond...

Er waren geen bomen, geen winkels, geen hemel, de ramen waren piepklein en de balkons lagen vol rotzooi. Durfde niets te zeggen, maar was een beetje teleurgesteld dat een deel van haar hierbij hoorde. Hij dacht dat ze van overzee bij hen in de straat was beland... Op een jakobsschelp... Zoals op dat lenteschilderij waarvan Edith zo hield.

Ze had een hoop geschenken meegenomen en had hen gedwongen hun overhemd in hun broek te doen. Was zelfs op de parkeerplaats even met een kam door hun haar gegaan en op dat moment begrepen ze dat haar eer bewijzen betekende dat ze anders moesten doen dan normaal. Durfden daarom niet te ruziën over wie van beiden op de liftknop mocht drukken en zagen haar op weg naar de bovenste verdieping bleek worden.

Zelfs haar stem was veranderd... En toen ze hun hun cadeaus overhandigde, legde haar moeder die in een zijkamer.

Op de terugweg had Alexis haar de vraag gesteld: 'Waarom hebben ze ze niet opengemaakt?'

Haar antwoord liet lang op zich wachten.

'Ik weet het niet... Misschien bewaren ze ze voor de kerst...'

De rest is vaag. Charles weet nog dat er te veel te eten was en dat hij buikpijn kreeg. Dat het er raar rook. Dat er te hard werd gepraat. Dat de tv de hele tijd aan stond. Dat Anouk geld had gegeven aan haar zusje dat in verwachting was en ook aan haar broers, en medicijnen voor haar vader. En dat niemand haar had bedankt.

Dat Alexis en hij ten slotte naar beneden waren gegaan om op een braakliggend terrein vlakbij te spelen en dat hij, toen hij alleen weer naar boven was gegaan, om de wc op te zoeken, die onaardige, dikke vrouw had gevraagd: 'Pardon, mevrouw... Waar is Anouk?'

'Over wie heb je het, jij?' had ze onwillig geantwoord.

'Eh... Anouk...'

'Ken ik niet.'

En was mopperend weer naar haar aanrecht gegaan.

Maar Charles had *echt* buikpijn.

'De moeder van Alexis...'

'O, je bedoelt Annick?'

Wat was die lieve glimlach gemeen...

'Want ze heet Annick, die dochter van me! Anouk is niemand! Dat is voor Parijzenaartjes zoals jij... Dat is wanneer ze zich schaamt, snap je? Maar hier is het Annick, knoop dat dus in je oren, knaap. En waarom draai je trouwens zo heen en weer?'

Haar oudste dochter verscheen en wees hem de plek waarnaar hij zocht. Toen hij eruit kwam, was ze hun spullen bij elkaar aan het pakken.

'Ik heb ze geen gedag gezegd...' zei Alexis ongerust.

'Dat geeft niet.'

Ze maakte zijn haar in de war.
'Kom, prinsen van me... Wegwezen hier...'
Ze durfden een hele tijd niks meer te zeggen.
'Huil je?'
'Nee.'
Stilte.
En toen had ze aan haar neus gewreven: 'Goed, dus eh... zegt Pietje tegen de juf: "Juf! Juf! Wist u dat kerstballen haren hebben?" Waarop de juf antwoordde: "Welnee, mijn kleine Piet, je vergist je, die hebben toch geen haren..." Pietje draait zich dan om naar zijn vriendje en zegt: "Hé, Jan Kerst, laat je ballen eens aan de juf zien!"'
Ze huilde van het lachen.

Later op de autosnelweg, toen Alexis in slaap was gevallen: 'Charles?'
'Ja?'
'Ik heet nu Anouk, weet je, omdat... Omdat ik het een mooiere voornaam vind...'
Dat hij niet meteen antwoord gaf, kwam omdat hij nadacht over een antwoord dat echt super zou zijn.
'Snap je het?'
Ze had de achteruitkijkspiegel gedraaid om zijn blik op te vangen.
Maar nee, kon geen antwoord vinden dat goed genoeg was. Had zich er dus toe beperkt zijn hoofd te schudden en naar haar te glimlachen.
'Gaat het beter met je buik?'
'Ja.'
'Ik ook, weet je,' ging ze zachtjes verder, 'ik had ook altijd buikpijn wanneer ik...'
En deed er het zwijgen toe...

Charles had niet op dit soort herinneringen gerekend. Waarom dan ineens deze boemerang? De kerstballen, de vergeten geschenken, de briefjes van honderd franc op tafel, en de geur in dit appartement van vettige restjes en ranzige jaloezie?
Omdat...
Omdat op de grafsteen van plek 193 te lezen stond:

LE MEN ANNICK

'De klootzakken...' waren zijn enige stemmige woorden.

Ging met snelle pas naar zijn auto terug, deed de kofferbak open en begon in zijn rotzooi te wroeten.

Het was een fosforescerende marker voor op een bouwterrein. Schudde met de spuitbus, knielde naast haar, begon zich af te vragen hoe hij het zou aanpakken om de 'n' rond te maken en de 'i' met de 'k' te vermengen, besloot toen alles door te strepen en gaf haar haar ware gezicht terug.

Bravo! Applaudisseren met z'n allen! Wat een moed!

Wat een geweldig eerbetoon!

Pardon.

Pardon.

Een oma die naar het graf ernaast ging, staarde hem met gefronste wenkbrauwen aan. Hij deed de marker weer dicht en kwam overeind.

'Bent u familie?'

'Ja,' antwoordde hij kortaf.

'Nee, maar ik vraag u dit...' haar mond vertrok, 'omdat... er is wel een bewaker, maar...'

De blik van Charles bracht haar van haar stuk. Ze maakte haar karweitje af en groette hem.

Het moest wel de vrouw van Maurice Lemaire zijn.

Maurice Lemaire die een mooie gedenkplaat met een tof geweer in reliëf erop van zijn jachtvrienden had gekregen.

Een droombuurman, hè, Anouk van me? Maar zeg eens... Je wordt echt vertroeteld hier...

Bij het verlaten van de plek zag hij de man die 'wel een bewaker, *maar...*' moest zijn.

Hij was zwart.

Aha...

Dat verklaarde alles.

Stortte zich achter zijn dashboard en werd misselijk door de bloemenlucht. Smeet ze in een afvalbak en keek op zijn horloge.

Goed. Hij had tijd die andere zak op te bellen voor hij zou inchecken.

Zijn assistente probeerde hem een aantal keren te bereiken. Negeerde haar en zette ten slotte het ding uit.

Met de blik op oneindig en de duimnagels diep in het vet van het stuur gedrukt, kende een moment van duizeling.

Omkeren... Een ongeluk verzinnen... Doen of hij zijn vlucht had gemist, er 'net' bij zeggen, om Parijs heen rijden, de A11 weer op, bij Zoiets de weg af, richting Geval, naar de Dingesstraat zoeken, de deur van nummer 8 opendoen.

Hem eindelijk treffen.

En hem op zijn smoel stompen.

Hij had het trouwens twintig jaar geleden al moeten doen... Maar niet getreurd, was intussen minstens tien kilo aangekomen en een beetje wrok erbij. Zijn kaak zou het waarderen.

Maar nee. De kleine Rocky met het tweed jasje gaf richting aan en voegde zich weer in de linkerrij. Hij had het afgesproken. Hij zou zich gaan vervelen in een van de salons van Park Hyatt in Toronto en zou terugkomen met zijn tas en hoofd vol *Advances in Building Technology* die hem zijn hijskranen noch zijn geloof zouden teruggeven.

Ja... Hier zou ook onduidelijkheid in de necro... Architect zegt u?

Ach? Ik was het vergeten... Gek hè, ik heb al die jaren eerder het idee gehad dat ik een kantoor draaiende hield... Draaien. Dat is het woord. Kleine geblinddoekte ezel die versuft rondjes in zijn put draait.

Waar was de hand van de vader van Jean Prouvé zoekgeraakt in dit stof? En al die uren doorgebracht met de boekjes van Albert Laprade op een leeftijd dat anderen stickers van Panini verzamelden? En Le Thoronet? En de lijnen van de grote Álvaro? En al die studiereizen met alleen zijn tekeningen als wisselgeld...

En steeds, steeds de afdruk, het zegel van Anouk Le Men op het gedoetje dat zogenaamd zijn carrière vormde en zijn bestaan...

Omdat ja, ze wankelde, ja, ze had in haar hand gespuugd om hun kruintjes plat te krijgen, ja, ze had al haar pakjes laten vallen toen ze haar kofferbak had dichtgedaan, en ja, ze sprak ineens streng tegen ze, maar dit had haar niet belet zich om te draaien, de verwarring van dit zondagskindje met haar ogen te volgen, haar hoofd ook te heffen, op hem te wachten en hem toen ze op gelijke hoogte waren plechtig te verklaren: 'Charles... Jij kunt zo goed tekenen... Weet je, je zou architect moeten worden als je groot bent... En helpen te voorkomen dat er zo wordt gebouwd...'

En het jongetje dat zo goed kon tekenen, dat kies de ogen neersloeg wanneer Pavlovitch zijn enveloppen kreukte, dat doorgaans business-class vloog, dat een heel dure en nutteloze conferentie in een Five Star Alliance-hotel ging bijwonen waar – het stond op zijn programma – hij van een Spa-service met *waterfalls* en *streams* kon genieten, en die waarschijnlijk met zijn koptelefoon op zou indutten vanwege het vele eten, ja, hij, die sukkel, miste de afslag van terminal 2 en gilde in zijn stalen schelp.

Gilde.

Laat hem en zijn duizend wagons vol lullen verrekken.

Hij kon heel de ronde nog eens doen.

II

'Hallo?'

Jammer genoeg was hij het niet, en nog erger, het brabbelde.

'Eh... dit is toch het huis van Alexis Le Men?'

'Ja...' ging het stemmetje verder.

Raakte in de war.

'Zou ik hem mogen spreken, alsjeblieft?'

'Papa! Telefoon!'

Papa?

Dat ontbrak er nog maar aan...

En alles wat hij een uur lang had geoefend, op de parkeerplaats, op de roltrappen, in de diverse rijen, aan de rand van die immense ramen ten slotte, de manier waarop hij zich zou voorstellen, de eerste woorden die hij zou gebruiken, zijn aanvalsplan, zijn steek, zijn kribbigheid, zijn venijn, zijn verdriet, alles vervloog domweg.

De enige torpedo die hij na al die jaren kon vinden om op hem af te vuren was: 'Je... je hebt een kind?'

'Met wie spreek ik?' werd hem kortaf gevraagd.

Verdorie, nee. Zo had hij het zich helemaal niet voorgesteld, onze superheld...

'Ben jij het, Charles?'

'Ja.'

En de stem werd vriendelijker.

Veel te vriendelijk, jammer genoeg...

'Ik heb op je gewacht.'

Lange stilte.

'Je hebt mijn brief dus gekregen?'

De kloof werd nog breder. En op een alarmerende manier. Ging staan, liep naar een hoek en kroop daarin weg. Legde zijn voorhoofd tegen de muur en sloot de ogen. De wereld om hem heen was te... heet geworden.

Het had niets te betekenen. Het zou overgaan. Vermoeidheid. Zenuwen.

'Ben je er nog?'

'Ja, ja... Sorry... Ik ben op een vliegveld...'

Hij voelde schaamte. Schaamte. Hief het hoofd weer.

'Maar het gaat, het gaat... Ik ben er...'

'Ik vroeg of je de brie...'

'Natuurlijk. Waarom zou ik je anders bellen?'

'Nou, ik weet het niet! Voor de aardigheid! Om te vragen hoe het met me gaat, om...'

'Hou op.'

Ja hoor. Alles kwam terug. Nu hij het slijmerige toontje weer hoorde dat hij altijd aansloeg om de boel te belazeren, kwam hij weer bij zijn positieven en zijn woede was onmiddellijk terug.

'Je kunt haar daar niet laten...'

'Sorry?'

'Op die klotebegraafplaats...'

Alexis begon te lachen op een afschuwelijk toontje.

'Haha! Niks veranderd merk ik... Nog steeds dezelfde mooie prins op het witte paard, nietwaar? Nog steeds zo fier, beste Balanda!'

Toen veranderde zijn stem volkomen: 'Maar vertel me eens... Je bent wel een beetje laat, hè? Ho! Je knol is uitgeput! Er valt niemand meer te redden, weet je?'

'...'

'Ik kan haar niet daar laten, ik kan haar niet daar laten,' siste hij, 'maar ze is dood, ouwe! Ze is dood! Of ze nou hier of daar is, wat maakt dat uit? Ik denk dat ze er schijt aan heeft...'

Natuurlijk besefte hij dat. Hij was de verstandigste van de twee. De methodische, de geometrische, de goede leerling, de jongen met dichtgeknoopte boord, de afgevaardigde, de bob, de... Maar... Nu niet meer... Nu was zijn systeem oververhit en het enige wat hij ter verdediging kon aanvoeren, kraamde hij ook uit: 'Je kunt haar niet daar laten... Dit is nu net wat ze altijd verafschuwde... De achterbuurt, de sociale woningen, het racisme... Alles wat ze ontvluchtte...'

'Wat... Wat voor racisme bedoel je eigenlijk?'

'Haar buurman...'

'Welke buurman?'

'Die van het graf naast haar...'

Verblufte stilte.

'Wacht even... Spreek ik wel met Charles Balanda? Zoon van Mado en Henri Balanda?'

'Alex, alsjeblieft...'

'Nee, wat bedoel je nou toch? Serieus... Gaat het wel daar boven? Niks stuk? Ben je soms vergeten je helm op te zetten?'

'...'

'Hallo?'

'Ook nog met de stortplaats erbij...'

'Ik kom eraan,' gilde hij buiten de hoorn. 'Begin maar zonder mij! Wat voor stortplaats? Nou... Charles?'

'Ja.'

'Na al die tijd... Ik moet ik je iets heel belangrijks bekennen...'

'Ik ben benieuwd.'

Hij, ahum, schraapte plechtig zijn keel.

Charles bedekte zijn andere oor.

'Als mensen dood zijn, weet je, nou... dan zien ze niks meer...'

Wat een schoft. Eerst doen of hij hem een groot geheim ging vertellen en hem dan bedonderen. Dat was hem ten voeten uit.

Hing op.

Was nog niet in de slurf of hij voelde de leegte onder zijn voeten: was vergeten hem de belangrijkste vraag te stellen.

*

Hij kreeg een glas champagne en hij nam die gelegenheid te baat om anderhalve slaappil in te nemen. Idiote cocktail, dat besefte hij terdege, maar een stommiteit meer of minder zou niets meer uitmaken.

Al een paar weken bestond zijn leven slechts uit een opeenvolging van ongewenste bijwerkingen en de machine had het volgehouden, dus... Zou in het beste geval binnen een paar minuten instorten, boven de pot gaan hangen.

Ja, alles eruit kotsen, dat zou niet verkeerd zijn...

Ontgrendelde een nieuw piccolootje.

Toen hij zijn dossiers tevoorschijn haalde, gleed de envelop van zijn ouders onder zijn stoel. Prima. Laat maar liggen. Hij had nu zijn portie wel gehad. Van jezelf belachelijk maken ging je niet dood, akkoord, maar er kwam toch een moment dat het gezonder was weer vat op de dingen te krijgen. Kon niet meer tegen wat hij geworden was: een aimabele man.

Kom op. We gaan alles in elkaar stampen. Herinneringen, zwakheid, en geklaag. Lucht!

Maakte zijn stropdas los en knoopte zijn boord open.
Tevergeefs.
Omdat lucht, wist hij het niet, *onder druk* stond.

Toen hij bijkwam, had hij zoveel gekwijld dat z'n colbert bij de schouders drijfnat was. Keek op zijn horloge en kon zijn Lexomil niet geloven: hij had maar een uur en een kwartier geslapen.

Vijfenzeventig minuten adempauze... Daarop had hij dus recht gehad.

Zijn buurvrouw had een maskertje op. Deed aan zijn kant het licht aan, wrong zich in bochten om zijn envelop te pakken, glimlachte bij het terugzien van hun schitterende tatoeages op hun matroosjesonderarmen, vroeg zich af wie die had kunnen tekenen, deed zijn ogen dicht. Ja hoor... Zijn moeder had gelijk... Hij was het geweest... Dat mannetje met geverfd haar... Zocht naar z'n gezicht, z'n naam, z'n stem, vond hem weer voor de hekken van de school en ging terug naar af.

Wij ook.

II

I

'Is het 6A?'

'Ja...'

'Wat mankeert hem?'

'Ik weet het niet, opgefokt... Heb je nog ijsblokjes over?' zei ze tegen haar collega die aan de andere kant van de trolley geduldig wachtte.

Ergens boven de oceaan had een van hun passagiers zijn veiligheidsgordel losgemaakt.

Snikte en dook helemaal weg achter zijn hand.

'*Are you all right?*' zei z'n buurvrouw ongerust.

Hij hoorde haar niet, zo overweldigd als hij was, in het nauw gedreven in zijn eigen turbulentiezone, stond op, stapte over haar heen, hield zich aan de hoofdsteunen vast, stapte het gordijn door, zag een lege rij en liet zich daar vallen.

Eind van de businessclass.

Drukte zich tegen het raampje en overdekte het met wasem.

Er werd een steward naar hem gestuurd.

'Heeft u een arts nodig, mijnheer?'

Charles hief het hoofd, probeerde te glimlachen en viel met zijn geheime rotstoot aan: 'Vermoeidheid...'

De ander was niet meer bezorgd, en hij werd met rust gelaten.

Zelden was een term zo misplaatst.

Rust? Wanneer had hij ooit rust gekend?

De laatste keer was hij zesenhalf en liep met zijn nieuwe vriend de Rue Berthelot weer in.

Een jongen uit zijn klas die Le Men heette, met twee woorden, en die vlak naast hem was komen wonen. Hij was hem al de eerste dag opgevallen omdat hij z'n huissleutel om zijn nek droeg.

Dat was destijds iets bijzonders, je huissleutel om je nek dragen. Daar kon je op de speelplaats mee pronken...

Hij had al een paar keer bij hem het vieruurtje gebruikt, maar die dag was het zijn beurt en terwijl hij z'n schoenen uittrok, had Alexis gezegd: 'We moeten geen herrie maken, weet je, want mijn moeder slaapt...'

'O?'

Charles was onder de indruk. Kon een moeder 's middags slapen?

'Is ze ziek?' vroeg hij zachtjes.

'Nee, ze is verpleegster, maar omdat ze 's ochtends heel vroeg weg moet, doet ze vaak een dutje... Kijk, haar slaapkamerdeur is dicht... Dat is onze code...'

Hij vond het allemaal vreselijk romantisch. Omdat het een spel was, om zo te spelen. Om de autootjes te laten rijden zonder te botsen, om te fluisteren terwijl ze aan elkaars mouw trokken en om zelf hun plakken peperkoek te snijden.

Zij tweeën, alleen op de wereld, en opschrikkend door de minste psjt van de limonade...

Ja, rust was toen al niet zo vanzelfsprekend meer, want iedere keer dat hij langs die deur liep, voelde hij zijn hart bonzen.

Een beetje.

Het was net of Doornroosje, of een erg vermoeide prinses, verbannen of misschien wel verminkt, zich erachter verborg... Hij liep op zijn tenen, hield zijn adem in, en stutte zijn stappen op de parketvloer om niet te vallen als hij naar de kamer van zijn vriend liep.

Deze gang was een brug die boven de krokodillen hing.

Hij kwam vaker terug en iedere keer werd hij gefascineerd door die dichte deur.

Moest zich wel afvragen of ze eigenlijk niet dood was. Misschien dat Alexis tegen hem loog... Misschien redde hij zich op z'n eentje en at hij alleen maar taart...

Misschien leek ze wel op die standbeelden uit hun geschiedenisboek?

Was ze met een zware sluier bedekt en staken haar voeten aan de andere kant uit?

Nee, toch niet, want de keukentafel was altijd een bende... Kommen met half opgedronken koffie en half afgemaakte kruiswoordpuzzels, een speld vol haren, de schillen van een sinaasappel, opengescheurde enveloppen, kruimels...

En Charles keek toe hoe Alexis alles schoonmaakte, of het de gewoonste zaak van de wereld was om de asbakken van je moeder te ledigen en haar truien op te vouwen.

Zijn vriend was dan niet meer de jongen die een paar uur eerder door de juf naar de hoek was gestuurd, het was...

Het was vreemd. Zelfs zijn gezicht veranderde. Hij stond rechter en telde de opgerookte sigaretten met gefronste wenkbrauwen.

Had bijvoorbeeld op zo'n dag het hoofd geschud en de stilte verbroken: 'Pff... Wat smerig.'

Drie peuken waren in een amper aangeroerd potje yoghurt gedoofd.

'Als je wilt,' voegde hij verward toe, 'ik heb een nieuwe stuiter... Een mammoet... Hij ligt op mijn nachtkastje...'

Charles trok zijn schoenen uit en ging op onderzoek.

O, o... De deur stond wagenwijd open... Keek op de heenweg de andere kant op, maar kon zich op de terugweg niet bedwingen even te kijken.

Het laken was weggegleden en je kon haar schouders zien. En zelfs de helft van haar rug. Hij verstijfde. Haar huid was zo blank en haar haren waren zo lang...

Hij moest weg, hij moest echt weg, hij zóu weggaan, op dat moment deed ze haar ogen open.

Ze was zo mooi... Net zo mooi als in de verhalen uit de godsdienstles... Stil en onbeweeglijk, maar met een soort licht om heel haar lichaam heen.

'Hé... Hallo jij...' zei ze en ging half rechtop zitten om haar handpalm in haar nek te kunnen leggen.

'Jij bent Charles, nietwaar?'

Hij kon geen antwoord geven omdat je een stukje van haar... Nou ja, van haar...

Hij kon niet antwoorden en liep hard weg.

'Wat doe je? Ga je weg?'

'Ja,' mompelde Charles die zich druk maakte over zijn schoenlipje, ik moet mijn huiswerk gaan maken.

'Hé!' riep Alexis uit. 'Maar morgen is het woens...'

De voordeur was al dichtgegooid.

2

Laten we dit verhaal over een gestolen of vervloekte rust maar vergeten. Veel te sterke uitspraak om oprecht te zijn. Op straat had Charles zich natuurlijk meteen gebogen om zijn schoenen weer netjes aan te doen, haalde de kleine lus door de grote, en was weer gaan lopen.

Natuurlijk.

Hij glimlachte er nu trouwens om. Van een Heilige Maagd gesproken...

Spotte met het jongetje dat hij toen was, verlicht en vol van genade maar toch verbijsterd. Ja, verbijsterd. Die omringd was door meisjes, maar zich nooit had kunnen voorstellen dat het een andere kleur kon zijn, bij de punt...

Nee, hij was de rust niet kwijtgeraakt, hij had er een vorm van opwinding bij gekregen, een onrust die met hem en met het langer worden van zijn broeken mee zou groeien. Die zijn schaafwonden zou bedekken, zijn heupen zou omringen en naar beneden zou verbreden. Gladgestreken zou worden door het strijkijzer van zijn moeder en worden afgekeurd door de elegantie van zijn vader. Later gerafeld zou raken. Opgerold en bevlekt. Dan aan rijpheid zou winnen, aan kwaliteit dus, een perfecte plooi zou aannemen, perfecte omslagen ook, gestoomd zou moeten worden en verfrommeld zou eindigen op het grind van een obscure begraafplaats.

Verstelde zijn rugleuning en dankte de hemel.

Het was uiteindelijk een geluk in een vliegtuig te zitten. Zo hoog te vliegen, stoned te zijn, op de nuchtere maag, om hen te hebben teruggevonden, zich Nounou's geur van oud schatje te herinneren, hen gekend te hebben, door hen geliefd te zijn geweest en daar nooit meer overheen gekomen te zijn.

Destijds was zij een dame, maar vandaag weet hij beter. Vandaag weet hij dat ze vijf- of zesentwintig moest zijn geweest, en dit gedoe met leeftijd – dat zo vaak door zijn hoofd had gespookt – gaf hem uiteindelijk gelijk: dit was nooit van enig belang geweest.

Anouk had geen leeftijd omdat ze in geen enkel vakje paste en zich te veel verzette om zich te laten afbakenen.

Gedroeg zich vaak als een kind. Rolde zich tussen hun Meccano op en viel in slaap als er een trein langskwam. Mokte wanneer het tijd was voor huiswerk, deed de handtekening van haar zoon na, schreef smekende excuusbriefjes, kon dagen blijven zwijgen, was redeloos verliefd, wachtte avondenlang tot de telefoon zou overgaan en staarde kwaad naar het toestel, ergerde hen door voortdurend te vragen of ze haar mooi vonden, nee... écht mooi, en schold hen ten slotte de huid vol omdat er niks te eten was.

En op andere momenten, nee. Op andere momenten redde ze mensen, en niet alleen in het ziekenhuis. Mensen als Nounou en zo veel anderen vereerden haar als het sterkste idool.

Was voor niets en niemand bang. Deed een stap opzij wanneer de hemel op haar hoofd viel. Incasseerde. Weerde zich. Draaide voor alles op. Knipperde met haar ogen, maakte een vuist of stak haar middelvinger op, al naar gelang wie de vijand was, besefte uiteindelijk dat de lijn was verbroken, hing op, haalde haar schouders op, maakte zich weer op en nam hen allemaal mee uit eten.

Ja, de leeftijd en het leeftijdsverschil waren wel de enige cijfers die zich tegen deze goede leerling hadden verzet. Een voorwaardelijke ongelijkheid in de marge... Te veel onbekenden... Toch herinnert hij zich wat een indruk haar gezicht de laatste keer op hem had gemaakt. Maar het waren niet haar rimpels of haar grijze uitgroei die hem van zijn stuk hadden gebracht, het was... hoe ze zich terugtrok.

Iets, iemand, het leven, had het licht uitgedaan.

Er werd hem koffie aangeboden, smerig slootwater dat hij vreugdevol aanvaardde. Zoog op het hete plastic en drukte zijn voorhoofd tegen het raam, hield de trillingen van de vleugel in de gaten, probeerde de sterren van de andere langeafstandsvluchten uit elkaar te houden, draaide de wijzers van z'n horloge achteruit, en ging verder met het doorklieven van de nacht.

*

De tweede foto had hij gemaakt... Hij weet het nog omdat zijn oom Pierre hem net die kleine Kodak Instamatic cadeau had gegeven waarvan hij al zo lang had gedroomd, en hij had de mouw van zijn koorhemd opgestroopt om het toestel te kunnen inwijden.

Alexis en hij hadden net hun eerste communie gedaan en iedereen had zich in de familietuin verzameld. Onder de kersenboom die net de week daarvoor was omgekapt... Zijn oom was stellig aan het zeuren dat hij eerst de handleiding moest lezen, het licht controleren, en het filmpje er goed in doen, en... heb je je handen wel gewassen?, maar Charles luisterde niet: Anouk was al aan het poseren.

Had een haarlok tussen haar neus en haar bovenlip geknepen en had hem bekken trekkend een enorme kus met een snor van onder haar strohoed gestuurd.

Als hij geweten had dat hij een paar levens later zó naar deze afdruk zou turen, had hij beter naar de adviezen van zijn oompje geluisterd... Het was slecht in beeld gebracht en de scherpte liet te wensen over, maar goed... In elk geval was zij het... En als het bewogen was, kwam dat omdat zij de clown uithing...

Ja, ze hing de clown uit. En niet alleen voor de foto. Niet alleen om Charles te redden van die andere brildrager. Niet alleen omdat het mooi weer was en ze zich veilig voelde in een zoeker die van haar hield. Lachte, likte aan haar glas wanneer het schuim overliep, schoot met suikerbonen naar hen en had zelfs vampiertanden van noga gemaakt, maar het was... voor de afleiding... Om te vergeten en vooral om hen allemaal te laten vergeten dat op die dag haar enige familieleden, de enige menselijke wezens tegen wie ze later zou kunnen zeggen 'Toch wel... Dat was op de eerste communie van de kleine, weet je nog...' en die zich tot peter en meter hadden gebombardeerd toen de registers werden ondertekend, een collega van het werk waren en een oude komediant met kunstiger opgestoken haar dan ooit...

Ha, inderdaad. Daar heb je hem... De geweldige Nounou... Geflankeerd door zijn twee engeltjes, trots als een pauw en nauwelijks langer dan zij ondanks zijn inleghakken en zijn accordeonkapsel.

'Hallo, schatjes van me! Kijk nou uit met jullie kaarsen! Met al die lak waarmee Jackie me heeft bespoten, ga ik zo ontploffen hoor! Voel eens even...'

Ze hadden gevoeld, en het leek inderdaad net op de gevallen van suiker boven op hun communietaart.

'Dat heb ik jullie toch gezegd... Goed, vooruit, glimlachen nu!'

En ze glimlachten op die foto. Ze glimlachten. En klampten zich teder aan hem vast om hun vingers aan de mouwen van alpaca af te vegen.

Alpaca... Het was de eerste keer dat Charles dit woord had gehoord... Ze stonden met z'n allen op het kerkplein, verdoofd door het kabaal van de klokken, tuurden de horizon af en friemelden aan hun gordelkoorden omdat Nounou te laat was.

Mado was ten einde raad en net toen ze, helaas, naar binnen moesten, zagen ze hem uit een taxi stappen alsof het een limousine op de Croisette was.

Anouk was in een schaterlach uitgebarsten: 'Nounou toch... Maar, maar... Je ziet er schitterend uit!'

'Het is wel goed,' antwoordde hij een beetje zuur, 'het is alleen maar een kostuumpje van alpaca... Ik heb het laten maken voor de tournee van Orlanda Marshall in...'

'Wie was dat?' vroeg ik terwijl we ons naar de sacristie begaven.

Grote zucht à la waaierslag en gebroken vaas.

'O... Een goede vriendin van me... Maar ze is nooit doorgebroken... De tournee is afgelast... Weer zo'n geschiedenis van benen uit elkaar als je het mij vraagt...'

Hij kuste toen zijn wijsvinger en raakte hun voorhoofd aan (Rouge Baiser, de beste zalfolie): 'Kom, Jezusjes van me, hup... En als jullie het licht zien, geen grappen, jullie buigen het hoofd, ja?'

Maar nee, Charles had z'n Onzevader met wijd open ogen opgezegd en had gezien dat ze met vertrokken lippen glimlachte, terwijl ze heel hard in de hand van haar buurman kneep.

Destijds had hij zich er een beetje aan geërgerd. Hé. Nu niet. Stop. Ze zou toch weer niet gaan janken? Maar vandaag... Deze emotie die in de hemel is... Haar naam worde geheiligd en haar wil geschiede. Het was de communie van haar enige kind, dag vol genade, een *officieel* klein bestand in een leven vol doorns, en haar enige verleden, haar enige schouder, de enige vingers die ze kon verbrijzelen tijdens het orgelspel waren die van de oude vriendin van Orlanda Marshall met gelakte laarsjes en op de borst hangende rozenkransen op een paars kostuum.

Het was niets.

En toch was het veel.
Maar het sloeg nergens op.

Het was haar leven.

Hij had hem een vulpen gegeven die van 'Mijnheer Charles Trenet was geweest, alsjeblieft', maar het dopje kon er niet meer af.

'En? Doet je hart niet boemboem?' had hij eraan toegevoegd toen hij de verlegen glimlach van Charles opmerkte.

'Eh... toch wel...'

En toen de kleine weg was, voelde hij zich verplicht verantwoording af te leggen aan de pruillip van Anouk: 'Waarom staar je me zo aan?'

'Ik weet het niet... De laatste keer heb je me verteld dat die klotevulpen van Tino Rossi was geweest...'

'Schatje toch...'

Grote alpaca ontmoediging.

'Het is de droom die telt, dat weet je toch wel... En ik vond dat Charles Trenet, voor een communie, meer... Dat het beter was.'

'Je hebt gelijk. Tino Rossi is eerder voor de kerst...'

'Vind je jezelf grappig?'

Ze lag in een deuk, hij trok een zuur gezicht.

'O... Nounou toch... Wat zou ik zonder jou moeten beginnen?'

En de make-up bloosde.

Charles legde de foto's op zijn tafeltje. Hij was graag verdergegaan, maar warempel, de oude komediant trok, zoals gewoonlijk, het laken weer eens naar zich toe. En je kon het hem niet kwalijk nemen. Het was zijn reden van bestaan, toneel, voorstellingen, enteurteenmant, zoals hij het noemde...

Nou, daar gaan we dan, dacht hij, daar gaan we. Na de hondjes met boorden en voordat het licht weer aangaat, Ladies and Gentlemen, exclusief voor u vanavond, rechtstreeks van zijn glorieuze tournee naar de Nieuwe Wereld en voor uw verbaasde ogen, de Grote, de Geweldige, de Voortreffelijke, Onvergetelijke Nounou...

*

Op een nacht in januari 1966 (toen ze hem veel later dit verhaal zou vertellen, gebruikte Anouk, die zich nooit wat kon herinneren, dit als geheugensteuntje: de dag voordien was een Boeing tegen de Mont Blanc te pletter gevlogen...) stierf een oude dame op cardiologie. Dat wil zeggen drie verdiepingen hoger. Dat wil zeggen lichtjaren verwijderd van de zorgen van de staatsgediplomeerde verpleegster Le Men die toen op de afdeling shocktherapie werkte. Charles gebruikt deze term welbewust omdat die van haar kwam, maar er wordt bedoeld: op de spoedeisende hulp. Anouk, en dat paste goed bij haar, was verpleegster op de spoedeisende hulp.

Ja, er was een oude dame gestorven en hoe had zij het moeten weten, want niets is zozeer in vakjes verdeeld als een ziekenhuis. Elke afdeling heeft eigen borrels, eigen overwinningen, eigen probleempjes...

Als je tenminste de geruchten uit de wandelgangen niet meerekent. Of die rond de koffieautomaat in dit geval... Die dag klaagde een van haar collega's over een of andere gekke sul die de boel daarboven op stang joeg door elke dag met verse bloemen zijn overledene te blijven bezoeken en dan verbaasd was te worden afgescheept. Vervolgens lachte en aan de omstanders vroeg of iemand hem op de afdeling psychiatrie kon opnemen.

Had in eerste instantie verder niet gereageerd. Haar hart en haar bekertje even erg verkreukeld voor ze in de vuilnisbak belandden. Zij had haar portie gehad.

Pas toen de beveiliging zich ermee ging bemoeien en hij van de verdiepingen werd verbannen, kwam de onderhavige gekke sul in haar leven. Elk uur van de dag of van de nacht, of haar dienst begon of ophield, ze stuitte op hem in de ingangshal, hij zat tussen de planten en het kotje van de boekhouding. Moedeloos, maar net geduld, afgemat door de tocht en de langsstromende menigte, van plaats wisselend als er stoelen vrij kwamen en met het gezicht steeds naar de deuren van de liften gericht.

Ook toen keek ze nog de andere kant op. Haar lot, haar leed, haar uit autowrakken gehaalde lichamen, haar door kokend water verbrande zuigelingen, haar kotsende zuiplappen, haar te langzame brandweermannen, haar ergernis over babysitters, haar geldproblemen, haar eenzaamheid, haar... Keek de andere kant op.

En op een avond, wie weet waarom, omdat het zondag was en omdat zondagen de onrechtvaardigste dagen van de wereld zijn, omdat haar dienst erop zat, omdat Alexis een plaatsje bij hun aardige buren had gevonden, omdat ze te uitgeput was om haar moeheid nog te voelen, omdat het koud was, omdat haar auto kapot was en omdat zelfs de gedachte naar de bushalte te lopen haar strot dichtkneep, en omdat hij eraan zou gaan door hier onbeweeglijk te blijven zitten, was ze weer begonnen met haar lichtend pad, en in plaats van er via de dienstingang tussenuit te knijpen was ze naast hem komen zitten.

Was heel lang blijven zwijgen, worstelend met de vraag hoe ze hem, zonder dat hij in duizend stukken zou breken, zo ver kon krijgen dat hij zijn boeket losliet, maar nee, wist niets te vinden, en had uiteindelijk, met een zere nek, erkend dat ze er zelf te slecht aan toe was om wie dan ook te helpen.

'En toen?' vroeg Charles.

'Eh... Ik heb hem om een vuurtje gevraagd...'

Hij had erg gelachen: 'Zo! Een verdomd originele binnenkomer!'

Anouk glimlachte. Had nooit eerder dit verhaal aan iemand verteld en zij, die vaak vergat hoe ze de dag voordien heette, was verbaasd het zich zo goed te herinneren.

'En toen? Heb je hem gevraagd of die mooie ogen van hem waren?'

'Nee. Daarna ben ik naar buiten gelopen en heb een paar saffies gerookt om moed te verzamelen en toen ik terug was, heb ik hem de waarheid gezegd. Ik heb mijn hart bij hem uitgestort zoals ik nooit eerder bij wie dan ook heb gedaan. Bij wie dan ook... Arme man, als ik eraan terugdenk...'

'Wat heb je hem gezegd?'

'Dat ik wist waarom hij hier was. Dat ik navraag had gedaan en dat ze me hadden verteld dat zijn moeder heel zacht was heengegaan. Dat ik graag de zekerheid had dat het mij ook zo zou vergaan. Dat ze geluk gehad had hem bij zich te hebben. Dat een van mijn collega's had gezegd dat hij elke dag was gekomen en haar hand tot het eind had vastgehouden. Dat ik hen benijdde, haar en hem. Dat ik mijn moeder in járen niet gezien had. Dat ik een jongetje van zes had die ze nooit in haar armen had genomen. Dat ik haar een geboortekaartje had gestuurd en ze me een meisjesjurk als cadeau had teruggestuurd. Dat het waarschijnlijk geen boosaardigheid was, maar nog erger. Dat ik mijn tijd vooral besteedde aan het helpen van mensen, maar dat niemand zich ooit om mij had bekommerd. Dat ik moe was, dat ik problemen met slapen had, dat ik alleen woonde en 's avonds soms dronk om in te kunnen slapen omdat het mij vreselijk beangstigde te weten dat een kind wiens leven van het mijne afhing in de kamer naast me lag te slapen... Dat ik nooit meer van zijn vader had gehoord, een man van wie ik nog wel droomde. Dat ik hem vergeving vroeg voor al die verhalen. Dat hij ook zijn leed had, maar dat hij geen reden meer had hier terug te komen, omdat hij haar inmiddels vast had begraven... nietwaar? Dat je niet op zo'n plaats moest blijven rondhangen als je gezond was, want dat was een soort belediging voor hen die leden, als hij wel bleef komen hield dat in dat hij tijd had en als dat zo was, eh... zou hij dan niet liever bij mij thuis komen?

Dat ik, voordat ik hier woonde, 's nachts in een ander ziekenhuis werkte en dat ik in die tijd logeerde bij vrienden, die op mijn kindje konden passen, maar dat ik de laatste twee jaar alleen woonde en heel veel geld aan oppas kwijt was. Dat ik, omdat hij sinds het begin van het schooljaar leerde lezen, afmattende roosters had genomen om thuis te zijn wanneer hij uit school kwam. Dat hij, drie turven groot, toch elke ochtend alleen opstond en ik me altijd zorgen maakte of hij wel had ontbeten en... Dat ik het niemand had verteld omdat ik me te diep schaamde... Hij was zo klein... Ja. Ik schaamde me. Dat ik vanaf de komende maand overdag zou moeten gaan werken. Dat mijn hoofd me geen keus liet en ik het haar nog niet had durven vertellen... Dat de oppas nooit tijd heeft om de lessen van de kinderen na te zien of hun leespagina te laten lezen, in elk geval niet het soort oppas dat ik me kan veroorloven en dat... dat ik hem natuurlijk zou betalen! Het was een heel lief kind dat gewend was alleen te spelen en dat... het bij mij thuis niet zo mooi was maar toch iets gezelliger dan hier en...'

'En?'

'En daarna, niks... En omdat hij niet reageerde, vroeg ik me af of hij doof was of... Ik weet het niet... Een beetje simpel of zo...'

'En?'

'En het leek me zo lang te duren, mijn god! Een beetje de sfeer van een gekkenhuis! En ik zette ons beiden in hetzelfde schuitje, hè? Twee mafkezen onder de yucca's... O, als ik eraan terugdenk... Ik moet echt wanhopig zijn geweest... Ik was naar hem toe gegaan om mijn steun aan te bieden en nu smeekte ik hem mij te redden... Wat een ellende, Charles, wat een ellende...'

'Ga door...'

'Nou, op een gegeven moment ben ik toch opgestaan! En hij stond ook op. En ik ben naar mijn bus gegaan, en hij is me gevolgd. En ik ben gaan zitten, en hij is tegenover me gaan zitten en eh... Ik begon te flippen...'

Ze lachte.

'Verdomme, dacht ik, dit gaat helemaal mis... Ik heb hem gevraagd om bij mij thuis te komen, maar niet meteen. En ook niet voor altijd. Help! Ik hield me taai, maar ik zweer je, ik kneep hem... Ik zag me hem al naar de politie brengen... Dag mijnheer de agent, kijk... Ik heb hier een weeskuiken dat denkt dat ik zijn moeder ben en me overal volgt... Wat... wat moet ik? Ineens durfde ik hem niet meer aan te kijken en dook ik helemaal weg tussen de plooien van mijn sjaal. Hij bleef me juist aanstaren. Die stemming!... En op een gegeven moment zei hij tegen me: "Uw hand..." "Pardon?" "Geef me uw hand... Nee, niet deze, de linker..."'

'Wat wilde hij?'

'Ik weet het niet... Mijn cv zien, neem ik aan... Zeker weten of ik hem niet voor de gek had gehouden... Hij heeft dus mijn handpalm gelezen en voegde eraan toe: "De kleine... Hoe heet hij?" "Alexis." "O?" Pauze. "Net als Sverdjak..." En toen ik niet reageerde: "Alexis Sverdjak. De grootste messenwerper aller tijden..." En toen, geloof het of niet, heb ik mezelf voorgehouden dat ik er weer eens een rotzooitje van had gemaakt... Hij zag er zo maf uit met zijn omasjaal op zijn kop... Ja, toen werd ik kwaad op mezelf... Je zoekt ze wel uit, hè? prevelde ik en keek naar m'n nagels. Verdomme, het is jouw kind! Wat voor een Mary Poppins van de kermis heb je nu toch opgeduikeld?!'

'Was hij opgemaakt en zo?'

'Nee, nog moeilijker te omschrijven... Een heel oude baby... Met zijn gesprongen adertjes, zijn geleiachtige ogen, zijn handschoenen van heel zacht leer en zijn twijfelachtige boorden. Vreselijk hoor...'

'En hij heeft je tot thuis gevolgd?'

'Ja. Hij wilde weten waar ik woonde. Maar weigerde boven iets te komen drinken. God weet hoe lang ik heb aangedrongen, maar nee, onmogelijk hem tot rede te brengen.'

'En toen?'

'Toen heb ik hem gedag gezegd. Ik heb hem gezegd dat het me speet hem lastig te hebben gevallen met al mijn verhalen en dat hij terug kon komen wanneer hij maar wilde. Dat hij altijd welkom was en dat mijn kleine jongen heel graag over dingejak zou horen, maar dat hij vooral, vooral niet meer naar het ziekenhuis terug moest gaan... Beloofd?

Ik ben weggegaan terwijl ik naar mijn sleutels zocht, en hoorde toen:

"Weet je, schat, dat ik ook artiest ben geweest?" Vertel me nou wat! Ik heb me omgedraaid om hem voor de laatste keer te groeten.

"Ik deed aan variété..."

"O?"

En toen, Charles, toen... Probeer je het tafereel voor te stellen... 's Nachts, zijn schaduw, zijn zo wonderlijke stem, de kou, de vuilnisbakken en zo... Eerlijk, ik kneep hem echt... Ik zag me al tussen de gemengde berichten van de volgende ochtend...

"Geloof je me niet?" vervolgde hij. "Kijk..."

Hij stopte z'n hand in de hals van zijn kleine jas en weet je wat hij eruit haalde?'

'Een foto?'

'Nee. Een duif.'

'Te gek...'

'Wat je zegt... We hebben heel wat shows met hem meegemaakt, nietwaar? Maar deze zal voor mij altijd de mooiste blijven... Het was zo maf, zo oubollig en zo poëtisch tegelijk... Het was... Het was Nounou... Je had zijn kop moeten zien... Hij straalde... En toen kreeg ik een grote glimlach waarvan ik me niet meer kon ontdoen. Ik heb mijn koffie opgedronken, mijn tanden gepoetst en ben ermee naar bed gegaan en... En weet je wat?'

'Nee?'

'Die nacht, en voor het eerst in jaren... Jaren en jaren... Heb ik *goed* geslapen. Ik wist dat hij terug zou komen... Ik wist dat hij voor ons zou zorgen en dat... Ik weet het niet... Ik vertrouwde het... Hij had het goed gezien, dat mijn gelukslijn nog korter was dan mijn liefdeslijn... Hij had me schat genoemd en had over de kop van zijn vogel geaaid en daarbij kon je zijn rotte tandenstompjes zien, hij... Hij zou van ons gaan houden, dat wist ik zeker. En zie je, voor één keer heb ik me niet vergist... De jaren met Nounou werden de mooiste van mijn leven. De minst harde in elk geval... En die enorme ellende met vuurwerk van twee jaar later is, wat mij betreft, een uitgemaakte zaak: hij zat erachter. Hij was de vuurwerkmaker. Het was die kleine Zebulon, mijn revolutie en... Och... Wat is hij goed voor ons geweest...'

'Eh... Sorry dat ik zo platvloers ben, maar... had hij al die dagen daar in het ziekenhuis zijn vogel op zak?'

'Grappig dat je me dit vraagt, want ik heb hem kort nadien dezelfde vraag gesteld en hij heeft nooit antwoord willen geven... Ik voelde iets ongemakkelijks en heb niet aangedrongen. Pas jaren later, op een dag dat ik me heel rot voelde en ik weer eens was ingestort, heeft hij me een brief gestuurd. De enige trouwens die hij me ooit heeft geschreven... Ik hoop dat ik hem niet kwijt ben... Hij zei daarin hele lieve dingen, complimenten die niemand me ooit heeft gemaakt, dingen... Ja, een liefdesbrief wanneer ik eraan terugdenk... en hij eindigde met deze woorden: *Herinner je je die avond in het ziekenhuis? Ik wist dat ik nooit meer naar huis zou gaan en daarom had ik Mistinguett in mijn zak. Om hem vrij te laten voordat ik... En toen kwam jij en ik ben toch maar weer naar huis gegaan.*'

Haar ogen blonken.

'En wanneer is hij teruggekomen?'

'Twee dagen later... tijdens het vieruurtje... Helemaal zwierig, met een nieuwe kleur haar, een boeket rozen en snoepjes voor Alexis. We hebben hem het huis laten zien, de school, de winkels, jouw huis... En... En dat is het. Je weet hoe het verderging...'

'Ja.'

Mijn ogen blonken.

'Het enige probleem destijds was Mado...'

'Ik weet het nog... Ik mocht niet meer bij jullie komen...'

'Ja. En zoals je ziet... Haar heeft hij uiteindelijk ook om zijn vinger gewonden...'

*

Op dat moment had ik haar niet tegen durven te spreken, maar zo makkelijk was het niet gegaan...

Mijn moeder was niet echt een wit duifje dat haar ogen sloot wanneer je haar met de veren mee aaide. Alexis was altijd welkom, maar nummer 20 was voor mij verboden terrein.

Ik hoorde nieuwe woorden, woorden die niet heel vleiend klonken voor Nounou. Moraal, zeden, gevaar. Woorden die mij volstrekt achterlijk leken. Wat voor gevaar? Dat we gaatjes in de tanden kregen omdat hij ons te veel snoep gaf? Dat we naar meisjes roken omdat hij ons te veel kuste? Dat we op school minder goed ons best zouden doen omdat hij ons voortdurend vertelde dat wij prinsen waren en we later nooit zouden hoeven te werken? Mama, toch... We geloofden hem niet, weet je... Zijn voorspellingen waren trouwens altijd waardeloos. Hij had ons gezworen dat we op de loterij voor het goede doel kaartjes voor de 24 uur van

Le Mans zouden winnen en we wonnen helemaal niets, dus...

Nee, als ze het heeft opgegeven, is dat omdat ik eens een keer heb doorgezet. Ik at twaalf uur lang niets en zweeg negen dagen tegen haar! En mei '68 had haar ook een beetje aan het wankelen gebracht... Nu deze wereld toch naar de verdommenis gaat, nou vooruit dan, vooruit dan maar, zoon. Ga maar knikkeren...

Ik ging weer terug, maar het was op het nippertje en ik kreeg heel strikte regels en tijden. Waarschuwingen die gingen over gebaren, mijn lichaam, zijn handen, zijn... Woorden waarvan ik niets begreep.

Vandaag zie ik de dingen uiteraard anders... Zou ik, als ik een kind had, het aan zo'n hybridische babysitter als Nounou toevertrouwen? Ik weet het niet... Ik zou waarschijnlijk ook wat aarzelingen hebben. Nee hoor... We hadden niets te vrezen... In elk geval was er nooit het minste onbehagen geweest. Waarmee Nounou zijn nachten vulde, was een ander verhaal, maar tegenover ons was hij het toppunt van kuisheid. Een engel. Een beschermengel die zich met *Tais-toi mon coeur* parfumeerde en ons in vrede oorlogje liet spelen.

En later werd hij een voorwendsel. Het was Anouk die mijn moeder dwarszat, en ook dat kan ik begrijpen. De verwarring van mijn vader onlangs spreekt boekdelen...

Ik mocht er gaan knikkeren, maar er kwam een tijd dat ik haar naam thuis niet meer uit mocht spreken. Wat er precies was gebeurd, weet ik niet. Of ik weet het al te goed. Geen man had met haar willen leven, maar ze waren allemaal bereid haar het tegendeel te garanderen...

Wanneer ze vrolijk was, wanneer haar duizelingen haar met rust lieten, wanneer ze het haar losmaakte en ze liever op blote voeten liep, wanneer ze zich herinnerde dat haar huid nog zacht was en dat... was ze een zon. Waar ze ook heen ging, wat ze ook zei, de gezichten draaiden zich om en ieder wilde zijn deel. Ieder wilde haar bij de arm nemen, desnoods met geweld, en dat gebeurde ook, om het gerinkel van haar armbanden éven te laten stoppen. Even maar. De duur van een grijns of een blik. Van een stilte, een ontspanning, maakte niet uit. Het maakte echt niet uit. Als het maar voor jóu was.

O ja... Ze had heel wat leugens gehoord...

Was ik jaloers? Ja.

Nee.

Ik had ze leren herkennen, die blikken, op den duur, en was er niet bang meer voor. Ik hoefde maar ouder te worden en daarvoor deed ik mijn best. Dag in dag uit. Ik had er vertrouwen in.

En wat ik over haar wist, wat ze me had gegeven, wat van mij was, zouden zij, alle anderen, nooit hebben. Voor hen veranderde ze haar stem, sprak te snel, lachte te luid, maar met mij, nee, bleef ze normaal.

Ze hield dus van mij.

Maar hoe oud was ik om zoiets te zeggen? Negen? Tien?

En waarom deze voorkeur? Door mijn moeder, door mijn zussen, door de juffen en de akela's van de padvinderij. Doordat alle vrouwen om me heen me wanhopig maakten. Waren lelijk, snapten niets, hun enige zorg was of ik mijn tafels kende en of ik wel een schoon hemd had aangetrokken.

Natuurlijk.

Natuurlijk, want mijn enige doel was groter te worden om van hen verlost te zijn.

Terwijl Anouk... Omdat ze juist geen leeftijd had of omdat ik als enige persoon in de wereld naar haar luisterde en wist wanneer ze loog, had zich nooit naar me heen *gebogen*, kon niet uitstaan dat ik Charlie of Charlot werd genoemd, zei dat ik een zachte en elegante voornaam had, die bij me paste, vroeg altijd naar mijn mening en erkende dat ik vaak gelijk had.

En waarom deze zelfverzekerdheid uit de hoogte van mijn kleine snotneus?

Nou, omdat ze het me zelf had verteld, verdorie!

Ik had bij hen gelogeerd en ze had, voor we naar school gingen, vieruurtjes in onze tassen gestopt.

Tijdens het speelkwartier waren we naar de anderen gegaan met onze zakken knikkers in de ene hand en onze pakjes van aluminiumfolie in de andere.

'O!' had Alexis enthousiast gezegd toen hij het zijne had uitgepakt. 'Koekjes die spreken!'

Gehurkt zette ik een spoor uit (toen al...) in het grind.

'*Ik heb je op het puntje van mijn tong* en *Je maakt me aan het lachen,*' las hij luidkeels voor hij ze naar binnen propte.

Ik wreef mijn handen tegen mijn dijen.

'En jij? Wat heb jij?'

'Ik?' zei ik, een beetje teleurgesteld nu ik vaststelde dat ik er maar één had.

'Nou?'

'Niets...'

'Staat er niets op?'

'Neeee, er staat "Niks".'

'O... Da's waardeloos... Goed, nou... Wie begint er?'

'Doe jij maar,' zei ik en ging weer staan om het in mijn jack terug te kunnen stoppen.

We speelden en ik verloor die dag veel... Al mijn kattenogen...

'Hé! Wat speel je slecht vandaag.'

Ik glimlachte. Daar in het stof, later in de rij terwijl ik in mijn zak voelde, later onder mijn kastje, en ten slotte in mijn bed, nadat ik een paar keer was opgestaan om het ergens anders te verstoppen, glimlachte ik.

Tot over je oren.

Veertig jaar nadien kon Charles zich niet herinneren ooit zo'n doeltreffende liefdesverklaring te hebben gekregen...

Het wafeltje was verkruimeld en hij had het uiteindelijk weggegooid. Was groot geworden, was weggegaan, was teruggekomen en ze had gelachen. En hij had haar geloofd. En hij was ouder geworden, en hij was dikker geworden en... en ze was doodgegaan.

En dat was het.

Toe nou, Balanda, het was maar een koekje... Weet je hoe ze tegenwoordig heten bij de retrokruidenierswinkels? *Gaufrettes amusantes.* En je was maar een kind.

Dit is toch allemaal belachelijk?

Belachelijk.

Ja, maar...

Kreeg geen tijd zich te rechtvaardigen. Was weggezakt.

3

Een chauffeur wachtte op hem op het vliegveld, met zijn naam op een bordje.

Een kamer wachtte op hem in het hotel, met zijn naam op een televisiescherm.

Op het hoofdkussen een chocolaatje en de weersvoorspellingen voor de volgende dag.

Bewolkt.

Een nieuwe nacht begon en hij had geen slaap. Ja hoor, zuchtte hij, ik word weer eens door de jetlag genaaid. Had er vroeger geen belang aan gehecht maar tegenwoordig stribbelde zijn arme karkas tegen. Voelde zich... moedeloos. Ging naar de bar beneden, bestelde een bourbon, las de lokale pers en er ging een tijdje voorbij voor hij in de gaten kreeg dat de vlammen in de openhaard nep waren.

Net als het leer van zijn fauteuil. En de bloemen. En de schilderijen. En het houtwerk. En het stucwerk van het plafond. En het patina van de kroonluchters. En de boeken in de bibliotheek. En de geuren van boenwas. En de lach van die knappe vrouw aan de bar. En de gedienstigheid van de mijnheer die voorkwam dat hij van zijn kruk gleed. En de muziek. En het licht van de kaarsen. En... alles, absoluut álles, was nep. Het was het Disney World van de rijken en hoe helder hij ook was, hij maakte er deel van uit. Hij miste alleen nog de oren van Mickey.

Ging naar buiten de kou in. Liep úren. Zag alleen fantasieloze gebouwen. Liet een plastic kaartje in de gleuf van kamer 408 glijden. Zette de airco uit. De televisie aan. Het geluid af. Het beeld uit. Probeerde een raam open te zetten. Vloekte. Gaf het op. Draaide zich om en had voor het eerst in zijn leven het gevoel dat hij in de val zat.

03:17 ging liggen
03:32 en vroeg zich af
04:10 bedachtzaam

04:14 rustig
04:31 wat hij
05:03 daar deed.

Nam een douche. Bestelde een taxi. Ging naar huis.

4

Nog nooit had hij zo veel geld voor een vliegticket uitgegeven en zo veel tijd verloren. Twee volle dagen waren hem door de handen geglipt. Verloren. Niet terug te winnen. Zonder papieren, zonder telefoontjes, zonder te nemen beslissingen en zonder verantwoordelijkheid. Het leek hem in eerste instantie krankzinnig, daarna... enorm exotisch.

Hij hing op het vliegveld van Toronto rond, deed hetzelfde tijdens de tussenstop in Montreal, kocht tientallen kranten, prulletjes voor Mathilde, een slof sigaretten en twee detectives die hij vergat mee te nemen.

Het was acht uur 's morgens toen hij zijn auto ophaalde. Wreef in zijn ogen, voelde het prikken van zijn wangen en kruiste zijn armen op het stuur.

Dacht na.

Situeerde zich, bij gebrek aan helder zicht op de rest, geografisch op deze wereld, koos voor de simpelste, betreurde het geen mooiere voor het grijpen te hebben, gaf toe dat in zijn positie elke steen mooi genoeg was om eraan te voelen... Raadpleegde zijn landkaarten, keerde de hoofdstad de rug toe en ging, zonder pelgrimsstaf en met als enig doel het vergeten van de lelijkheid die zich wekenlang op zijn netvlies en onder zijn zolen had verzameld, de abdij van Royaumont bezoeken.

En terwijl hij weer aan een reeks stadsranden, industrieterreinen, winkelzones, nog in te richten gebieden, woongebieden en andere nog sterker verdraaide termen moest geloven, kwam weer dat surrealistische gesprek bij hem boven dat hij op de dag toen hij over haar dood vernam met een taxichauffeur had gevoerd... Was God in zijn leven? Duidelijk niet... Maar Zijn architecten wel. Altijd al.

Meer nog dan op het verzoek van Anouk aan de voet van dat afschuwelijks van beton, waardoor het haar makkelijker viel haar familie voor altijd de rug toe te keren, ging een groot deel van zijn roeping op de cisterciënzers terug. Op iets wat hij als tiener had gelezen, om precies te zijn. Wist het nog als de dag van gisteren... Hij, koortsachtig in zijn kleine kamer in een voorstad, onder de hanenbalken van een huis, op een steenworp van de nieuwe rondweg, dat boek verslindend, *Les Pierres sauvages* van Fernand Pouillon.

Gefascineerd door de uitspraken van deze geniale monnik die, seizoen na seizoen, onthouding na onthouding, vechtend tegen de twijfel en het koudvuur, uit de dorre aarde zijn meesterwerk van een abdij schiep. De schok was zo groot geweest dat hij zichzelf voor altijd had verboden het te herlezen. Zodat in elk geval een deel van hem, ondanks de desillusies die zouden volgen, intact zou blijven...

Nee, hij zal niet meer de kwellingen van Meester Paul in zijn troosteloze steengroeve herbeleven, noch de Regel waaraan de lekenbroeders onderworpen waren, noch de afschuwelijke dood van de muilezel met opengereten buik onder de disselboom, maar de eerste zinnen was hij nooit vergeten, en het overkwam hem soms nog steeds dat hij ze zachtjes voor zichzelf opzegde om opnieuw de korrel van de okeren steen te voelen, het heft van de gereedschappen en alle dweperij van zijn vijftien jaar:

Zondag van de Oculi

Onze habijten zijn doorweekt van de regen, de vorst heeft de zware stof van onze pijen hard gemaakt, onze baarden doen stollen, onze ledematen verstijfd. Modder overdekt onze handen, voeten en gezichten, de wind heeft ons met zand bedekt. De bewegingen bij het lopen...

'...wiegen de ijzige plooien rond onze uitgemergelde lijven niet meer,' psalmodieerde hij zachtjes nadat hij het raam had geopend om zich te ontroken.

Ontroken... Wat is dat nu weer voor woord? Hé, Charles... Bedoelde je niet eerder 'om te luchten'?

Ja, glimlachte hij en nam weer een trek van zijn sigaret, precies. Je kunt niets voor jou verborgen houden, merk ik...

Had zich anders, op deze tijd, verveeld in het kasteeltje van Dagobert Duck omdat hij zich de blufpraatjes zou moeten laten welgevallen van de verkopers van *reinforced concrete* en knipperde in plaats daarvan met zijn ogen om de afrit niet te missen.

Schepte een luchtje, schudde de zware stof van zijn pij en reed richting het licht.

Richting zijn gebroken geloften, zijn naïviteit, zijn warhoofdige jeugd of het beetje van hem dat nog bonsde.

Rilde. Wilde niet weten of het uit blijdschap was, van de kou of uit paniek, draaide zijn raam weer dicht en ging op zoek naar een kroeg waar je echte koffie kon drinken met echte koude tabaksluchten, echte smerige muren, echte prognoses voor de paardenraces, echte ruzies, echte zuiplappen en een echte kroegbaas met een echt slecht humeur onder een echte snor.

*

De imposante architectuur van de kerk, waarvan de afmetingen te vergelijken zijn met die van de kathedraal van Soissons, is de vrucht van een compromis tussen de praal van de koninklijke abdij en de strengheid van de cisterciënzers...

Charles, de dromer, keek omhoog en... zag niets.

...maar kort na de Revolutie, ging het bord verder, *laat de markies van Travalet, die de abdij al tot spinnerij had verbouwd, hem helemaal afbreken en gebruikt de stenen om zijn arbeiders onderdak te geven.*

O?

En waarom hadden ze die nou niet onthoofd?

Er zijn dus tegenwoordig geen monniken meer in de abdij van Royaumont.

Wel kunstenaars *in residence.*

En een theesalon.

Goed.

De kloostergang, gelukkig.

Liep er met grote passen door, de handen op z'n rug, leunde tegen een zuil en bekeek langdurig de vorm van de nesten die aan het kruisgewelf hingen.

Dat waren pas bouwers...

Tijd en plaats leken hem absoluut perfect om het laatste doek te laten vallen.

Goedenavond, zwaluwtjes, goedenavond, Nounou kreeg na hun plechtige communie geen kans zijn mooie pak nog eens aan te doen.

Op een dag bleef hij weg. De volgende dag ook. De week daarop ook.

Anouk stelde hen gerust: hij had vast iets anders te doen. Bedacht: hij is misschien naar z'n familie, hij had het met me over een zus in Normandië, geloof ik... Redeneerde: en als er een probleem was geweest, had hij het me gezegd en... zweeg.

Zweeg en stond 's nachts op om aan de eerste de beste fles te vragen of die toevallig nieuws had.

Het was een verwarrende situatie. Ze wisten alles over Nounou met de valse wimpers, zijn optredens in het Bobino, in het Tête de l'Art, in het Alhambra en de hele rataplan, maar niet hoe hij heette en waar hij woonde. Ze hadden het hem wel gevraagd, maar... 'Daar ergens...' schipperden zijn ringen boven de daken van Parijs. Ze drongen niet aan. Zijn hand was alweer teruggevallen, en daar ergens leek zo ver...

'Willen jullie dat ik vertel waar ik woon? Ik woon bij mijn herinneringen... Een wereld die al lang niet meer bestaat... Ik heb jullie verteld hoe we onze potloden op een lamp opwarmden en...'

De jongens zuchtten. Ja, je hebt het ons een miljoen keer verteld. André Dinges met zijn roze kersenboom en witte appelboom, Meester Yo-Yo en zijn tamme nachtegalen, het ophalen van het doek elke avond, en die Rus van wie de handen werden vastgebonden en die, om zijn fles wodka te kunnen opdrinken, de hals ervan kapot moest bijten, en de bazin van de Échelle de Jacob die een journalist in het kolenhok had opgesloten, en Milord l'Arsouille, en het rasloze hondje van Jeannot uit Vlaanderen dat op de tafels sprong en z'n snuit in de champagneglazen stak van de knappe bezoeksters voor hij ze naar z'n zuiplap van een baas bracht, en de avond dat Barbara in de Écluse het podium op kwam en je je opnieuw op moest maken omdat je te veel had gehuild en...

Bij zo veel kwade trouw ging Nounou mokken en de enige manier om hem met deze komedie te laten stoppen was hem te vragen Fréhel na te doen. Hij liet hen natuurlijk een tijdje aandringen, blies vervolgens zijn wangen op, stal een sigaret bij Anouk, plakte die op z'n lip, legde z'n handen op z'n heupen en gilde lekker schor:

Hé, maaaatjes!
Kom met me zuizuipen!
Vanavond ben ik helemaal alleeeen!
Sinds vanochtend is hij dooood!

Ze lachten zich krom en de Stones konden wel inpakken. Ze hadden *satisfaction* genoeg.

'En als ik niet bij mijn herinneringen ben, woon ik bij jullie, dat zien jullie toch wel...'

Goed, maar wáár ben je nu dan, al zo'n tijd, als wij jouw mooiste liefdesverhaal zijn?

Anouk ging op onderzoek in het ziekenhuis, vond het dossier van zijn moeder terug, stelde zich via de telefoon voor, legde haar probleem aan de befaamde zus voor, luisterde naar wat haar werd gezegd, legde de hoorn weer neer en viel van haar stoel.

Haar collega's hielpen haar weer overeind, drongen erop aan haar bloeddruk op te meten en gaven haar uiteindelijk een suikerklontje dat ze in een straaltje speeksel uitspuugde.

Toen de jongens die avond, nadat de school uit was, haar gezicht zagen, wisten ze dat hij, Nounou, hen nooit meer zou opwachten.

Ze nam hen mee om chocolademelk te drinken: 'Je kon het door zijn make-up en alles niet goed zien, maar weten jullie... Hij was eigenlijk heel oud...'

'Waaraan is hij gestorven?' vroeg Charles.

'Ik zei het net. Aan ouderdom...'

'We zien hem dus nooit meer terug?'

'Waarom zeggen jullie zoiets? Nee... ik, ik... ik zal hem alt...'

Het was hun eerste begrafenis en de jongens aarzelden even voor ze hun handvol glittertjes en confetti op de doodskist lieten vallen: Wie was die Maurice Charpieu?

Niemand kwam hen begroeten.

De paden raakten leeg. Anouk zocht hun handen, ging naar de rand van het graf en fluisterde: 'Zo, mijn Nounou... Is het zover? Heb je ze nu teruggevonden, al die geweldige mensen over wie je ons zo hebt doorgezaagd? Jullie moeten daarboven wel ongelooflijk aan de boemel zijn, nietwaar? En... en jouw poedeltjes? Vertel ons eens... Zijn die er ook?'

Toen gingen de kinderen rondwandelen en zij ging naast hem zitten zoals ze dat jaren geleden had gedaan.

Gooide steentjes op zijn hoofd om het genoegen te beleven dat hij nog een keer zijn ogen naar de hemel draaide en rookte een laatste sigaret in zijn gezelschap.

Dank je, zeiden de rookwalmen. Dank je.

Ze gingen zwijgend naar huis en uitgerekend toen ze zichzelf alle drie moesten voorhouden dat het leven het rotste cabaretnummer van de wereld was, boog Alexis zich voorover om het geluid harder te zetten.

Ferré herhaalde tegen hen dat het super was, en goed, alleen omdat hij het was en omdat Nounou hem had gekend toen hij net begon, waren ze bereid hem gedurende de drie minuten dat zijn kutliedje duurde te geloven. Daarna deed hij de radio uit, begon over iets anders en bleef zitten in de tweede klas.

Op een avond stak Anouk van wal met deze geschiedenis die haar al lang kwelde: 'Vertel eens, poesje...'

'Wat?'

'Waarom begin je altijd over iets anders als we het over Nounou hebben? Waarom heb je nooit gehuild? Hij was toch een belangrijk iemand in jouw leven, niet?'

Hij concentreerde zich op zijn macaroni, was gedwongen het hoofd te heffen en kruiste zo vanwege de draadjes gruyère haar blik, hij antwoordde eenvoudig: 'Elke keer als ik mijn trompetkoffertje openmaak, ruik ik zijn lucht. Een beetje een lucht van een ouder iemand en...'

'En?'

'Wanneer ik speel, is het voor hem en...'

'En?'

'Als ik te horen krijg dat ik goed speel, is dat omdat ik geloof ik eigenlijk huil...'

Als ze had gekund, had ze hem op dat bijzondere moment van hun leven in haar armen genomen. Maar ze kon het niet. Hij wilde niet meer.

'Maar... eh... ben je dan verdrietig?'

'O, nee! Helemaal niet! Ik voel me goed!'

Ze glimlachte naar hem als antwoord. Een glimlachje, met de armen, de handen, een hals en twee nekken aan het eind.

Charles keek op zijn horloge, keerde om, wierp een blik op een minuscule grot in de stijl van Lourdes (De *route Saint Louis* leerde de pijl. Wat een onzin...) en wachtte tot hij weer op het parkeerterrein was om uiteindelijk zijn *Dies Irae* uit te kotsen.

'Ja... En, zie je, hij heeft haar uiteindelijk ook om zijn vinger gewonden...' klonk de stem van Anouk.

Nee, hij had niet getracht haar wat dit betreft tegen te spreken. Zijn moeder... Zijn moeder had snel andere kopzorgen gevonden... Haar huishouding, haar gezin, haar status, haar border enzovoorts. En toen was De Gaulle terug. Eindelijk had ze zich ontspannen.

Dus niet wat dit betreft, maar: 'Anouk...'

'Charles...'

'Vandaag kun je het me vertellen...'

'Wat vertellen?'

'Hoe hij gestorven is...'

Stilte.

'Van ouderdom heb je ons gezegd, maar je loog. Het klopt toch dat je loog?'

'Ja...'

'Heeft hij zelfmoord gepleegd?'

'Nee.'

Stilte.

'Wil je niet?'

'Soms zijn leugens goed, weet je... Zeker in zijn geval... Hij, die jullie zo heeft laten dromen... En al die goocheltoeren die hij...'

'Is hij onder een auto beland?'

'Keel doorgesneden.'

'...'

'Ik wist het,' vervloekte ze zichzelf. 'Waarom luister ik toch altijd naar je?'

Ze draaide zich om en vroeg om de rekening.

'Zie je, Charles, je hebt maar één gebrek, maar goeie genade... het is wel treurig... Je bent te intelligent... Maar geloof me, er zijn dingen in het leven die niet in gebruiksaanwijzingen passen... Toen ik hier net kwam en ik al die berekeningen zag waarmee jij aan het worstelen was, voelde ik, terwijl ik je kuste, medelijden met je. Ik hield mezelf voor dat je, voor jouw leeftijd, echt te veel tijd besteedt aan het rechtbuigen van de wereld. Ik weet het, ik weet het! Je gaat me vertellen dat het jouw studie is en zo, maar ja... Vanaf vandaag zul je, wanneer je aan de laatste uren van de geweldigste moederkloek van de wereld denkt, je hem niet meer voorstellen als een oude mijnheer die tussen zijn sjaals en zijn herinneringen is ingeslapen. Nee, en dat is alleen aan jezelf te wijten, liefje, je gaat je weer met je rekenmachine opsluiten en je zult je niet meer kunnen concentreren, want het enige wat je tussen die verdomde haken vol met x en y tot het oneindige zult zien, is een oude man die naakt in een pisbak werd gevonden...'

'...'

'Zonder gebit, zonder ringen, zonder papieren en zonder... Een oude man die bijna drie weken in het mortuarium heeft gewacht tot een beschaamde vrouw zich verwaardigde hem eruit te halen en zich dwong, maar voor de laatste keer in haar leven, God zij geloofd, toe te geven dat zij inderdaad door het bloed verbonden waren, want ja, dit opengesneden wrak was haar jongste broer...'

Daarna had ze me tot school vergezeld, had zich omgedraaid en had zich in mijn armen gestort.

Niet mij wilde ze verstikken, het was haar herinnering aan Nounou, en als de volgende les me nog verwarder leek toen ze het me op haar tanden bijtend had verteld, lag dat niet aan die oude deugniet – die uiteindelijk op een podium was gestorven... nee, het lag aan mij omdat ik me, ondanks mijn vertwijfelde pogingen me een etiket aan een koude teen voor te stellen, niet had kunnen bedwingen haar door de stof van mijn broek heen mijn probleem te laten voelen en... Ach, en waarom nu zo'n ingewikkelde zin? Ik had door haar een stijve gekregen en ik schaamde me daarvoor, punt uit.

Al meer dan twee uur moesten we aan d'Ocagne en haar les over de geometrische infinitesimaalrekening geloven, en ze hoeft me niet te zeggen dat ik intelligent ben onder het voorwendsel dat ik ongeveer in de gaten had waar de docente heen wilde... Verdorie, nee, ze zag juist maar al te goed dat ik helemaal de kluts kwijt was! Ze had zich trouwens hoofdschuddend van me afgewend.

Zoals gewoonlijk wachtte ik tot ze me terugbelde voor een volgende lunch, en ik herinner me dat ik lang heb gewacht...

Deze smerige en nutteloze bekentenis, waar ik, zak die ik was, ook nog om had gebedeld, betekende voor mij alleen: met Nounou was die dag ook mijn jeugd voorgoed dood.

*

Het was te vroeg om terug te gaan naar Parijs waar niemand op hem wachtte, haalde dus z'n agenda tevoorschijn en toetste een nummer in dat hij al maanden tot de volgende dag uitstelde.

'Balanda? Ongelooflijk zeg! Natuurlijk wacht ik op jou, wat denk je!'

Philippe Voernoodt was een vriend van Laurence. Een vent die een fortuin in het onroerend goed had verdiend... Of met internet... Of met onroerend goed op internet misschien? In elk geval een vent die in een groteske auto reed en waarschijnlijk geen tijd meer had naar de tandarts te gaan, want hij was voortdurend met een vochtige tandenstoker aan zijn Palm aan het peuteren.

Wanneer deze man hem vriendschappelijk op de rug klopte, raakte Charles altijd een paar centimeter kwijt en vroeg zich onvermijdelijk af of die hand, inderdaad krachtig, maar een beetje kort, nooit hoger dan de onderarm van zijn liefste was gekomen...

Sommige blikken hadden hem daarvan bijna overtuigd, maar toen hij hem die middag uit zijn metallic bunker zag stappen met zijn mobieltje als oorbel, glimlachte hij liefdevol naar hem.

Nee, stelde hij zichzelf gerust, nee. Ze had een te goede smaak.

Ze hadden in het noorden van Parijs afgesproken, in een oude drukkerij die dubbel slash Voernoodt punt zak voor een appel en een ei (uiteraard...) had gekocht en in een sublieme loft (bis) wilde veranderen. Een paar jaar terug was Charles er niet eens heen gegaan. Hij werkte niet graag meer voor particulieren. Of koos voor diegenen die hem inspireerden. Maar ja... De banken... De banken hadden hem sindsdien gedwongen wat water bij zijn wijn te doen en verziekten zijn bestaan. En wanneer hij er eentje te pakken had die solide en megalomaan genoeg was om mee te betalen aan zijn lasten vergat hij zijn aanstellerij en ledigde hij de beker tot en met de kostenraming.

'Nou, wat vind je ervan?'

Het was een prachtige ruimte. De inhoud, het licht, de dichtheid, de echo van de stilte zelfs, alles was... goed.

'En het is zo al tien jaar geleden achtergelaten,' verklaarde hij en trapte zijn peuk op de mozaïekvloer uit.

Charles hoorde hem niet. Het leek hem eerder of het lunchpauze was en ze ieder moment met z'n allen terug zouden komen, hun machines weer aan zouden zetten, hun krukken wegschuiven, grappen maken, honderden geweldige vakjes zouden openen, die bus inkt zouden oppakken, een blik zouden werpen op de enorme met lood omringde klok die over hen heerste, en alles met een hels kabaal zouden hervatten.

Hij liep verder en ging door het raam van het kantoor kijken.

De handgrepen van de schuifladen, de stoelleuningen, het hout van de stempels, de banden van de factuurboeken, alles had hier die mooie glans van jaren handwerk.

'Goed, door de troep is het moeilijk te zien, maar stel het je voor als het eenmaal schoon is... Waanzinnige oppervlakte, nietwaar?'

Charles bewonderde een instrument, een soort heel vreemde loep die hij in zijn zak liet glijden.

'Nietwaar?' rinkelden de sleutels van de SUV.

'Ja, ja... Een waanzinnige oppervlakte zoals je zegt...'

'Hoe zie jij het dan? Wat zou jij ervan maken?'

'Ik?'

'Ja, jij... Ik wacht al maanden op je, weet je! En ik heb intussen de grondbelasting achter mijn gat! Ha! Ha!' (Hij lacht.)

'Ik zou niets doen. Ik zou overal van afblijven. Ik zou ergens anders gaan wonen en hier komen om uit te rusten. Om te lezen. Om na te denken...'

'Je houdt me voor de gek, hè?'

'Ja,' loog Charles.

'Je doet vandaag maar vreemd, hè?'

'Jetlag. Goed... Heb je tekeningen?'

'In de auto...'

'Goed. Dan kunnen we gaan...'

'Waarheen?'

'Naar huis.'

'Maar kijk je niet rond?'

'Wat rond?'

'Weet ik veel... Buiten...'

'Ik kom wel terug.'

'Maar? Je hebt me niet eens gevraagd wat ik wil...'

'Och...' zuchtte Charles, 'ik weet wel wat je wilt... Je wilt dat het een beetje ruw blijft, net genoeg, maar ook comfortabel genoeg. Je wilt vloeren van beton, of van een beetje *rough* hout in wagonvloerstijl, je wilt een loopbrug van glas met leuningen van geborsteld staal, je wilt daar een hightech keuken, met professionele apparatuur, zoiets als van Boffi of Bulthaup, neem ik aan... Je wilt lavasteen, graniet, of leisteen. Je wilt licht, zuivere lijnen, edele materialen en met ecozegel. Je wilt een groot bureau, op maat gemaakte opbergplanken, Scandinavische openhaarden en vast een projectiezaal, niet? En voor buiten heb ik de juiste tuinarchitect voor je, een vent die een tuin *in beweging* voor je zal maken, zoals ze dat noemen, met fair-tradezaden en een geïntegreerd sproeisysteem. En zelfs zo'n niet te betalen zwembad om de eer te redden. Je weet wel, wild maar goed drinkbaar...'

Aaide over de balken.

'Niet te vergeten het pakket huisbewaking, alarmsysteem, digicode met camera en automatische poort, dat spreekt vanzelf...'

'...'

'Zit ik ernaast?'

'Eh... nee... Maar hoe heb je het geraden?'

'Och...'

Hij was al buiten en verbood het zichzelf in de richting van de toekomstige verwoesting om te draaien.

'Het is mijn vak.'

Wachtte tot de ander zich opwond over het slot (help, zelfs de sleutelbos was overmatig elegant...), zijn oortje beantwoordde, zijn lagere personeel opporde en hem ten slotte de sleutels overhandigde: 'Maar wanneer kun je dit klaar krijgen?'

'Dit' was het woord.

'Zeg het maar...'

'Voor kerst?'

'Geen probleem. Je krijgt je mooie stal...'

Zijn nieuwe klant keek hem scheef aan. Vroeg zich af of hij het tegen de os of tegen de ezel had.

Charles kneep hartelijk in zijn kleine hand en liet z'n eigen hand over het hekwerk glijden terwijl hij naar z'n auto liep...

Verfschilfertjes bleven onder zijn nagels achter.

Het lost zich altijd weer op, dacht hij terwijl hij hem in de achteruit zette.

Tot aan huis, tussen de belangen van de Russen, die van de HSBC en die idioot met z'n gehoorapparaat, had hij genoeg om over te piekeren. En dat was maar beter ook want hij was zo stom geweest in het spitsuur te belanden.

Wat een...

Wat een raar leven...

Had even nodig om te beseffen dat het vooral de radio was die hem ergerde. Snoerde de mond van de luisteraars die onterecht het woord hadden gekregen en kwam tot rust bij een radiostation dat continu jazz bracht.

Bang bang, my baby shot me down, treurde de croonster. Bang bang, te gemakkelijk, reageerde hij.

Te gemakkelijk.

'Je bent te intelligent...' Maar wat wilde dat eigenlijk zeggen?

Ja, ik boog de wereld recht. Ja, ik zocht naar de uitgang. Ja, ik kwam thuis wanneer de anderen een schoon T-shirt zochten. Ja, ik sloofde me uit om voor haar heel ingewikkelde origami's te maken waarin de leugens altijd goed verstopt zaten en ik bleef Alexis opzoeken, bleef hem verdragen en bleef me door hem laten treiteren met als enige doel tegen haar 'Het gaat goed met hem' te kunnen zeggen bij een slokje of een glimlach die dus niet meer voor mij waren bedoeld.

Het gaat goed met hem. Hij heeft me bestolen, hij besteelt me en zal me blijven bestelen. Hij heeft mijn ouders bestolen en mijn grootmoeder getraumatiseerd om zich vol te spuiten, maar het gaat goed met hem, ik garandeer het je.

Met haar niet. Zij is eraan doodgegaan, denk ik. Ze was een oude dame die de zwakheid had aan haar herinneringen gehecht te zijn...

Maar... Was hij niet met hetzelfde bezig? Zich laten vernietigen door een hoop stoffige snuisterijen?

Kostbaar misschien, maar wat waren ze vandaag de dag waard?

Wat waren ze waard?

Bang bang, bij de halte Porte de la Chapelle, zo dicht bij het doel en zo ver van huis voelde Charles, voelde lichamelijk dat de tijd was gekomen zich voorgoed van alles te ontdoen.

Sorry, maar ik kan niet meer.

Het is niet eens meer vermoeidheid, het is... moedeloosheid.

Vergeefsheid.

Kijk eens... Ik ben nog steeds de arme drommel die zijn huiswerk overleest, de huur voorschiet en aan de tekentafel z'n ogen bederft. Ik heb toch geprobeerd jullie te geloven. Ja, ik heb geprobeerd jullie te be-

grijpen en te volgen maar... Om waar uit te komen?
In de files?

En jij, Alexis, jij die me onlangs zo uit de hoogte hebt behandeld, met je Corinne, je huisje en je pantoffels, je was niet zo trots toen ik je op het politiebureau van het XIVde heb opgehaald, hè?

Nee, je herinnert je er natuurlijk niks meer van, maar geef me je antwoordapparaat nog even, dan beschrijf ik wat een hoopje ellende je toen was... Ik had er uren over gedaan je weer aan te kleden, ik hield mijn adem in en heb je naar mijn auto gedragen. Gedragen, hoor je me? Niet gesteund, gedragen. En je huilde, en je bleef maar tegen me liegen. En dat was het ergste. Dat je doorgaat, na al die jaren, na onze kinderbeloftes en de kracht van de Jedi, na Nounou en de muziek, en Claire, en je moeder, en mijn moeder, na al die gezichten die ik niet meer herkende, na alles wat je om me heen had stukgemaakt, met me kolder te verkopen.

Ik heb je ten slotte geslagen om je eindelijk de mond te snoeren en heb je bij de spoedgevallen van het Hôtel Dieu gebracht.

Voor het eerst was ik niet bij je gebleven en ik heb me daarover verwijten gemaakt, weet je.

Ja, ik heb me er verwijten over gemaakt dat ik je die avond niet heb laten creperen...

Blijkbaar ben je er weer bovenop gekomen. Je bent nu sterk genoeg om anonieme brieven te sturen, je moeder als schroot te behandelen en me uit te lachen. Goed zo, goed zo. Maar zal ik je wat zeggen? Als ik aan je denk, ruik ik het nog steeds, die geur van pis.

En van kots.

Ik weet niet waaraan Anouk is gestorven, maar ik herinner me die zondagmiddag toen ik jullie ben komen opzoeken voor ik weer naar mijn slaapzaal ging...

Ik moet van Mathildes leeftijd geweest zijn, maar ik was niet zo slim als zij, helaas... Ik was niet zo scherp als zij. Ze had me nog niet geleerd uit te kijken voor de volwassenen of de ogen dicht te knijpen wanneer het leven heimelijk doorgaat. Nee, ik was een kind. Een gehoorzaam jongetje dat voor jullie restjes taart en de groeten van zijn moeder meebracht.

Ik had jullie lang niet gezien en had de bovenste knopen van mijn overhemd opengemaakt voor ik aan jullie deur belde.

Ik was zo blij een paar uur mijn heilige familie te ontvluchten en bij jullie op adem te komen. In jullie keuken vol troep te gaan zitten, aan haar aantal armbanden de stemming van Anouk af te meten, haar jou te horen smeken iets voor ons te spelen, ik wist al dat je zou weigeren, met haar te praten, te bezwijken onder de last van haar vragen, haar mijn armen, mijn schouders, mijn haren aan te laten raken en het hoofd te buigen wanneer ze eraan toe zou voegen wat ben je toch groot, wat ben je toch knap, wat vliegt de tijd toch, maar... waarom? en uit te zien naar het moment dat ze aan Nounou zou herinneren terwijl ze automatisch haar hand op zijn pols legde om hem tot zwijgen te brengen, voor ze die naar haar voorhoofd bracht en weer ging lachen. Zeker te zijn dat je snel zou toegeven en je dwars in de eerste de beste stoel zou neerploffen om je bij onze roddels aan te sluiten en onze stiltes een mooie ronding te geven...

Jullie konden het niet weten, jullie hebben het nooit geweten, maar wat had ik daarginds nog wanneer de avonden zo lang waren, je zo ondraaglijk dicht op elkaars lippen zat en de frikken zo stom waren? Jullie.

Jullie waren mijn leven.

Nee. Jullie hadden het niet kunnen begrijpen. Jullie die nooit iemand hadden gehoorzaamd en zelfs de betekenis van het woord discipline niet kenden.

Heb ik jullie misschien geïdealiseerd? Dat hield ik mezelf in ieder geval voor, en geef toe dat het verleidelijk was... Ik probeerde me ervan te overtuigen, bracht jullie in de war, probeerde het *sfumato* van de grote Leonardo, toen mijn absolute idool, op jullie uit en wreef over mijn herinneringen om jullie te laten vervagen tot het moment dat ik – toen ik weer terug was op mijn vaste plaats aan het hoofd van de tafel, weer minutieus aan jullie helemaal verrotte wasdoek begon te peuteren en naar jullie gekibbel luisterde – mijn hart weer voelde kloppen.

Het bloed.

Het bloed was er weer.

'Waarom glimlach je als een idioot?' slingerde Alexis me toe.

Waarom?

Omdat de aarde zich sloot.

Al vijftien jaar werd me, twee tuinen verderop, verteld dat het leven uit een opeenvolging van allerlei soorten plichten en kastijdingen bestond. Dat je niets cadeau kreeg, dat alles verdiend moest worden, en dat verdienste, laten we er niet omheen draaien!, een heel hachelijk begrip was geworden in een maatschappij die nergens meer respect voor had, zelfs niet voor de doodstraf. Terwijl jullie. Jullie... Ik glimlachte omdat jullie altijd lege koelkast, jullie altijd open deur, jullie psychodrama's, jullie ongelukkig gescharrel, jullie barbaarse filosofie, die zekerheid dat er hier beneden niets op te potten viel, en dat het geluk hier en nu was, voor een bord met maakt-niet-uit-wat als je er maar enthousiast op aanviel, me juist het tegendeel bewezen.

Voor Anouk was onze enige verdienste dat we niet dood en niet ziek waren, de rest had geen belang. De rest kwam wel. Eten, jongens, eten, en Alexis, houd eens twee minuten op met onze oren te martelen met je bestek, je hebt je hele leven om herrie te maken.

Maar die dag hoorde ik, na al een paar keer op de deur te hebben geklopt, net toen ik terug wilde lopen, een stem die ik niet herkende: 'Wie is daar?'

'Roodkareltje.'

'...'

'Hé! Ho! Is daar iemand?'

'...'

'Ik heb taart en een botervlootje voor jullie!'

De deur ging open.

Ze stond met haar rug naar me toe. Een silhouet in een ochtendjas, krom, vies haar en een pakje sigaretten in de hand.

'Anouk?'

'...'

'Gaat het niet goed?'

'Ik durf me niet om te draaien, Charles. Ik... ik wil niet dat je me zo ziet, ik...'

Stilte.

'Goed...' bracht ik ten slotte uit, 'ik zet alleen de schaal op tafel en...'

Ze had zich omgedraaid.

Haar ogen vooral. Haar ogen beangstigden me.

'Ben je ziek?'

'Hij is weg.'

'Pardon?'

'Alexis.'

En toen ik naar de keuken liep om me van deze onsmakelijke aardbeienvlaai te ontdoen, had ik al spijt te zijn gekomen, met het vage gevoel dat ik hier niet hoorde en dat de situatie me snel te veel zou worden.

Ik had nog huiswerk. Ik zou terugkomen.

'Waar is hij heen?'

'Naar zijn vader...'

Dat wist ik. Dat zijn gulle vader een paar maanden terug weer was opgedoken in een prachtige Alfa. 'Is hij leuk?' 'Gaat wel...' had Alexis geantwoord en daarbij was het gebleven, bij die twee woorden. Onverschillig. Onschadelijk, leek me.

Goeie genade. Ik had een paar afleveringen gemist... Wat werd er nu van me verwacht? Mijn moeder roepen?

'Maar eh... Hij komt terug.'

'Denk je?'

'...'

'Hij heeft al zijn spullen meegenomen, weet je...'

'...'

'Hij zal net als jij doen... Hij zal op zondag terugkomen om taart te eten...'

Ik had liever gehad dat ze me die glimlach had bespaard.

Ze keerde meerdere flessen om en schonk zich uiteindelijk een groot glas water in dat ze in één teug leegdronk, waarbij ze zich verslikte.

Goed. Ik zocht een mogelijkheid haar te omzeilen en weer naar de gang te gaan. Wilde geen getuige van dit alles zijn. Ik wist dat ze dronk, maar wilde niet weten hoe ver ze kon gaan. Het was een kant van haar die me niet interesseerde. Ik zou terugkomen als ze aangekleed was.

Maar ze bewoog niet. Keek me strak aan. Voelde aan haar nek, aan haar haar, wreef over haar neus, deed haar mond open en dicht of ze aan het verdrinken was. Leek op een dier in de val, bereid z'n poot af te bijten om in de kamer ernaast te creperen. En ik... ik keek door het raam naar de wolken.

'Weet je wat het inhoudt een kind alleen op te voeden?'

Ik reageerde niet. Het was sowieso geen vraag, het was een doorgang die ze opende om over te struikelen. Ik was niet al te dapper, maar ook niet helemaal gek.

'Jij kunt zo goed rekenen, hoeveel dagen zijn vijftien jaar?'

Ja, dit was wel een vraag.

‘Eh... iets meer dan vijfduizend, denk ik...’

Ze zette haar glas neer en stak een sigaret op. Haar hand trilde.

‘Vijfduizend... Vijfduizend dagen en vijfduizend nachten... Kun je je dat voorstellen? Vijfduizend dagen en vijfduizend nachten, helemaal alleen... Dat je je afvraagt of wat je doet goed is... Dat je je ongerust maakt... Dat je je afvraagt of je het vol zult houden... Dat je werkt. Dat je jezelf vergeet. Vijfduizend dagen zwoegen en vijfduizend nachten opgesloten. Nooit een moment voor jezelf, nooit een dag vakantie, geen ouders, geen zus, niemand om je kleine over te nemen waardoor je op adem kunt komen. Niemand om je eraan te herinneren dat je ooit toch wel knap was... Miljoenen uren vraag je je af waarom hij ons dit heeft aangedaan en op een ochtend is hij er weer, de klootzak, en weet je wat je jezelf voorhoudt? Je houdt jezelf voor dat je die miljoenen uren al mist, want het was niets vergeleken bij die gaan komen...’

Stootte haar hoofd tegen de muur.

‘Wat denk je... Een vader die in luxe hotels pianist was, dat is heel wat anders dan een zielige verpleegster, hè?’

Ze ging tegen me tekeer, maar ik liet me niet in haar val lokken. Ze vergiste zich van oor. Ik was veel te klein voor dit alles, het was niet voor mijn leeftijd zoals mijn vader het noemde. Nee, het was niet aan mij om haar gelijk of ongelijk te geven. Ze moest het voor één keer maar zelf uitzoeken.

‘Zeg je niets?’

‘Nee.’

‘Je hebt gelijk. Er valt niets te zeggen. En ik ben er ook ingeluisd, dus... Ik begrijp hem... Er is niets zo erg als een muzikant, geloof me... Je haalt alles door elkaar. Je denkt dat ze Mozart zijn of weet ik wat, terwijl het alleen maar charlatans zijn die hun ogen sluiten wanneer ze begrepen hebben dat het binnen is. Dat je verkocht bent. Die glimlachend hun ogen sluiten voordat ze je... Ik haat ze.

Ik ben me er goed van bewust nooit een goede moeder te zijn geweest, maar het was zwaar weet je. Ik was nog geen twintig toen Alexis werd geboren en... en weg was hij... De vroedvrouw is hem gaan aangeven in haar lunchpauze, ze kwam heel trots terug en reikte me iets aan dat een familieboekje heette. Ik was gaan huilen. Wat moest ik met een familieboekje, terwijl ik niet eens wist waar ik de volgende week zou wonen? Mijn kamergenote bleef tegen me zeggen: “Kom, huil niet zo, daar wordt je melk zuur van...” Maar ik had geen melk! Ik had godverdomme geen melk! Ik keek naar de baby die brulde en ik...’

Ik beet op mijn tanden. Laat ze alsjeblieft ophouden, laat ze ophouden. Waarom vertelde ze me dit? Al die vrouwenzaken waarvan ik niets begreep? Waarom belastte ze me hiermee, ik die haar altijd had gesteund? Die haar altijd had verdedigd... En toen had ik er alles voor overgehad bij mijn familie te zijn. Die normale mensen, evenwichtig, *verdienstelijk*, die niet gilden, die geen lege flessen onder hun wasbak opstapelden en de fijngevoeligheid hadden ons keihard naar onze kamers te sturen wanneer ze de behoefte hadden hun hart uit te storten.

De as van haar sigaret was in haar mouw beland.

'Nooit een levensteken, geen brief, geen hulp, geen uitleg, niets... Niet eens benieuwd naar de naam van zijn zoon... Hij zat blijkbaar in Argentinië... Dat heeft hij tegen Alexis gezegd, maar ik geloof het niet. Argentinië, mijn reet. Waarom niet Las Vegas nu we toch bezig zijn?'

Ze huilde.

'Hij heeft me het vuile werk laten opknappen en nu het mormel van de borst af is, bandengeknars, twee beloftes, drie cadeaus en ajuus ouwe. Ik zeg het maar gewoon. Het is een rotstreek...'

'Ik moet ervandoor, anders mis ik mijn trein.'

'Ja, ga maar, net als zij. Laat me ook maar in de steek, jij ook...'

Toen ik langs haar heen liep, besefte ik dat ik haar in lengte had ingehaald.

'Alsjeblieft... Blijf...'

Ze had mijn hand gegrepen en die tegen haar buik gedrukt. Ontsteld rukte ik me los, ze was dronken.

'Het spijt me,' fluisterde ze, terwijl ze de panden van haar ochtendjas rechttrok, 'het spijt me...'

Ik stond al in de gang toen ze me toeriep: 'Charles!'

'Ja.'

'Het spijt me.'

'...'

'Zeg iets tegen me...'

Ik draaide me om.

'Hij komt wel terug.'

'Denk je?'

In de file op de Place Clichy, achter lijn 81 en in een andere eeuw, wist hij zich precies het ongelovige glimlachje te herinneren toen ze eindelijk besloot haar kin op te heffen. Dat zo verleidelijke gezicht, zo...

naakt, het geluid van de deur in zijn rug en het aantal treden dat hem van de wereld van de levenden scheidde: zevenentwintig.

De zevenentwintig treden aflopend voelde hij zich dikker worden, zwaarder. Zevenentwintig keer zijn voet in de leegte en zijn vuisten steeds zwaarder in zijn zakken. Zevenentwintig treden om erachter te komen dat het zover was, dat hij aan de andere kant stond. Want in plaats van dat hij met haar verdriet meeleefde en de houding van Alexis afkeurde, kon hij zijn vreugde niet bedwingen: de plek was vrij.

En toen zijn moeder aan zijn kop was gaan zeuren omdat hij de schaal was vergeten, snauwde hij haar voor de eerste keer in zijn leven af.

Zijn huid van kleine jongen was op de trap blijven liggen.

In de trein nam hij zijn lessen niet meer door en viel die avond met zijn rechterhand verzoend in slaap. Ze had die eindelijk gepakt... Zijn schaamte was daardoor niet afgenomen, hij was alleen... ouder geworden.

Overigens had ik nog een keer gelijk gekregen. Alexis kwam terug.

'Wanneer komt je vader je ophalen?' vroeg Anouk hem aan het eind van de paasvakantie.

'Nooit.'

Dankzij mijn moeder en haar goede werken werd een plaats voor hem gevonden bij het Saint Joseph-college en ik vond mijn plaats in zijn spoor terug...

Ik was er opgelucht over. Anouk, die blijkbaar een afspraak had met het lot, of eerder met de duivel, ging anders leven. Stopte met drinken, liet haar haar heel kort knippen, vroeg of ze in de OK kon werken en liet zich niet meer door haar patiënten aantasten. Vond het genoeg hen in slaap te brengen.

Ook besloot ze hun appartement te schilderen, zomaar, spontaan nadat ze haar koffie op had: 'Ga Charles halen! Dit weekend beginnen we met de keuken!'

En daar kwam, terwijl we met z'n drieën de muren aan het schoonmaken waren, de aap uit de mouw... Ik weet niet meer hoe het gesprek op zijn vader was gekomen, maar Anouk en ik stopten met onze sponzen te mishandelen: 'Hij had in feite een partner nodig, maar toen hij erachter kwam dat ik niet de leeftijd had gages te ontvangen, was het uit, ik interesseerde hem niet meer...'

'Hou op...' zuchtte Anouk.

'Ik zweer het je! Hij had het verkeerd uitgerekend, de lul! "Ben je pas vijftien? Ben je pas vijftien?" bleef hij maar opgefokt doorgaan. "Weet je het zéker? Ben je pas vijftien?"'

Omdat hij lachte, deden wij dat ook, maar... hoe moet ik het zeggen... Saint Marc-reinigingsmiddel, dat bijt, hè? Nee, ik zeg het alleen maar omdat we een hele tijd nodig hadden eer we weer konden praten, zo druk waren we met het uitspugen van onze sodiumkristalletjes...

'Ik merk dat ik de sfeer heb verpest,' schertste Alexis, 'maar hé, het is al goed! 'k Ben niet dood...'

Maar zij, en al mijn prachtige berekeningen bleken fout, had zijn afwezigheid niet overleefd. Had me nooit meer een bezoek toegestaan. Vergeefs klopte ik aan, ging bezorgd weg en holde hun verrotte trap af.

Ik had er helemaal naast gezeten. De plek zou nooit vrij zijn.

Maar ik had een brief gekregen... De enige trouwens die me ooit in vier jaar kostschool werd gestuurd...

Het spijt me dat ik gisteren niet opendeed. Ik denk veel aan je. Ik mis u. Ik hou van u.

Eerst was ik een beetje geïrriteerd, daarna schrapte ik het 'u' en verbrandde de brief zodra ik die had gelezen. Ze miste me, dat was het enige wat ik wilde weten.

Waarom haal ik dit eigenlijk allemaal op? O, ja... de begraafplaats...

Het is waar ook dat je tegenwoordig meerderjarig bent... Je ontrouw is legaal...

Ze was nooit meer dezelfde na je kleine uitstapje in de Italiaanse coupé. Was het haar onthouding die haar minder... mateloos had gemaakt? Die haar voortaan belette ons beet te pakken, vast te drukken, op te eten en ons alles te geven? Ik geloof het niet.

Het was argwaan. De zekerheid eenzaam te zijn. En ineens die voorzichtigheid, die rare zoetsappigheid, die verandering van voltage, het was een knevelverband, een klem op de holle ader. Ze pestte ons niet meer, zei niet meer kakelend: 'Eh... een zekere Julie aan de telefoon...' wanneer het om die idioot van een Pierre ging die zijn aardrijkskundeboek weer was vergeten, en sloot zich in haar kamer op als je heel leuk speelde.

Was bang.

*

Na station Saint Lazare werd het verkeer minder vervelend. Charles week uit, verliet de kudde door gewiekste sluiproutes te gebruiken en begon bij de stoplichten weer de gevels te bestuderen. Vooral die langs Square Louis XVI met de art-decodieren waarop hij zo gek was...

Zo had hij Laurence verleid...

Hij was blut, zij was subliem, wat kon hij haar bieden? Parijs.

Hij had haar getoond wat anderen nooit zagen. Had koetspoorten opengeduwd, muurtjes beklommen, haar hand vastgehouden en wingerds voor haar voorhoofd afgerukt. Had haar de mascarons, de atlanten en de bewerkte frontons leren kennen. Had met haar in de Passage du Désir (Passage van het verlangen) afgesproken en had zijn liefde verklaard in de Rue Gît le Coeur (Straat van het begraven hart). Vond zichzelf blijkbaar heel slim, was heel dom.

Was verliefd.

Ze keek haar hakken na terwijl hij zijn studentenkaart toonde aan conciërges op sloffen, die zo van een foto van Doisneau leken te komen, hield haar bij haar middel vast, wees met zijn vinger en kuste haar in de nek als ze in de Avenue Rapp het gezicht van Madame Lavirotte of de ratten van Saint Germain l'Auxerrois zocht.

'Ik zie ze niet...' zei ze vertwijfeld.

Natuurlijk niet. Hij had haar de verkeerde waterspuwer aangewezen om zijn snufje N°5 zo lang mogelijk te laten duren.

Zijn mooiste schetsboekjes dateren uit die jaren, toen al de kariatiden van Parijs haar iets schuldig waren: de ronding van haar schouder, haar mooie neus of de welving van haar borst.

Een vent sneed hem en hief zijn arm.

Aan de overkant van de Seine bedaarde hij. Bedacht dat hij in haar richting reed en voelde zich daardoor blij. Zij en Mathilde, zijn twee feeksen...

Die hem alle kleuren van de regenboog lieten zien...

Ach, hij kon goed met kleuren omgaan... Een beetje vermoeiend soms, maar vrolijker.

5

Hij had besloten hen te verrassen door een lekkere maaltijd te bereiden. Dacht in de rij bij de slager over het menu na, kocht bloemen en ging bij de wijnhandel langs.

Zette muziek op, stroopte zijn mouwen op, zocht een schone keukendoek en sneed alles fijn: knoflook, sjalotten, zijn zwakheid en zijn dooltochten. Vanavond wapenstilstand, hij zou naar hen luisteren.

Zou haar dronken voeren en haar zo lang mogelijk strelen. Zou zich ontdoen van zijn spokenvel, haar uitkleden, haar likken en de bitterheid van de laatste dagen vergeten. Zou Anouk begraven, Alexis vergeten, Claire terugbellen om haar te zeggen dat het leven mooi was en dat de snol een ratelstem had. Zou Mathilde de volgende dag van school halen en haar die, met een heel andere schorheid, van Nina Simone geven.

I sing just to know that I'm alive.

Ja.

Hij. Hij leefde.

Zette het vuur lager, dekte de tafel, nam een douche, schoor zich, schonk een glas wijn voor zichzelf in en ging dichter bij de boxen zitten, intussen dacht hij aan de drukkerij van de dikke Voernoodt.

Het was achteraf niet zo erg... Zou voor één keer zonder bestek werken, zonder jetlag en zonder drama. Wat een weelde... Hem schoot de uitdrukking van boze zetters te binnen die hij zo geweldig vond: alles in de steek laten was dreigen met 'in het bakje met apostroffen schijten'. Goed, hij beloofde minder precies te mikken.

In elk geval om het licht te redden...

De wijn was perfect, de stoofpan siste, hij luisterde naar Sibelius en wachtte op de terugkeer van twee knappe Parisiennes. Alles ging goed.

Zo meteen de finale van de *Symfonie N° 2. Stilte.*

Stilte onder zijn schedel.

*

Hij werd wakker van de kou. Hij kreunde, z'n rug, en had een paar seconden nodig om bij te komen. De nacht was aangekoekt en de maaltijd... nee, verdorie, maar hoe laat was het?

Halfelf. Maar wat...

Hij belde Laurence op, voicemail.

Kreeg Mathilde te pakken: 'Waar zijn jullie, meiden?'

'Charles? Hé? Zit je niet in Canada?'

'Waar zijn jullie?'

'Nou, 't is vakantie... Ik ben bij papa...'

'O?'

'Is mama er niet?'

Oei, hij had een hekel aan dat stemmetje...

'Wacht even, ik hoor de deur van de lift,' loog hij tegen haar, 'ik ga ophangen... Ik bel je morgen terug...'

'Hé?'

'Ja?'

'Zeg maar tegen haar dat zaterdag goed is. Ze begrijpt het wel.'

'Oké.'

'Nog één ding... Weet je, ik luister de hele tijd naar je liedje...'

'Welk?'

'Nou ja... Je weet wel... Dat van Cohen...'

'En?'

'Ik vind het prachtig.'

'Fantastisch. Dan kan ik je eindelijk adopteren?'

En hij hing op terwijl hij haar glimlach raadde.

Het vervolg is treuriger.

Deed Sibelius terug in het doosje, trok een pull-over aan, ging naar de keuken, haalde de deksels eraf, begon de te gare van de verbrande stukken te scheiden, zuchtte en smeet uiteindelijk alles in de vuilnisbak. Had nog de moed de pannen in de week te zetten, pakte de fles en wierp een laatste blik op die belachelijke kandelaars...

Deed het licht uit, de deur dicht en... wist niet meer wat te doen.

Deed dus niets.

Wachtte.

Dronk.

En bespiedde, net als de vorige 'nacht' in z'n hotelkamer, z'n secondewijzer.

Probeerde te lezen.

Maar nee.
Een opera dan?
Te veel herrie.
Vermande zich tegen middernacht. Laurence was niet de vrouw die riskeerde een mooi muiltje op straat te laten liggen...
Maar nee.
Geen goede fee vanavond...
Mikte op twee uur. Een diner in leuk gezelschap en dan de tijd tot je een taxi had, twee uur was mogelijk.
Maar nee.
Trok de tweede fles open.
Kwart voor drie, mevrouw Depri.
Het was over.
Een uitdrukking van Mathilde die niets betekende.
Wat was over?
Niets.
Alles.

Dronk in het donker.

Eigen schuld.
Moet hij maar niet thuiskomen zonder te waarschuwen...

Ging de envelop met foto's halen.
In de staat waarin hij verkeerde, kon hij net zo goed zout in de wond strooien.

Alexis en hij. Kinderen. Vrienden. Broers. In het park. In de tuin. Op het schoolplein. Aan zee. Op de dag van de Tour de France. Bij zijn grootmoeder. Terwijl ze de konijnen eten gaven op de boerderij en achter de tractor van meneer Canut.
Alexis en hij. Arm in arm. Altijd. En voor altijd. Hadden hun bloed gemengd, een vogeltje gered en een nummer van *Playboy* gestolen bij het café-tabac van Brécy. Hadden die achter de wasplaats gelezen, hadden veel gegrinnikt, maar hadden toch liever een goede strip. Hadden die met de dikke Didier geruild voor een ritje op z'n bromfiets.
Alexis voor een auditie. Ernstig, dichtgeknoopt overhemd, stropdas van Henri gekregen en trompet tegen zijn hart.
Anouk na dezelfde auditie. Trots. Ontroerd. Met de wijsvinger onder haar oog en doorgelopen wimpers.

Als klap op de vuurpijl Nounou met Claire op schoot. Claire met haar hoofd naar beneden, speelde stellig met z'n ringen.

Zijn vader. Doorgeknipte foto. Geen commentaar.

Hij student met veel haar. Zijn hand zwaaiend voor de lens en bekken trekkend.

Anouk die bij z'n ouders danste.

Witte jurk, achterovergekamd haar, precies dezelfde glimlach als op de eerste foto, onder de kersenboom, bijna vijftien jaar eerder.

Terwijl ze over een paar uur...

Doet er niet toe.

Charles liet zich achterovervallen. Maar... *wat* is dit? geselde hij zichzelf. Je zit hier, wentelt jezelf in het verleden als een varken in z'n hok, terwijl je door het heden gekweld zou moeten zijn. Het heden is ontspoord, vriend. Besef je wel dat je vrouw in de armen van een ander ligt en jij in je korte broek ligt te janken?

Reageer verdomme. Sta op. Gil. Beuk op de muren. Haat haar. Bloed.

Ik smeek je...

Huil in elk geval!

Ik heb in het vliegtuig al uitgehuild.

Zeg dan dat je ongelukkig bent!

Ongelukkig? schudde hij met zijn hoofd, maar... Wat betekent dat, ongelukkig?

Je hebt te veel gedronken, over een paar uur weet je het...

Nee. Ik ben juist nooit zo helder geweest.

Charles...

Wat nou weer? zei hij geïrriteerd.

Ongelukkig is het omgekeerde van gelukkig.

Wat betekent gel...

Nee. Niets. Deed z'n ogen dicht.

En net toen hij had besloten zich uit z'n inzinking te trekken om weer te gaan werken, hoorde hij de sleutel in het slot.

Ze liep langs hem naar de badkamer zonder hem te zien.

Spoelde het sperma van de ander af.

Liep naar hun kamer, kleedde zich aan en kwam terug om zich op te maken.

Deed de keukendeur open.

Hij zag geen verwarring en vermoedde daarom ergernis. Toch beheerste ze zich en zette een kop koffie voor zichzelf eer ze de confrontatie met hem aanging.

Wat een koelbloedigheid, dacht Charles, wat een verdomde koelbloedigheid...

Kwam dichterbij en blies in haar kopje, ging in de stoel tegenover hem zitten en doorstond zijn blik in het halfdonker.

'Wat moet ik zeggen?' vroeg ze en ging met opgetrokken benen zitten.

'Niks.'

'Heb je er deze keer aan gedacht je koffer mee te brengen?'

'Ja. Dank je. Trouwens...'

Strekte z'n arm uit en pakte de plastic zak naast z'n aktetas.

'Kijk eens wat ik voor Mathilde heb gevonden...'

Hij zette een met I ❤ CANADA bedrukte pet op, met aan allebei de kanten grote van schapenleer gemaakte elandgeweien.

'Leuk hè? Ik denk dat ik hem zelf maar moet houden...'

'Charles...'

'Hou op,' viel hij haar in de rede, 'ik heb je net gezegd dat ik je niet wil horen.'

'Het is niet wat je...'

Hij stond op en ging haar kopje naar de keuken brengen.

'Wat zijn dat allemaal voor foto's?'

Kwam terug om ze uit haar handen te pakken en deed ze terug in de envelop.

'Doe die stomme pet af,' zuchtte ze.

'Wat doen we?'

'Pardon?'

'Wat doen we samen?'

'We doen net als de anderen. We doen wat we kunnen. We gaan door.'

'Zonder mij.'

'Ik weet het. Je bent er al een tijdje niet meer, stel je voor...'

'Kom,' reageerde hij en glimlachte liefdevol naar haar, 'het is nu jouw scène... Niet de rollen omdraaien, m'n ontrouwe poesje, zeg me liever wat je...'

'Wat ik wat?'

'Nee. Niks.'

Ze wiegde met haar heup en krabde iets van haar jurk: 'Zeg... Je bent afgevallen, niet?'

Hij pakte z'n spullen bij elkaar, trok een ander overhemd aan en deed de deur achter deze slechte klucht dicht.

'Charles!'

Ze was op de trap achter hem aan gelopen.

'Hou op... Het stelde niks voor... Je weet dat het niks voorstelt...'

'Natuurlijk... Daarom vraag ik je wat we nog samen doen.'

'Nee. Ik had het over deze nacht...'

'O, het is waar?' treurde hij. 'Het was niet eens lekker? M'n arme schat... Als ik bedenk dat ik een fles Pomerol voor je had gechambreerd... Wat is het leven toch wreed...'

Liep nog een paar treden naar beneden voor hij aankondigde: 'Wacht niet op me vanavond. Ik moet wat handjes gaan schudden in het Arsenal en ik...'

Ze hield hem aan de mouw van z'n colbert tegen.

'Hou op,' fluisterde ze.

Hij bleef staan.

'Hou op...'

En draaide zich om.

'Mathilde?'

'Wat, Mathilde?'

'Je gaat me niet beletten haar te zien, hè?'

Wereldpremière, las een soort paniek op dat mooie gezicht.

'Waarom zeg je me dat?'

'Ik heb de moed niet meer de scherven op te ruimen, Laurence. Ik... ik had jou nodig denk ik en...'

'Maar wat... Maar *waar* ben je, nu? Waar wil je heen? Wat doe je?'

'Ik ben moe.'

'Ja, dat weet ik. Dank je. Dat heb je me al honderd keer gezegd. Maar wat is er met die moeheid? Wat wil dat precies zeggen?'

'Ik weet het niet. Ik zoek.'

'Kom,' smeekte ze zacht.

'Nee.'

'Waarom niet?'

'Wat we geworden zijn, is veel te zielig. We kunnen zo niet doorgaan, alleen voor haar. Dat is niet... Weet je nog... En het was trouwens ook op een trap... Weet je wat je me toen hebt gezegd de... De eerste dag...'

'Wat had ik ook weer gezegd?' deed ze geïrriteerd.

'"Ze verdient beter."'

Stilte.

'Als zij er niet was,' ging Charles verder, 'zou jíj al weg zijn. Al lang geleden...'

Voelde haar nagels zich in z'n schouder vastzetten: 'Wie is die brunette op de foto's? Is zij die dode over wie je me onlangs hebt verteld? De moeder van ik weet niet meer wie? Verpest zij ons leven de laatste weken? Wie is het? Wat is het? Zoiets als *Mrs. Robinson*?'

'Je zou het niet kunnen begrijpen...'

'O, ja? Nou, kom op,' ontplofte ze, 'leg het me uit, jij. Leg het me uit aangezien ik zo stom ben...'

Charles aarzelde. Er was wel een woord voor, maar hij durfde het niet uit te spreken.

Niet vanwege haar. Vanwege Anouk. Een woord waarvan hij nooit zo zeker was geweest. Een woord dat al jaren in z'n raderwerk zat vastgeklemd en uiteindelijk de mooie machinerie had beschadigd.

Hij koos maar een ander woord. Niet zo definitief, laffer: 'Tederheid...'

'Ik wist niet dat het al zover was,' reageerde ze.

'O? Je hebt geluk...'

'...'

'Laurence...'

Maar ze had zich al omgedraaid en had haar arrogantie weer terug.

Een halve seconde overwoog hij haar achterna te lopen, maar hoorde haar zingen *God bless you please, Missize Robinson, na na nani nana* en besefte dat ze er niets van had begrepen.

Dat ze het nooit zou willen begrijpen.

En liep verder naar beneden, zich aan de leuning vasthoudend.

Ja, zeg... God zegene haar.

Dat was wel het minste wat Hij kon doen na haar zo te hebben laten zakken.

De auto van Laurence stond een paar meter verderop geparkeerd. Hij liep erlangs, stopte, liep terug, kraste een paar woorden op een bladzij van zijn boekje en schoof die onder de ruitenwisser.

Wat was het? Schuldgevoel? Berouw? Een verklaring? Afscheid?

Nee. Het was...

'Mathilde heeft me gezegd je te zeggen dat het voor zaterdag goed is.'

Zo was hij.

Ten voeten uit.

Charles Balanda. Onze man. Over een week zevenenveertig, bedrogen partner zonder enig recht op het kind dat hij had opgevoed, dat wist hij. Geen enkel recht, maar veel meer dan dat. Zijn waakzaamheid, dit slecht afgescheurde papiertje of het bewijs dat de machinerie nog niet helemaal was gemold. Die kleine, zij zou voet bij stuk houden.

Liep weg en voelde in z'n zakken.

Zat weer fout.

Had in het vliegtuig niet alles gezuiverd.

6

Begroette hen kort. Vond zijn versleten armleuningen terug. Had moeite zich te concentreren. Begon met zijn computer te melken. 58 berichten. Zuchtte. Scheidde het kaf van het koren en schudde af en toe zijn hoofd om van z'n huiselijke zorgen af te komen. Opende per ongeluk deze spam: *greeting charles. balanda did you ever ask yourself is my penis big enough?* Lachte als een boer die kiespijn heeft, luisterde naar ieders klachten, deelde adviezen en aanmoedigingen uit, keek het werk van de jonge Favre na, fronste z'n wenkbrauwen, greep naar z'n blocnote en schreef die met een verbijsterende snelheid vol, opende een nieuw scherm, dacht na, dacht lang na, verjoeg het gezicht van L., probeerde te begrijpen, weigerde een aantal malen de telefoon op te nemen om de draad van zijn gedachten niet kwijt te raken, verbeterde sommige fouten en maakte andere, raadpleegde z'n aantekeningen, bladerde door zijn bijbels, werkte, peinsde nog, wilde iets printen en rekte zich uit toen hij opstond.

Besefte dat het al drie uur was, wachtte lang voor de printer, reageerde uiteindelijk en zocht vergeefs naar papier.

Kreeg een mateloze woedeaanval.

Sloeg op het apparaat, verboog een van de papierhouders door ertegen aan te trappen, vloekte, tierde, overdekte de arme Marc, die het slechte idee had gekregen hem te hulp te schieten, onder een regen van scheldwoorden, en liet hen allemaal de absurditeit van deze laatste maanden en het gewicht van z'n horens verduren.

'Het papier! Het papier!' herhaalde hij als een idioot.

Weigerde te gaan lunchen. Ging naar beneden om op de binnenplaats te roken en moest aan de verhalen over lekkages van de onderbuurman geloven: 'Maar waarom vertelt u me dit allemaal? Ben ik soms loodgieter of zo?'

Bromde wat excuses die niemand hoorde. Was haast weer ontploft bij het zien van de ordner 'kostennota's' van het bouwterrein van de PRAT in Valenciennes, gaf het op, en ging terug *vol ervaring en reden,* de rest van z'n tijd tussen zijn tekeningen uitzitten.

Kreeg aan het eind van de middag z'n advocaat aan de lijn.

'Ik wil u wat nieuws over uw proces vertellen!' schertste die laatste.

'Goeie genade, nee!' ging hij op dezelfde toon verder. 'Ik betaal u een vermogen om juist geen nieuws van u te horen!'

En na een gesprek dat meer dan een uur duurde en waarbij de teller van de ander bleef lopen, sprak Charles de woorden uit waarvan hij meteen spijt kreeg: 'En u... Doet u ook familiezaken?'

'Grote goden, nee! Waarom vraagt u dat?'

'Nee, niets. Kom... Ik ga terug naar mijn verantwoordelijkheden... Nieuwe gelegenheden voor u scheppen om mij kaal te plukken...'

'Ik heb het u eerder gezegd, Balanda, verantwoordelijkheid is het gevolg van professionele deskundigheid.'

'Luister eens, ik moet u iets bekennen... Probeer de volgende keer iets anders, want ik kan die woorden niet meer horen...'

'Ha! Ha! Ik vergeet trouwens niet dat ik u een lunch schuldig ben bij L'Ambroisie!'

'Ja hoor... Als ik tegen die tijd niet in de bak zit...'

'O, maar dat zou het beste zijn wat de Republiek kon overkomen, mijn vriend! Dat iemand als u de gelegenheid zou krijgen zich met onze gevangenissen te bemoeien...'

Charles keek lang naar z'n hand die op de hoorn lag.

'Waarom die vraag?'

Ja, waarom? Het was belachelijk. Hij, hij had geen familie.

*

Kwam zelden voor, was niet de laatste die het kantoor verliet en besloot te voet naar het paviljoen van het Arsenal te gaan.

Place de la Bastille, luisterde zijn berichten af.

'We moeten praten,' zei het apparaat.

Praten.

Wat een gek idee...

Het was niet zozeer het verstrijken van de jaren wat hem verbijsterde, eerder hun... *veranderlijkheid*.

En toch... Misschien dat. Door wat afspraken af te zeggen, door ver weg te gaan, door opnieuw midden op de dag de gordijnen van een hotelkamer dicht te trekken, door... Maar wat de man op de Boulevard Bourdon fantaseerde, brak de architect meteen af: het terrein was aan beide kanten veel te onvast geworden en deze toekomst, het werd tijd het toe te geven, leende zich niet voor bebouwing.

Het gebouw had het elf jaar gehouden.

En de uitvoerder grinnikte bij het oversteken. Ze konden hem deze keer niet komen lastigvallen met zijn tien jaar garantie.

Deed z'n plicht, schudde de juiste handen en deed beleefd de groeten aan de juiste personen. Tegen elven stond hij in de nacht voor dat beeld van Rimbaud waaraan hij een hekel had (de man met de windzolen was stukgemaakt en er stond onder dit ridicule geval 'de man met de windmolens' te lezen), aarzelde even en nam de verkeerde weg.

Of vond juist de goede.

7

'En kom je nou op deze tijd thuis, jij?' zei ze agressief tegen hem, met de vuist op de heup.

Hij deed of hij haar tegen de muur zou duwen en liep naar de keuken.

'Zeg, je hebt wel lef hoor... Waarom heb je niet gebeld? Ik had met mannelijk schoon kunnen zijn, ik zeg het maar...'

Merkte haar pruillipje op en begon te lachen.

'Nou ja... Ik zei "had kunnen zijn" oké? Ik hád kunnen zijn...'

Kuste haar.

'Toe maar, doe of je thuis bent,' vervolgde ze. '*Het is* trouwens inderdaad thuis voor jou... Welcome home, m'n schat, wat brengt je hier? Kom je mijn huur verho... O, o,' verbeterde ze zich, 'het gaat niet goed met je... Plagen de Russen je weer?'

Hij wist niet waar te beginnen, niet eens of hij de moed had de woorden te vinden, koos dus voor het simpelste: 'Ik heb het koud, ik heb honger, en ik wil liefde.'

'O, verdorie... Het gaat slecht, het gaat slecht! Toe... Kom mee.'

'Ik kan een omelet voor je maken van niet verse eieren en boter die over de datum is, is dat goed?'

Ze keek hoe hij at, maakte een biertje voor hen open, trok haar nicotinepleister af en jatte een sigaret van hem.

Hij schoof z'n bord opzij en staarde haar in stilte aan.

Ze stond op, deed het lichtje onder de afzuigkap aan, deed de andere lichten uit en kwam terug, schoof met haar krukje om tegen de muur te kunnen leunen.

'Waar zullen we beginnen?' fluisterde ze.

Hij deed zijn ogen dicht.

'Ik weet het niet.'

'Natuurlijk weet je het... Jij weet altijd alles, jij...'

'Nee. Niet meer.'

'Jij...'

'Ik?'
'Weet je waaraan ze gestorven is?'
'Nee.'
'Heb je Alexis niet gebeld?'
'Jawel, maar ik ben vergeten het hem te vragen...'
'O?'
'Hij heeft me opgefokt en ik heb opgehangen.'
'Ik snap het... Dessert?'
'Nee.'
'Komt goed uit, ik heb er geen... Neem je...'
'Laurence gaat vreemd,' viel hij haar in de rede.
'Dat is pas nieuws,' grinnikte ze. 'O, pardon...'
'Was dat dan zo duidelijk?'
'Welneeee, ik maakte een grapje... Koffie?'
'Zo duidelijk was het dus...'
'Ik heb ook Strakke Buik-kruidenthee als je dat liever hebt...'
'Ben ík soms veranderd, Claire?'
'Of Rustige Nacht... Die is ook fijn, Rustige Nacht... Het ontspant... Wat zei je?'
'Ik kan niet meer, weet je. Ik kan niet meer.'
'Hé... Heb jij soms een kleine midlifecrisis voor ons in petto? Zoals ze het noemen...'
'Denk je?'
'Het lijkt er wel op...'
'Wat vreselijk.' Hij slaagde erin een grapje te maken: 'Ik had gehoopt origineler te zijn... Ik denk dat ik mezelf een beetje teleurstel.'
'Het is toch niet ernstig, of wel?'
'Om oud te worden?'
'Nee, met Laurence... Het is voor haar of ze naar de sauna gaat... Het is... ik weet het niet... een soort schoonheidsmasker... Dit soort wipjes tussendoor zijn beslist minder gevaarlijk dan botox...'
'...'
'En verder...'
'Ja?'
'Je bent er nooit. Je werkt als een idioot, altijd tobben, probeer je ook eens in haar te verplaatsen.'
'Je hebt gelijk.'
'Natuurlijk heb ik gelijk! En weet je waarom? Omdat ik net zo ben. Ik gebruik mijn vak om niet te hoeven nadenken. Hoe meer rotdossiers ik

heb, des te meer ik in mijn handen wrijf. Geniaal, denk ik dan, al die uren ben je weer gered... En weet je waarom ik werk?'

'Waarom dan?'

'Om te vergeten dat m'n botervloot stinkt...'

'...'

'Hoe wil je nou dat mensen ons trouw blijven? Trouw aan wie, aan wat? Trouw hoe? Maar... Je houdt toch van je vak, niet?'

'Ik weet het niet meer.'

'Jawel, je houdt ervan. En ik verbied je je neus ervoor op te halen. Het is een voorrecht waarvoor we al meer dan genoeg betalen... En je hebt Mathilde...'

'Ik hád Mathilde.'

Stilte.

'Hou op,' zei ze geërgerd, 'je kunt haar niet terugbrengen tot iets uit de huwelijksgemeenschap, dat kind... En je bent trouwens niet weggelopen...'

'...'

'Ben je weggelopen?'

'Ik weet het niet.'

'Nee. Loop niet weg.'

'Waarom niet?'

'Het is te zwaar alleen te leven.'

'Het lukt jou wel...'

Ze stond op, opende al haar kasten en de deur van haar koelkast, gapende leegte, en keek hem recht in de ogen.

'Noem je dit *leven*?'

Hij stak zijn kopje naar haar uit.

'Ik heb helemaal geen recht op haar, nietwaar? Juridisch gezien, bedoel ik...'

'Natuurlijk wel. De wet is veranderd. Je kunt heel goed een dossier samenstellen, getuigschriften leveren en... Maar je hebt het niet nodig en dat weet je best...'

'Waarom?'

'Omdat ze van je houdt, idioot... Goed,' rekte ze zich uit, 'je zult me niet geloven maar ik moet nog aan het werk...'

'Mag ik blijven?'

'Zolang je maar wilt... Het is nog steeds hetzelfde vooroorlogse Klikklak-bed, er zullen herinneringen bij je opkomen...'

Ze schoof haar hopen rotzooi opzij en gaf hem een stel schone lakens.

Net zoals in de goede tijd gingen ze na elkaar de minuscule badkamer in en deelden dezelfde tandenborstel maar... de sfeer was er niet meer.

Zo veel jaar waren voorbijgegaan en aan de werkelijk belangrijke beloftes die ze elkaar hadden gedaan hadden ze zich niet gehouden. Het enige verschil was dat ze tegenwoordig allebei tien, honderd keer meer belasting betaalden.

Hij ging liggen, had medelijden met z'n rug en hoorde weer het geluid dat zijn slapeloze nachten toen hij student was zo vaak had begeleid, het geluid van de bovengrondse metro.

Kon een glimlach niet inhouden.

'Charles?'

Haar silhouet verscheen in schimmenspel.

'Mag ik je wat vragen?'

'Hoeft niet. Natuurlijk ga ik weg. Maak je geen zorgen...'

'Nee. Daarover gaat het niet...'

'Ik luister...'

'Anouk en jij?'

'Ja...' zei hij en ging anders liggen.

'Jullie... Nee. Niks.'

'Wij wat?'

'...'

'Wil je weten of we met elkaar naar bed zijn geweest?'

'Nee. Nou ja... dat is niet wat ik wilde weten. Mijn vraag was minder... meer sentimenteel, geloof ik...'

'...'

'Neem me niet kwalijk.'

Ze had zich omgedraaid.

'Welterusten,' voegde ze eraan toe.

'Claire?'

'Ik heb niks gezegd. Ga slapen.'

En in het donker deze bekentenis: 'Nee.'

Ze hield de deurknop tegen en legde haar hand plat op de deur om die zo stilletjes mogelijk dicht te doen.

Maar na de vijfde herrie van lijn 6 deze correctie: 'Toch wel.'

En een tijdje later, toen hij zich overgaf, uiteindelijk: 'Nee.'

*

'Witte jurk, achterovergekamd haar, precies dezelfde glimlach als op de eerste foto, onder de ker...'

Witte jurk. Achterovergekamd haar. Precies dezelfde glimlach.

Grote party. We hadden die avond alles gevierd: het vijfendertigjarig huwelijk van Mado en Henri, het eerste jaar rechten van Claire, de verloving van Edith en het examen van Charles.

Welk examen? Hij wist het niet meer. Een examen... En voor het eerst had hij een 'vriendin' naar zijn ouders meegenomen. Welke? Hij zou zich haar kunnen herinneren, maar dat zou géén belang hebben. Een jong meisje dat op hem leek... Serieus, van goede huize, met een goed verstand en een beetje te dikke enkels... Een eerstejaars die hij trouwens vast in de kamer hiernaast had ontgroend...

Kom, Charles... We zijn van jou een beetje meer galantheid gewend... Een voornaam op z'n minst...

Laure, denk ik... Ja, inderdaad, Laure... Niet echt lollig onder haar pony die altijd om het donker vroeg en na de liefde altijd kinetische energie in hem opriep... Laure Dippel...

Hij hield haar bij haar middel vast, praatte hard, stak z'n glas omhoog, zei dwaze dingen, had het daglicht in maanden niet meer gezien, verloor aan druk en trapte met z'n onsamenhangende gedans hun lauweren kapot.

Was al flink in de olie toen Anouk haar opwachting maakte: 'Stel je ons voor?' glimlachte ze en wierp een snelle blik in de decolleté van de ander.

Charles ging erop in en maakte van de gelegenheid gebruik zich los te maken.

'Wie is dat?' vroeg de kleine beloerde mathematica.

'De buurvrouw...'

'En waarom zijn haar haren nat?'

(Precies het soort vragen dat dit meisje me voortdurend stelde.)

'Waarom? Dat weet ik niet hoor! Omdat ze net onder de douche is geweest, neem ik aan!'

'En waarom komt ze nu pas?'

(Zie je... Ze moet inmiddels wel twee kolommen in de *Who's Who* hebben...)

'Omdat ze moest werken.'

'Wa...'

'Verpleegster,' viel hij haar in de rede, 'ze is verpleegster. En als je wilt weten op welke afdeling, hoe lang ze er werkt, de omvang van haar heupen en haar pensioenpunten, zul je het haar zelf moeten vragen.'

Ze liep mokkend weg.

'Zo, jongeman? Klaar om je op te offeren voor een dansje met de senioren?' hoorde hij achter z'n rug, terwijl hij probeerde z'n aansteker onderuit een enorme teil punch te vissen.

Zijn glimlach draaide zich eerder om dan hijzelf.

'Leg uw wandelstok even neer, oma. Ik sta tot uw beschikking.'

Witte jurk, grappig, mooi, en verduiveld kinetisch.

Dat wil zeggen voortkomend uit beweging.

Ontketend in de armen van haar bekroonde student. Had een zware dag gehad, had tegen ziekenhuisinfecties gevochten en verloren. Verloor regelmatig de laatste tijd. Wilde dansen.

Dansen en hem aanraken, hij met zijn miljoenen witte bloedlichaampjes en zijn zo effectieve immuunsysteem. Hij zo preuts, er zeer op bedacht afstand van haar jurk te houden, terwijl zij hem lachend tegen zich aan trok. We hebben er schijt aan, Charles, we hebben er schijt aan, zei haar kattenblik. We leven, snap je? Le-ven.

En hij die zich overgaf onder de verbijsterde blik van z'n vriendin. Maar hij, uiteindelijk redelijk, zo redelijk jammer genoeg, gaf haar ten slotte haar arm terug en haar met haar massa overeenstemmende energie voor hij onder de sterren een luchtje ging scheppen.

'Zeg, ze is wel geil, die buurvrouw van je...'

Hou je kop.

'Neeee, ik bedoel voor haar leeftijd...'

De snol.

'Ik moet naar huis.'

'Nu al?' kreeg hij met moeite over z'n lippen.

'Je weet toch dat ik maandag een mondeling heb,' zuchtte z'n lief.

Hij was het vergeten.

'Kom je?'

'Nee.'

'Sorry?'

Goed, laten we ons de rest van dit vermoeiende gesprek besparen. Uiteindelijk heeft hij een taxi voor haar gebeld en is ze gaan repeteren wat ze vermoedelijk al uit het hoofd wist.

Toen hij na een vage kus en krachtige aansporingen naar huis terugkeerde, begon het grind onder de jasmijn te kraken.

'Zo, je bent dus verliefd?'

Wilde nee antwoorden en gaf het omgekeerde toe.

'O? Dat is mooi...'

'...'

'En je... Hoe lang ken je haar?'

Charles hief het hoofd, keek haar aan, glimlachte tegen haar, en liet het hoofd dalen.

'Ja.'

En liep terug in de richting van het lawaai.

Lang...

Hij rende heen en weer, keek af en toe uit naar haar, zag haar niet, dronk, vergat zichzelf, vergat haar.

Maar toen zijn zussen om stilte vroegen, toen de muziek stopte en de lichten doofden, toen een enorme taart voor de samengevouwen handen van z'n vader en moeder werd gebracht, en z'n vader een toespraak uit de zak haalde, pakte een hand tussen het sst, het ho, het ha, en het nog eens sst de zijne en trok hem uit die kring.

Hij volgde haar, ging achter haar de trap op en ving intussen wat bravourestukken op, 'zovele jaren... lieve kinderen... moeilijkheden... vertrouwen... steun... altijd...', toen deed ze op goed geluk een deur open en draaide zich om.

Verder gingen ze niet, bleven in het donker staan, en het enige wat hij op dat moment in het leven over dat van haar wist, was dat haar haren niet meer nat waren.

Ze drukte zich zo hard tegen hem aan dat de deurknop z'n lendenen doorboorde. Was toch in zo'n toestand dat hij geen pijn voelde. Ze kuste hem al.

En na elkaar zo lang te hebben gezocht waren ze in elkaar verstrengeld.

Aten elkaars gezichten, verslonden elkaar en...
Waren nooit zo ver van elkaar verwijderd geweest...

Charles vocht met de spelden van haar knotje en zij was druk bezig met z'n riem, schoof haar haar opzij en zij de pijpen van z'n broek, probeerde haar gezicht recht te houden terwijl zij het voortdurend naar beneden hield, zocht naar woorden, woorden die hij duizenden keren had herhaald en die tegelijk met hem veranderd waren, terwijl zij hem smeekte te zwijgen, dwong haar hem aan te kijken, maar zij ging opzij om in zijn oor te bijten, stortte zich in haar nek terwijl zij hem tot bloedens toe verwondde, had haar nog niet eens aangeraakt terwijl zij zich al om zijn been had geslingerd en kreunend tegen hem opreed.

Hield de liefde van zijn leven in z'n handen, de madonna van zijn jeugd, de mooiste van allemaal, de obsessie van zovele nachten en de reden van zo veel verworven lintjes, terwijl zij iets heel anders vasthield...

De smaak van bloed, de lading alcohol, de geur van haar zweet, het geluid van haar gerochel, die pijn in z'n rug, haar geweld, haar bevelen, haar nagels, niets van dit alles ondermijnde zijn *fine amor*. Hij was de sterkste, het lukte hem haar niet meer te laten bewegen en ze had geen andere keus dan hem haar naam te horen fluisteren. Maar in de verte gingen autolichten voorbij en hij zag haar glimlach.

Gaf het toen op. Gaf haar haar armen terug, haar verdraaide armbanden, haalde zijn knieën op en deed zijn ogen dicht.

Ze raakte hem aan, streelde hem, kwam op hem, gleed met haar vingers in zijn mond, likte aan zijn oogleden, fluisterde onhoorbare woorden in zijn oor, trok aan zijn kin om hem te laten gillen én hem te dwingen stil te zijn, pakte zijn hand, spuugde erin, leidde hem, golfde, speelde balvangertje, sleepte hem, brak hem bijna, hem...

En vervloekt zij hij. Vervloekt zij wie hij was. Vervloekt de gevoelens. Vervloekt. Vervloekt dit bedrog, hij duwde haar weg.

Wilde dit *niet*.

Toch had hij van dit alles gedroomd. De ergste uitspattingen, de aller-onwaarschijnlijkste fantasieën, haar kleren kapotgescheurd, haar pijn, haar genot, haar smeekbedes, hun speeksel, het sperma, en de kussen, de... Alles. Alles had hij zich voorgesteld, behalve dit. Hij hield te veel van haar.

Te goed, te slecht, te maakt niet uit wat misschien, maar te.

'Ik kan het niet,' kreunde hij. 'Niet zo...'

Ze verstijfde en bleef even sprakeloos voor ze zich voorover liet vallen, het voorhoofd tegen zijn borst.

'Sorry,' ging hij verder. 'Sor...'

Ze wiegde voor de laatste keer haar heup om de stof van haar jurk naar beneden te laten glijden. Kleedde hem zachtjes weer aan, deed zijn riem dicht, streek zijn overhemd glad, lachte toen ze het aantal verweesde knoopsgaten ontdekte, en kwam met een zachtere huid en de armen langs haar lichaam weer tegen hem aan liggen en liet zich eindelijk omarmen.

Sorry. Sorry. Hij wist niets anders te zeggen. Zonder trouwens te weten of hij het tegen haar of tegen zichzelf had.

Tegen haar mooie ziel of tegen zijn kruis.

Sorry.

Hij drukte zich stevig tegen haar aan, ademde in haar nek, streelde haar haren, haalde twintig jaar vertraging in en tien verloren minuten. Hoorde het kloppen van haar hart, hield deze ramp in bedwang, intussen steeg applaus vanaf de parketvloer en zocht... andere woorden.

Andere woorden.

'Sorry.'

'Nee... Ik ben het,' fluisterde een heel klein stemmetje dat, ik... het brak. 'Ik dacht dat je volwassen was geworden...'

Zijn naam werd geroepen. Men zocht hem in de tuin. Charles! De foto!

'Ga. Ga naar ze toe. Laat me maar. Ik kom later wel naar beneden.'

'Anouk...'

'Laat me maar, zeg ik je.'

Ik bén volwassen geworden, wilde hij antwoorden, maar de toon van haar laatste woorden had hem daarvan afgehouden. Gehoorzaamde dus en ging poseren, tussen z'n zussen, en voor z'n ouders, als het lief klein jongetje dat hij was.

*

Claire had net het licht uit gedaan.

En een abortus ondergaan.

En Alexis ging door met zichzelf kapot te maken.

Maar speelde als een god, zei men...

Charles vertrok. Eerst naar Portugal, daarna naar de Verenigde Staten.

Verliet het Massachusetts Institute of Technology met een mooie medaille, genoeg vocabulaire om liefdesliedjes te kunnen vertalen, en met een Australische verloofde.

Die hij op de terugweg verloor.

Waaronder hij leed. Erg. Werkte voor anderen. Sleepte uiteindelijk z'n laatste diploma in de wacht. Liet zich inschrijven bij de Orde. Schroefde z'n bord op de muur. Won, om onduidelijke redenen, een wedstrijd die een maatje te groot voor hem was. Had veel afgezien. Leerde uiteindelijk, meestal op eigen kosten, dat 'de verantwoordelijkheid van een vrije architect geen grenzen kent en hij voor alles wat hij zegt, doet, schrijft verzekerd moet zijn'. Eiste dus een bericht van ontvangst zodra hij z'n potlood had geslepen. Had zich verbonden met een jongen die veel meer talent had dan hij maar minder ideeën had. Liet aan hem de roem over, het voetlicht, en de interviews. Nam de schaduwzijde op zich, voelde zich daardoor verlicht, belastte zich met de ondankbaarste taken en zorgde er voortaan voor dat al het hiervoor genoemde in orde was.

Zag Anouk terug. Lunchte kinderlijk met haar waarbij het ook slechts daarover ging: zijn kinderjaren. Vond haar nog steeds mooi, maar gaf haar niet de kans het te raden. Begroef zijn grootmoeder. Kreeg voorgoed ruzie met Alexis. Verloor in die jaren een eerste salvo haar, en kreeg onder dat brede voorhoofd een zekere faam. Een kwaliteitslabel, een *traceerbaarheid*, zoals veehouders het zouden noemen. Hield voor de laatste keer haar hand vast. Had de moed niet meer haar te zien wegzinken. Zei een lunch af, te veel werk, daarna een tweede. En een derde.

Zei alles af.

Vulde cartouches, kocht een pand, had avontuurtjes, liet de jazzclubs vallen die hem altijd een beetje verdrietig maakten, en kwam toen via de omwegen van z'n 'kleine' projecten zonder factuur een man tegen die aan z'n marmer was gehecht en een mooie vrouw had.

Bouwde een poppenhuis.

En verhuisde daarheen.

Ging ten slotte vlak bij de grond slapen op een ingezakte slaapbank, tussen muren die dit allemaal hadden meegemaakt.

Niet veel eigenlijk.

Was terug bij af, had de eerste en de tweede verloren, misschien zelfs de derde, en zou binnen een paar uur erge pijn in z'n rug krijgen.

8

Charles kwam tegelijk met Mathilde thuis en stond Laurence op een zaterdagmiddag, toen ze alleen in het appartement waren, dat fameuze 'gesprek' toe waaraan ze zo hechtte.

Het was trouwens geen gesprek. Eerder een lange klaagzang. Een zoveelste proces. Ten slotte ging ze zelfs huilen. Dat was de eerste keer en hij werd erdoor ontroerd. Pakte haar hand. Ze redde zich uit dit lastige parket door zich te beroepen op de waarschijnlijke daling van haar oestrogenen en haar gebrek aan hormonaal evenwicht. Zei erbij dat hij het niet kon begrijpen en trok haar hand terug. Hij redde zich uit dit lastige parket door een fles champagne te openen.

'Vieren we mijn vaginale droogheid?' grinnikte ze toen ze het glas aannam dat hij haar gaf.

'Nee. Mijn verjaardag.'

Ze sloeg op haar voorhoofd en kwam hem een kus geven.

Even later verscheen Mathilde. Ze was met haar vriendinnen naar de vlooienmarkt geweest en sloot zich direct in haar kamer op, ze liet een ''n avond' en een afgetrapt paar ballerina's in haar spoor achter.

Laurence zuchtte geërgerd en waarschijnlijk ook een beetje opgelucht, nu ze zag dat ze niet als enige nalatig was...

Op dat moment kwam Miss Luchtstroom terug met een enorm pakket, heel onhandig in krantenpapier gewikkeld.

'Je mag wel zeggen dat ik heel wat gehumhumd hebt om een cadeau voor je te vinden!'

Dat ze hem met een grote glimlach gaf.

'Al m'n zaterdagen gingen eraan op!'

'Maar ik dacht dat je met Camille voor je examen aan het repeteren was?' reageerde haar moeder.

'Ja hoor, Camille heeft me geholpen! Zijn er nog bubbels?'

Charles was gek op dat kind.

'Maak je het niet open?'

'Jawel, jawel,' glimlachte hij. 'Maar eh... het ruikt raar, niet?'
'Hé', en ze trok haar schouders op, 'gewoon... Het ruikt naar oud.'

Charles klapte in z'n handen.

'Goed, het vaste ritueel, meisjes? Ik neem jullie mee uit eten bij Mario?'

'Zo kun je toch niet uit?' stikte Laurence.

Hij hoorde haar niet. Bewonderde zichzelf in de reflectie van de etalages en onder de verrukte blik van zijn stiefdochter.

'Ik zal van jullie alles moeten verduren...' hoorden ze achter hun rug brommen.

Ze greep zijn arm en stelde hem gerust: 'Ik vind jou echt stijl hebben...'

Hij antwoordde dat hij dat ook vond.

Het was een Renoma uit de jaren zeventig. Een regenjas voor een hippe vogel met een kraag in de vorm van een taartschep en mouwen die tot zijn ellebogen kwamen. Die helaas de ceintuur miste en een aantal knopen.

En ook nog hier en daar gescheurd.

En die stonk.

Echt.

Maar...

Blauw.

*

Geen gootje die avond in het met festoenen versierde dekbed en wat hij van haar kreeg bij wijze van lastminutecadeau ingepakt in een beeldig nachtgewaad.

Om een eind te maken aan deze lastige situatie liet Charles zich op z'n zij rollen.

De stilte die volgde op deze... pantomime was heel moeizaam. Bitterzoet maakte hij een grapje om het te verzachten: 'Het zal wel uit solidariteit zijn... Mijn hormonen zijn blijkbaar niet volgzamer dan die van jou...'

Ze vond het leuk, dat hoopte hij tenminste, en viel uiteindelijk in slaap.

Hij niet.

Het was voor het eerst dat het hem niet lukte.

Toch had hij de week voordien de moed gehad advies te vragen over z'n verdomde haren die tegenwoordig met bosjes tegelijk uitvielen en had te horen gekregen dat er niets aan te doen viel: een kwestie van te veel testosteron.

'Zie het als een teken van mannelijkheid...' had de apotheker geconcludeerd met een verrukkelijke glimlach. (Hij was helemaal kaal.)

O?

Weer een mysterie dat aan zijn schitterende logica ontsnapte...

Eentje te veel. Te vernederend in ieder geval.

Stop nou, dacht hij. Stop. Hij moest zich van al die onbenulligheden bevrijden, Calimero eruit trappen en zich herpakken.

Zijn afspraken niet nakomen, spijbelen bij conferenties aan het andere eind van de wereld, het geld van de zaak verkwanselen, z'n tijd aan ruïnes van abdijen verdoen, met spoken praten, hen weer tot leven laten komen vanwege het morbide genoegen hun vergeving te vragen, z'n longen naar de klote helpen, het materiaal vernietigen en z'n rug in de lakens van z'n jeugd vernielen, dat kon nog, maar geen stijve meer krijgen, nee!

'Begrepen? Stop,' herhaalde hij luidkeels om er zeker van te zijn dat hij zichzelf had gehoord.

En deed, om zichzelf zijn goede trouw te bewijzen, het licht weer aan. Stak z'n arm uit en zadelde zichzelf op met het besluit van 22 maart 2004 *betreffende de brandbestendigheid van producten, bouwelementen en constructies.*

De richtlijnen, de beslissingen, de wet, het decreet, de besluiten, het advies van de raad, het voorstel van de directeur van de publieke veiligheid, de 25 artikelen én de 5 bijlagen.

Viel daarna met z'n lul spelend in slaap.

Och. Een beetje.

Preutse opdoffer van een generaal die de aftocht blaast aan z'n trouwste soldaat. Naar huis, m'n beste kerel, naar huis.

De rest regelen de kraaien wel...

9

En deed zoals hij had gezegd: flikkerde alles weg.

Tristan, Abelardus, de kleine Marcel en heel die bende idioten.

Merkte de komst van het voorjaar niet. Werkte nog harder. Doorzocht de spullen van Laurence en stal slaapmiddelen van haar. Lag in coma op de bank, ging terug naar hun kamer wanneer het gevaar van een onwaarschijnlijke intimiteit voorbij was, liet een soort baard staan die eerst de spot van zijn twee medebewoonsters uitlokte, later hun dreigementen en uiteindelijk hun onverschilligheid.

Was hier. Was er niet meer.

Ging ver met het zaakje om de tuin leiden, maar zonder echte overtuiging. Nam wanneer je hem aansprak een geconcentreerde houding aan en vroeg om meer bijzonderheden als zijn gesprekspartner al buiten bereik was.

Hoorde het gefluister achter z'n rug niet.

En snapte niet waarom zo veel projecten waren opgeschort. De verkiezingen, kreeg hij te horen. O, ja... De verkiezingen...

Ontwarde lastige zaken, had urenlange telefoongesprekken en eindeloze vergaderingen met mannen en vrouwen die voortdurend met nieuwe afkortingen wapperden. Controlebureaus, actiegroepen, coördinatieteams, studiecentra, technische controleurs, van de Socotec en het bureau Veritas enzovoorts, nieuwe artikelen die de CCH veranderden door een verplicht CT op te leggen voor de ERP van de vier eerste categorieën, de IGH en de gebouwen van klasse C. Nietsnutten van Kamers van Koophandel, megalomane burgemeesters, incompetente assistenten, gestoorde wetgevers, geërgerde aannemers, mensen die met alarmerende diagnoses kwamen en rapporteurs voor van alles en nog wat.

Op een ochtend herinnerde een stem hem eraan dat de huidige bouwterreinen 310 miljoen ton afval per jaar produceerden. Op een avond legde een andere, minder agressieve stem hem, naar aanleiding van een plan dat hels dreigde uit te pakken, uiteindelijk een onderbouwde evaluatie voor van de zwakke plekken van de bestaande plannen.

Hij was op, luisterde niet meer, maar had op een pagina van z'n boekje deze woorden genoteerd: De zwakke plekken van de bestaande plannen.

'Prettig weekend!'

De jonge Marc was hem komen groeten, met een gigantische tas op z'n schouder, en toen de boss niet reageerde, had hij eraan toegevoegd: 'Zeg... Kent u dit woord nog?'

'Sorry?' en draaide zich uit beleefdheid en om uit zijn lethargie te raken om.

'Weekend, weet u? Die twee totaal ongepaste dagen aan het eind van de week...'

Charles kwam met een vermoeide glimlach over de brug. Hij mocht die jongen wel. Vond in hem bepaalde trekken van vroeger terug...

Die ietwat lompe koortsachtigheid, zijn onverzadigbare nieuwsgierigheid, die behoefte Meesters te vinden en hen helemaal uit te persen. Alles over hen te lezen, absoluut alles, en vooral het ontoegankelijkste. De vage theorieën, de onvindbare toespraken, kopieën van schetsen, de in het Engels vertaalde handboeken, opgehemeld, aan de andere kant van de wereld gepubliceerd, en nooit door iemand begrepen. (En hier moest hij terloops de hemel danken, wanneer hij op die leeftijd internet en de verleidingen daarvan had gehad was hij in een diepe afgrond beland...)

En dan die enorme werkkracht, die hoffelijke terughoudendheid, die moeilijkheden met 'u' en 'jij', dat zelfvertrouwen dat niets te maken had met het geschraap en het stof van ambitie, maar hem stellig liet denken dat de Pritzkerprijs, jawel, een *denkbare* wending in het leven was, en zelfs, zelfs die lange haardos die binnenkort dunner zou worden...

'En waar gaat u zo bepakt en bezakt heen?' riep hij. 'Naar het einde van de wereld?'

'Ja, zo ongeveer. Naar het platteland... Naar m'n ouders...'

Charles had dit onverwachte moment van verstandhouding wat langer willen laten duren. Hem aanmoedigen, hem bijvoorbeeld vragen: 'O ja? En waar naar het platteland?', of: 'Ik heb me altijd al afgevraagd in welk jaar u...', of anders: 'Hoe bent u eigenlijk bij ons beland?' Maar hij was jammer genoeg te moe om zich tegen deze goede vuursteen te wrijven. En pas toen die lange, zo briljante slungel wegsnelde, merkte hij het boek op dat uit z'n tas stak.

Een originele uitgave van *Delirious New York*.

'Nog steeds in uw Hollandse periode, zie ik...'

De ander begon te stotteren als een kwajongen die je betrapt met z'n vingers in de jampot: 'Ja, ik geef het toe, ik... Deze vent fascineert me... echt... en...'

'En of ik u begrijp! Met dit boek heeft hij daar erkenning en respect afgedwongen zonder het kleinste building te hebben gebouwd... Wacht... Ik ga ook weg.'

Terwijl hij de code van het alarm intoetste, vulde hij aan: 'Ik was heel nieuwsgierig op uw leeftijd en ik heb het geluk gehad een paar ongelooflijke werkbijeenkomsten bij te mogen wonen, maar als iets me echt heeft verbluft, weet u, is dat toen hij in '89 zijn plan voor de bibliotheek van Jussieu presenteerde...'

'De bouwplatensessie?'

'Ja.'

'O! Ik had daar zo graag bij willen zijn...'

'Het was echt... hoe moet ik het zeggen... Intelligent... Ja, ik zie geen ander woord, intelligent...'

'Maar er is me verteld dat het vandaag de dag een oude truc is. Die hij steeds opnieuw uithaalt...'

'Ik weet het niet...'

Ze liepen naast elkaar de trap af.

'...ik weet wel dat hij het minstens één keer heeft overgedaan, want ik was erbij.'

'Echt waar?' bleef de jongste staan met zijn tas stevig vast.

Ze stopten bij de eerste de beste kroeg en die nacht herinnerde Charles zich voor het eerst in maanden, jaren zijn vak.

Vertelde.

Kreeg in 1999, dus tien jaar na de 'schok van Jussieu' en omdat hij een vent van de engineering groep Arup kende, de kans plaats te nemen in de Benaroya Hall in Seattle om een van de beste shows van zijn leven bij te wonen. (Nounous fratsen uitgezonderd.) Niet één solist in dit gloednieuwe auditorium, maar alle rijke donateurs, deftige bourgeoisie en powerfull citizens die de stad telde. Opgefokte walkietalkies en rijen limousines over de volle lengte van Third Avenue.

Enkele maanden eerder was een wedstrijd uitgeschreven voor de bouw van een gigantische bibliotheek. Pei en Foster hadden ook meegedaan, maar de twee genomineerde plannen waren die van Steven Holl en van Koolhaas. Het werk van de eerste was een beetje cliché maar ja, het was een jongen uit de buurt en dat telde zwaar. *Buy american* you know...

Nee, hij vertelde niet, herleefde eerder. Ging staan, spreidde z'n armen uit, ging weer zitten, schoof hun bierglazen opzij, krabbelde in z'n boekje en legde hem uit hoe het dit genie, vijfenvijftig destijds, amper ouder dan hij, gelukt was door zijn plan heel theatraal te presenteren, simpelweg gewapend met een blad blanco papier, een potlood en een schaar – nu eens met gebaren, dan weer door zijn uitgeknipte papier op te vouwen en uit te vouwen – de prijs te winnen en een bouwwerk in de wacht te slepen waarvan de kosten uiteindelijk meer dan 270 miljoen dollar zouden bedragen.

'Een simpel A4'tje, hè!'

'Ja, ja, ik zie het... 270 miljoen voor 5 gram...'

Ze bestelden omeletten, meer bier, en Charles, aangemoedigd door de vragen van zijn student, ging door met het ontleden van de grote man. Ofwel hoe zijn gevoel voor formulering, zijn talent voor beknoptheid, zijn liefde voor grafieken, zijn humor, zijn scherpzinnigheid, zijn spotternij ook hem in minder dan twee uur een extreem complexe visie lieten toelichten en begrijpelijk maken.

'Dat is toch dat gebouw met de verschoven platformen, nietwaar?'

'Precies, een heel spel met horizontaliteit in een land dat enkel bij de hemel zweert... Geef toe dat het toch wel lef heeft... Dan hebben we het nog niet over de seismische beperkingen en een heleboel absoluut waanzinnige eisen. Die vent over wie ik het had, van Arup, heeft me verteld dat ze bijna gek waren geworden...'

'En heeft u het na de voltooiing gezien?'

'Nee. Nooit. Maar in elk geval is dit niet mijn favoriete werk van hem...'

'Vertel eens.'

'Sorry?'

'Wat uw favoriet is...'

Uren later werden ze naar buiten geduwd en ze bleven nog een hele tijd, met de rug tegen de motorkap van de auto van Marc geleund, hun voorkeuren, hun opinies en hun twintig jaar verschil vergelijken.

'Goed, ik moet weg... Ik heb het avondeten gemist, als ik er ten minste maar voor het ontbijt ben...'

Hij gooide zijn tas achterin en stelde Charles voor hem naar huis te brengen. Deze benutte de kans hem te vragen waar op het platteland zijn ouders woonden, in welk jaar hij zat, en hoe hij bij hen terecht was gekomen.

'Vanwege u...'

'Vanwege mij wat?'

'Ik heb er vanwege u voor gekozen mijn stage bij jullie te doen.'

'Wat een raar idee...'

'Och... zo gaan die dingen... We moeten maar denken dat het voor mij nodig was een printer te leren repareren,' reageerde de schaduw uit zijn jeugd met een glimlach.

In de entree struikelde hij over de rugtas van Mathilde.

'SOS, lieve te gekke stiefvader van mijn hart, ik zit vast met deze opdracht en het is voor morgen (het moet ingeleverd worden, en je krijgt er een cijfer voor, en dat telt mee voor het gemiddelde) (als je begrijpt wat ik bedoel...)

PS: please, GENADE geen uitleg!!!!!!! alleen de antwoorden.

PPS: ik weet het, ik maak misbruik van je, maar als je nu voor een keer een beetje op je handschrift kon letten, zou me dat goed uitkomen.

PPPS: dank je.

PPPPS: welterusten.

PPPPPS: ik hou van je.'

Zet in de figuur met het orthonormale systeem $(O; \vec{i}; \vec{j})$*, de punten* A *(-7; 1) en* B*(1; 7).*

1) a) Wat zijn de coördinaten van de vectoren $\vec{OA}$, $\vec{OB}$, $\vec{AB}$*? Bewijs dat* AOB *een gelijkbenige, rechthoekige driehoek is.*

b) C is de cirkel die de driehoek AOB *omschrijft. Bereken de coördinaten van het middelpunt S ervan en de omtrek.*

2) f is de affiene functie, gedefinieerd als f(-7)=1 en f(1)=7.

a) Bepaal f.

b) Wat is in een grafiek... Et cetera.

Kattenpis...

En Charles ging weer eens alleen aan tafel in een spookkeuken zitten. Maakte een uitgemergeld etui open, vloekte toen hij op afgekloven potloden stuitte, pakte zijn vulpotlood en deed z'n best op de lijnen van zijn letters.

Terwijl hij dat deed, *C* plaatsen, *f* bepalen, overtrekpapier knippen en het hachje redden van een enorme luiwammes, kon hij er niet omheen de afgrond te peilen die hem van Rem Koolhaas scheidde...

Troostte zich ten einde raad met de herinnering dat hij, en dit telde mee voor het gemiddelde, *te gek* was.

Sliep een paar uur, dronk staande een kopje koffie, vloog de opgave nog eens door en voegde onderaan het briefje van de vorige avond een 'Je overdrijft' toe, zonder duidelijk te maken of het op haar laatste postscriptum sloeg of op haar oplichterij.

Haalde weer z'n Staedtler uit z'n zak om haar te helpen dit laatste punt vast te stellen, en stopte die tussen lege inktpatronen, afgeknaagde Bics en briefjes vol spelfouten.

Wat zou er van haar worden als ik wegging? dacht hij, terwijl hij z'n jasje aantrok.

En van mij? Wat...

Een taxi die hem naar andere functies moest brengen, stond op hem te wachten.

'Welke terminal zei u?'

Doet er niet toe, dat maakt me helemaal niets uit.

'Mijnheer?'

'C,' antwoordde hij.

En opnieuw,

opnieuw,

de teller.

10

De files waren dant- en dostojevskiaans. Ze deden er bijna vier uur over om een dertigtal kilometers af te leggen, waren getuigen van twee ernstige ongelukken en woonden een festival aan aanrijdinkjes bij.

Ze waren spookrijders en scholden op de klagers, ze reden over de berm met de ramen dicht vanwege het stof, ze stuiterden in spectaculaire gaten en duwden kleinere auto's opzij door ze in het westen gefabriceerde bumpers te laten voelen.

Als ze hadden gekund, zouden ze zelfs over de gewonden heen zijn gereden.

De ander wees hem de rijweg, vervolgens het hendeltje van de ruitenwissers en hij leek zo verrukt van z'n grap dat Charles moeite deed zijn taaltje te begrijpen. Het was voor het bloed, lachte hij luid, jij begrijpen? Het bloed! *Krov!* Ha. Ha. Wat een goeie.

Het was benauwd weer, de vervuiling extreem, en door zijn migraine kon hij zich niet op de afspraken van de volgende dag concentreren. Hij sloeg zakjes poeder achterover en likte z'n tandvlees om het effect van de aspirine te versnellen. Liet ten slotte zijn dossiers voor z'n voeten uiteenvallen.

Toe nou... Laat hem z'n kloteruitenwissers maar aanzetten en laten we er een eind aan maken...

Toen Viktor hem ten slotte welterusten wenste, voor de krachtpatsers van het hotel, was hij niet in staat te reageren.

'Bla Bla chto jalouyietiéss?'

Zijn passagier keek omlaag.

'Bla bla bla goladyén?'

Liet de deurklink los.

'Moui staboye bla bla bla vodki!' besloot hij en voegde weer uit.

Zijn glimlach verlichtte de achteruitspiegel.

Ze drongen in steeds donkerder straten door en toen hun limousine te provocerend werd, vertrouwde hij die aan een bende vrolijke jochies toe. Gaf z'n instructies, zwaaide of hij tikken zou uitdelen, liet hun een stapel bankbiljetten zien die hij meteen weer in z'n zak stopte en gaf hun een pakje sigaretten om rustig te wachten.

Charles dronk een glas, een tweede, begon te ontspannen, een der... en werd bij dag en dauw naast de wooncontainers van het bouwterrein wakker. Compleet zwart gat tussen 'zoveelste' en het gesnurk van hoofdsteun vlakbij.

Nooit was hij zo door zijn eigen adem... van z'n stuk gebracht.

Het licht knalde op z'n kop. Waggelde tot de pomp, spoelde zich af, liet zich vol water lopen zodat zijn kater ontplofte, gaf over toen hij opstond en begon opnieuw.

Hij had zijn *Hoe zeg ik het in het Russisch* niet nodig om te begrijpen hoeveel lol Totor had.

Die kreeg uiteindelijk medelijden met hem en kwam met een fles naar hem toe.

'Drink, beste vriend! Goed zo!'

Kijk eens aan... Zijn eerste woorden Frans... De nacht was blijkbaar goed voor je talen...

Charles gehoorzaamde en...

'Spassiba dorogoï! Vkousna!'

Knapte op.

Een paar uur later schold hij Pavlovitch in z'n eigen taal voor klootzak uit, voor hij hem in zijn armen nam en hem verstikte.

Ja hoor, hij was een Rus geworden.

Begon op het vliegveld te ontnuchteren terwijl hij zijn... aantekeningen (?) probeerde te herlezen en was weer helemaal helder toen Philippe hem opbelde om hem af te zeiken.

'Zeg, ik heb zojuist de spion van Becker aan de lijn gehad... Wat is dit nou weer voor gesodemieter met die bekisting van de dubbele balken op de B-1. Goeie god, realiseer je je wel hoeveel geld we per dag verliezen?! Realiseer je...'

Charles hield zijn telefoon van z'n oor af en bekeek die argwanend.

Mathilde, die er trouwens niet mee zat, hield hem voortdurend voor dat die dingen vol kankerverwekkende bedreigingen zaten. 'Ik zweer het je! Het is net zo erg als de magnetron!' Ja hoor, zei hij en legde z'n hand dicht op de telefoon om zich te beschermen tegen het speeksel van zijn partner, ze heeft vast gelijk...

Sloeg op goed geluk zijn boek open, kocht zonder discussie zeventien eersteklas hengsten van een gepensioneerde cavalerieofficier die prachtige beesten had, een tapijtenatelier, likeuren van een eeuw oud en oude tokay, en vergezelde daarna Nicolaj Rostov naar het bal van gouverneur Voronesj.

En sloeg met hem een knappe, mollige blondine aan de haak en gaf haar 'mythologische' complimenten.

Stond snel weer op toen de echtgenoot eraan kwam. Gehoorzaamde de bevelen, liet z'n reispapieren zien, maakte z'n riem, z'n laarzen, z'n sabel, z'n redingote los en legde die in plastic bakjes.

Begon zonder reden te piepen en werd apart genomen om te worden gefouilleerd.

Die Fransen zijn beslist allemaal eender, zei Nikita Ivanytsch spottend, en kneep in de nek van zijn vrouw...

II

Hoe hij ook vastte, zich onthield van drank, zijn lever in bruistabletten oploste, aan zijn slapen voelde, zijn oogleden masseerde, de luiken sloot en zijn lamp omgooide, de gevolgen van deze memorabele zuippartij trokken niet weg.

Zich aankleden, eten, drinken, slapen, praten, zwijgen, nadenken, alles. Alles ging moeizaam.

Af en toe ging een grof woord door zijn geest. Drie lettergrepen. Drie lettergrepen hadden hem in de tang en de... Nee. Hou je mond. Wees wijzer. Val nog af en sluip uit deze rotzooi weg. Jij niet. Je hebt sowieso geen tijd. Ga door.

Loop en crepeer als het moet, maar ga door.

Binnenkort zomer, de dagen hadden hem nog nooit zo lang geleken en de voorgaande opsommingen begonnen opnieuw, gescandeerd door dezelfde litanie werkwoorden in de *passé simple*. (De waarden van de passé simple, weet je nog, punctueel aspect, het niet rekening houden met de tijdsduur, de uiting van opeenvolging.) Hij werd, hij kon, hij moest. Hij deed, hij zei, hij gaf toe. Hij ging, hij bekeek, hij besloot.

Hij beweerde. Hij kreeg.

Hij kreeg van een medisch bureau een afspraak buiten de spreekuren om.

Hij kleedde zich uit, werd gewogen. Er werd aan zijn pols gevoeld, zijn nek, zijn weke delen. Er werd hem gevraagd wat hij zag en wat hij hoorde. Hem werd verzocht duidelijker te zijn. Was het plaatselijkachtig, frontaalachtig, voorhoofdachtig, achterhoofdachtig, genenachtig, hersenachtig, griepachtig, gebitachtig, bruutachtig, morgenachtig, algemeenachtig. Was het...

'Om tegen de muren op te lopen,' onderbrak Charles.

Zuchtend werd een recept voor hem geschreven: 'Ik kan niets vinden. Stress misschien? En', omhoogkijkend, 'zeg me eens, mijnheer... Heeft u angstgevoelens?'

Gevaar gevaar, knipperde het beetje wat hem nog aan afweermiddelen restte. Ga door, hebben ze je gezegd.

'Nee.'

'Slapeloosheid?'

'Zelden.'

'Luister, ik ga u ontstekingsremmers voorschrijven, maar als het over een paar weken niet beter gaat, dan wordt het een scan...'

Charles bleef muisstil. Zocht naar z'n chequeboek en vroeg zich alleen af of dat apparaat leugens kon zien.

En vermoeidheid... En herinneringen...

Verraden vriendschap, oude gecastreerde juffrouwen in de urinoirs, begraafplaatsen naast spoorwegen, de vernederende tederheid van een vrouw die jij geen genot had kunnen geven, lieve woordjes geruild voor goede cijfers, of die duizenden tonnen staalconstructie die, ergens in de oblast van Moskou, waarschijnlijk nooit iets zouden onderstutten.

Nee, hij had geen angstgevoelens. Zag hooguit alles helder.

Thuis was de sfeer opgefokt. Laurence bereidde de uitverkoop voor (of een nieuwe modeshowweek, hij had het niet goed gehoord) en Mathilde haar koffers. Vloog de week erop naar Schotland, *to improve*, en zou daarna haar neven aan de Baskische kust treffen.

'En je examen dan?'

'Ik ben ermee bezig, ik ben ermee bezig,' antwoordde ze vinnig en tekende lange arabesken in de kantlijnen van haar annalen. 'Ik repeteer de stijlfiguren, ja...'

'Ik merk het... Spaghettistijl zo te zien, niet?'

Ze zouden begin augustus naar haar toe gaan en een week bij haar zijn, voor ze haar naar haar vader zouden brengen. Daarna wist hij het niet. Er was vaag over Toscane gepraat, maar Laurence had het er niet meer over en Charles had Sienna en de cipressen daar niet meer durven noemen.

Het idee een villa te delen met die mensen met wie hij een paar weken geleden kennis had gemaakt tijdens een eindeloos diner in het mahonie kippenhok van z'n schoonzus, maakte hem niet vrolijk.

'Nou? Wat vind je van hen?' had ze hem op de terugweg gevraagd.

'Voorspelbaar.'

'Natuurlijk...'

Dit 'natuurlijk' klonk echt vermoeid, maar wat kon hij anders zeggen?

Vulgair?

Nee. Hij kon het niet... Het was te laat, zijn bed was te ver en dit debat te... nee.

Misschien had hij in plaats hiervan 'voorzichtig' moeten zeggen? Deze mensen hadden het lang over belastingbesparing gehad... Ja... Misschien... De stilte in de auto zou minder drukkend zijn geweest.

Charles hield niet van vakantie.

Weer weggaan, overhemden uit de kast halen, koffers dichtdoen, kiezen, tellen, boeken opofferen, kilometers vreten, gedwongen in afschuwelijke huurhuizen gaan wonen of weer terug zijn in hotelgangen met badstof handdoeken die naar industriële wasserijen ruiken, een paar dagen in de zon rondhangen, 'Ha eindelijk!' tegen jezelf zeggen... doen of je erin gelooft, en je vervelen.

Waarvan hij hield waren avonturen, onverwacht beslissen, opgebroken weken. Onder het voorwendsel van een afspraak in de provincie ver weg van de snelweg verdwijnen.

De herberg Het Witte Paard waar het talent van de chef het afgrijselijke interieur goedmaakte. De hoofdsteden van de hele wereld. De stations daar, de markten, de rivieren, de geschiedenis en de architectuur. De lege musea tussen twee werkbijeenkomsten, dorpen zonder jumelage, hellingen zonder uitzichtpunt en cafés zonder terrassen. Alles zien maar nooit toerist hoeven te zijn. Deze miserabele kleding niet meer aan hoeven doen.

Het woord vakantie had betekenis toen Mathilde klein was en zij samen alle prijzen ter wereld wonnen voor het bouwen van zandkastelen. Hoeveel Babylons had hij niet tussen twee getijden in opgericht... Hoeveel Taj Mahals voor de krabbetjes... Hoe vaak zijn nek niet door de zon verbrand, hoeveel commentaar, schelpjes en matglas... Hoeveel weggeschoven borden om op papieren tafellakens tekeningen af te maken, hoeveel listen om de mama in slaap te krijgen zonder de dochter wakker te maken, en luie ontbijten waarbij zijn enige zorg was hen tweeën te schetsen zonder in z'n boekje te kruimelen.

Ja, hoeveel aquarellen... En hoe vlug dit alles onder z'n hand verwaterde...

En hoe ver weg dat was...

*

'Een mevrouw Béramiand probeert u te bereiken...'

Charles was de post van de dag aan het uitpluizen. Hun plan voor het hoofdkantoor van Borgen & Finker in Lausanne was niet geaccepteerd.

Een deklaag van lood viel op z'n schouders.

Twee regels. Geen motivering, geen argument. Niets wat deze ongenade kon rechtvaardigen. Hun slotgroet was langer dan hun minachting.

Legde de brief op het bureau van z'n assistente: 'Opbergen.'

'Moet ik kopieën voor de anderen maken?'

'Als je er de moed voor hebt, Barbara, als je er de moed voor hebt... Maar ik moet je bekennen dat...'

Honderden, duizenden werkuren waren zojuist in rook opgegaan. En, onder de as, investeringen, verliezen, geldelijke middelen, banken, financiële constructies, komende onderhandelingen, tarieven die opnieuw moesten worden berekend, energie.

Energie die hij niet meer had.

Hij was al weggegaan toen ze nog zei: 'En wat doen we met die mevrouw?'

'Sorry?'

'Béram...'

'Waar gaat het over?'

'Ik heb het niet zo goed begrepen... Het is persoonlijk...'

Charles joeg dit laatste woord met een geïrriteerd gebaar weg.

'Hetzelfde. Opbergen.'

Hij ging niet naar beneden lunchen.

Als een plan de mist in ging, moest er onmiddellijk een nieuw plan komen; ultieme zekerheid in een vak dat alle andere aan het wankelen had gebracht. Maakt niet uit hoe of wat. Een tempel, een dierentuin, z'n eigen kooi als zich niets anders aandiende, maar één enkel idee, één enkele potloodstreep, en je was gered.

Daar stond hij dan, verdiept in de lectuur van een extreem gecompliceerd bestekboek, de palmen van zijn handen op zijn slapen gedrukt, alsof hij een schedel die zich naar alle kanten aan het splijten was wilde herstellen, maakte aantekeningen met wel degelijk z'n tanden op elkaar, in het deurgat, schraapte zijn keel. (Hij had zijn telefoon van de haak gehaald.)

'Het is haar weer...'

'Borgen?'

'Nee... dat persoonlijke gesprek waarover ik het vanmorgen had... Wat moet ik zeggen?'

Zucht.

'Het gaat over een vrouw die u goed heeft gekend...'

Uit wanhopige beleefdheid was Charles haar wel een glimlach schuldig.

'Jaja! Maar ik heb er zoveel gekend! Vertel me alles: haar stem? Schor?'

Maar Barbara had niet geglimlacht.

'Een zekere Anouk, geloof ik...'

12

'U bent degene van de verf op haar graf, nietwaar?'

'Sorry? Ja, maar wat... met wie spreek ik?'

'Ik wist het. Het is Sylvie, Charles... Ken je me niet meer? Ik werkte met haar in het Pitié... Ik was op jullie communie en...'

'Sylvie... Natuurlijk... Sylvie.'

'Ik wil je niet langer ophouden, het was alleen om...'

Haar stem was schor geworden.

'...je te bedanken.'

Charles deed z'n ogen dicht, liet z'n hand langs z'n gezicht glijden, vergat z'n pijn, kneep in z'n neus, trachtte zich te verbijten.

Stop. Stop nu hiermee. Het is niets, het is Sylvies emotie over haar. Het zijn die medicijnen die je in de war brengen zonder je te helpen en die perfecte tekeningen die nu al te veel plaats in jullie archieven innemen. Beheers je, godverdomme.

'Ben je er nog?'

'Sylvie...'

'Ja?'

'Waard...' zei hij verward. 'Waaraan is ze gestorven?'

'...'

'Hallo?'

'Heeft Alexis het je niet gezegd?'

'Nee.'

'Ze heeft zelfmoord gepleegd.'

'...'

'Charles?'

'Waar woont u? Ik zou u willen ontmoeten.'

'Zeg jij tegen me, Charles. Dat deed je, weet je... En ik heb eigenlijk iets voor...'

'Nu? Vanavond? Wanneer?'

Tien uur de volgende ochtend. Hij liet haar tweemaal haar adres herhalen en ging meteen weer aan het werk.

Sideratie. In staat van sideratie. Anouk had hem dit woord geleerd. Als de pijn zo erg is dat de hersenen het, voor een tijd, opgeven hun werk als doorgeefluik te doen.

De versuffing tussen het drama en het gebrul.

'Gebeurt dit dan met de eenden van mijnheer Canut wanneer hij hun kop afhakt en ze verder als gekken rond blijven rennen?'

'Nee,' antwoordde ze en keek naar de hemel, 'dat is alleen een onsmakelijk grapje dat ze op het platteland hebben uitgevonden om de Parijzenaars af te schrikken. Het is trouwens compleet idioot... Wij zijn nergens bang voor, nietwaar?'

Waar speelde dit gesprek zich ook weer af? In de auto zeker. In de auto kraamde ze de meeste onzin uit...

Zoals alle kinderen waren we vreselijk sadistisch en, zogenaamd om onze exacte vakken door te nemen, probeerden we haar steeds in de richting van de goorste aspecten van haar beroep te krijgen. We hielden van wonden, pus en amputaties. Uitvoerige beschrijvingen van lepra, cholera, hondsdolheid. Schuimbekken, aanvallen van tetanus, en stukjes vingers die in handschoenen bleven steken. Trapte ze erin? Natuurlijk niet. Ze wist dat we maf genoeg waren om er af en toe een schepje bovenop te doen en als ze voelde dat ze ons goed beethad, liet ze, met een stalen gezicht, vallen: 'Nee hoor... Pijn is goed, weten jullie dat... Gelukkig dat het bestaat... Pijn is overleven, mannetjes... Ja hoor! Zonder pijn zouden we onze handen in het vuur houden, en omdat we vloeken als we een spijker mis slaan hebben we onze tien vingers nog! Daarmee wil ik jullie zeggen dat... Wat hebben de lichtsignalen van die vent te betekenen? Rij toch voorbij, vetzak, rij voorbij! Eh... waar was ik gebleven?'

'De spijkers,' zuchtte Alexis.

'O ja! Ik wil jullie maar zeggen: knutselen, de barbecue, dat kan, snap je... Maar later, let maar op, zullen dingen jullie pijn doen. Ik zeg "dingen", maar ik bedoel eigenlijk mensen... Mensen, situaties, gevoelens en...'

Achterin zat Alexis me te beduiden dat ze helemaal aan het ijlen was.

'Als ik lichtsignalen kan zien, kan ik jou ook zien, kleine idioot. Kom! Het is belangrijk wat ik jullie zeg! Wat jullie in het leven pijn zal doen, moeten jullie ontvluchten, schatjes. Loop hard weg. Loop zo snel mogelijk weg. Beloven jullie het me?'

'Oké, oké... We zullen hetzelfde doen als de eenden, wees maar niet bang...'

'Charles?'

'Ja?'

'Hoe kun je hem verdragen?'

Ik glimlachte. Ik had plezier met hen.

'Charles?'

'Ja?'

'Heb je begrepen wat ik zei?'

'Ja.'

'Wat zei ik dan?'

'Dat pijn goed was, omdat we zo overleven, maar dat je pijn moet ontvluchten, ook al heb je geen kop meer...'

'Slijmbal...' had mijn buurman gekreund.

Waarmee heb je jezelf gemold, Anouk Le Men?

Met een hele grote hamer?

13

Ze woonde in het XIXde arrondissement dicht bij het Robert Debré-ziekenhuis. Charles was meer dan een uur te vroeg. Hij slenterde over de Maarschalkboulevards en herinnerde zich de kleine rechte man die het in de jaren tachtig had gebouwd. Pierre Riboulet, zijn docent stedenbouwkunde bij ENPC.

Heel recht, heel knap, heel intelligent. Man van weinig woorden. Maar zo goed. Die hem van al zijn leraren de toegankelijkste leek, maar die hij nooit had durven aanspreken. Die aan de andere kant was geboren, in een onbewoonbare flat zonder lucht, zonder zon, en het nooit vergeten was. Die vaak herhaalde dat het scheppen van schoonheid een 'vanzelfsprekend sociaal nut' was. Die hen aanzette tot het verachten van wedstrijden en het terugkrijgen van de gezonde sfeer van wedijver in de ateliers. Die hen de *Goldberg Variaties* had leren ontdekken, de *Ode à Charles Fourier*, de teksten van Friedrich Engels en vooral, vooral, de schrijver Henri Calet. Die op mens- en zielsvriendelijke maat ziekenhuizen, universiteiten, bibliotheken bouwde en waardiger woningen zette op de ruïnes van flatblokken voor sociale huisvesting. En die enkele jaren eerder op vijfenzeventigjarige leeftijd was overleden, en veel gebouwen als wees had nagelaten.

Precies het soort loopbaan waarvan Anouk moest hebben gedroomd...

Hij keerde om en zocht de Rue Haxo op.

Liep het juiste nummer voorbij, duwde grijnzend de deur van een kroeg open, bestelde een koffie die hij niet van plan was op te drinken en liep naar de achterkant van het vertrek. Z'n ingewanden lieten hem weer in de steek.

Snoerde zich weer vast. Was tot het laatste gaatje van z'n riem gekomen.

Schrok in de toiletten. Die vent naast hem had echt een rotko... maar dat ben jij, ellendeling. Dat ben jij.

Had in twee dagen niets binnen gekregen, was op kantoor gebleven, had 'de brancard van de deadlines' opengeklapt, oftewel een soort uit schuimplastic vervaardigde, naar oude tabak stinkende grote fauteuil, had weinig geslapen en zich niet geschoren.

Z'n haren (haha) waren lang, de kringen onder z'n ogen grauw, z'n stem spottend: 'Kom op, jezus... Moed houden... Dit is de laatste halte... Over twee uur praten we er niet meer over.'

Legde een munt op de toog en nam dezelfde weg terug.

*

Ze was net zo ontroerd als hij, wist niet wat ze met haar handen moest doen, liet hem binnen in een smetteloze kamer, verontschuldigde zich voor de wanorde en bood hem iets te drinken aan.

'Heeft u cola?'

'Ach, ik had overal op gerekend behalve hierop... Wacht even...'

Liep terug naar de gang en trok een kast open die naar oude basketbalschoenen rook.

'U treft het... Ik geloof dat de kleintjes niet alles hebben opgedronken...'

Charles durfde geen ijsblokjes te vragen, dronk het lauwe verband in één teug op en vroeg haar op bijna vriendelijke toon hoeveel kleinkinderen ze had.

Hoorde het antwoord, luisterde niet naar het getal en zei dat het geweldig was.

Als hij haar op straat was tegengekomen, zou hij haar niet hebben herkend. Hij kon zich nog een kleine, tamelijk ronde brunette herinneren, altijd vrolijk. Hij herinnerde zich haar billen, belangrijk gespreksonderwerp in die tijd, en ook dat ze hun het 45 toerenplaatje van *Le Bal des Laze* had gegeven. Een liedje waar Anouk gek op was en waar ze uiteindelijk een hekel aan kregen.

'Hou je mond, hou je mond. Luister hoe mooi het is...'

'Verdomme, hebben ze die vent nou nog niet opgehangen na al die tijd!!? We kunnen er niet meer tegen, ma, we kunnen er niet meer tegen...'

Merkwaardige ordnerkast, dat geheugen... Jane, Anouk en hun verloofde... Het was hem zojuist weer te binnen geschoten.

Vandaag had haar haar een vreemde kleur, ze droeg een bril met erg versierde pootjes en leek hem zwaar opgemaakt. De make-up had onder haar kin een grenslijn achtergelaten en haar wenkbrauwen waren met een potlood bijgetekend. Nu was hij te schijterig om zich het te realiseren, maar later, als hij aan deze morgen zou terugdenken, en God weet dat hij eraan zou terugdenken, zou hij het begrijpen. Een vrouw, levendig, koket, die op het bezoek wachtte van een man die ze meer dan dertig jaar niet had gezien, kon niet zonder. Met goed fatsoen.

Nam plaats op een leren bank die zo glad als een wasdoek was en zette zijn glas terug op de onderzetter die daarvoor bedoeld was, tussen een sudokutijdschrift en een gigantische afstandsbediening.

Ze keken elkaar aan. Ze glimlachten naar elkaar. Charles, die de hoffelijkste man van de wereld was, zocht naar een compliment, een vriendelijk woord, een kleine zin zonder consequenties om het gewicht van al die sierkleedjes lichter te maken, maar nee. Dit was hem te veel gevraagd.

Ze hield haar hoofd omlaag, draaide haar ringen één voor één om, en vroeg: ‘Zo, je bent dus architect?’

Hij ging weer rechtop zitten, deed z’n mond open, ging antwoorden dat... en liet vallen: ‘Vertel me wat er is gebeurd.’

Ze leek opgelucht. Het maakte haar niets uit of hij nu architect of slager was en kon alles wat zou volgen niet langer voor zichzelf houden. Wat trouwens ook de reden was dat ze het zich veroorloofd had bij die aanstelster van een secretaresse aan te dringen... Iemand terugzien die haar had gekend, vertellen, zich van deze last bevrijden, het badwater weg laten lopen, haar pakket ellende overdoen aan hem en op iets anders overgaan.

‘Wat er gebeurd is sinds wanneer?’

Charles dacht na.

‘De laatste keer dat ik haar heb gezien was in het begin van de jaren negentig... Gewoonlijk ben ik preciezer, maar...’ Hij schudde met een glimlach z’n hoofd, ‘ik heb veel moeite moeten doen om dat niet meer te zijn, geloof ik... Zoals ieder jaar had ze me vanwege mijn verjaardag voor een lunch uitgenodigd en...’

De gastvrouw moedigde hem aan door te gaan. Een welwillend hoofdknikje, maar zo wreed. Een klein gebaar dat zei: Maak je geen zorgen, neem je tijd, er is geen haast meer bij, weet je... Nee, er is nergens haast meer bij, *tegenwoordig*.

‘...het was mijn allertreurigste verjaardag... In een jaar tijd was ze heel oud geworden. Haar gezicht was pafferig, haar handen trilden... Ze wilde niet dat ik wijn bestelde en rookte de ene sigaret na de andere om het vol te houden. Ze stelde me vragen, maar gaf niets om mijn antwoorden. Loog, zei dat het met Alexis heel goed ging en dat ik de groeten van hem kreeg, al wist ik pertinent dat het niet waar was. En zij wist dat ik het wist... Droeg een trui vol vlekken die naar... ik weet het niet... verdriet rook... Een mengeling van koude asbakken en eau de cologne... Het enige moment dat haar oog twinkelde, was toen ik haar voorstelde een dag met haar naar het graf van Nounou te gaan, daar was ze nooit meer geweest. "O ja! Wat een goed idee!" zei ze vrolijk. "Herinner je je hem nog? Weet je nog hoe lief hij was? Weet je..." En alles verdronk in dikke tranen.

Haar hand was ijskoud. Toen ik haar hand tussen de mijne hield, realiseerde ik me dat deze oude heer die haar vader had kunnen zijn en die niet van vrouwen hield, haar enige liefdesverhaal was geweest...

Ze drong bij me aan over hem te spreken. Dat ik haar herinneringen moest vertellen, nog eens en nog eens, zelfs degene die ze uit haar hoofd kende. Ik deed mijn best, maar ik had 's middags een belangrijke afspraak en zat maar aan m'n mouw om ongemerkt mijn horloge in de gaten te houden. En ik had zelf geen zin meer herinneringen op te halen... Niet met haar tenminste. Niet meer tegenover dat verwoeste gezicht dat alles verpestte...'

Stilte.

'Ik heb haar geen dessert aangeboden. Waar was dat goed voor? Ze had sowieso niks gegeten... Ik heb twee koffie besteld en de ober geseind meteen de rekening te brengen, daarna heb ik haar tot de metro vergezeld en...'

Sylvie voelde blijkbaar aan dat het tijd was hem een beetje te helpen: 'En?'

'Ik heb haar nooit meegenomen naar Normandië. Ik heb haar nooit meer gebeld. Uit lafheid. Om haar niet meer weg te zien kwijnen, om haar in het museum van mijn herinneringen te houden en om te voorkomen dat ze mij een slecht geweten zou bezorgen. Omdat het te veel was... Een slecht geweten dat me toch bleef achtervolgen, en waarvan ik me elk jaar weer een beetje bevrijdde in de tijd van de wenskaarten. Wenskaarten van kantoor, uiteraard... Onpersoonlijk, commercieel, nietszeggend, en waarop ik, grote meneer die ik was, een of twee regels met de hand bij schreef en een "lieve kus" als een stempel toevoegde. Ik heb haar daarna twee of drie keer opgebeld, met name, weet ik nog, omdat mijn nichtje een of ander medicijn had ingeslikt... En op een dag hebben mijn ouders, die haar al lang niet meer gezien hadden, me verteld dat ze was verhuisd... Naar Bretagne, geloof ik...'

'Nee.'

'Pardon?'

'Ze woonde niet in Bretagne.'

'O nee?'

'Ze woonde niet ver van hier...'

'Waar dan?'

'In een wijk dicht bij Bobigny...'

Charles sloot zijn ogen.

'Hoezo dan?' fluisterde hij. 'Ik bedoel waarom? Het was haar enige zekerheid, weet ik nog, de enige belofte die ze zichzelf had gedaan... Nooit meer... Hoe is het mogelijk? Wat is er gebeurd?'

Ze hief het hoofd, keek hem recht in de ogen, liet haar arm langs de stoel hangen en trok de stop eruit: 'In het begin van de jaren negentig... Goed, misschien... Ik heb een slecht geheugen voor data... Jij moet de laatste geweest zijn met wie ze destijds is gaan lunchen... Wat eerst? Ik ben de draad kwijt... Eerst Alexis, denk ik... Omdat het hele sloopwerk met hem is begonnen... Ze hoorde al jaren praktisch niets meer van hem... Ik meen me te herinneren dat jij trouwens de laatste was die nog een band met hen had, nietwaar?'

Charles stemde toe.

'Het was moeilijk voor haar... Daarom werkte ze zo ontzettend hard, ze stapelde nachtdiensten en overuren op, ging nooit met vakantie en leefde slechts voor het ziekenhuis. Ik denk dat ze al behoorlijk dronk, maar goed... Dat heeft haar niet belet hoofdzuster te worden en altijd op de zwaarste afdelingen te werken... Na immunologie is ze overgestapt naar neurologie, en toen ben ik bij haar gekomen. Ik werkte graag met haar... Ze was trouwens een slecht hoofd... Die eerder aan verzorging deed dan werkroosters plannen... Ze verbood de patiënten dood te gaan, weet ik nog... Ze schold ze uit, liet ze huilen, liet ze lachen... Enfin, allemaal dingen die niet mochten...'

Glimlach.

'Maar ze was onaantastbaar omdat ze de beste was. Wat ze aan medische kennis tekortkwam, compenseerde ze met haar enorme aandacht voor mensen.

Niet alleen was ze altijd de eerste die de geringste verandering, het kleinste symptoom signaleerde, maar bovendien had ze een buitengewoon instinct... Een neus... Het was ongelooflijk... De doktoren hadden het snel door, die zorgden er altijd voor hun ronde op haar dagindeling af te stemmen... Uiteraard luisterden ze naar de patiënten, maar wanneer zij er iets aan toevoegde, geloof me maar, dan was dat niet tot dovemansoren gericht. Ik heb altijd gedacht dat als haar jeugd anders was verlopen, als ze had mogen studeren, zij een heel groot arts zou zijn geworden. Zo eentje die het vak eer aan doet zonder de naam, de voornaam, het gezicht, en de angsten van hun gevallen uit het oog te verliezen...'

Zucht.

'Ze was fantastisch en omdat zij geen leven meer had, gaf ze hun er zoveel van, veronderstel ik... Ze hield zich niet alleen met de patiënten bezig maar ook met hun familie... En met de jongeren, kleine hulpverpleegsters die bepaalde kamers achteruit binnen liepen en zo veel moeite hadden een po te schuiven onder lichamen die... Ze raakte de mensen aan, nam ze in haar armen, streelde ze, kwam na haar diensturen terug, zonder witte jas en een beetje opgemaakt om de bezoeken die ze niet of niet meer kregen waar te nemen. Ze vertelde hun verhalen, ze had het vaak over jou weet ik nog... Zei dat jij de intelligentste jongen van de wereld was... Ze was zo trots... Het was in de tijd dat jullie nog af en toe samen gingen lunchen, en een lunch met jou, dat was heilig, mijn god! Dan werd er niet meer met het rooster gespot en heel het ziekenhuis kon verrekken! En over Alexis, over muziek... Ze verzon van alles, concerten, staande ovaties, fabuleuze contracten... Het was avond, iedereen waggelde van moeheid en we hoorden haar stem in de gangen... Haar leugens, haar waanideeën... Ze wiegde zichzelf, niemand trapte erin. En op een ochtend bezorgde een telefoontje van de ambulancedienst haar een koude douche: haar zogenaamde virtuoos was aan een overdosis aan het creperen...

En toen is het bergafwaarts gegaan. Op de eerste plaats had ze het helemaal niet verwacht... Waarbij ik trouwens nog steeds vraagtekens zet... Altijd dat verhaal over de schoenmaker die de slechtste schoenen draagt... Ze dacht dat hij af en toe een jointje rookte omdat dat hem hielp "beter te spelen". Onzin... En toen, zij, deze vrouw, de meest professionele met wie ik ooit heb gewerkt, want ik had het net over haar tederheid, maar ze kon ook hard zijn, zij kon ze allemaal op afstand houden: magere Hein, de eeuwig overbelaste doktoren, de kleine schijterige coassistenten, de onverschillige collega's, de mensen die de kantjes eraf liepen, de opdringerige families, de inschikkelijke patiënten, niemand kon tegen haar op, hoor je me? *Niemand*. Men zei *La* Men, men zei Amen. Het was de mengeling van professionaliteit en zachtheid die zo wonderbaarlijk was, zo buitengewoon, en die respect afdwong... Wacht even, ik ben de draad kwijt...'

'De ambulancedienst...'

'O ja... toen is ze helemaal in paniek geraakt. Ik denk dat ze een trauma heeft opgelopen, ik bedoel een medisch trauma: "aan de structuur of de functies van het lichaam toegebrachte schade en letsels", door de eerste jaren van de aids. Ik denk dat ze daar nooit bovenop is gekomen... En het besef dat haar zoon mogelijk, nee, niet dat woord, waarschijnlijk net als al die ongelukkige mensen zou eindigen, heeft haar... Ik weet het niet... Heeft haar in tweeën gespleten. Tik. Zoals een stuk hout. Sindsdien had ze meer moeite haar drankproblemen te verbergen. Zij bleef dezelfde, maar het was haar niet meer. Een spook. Een automaat. Een machine die lachte, die verband aanlegde en die gehoorzaamd werd. Een naam en een personeelsnummer op een uniform dat naar alcohol rook... Ze heeft eerst haar hoofdzusterplaatje teruggegeven: ze zei dat ze het spuugzat was om al die paperassen te regelen. Verder wilde ze in deeltijd gaan werken om voor Alexis te kunnen zorgen. Ze heeft zich uitgesloofd om hem daaruit te halen en hem in de beste opvangcentra te krijgen. Het was haar reden van bestaan geworden en op een bepaalde manier heeft dit haar gered... Laten we zeggen dat het een goede spalk was... Een korte adempauze want...'

Ze had haar bril afgezet, kneep tamelijk lang aan de bovenkant van haar neus, en hervatte: 'Want die... smeerlap, sorry, ik weet dat het je vriend is, maar ik heb er geen ander woord voor...'

'Nee. Die...'

'Wat zeg je?'

'Niets. Vertel verder.'

'Hij heeft haar laten stikken. Toen hij weer genoeg kracht had om iets zinnigs uit te brengen heeft hij haar kalmpjes meegedeeld dat hij haar, vanwege een sessie die hij met de "hulpverleners" had gehad, niet meer mocht zien. Hij heeft haar dit trouwens vriendelijk meegedeeld... Begrijp je, mama, het is voor mijn bestwil, je mag mijn moeder niet meer zijn. Daarna heeft hij haar gekust, wat hij in jaren niet had gedaan, en is weer naar de anderen teruggegaan in zijn mooie park met hoge hekken eromheen...

Toen heeft ze zich voor het eerst van haar leven ziek gemeld... Vier dagen, herinner ik me... Na vier dagen is ze teruggekomen en heeft gevraagd nachtdiensten te draaien. Ik weet niet welke redenen ze hun heeft gegeven maar ik kende ze: het is makkelijker slempen wanneer het schip op halve kracht vaart... De hele ploeg is geweldig voor haar geweest. Zij die onze rots was geweest, ons voorbeeld, is onze grootste patiënte geworden. Ik herinner me die geweldige oude vent, Jean Guillemard, een arts die zijn levenswerk had gemaakt van multiple sclerose. Hij heeft haar een prachtige, heel lange brief geschreven waarin hij haar de vele gevallen voorlegde die ze samen hadden gevolgd, en hij verzekerde haar ten slotte dat als het leven hem vaker de kans had geboden met zulke goede mensen als zij te werken zijn kennis vandaag de dag groter zou zijn en hij gelukkiger met pensioen zou gaan...

Gaat het? Wil je misschien nog een cola?'

Charles sprong op: 'Nee, nee, ik... bedankt.'

'Ik wel, sorry maar ik ga iets voor mezelf inschenken... Je hebt geen idee hoe het praten over al deze dingen me aangrijpt. Wat een verspilling... Wat een verschrikkelijke verspilling... Het is een heel leven, begrijp je?'

Stilte.

'Nee, jullie kunnen het niet begrijpen... Het ziekenhuis is een andere wereld en wie daar niet bij hoort, kan het niet begrijpen... Mensen zoals Anouk en ik hebben meer tijd met zieken doorgebracht dan met onze naasten... Het was een heel hard én een heel beschermd leven... Een leven met uniform... Ik weet niet hoe ze het volhouden zonder dat vandaag de dag wat ouderwetse ding dat we roeping noemen. Nee, hoe diep ik er ook over nadenk, ik snap het niet... Het is onmogelijk het vol te houden zonder... En ik heb het niet over de dood, nee, ik heb het over iets nog veel moeilijkers... Over het... Over het geloof in het leven, denk ik... Ja, dat is het moeilijkste als je in die zware sectoren werkt, niet uit het oog verliezen dat het leven meer... Ik weet het niet... rechten heeft dan de dood. Ik verzeker je dat op sommige avonden de moeheid echt vreselijk is... Dan krijg je die duizeligheid, en... Hoor eens,' grapte ze, 'ik ben ineens een heuse filosofe! Ach, wat zijn onze suikerboongevechten in de tuin van je ouders ver weg!'

Ze stond op en liep naar de keuken. Hij volgde haar.

Ze schonk een groot glas bruisend water voor zichzelf in. Charles, die tegen de balkonreling aan was gaan leunen, stond daar, op de twaalfde verdieping, voor de leegte. Zwijgend. Onwel.

'Natuurlijk zijn al die getuigenissen heel belangrijk voor haar geweest, maar wat haar destijds het meest heeft geholpen, als ik het helpen kan noemen, want het vervolg is minder duidelijk, zijn de woorden van één enkele man: Paul Ducat. Een psycholoog die niet verbonden was aan een bepaalde afdeling, maar die een paar keer in de week aan het bed kwam zitten van wie erom vroeg.

Hij was erg goed, ik moet het toegeven... Het is gek maar ik had echt de indruk, ik wil zeggen lijfelijk de indruk, dat hij hetzelfde deed als de schoonmaakploegen. Hij liep kamers vol kwalijke dampen binnen, deed de deur dicht, bleef daar, soms tien minuten, soms twee uur, wilde niets over onze gevallen weten, zei nooit een woord tegen ons en groette ons nauwelijks, maar wanneer wij na zijn bezoek kwamen, was het... hoe moet ik het zeggen... het licht was veranderd... Het was of die vent het raam open had gezet. Een van die grote ramen zonder klink die anders nooit opengaan, om de eenvoudige reden dat ze... niet open kunnen...

Op een avond laat is hij het kantoor in gegaan, wat hij nog nooit had gedaan, maar hij had een vel papier nodig, geloof ik en... En zij was zich daar, met een spiegel in de hand, in het halfdonker aan het opmaken.

Pardon, heeft hij gezegd, mag het licht aan? En hij heeft haar gezien. En in haar andere hand hield ze geen oogpotlood of een lippenstift maar een operatiemes.'

Ze nam een grote slok water.

'Hij is op zijn knieën bij haar gaan zitten, heeft haar wonden schoongemaakt, die avond en maanden daarna... Luisterde lang naar haar, verzekerde haar dat de reactie van Alexis heel normaal was. Sterker nog, van levensbelang, gezond. Dat hij terug zou komen, dat hij altijd terug was gekomen, nietwaar? Nee, dat ze geen slechte moeder was geweest. Nooit van haar leven. Dat hij veel met verslaafden had gewerkt en dat degenen die veel liefde hadden gekregen zich makkelijker wisten te redden dan de anderen. En God weet hoeveel liefde hij gekregen had, hè! Ja, lachte hij, ja, God wist het! En was zelfs jaloers! Dat haar zoon daar was waar hij moest zijn, dat hij zou informeren, dat hij haar op de hoogte zou houden, en dat ze zich moest blijven gedragen zoals ze altijd had gedaan. Dat betekent hier blijven, doodeenvoudig, en vooral, vooral zichzelf blijven, want het was nu zijn beurt om stappen te zetten, en die stappen zouden hem misschien van haar af voeren... Voor een tijdje in elk geval... Geloof je mij, Anouk? En ze heeft hem geloofd en...

Je ziet er slecht uit... Gaat het? Je ziet helemaal bleek...'

'Ik geloof dat ik iets moet eten maar ik heb...' Hij probeerde te glimlachen... 'Nou ja, ik... Heeft u een stukje brood?'

'Sylvie?' zei hij tussen twee happen.

'Ja?'

'U vertelt het goed...'

Haar blik werd wazig.

'Dat is logisch... Sinds haar dood denk ik nergens anders aan... 's Nachts, overdag, onophoudelijk komen flarden herinneringen in me op... Ik slaap slecht, ik praat tegen mezelf, ik stel haar vragen, ik probeer te begrijpen... Zij heeft me het vak geleerd, ik heb de sterkste momenten van mijn loopbaan aan haar te danken, en ook mijn heerlijkste lachpartijen. Ze is er altijd geweest toen ik haar nodig had, ze kon altijd de woorden vinden die de mensen sterker maken... verdraagzamer... Ze is de peettante van mijn oudste dochter en toen mijn man kanker kreeg, is ze, zoals gewoonlijk, fantastisch geweest... Voor mij, voor hem, voor de kleintjes...'

'Hij eh...'

'Nee, nee,' zei ze opgewekt, 'hij is er nog steeds! Maar je zult hem niet zien, hij vond het beter ons alleen te laten... Zal ik verdergaan? Heb je nog honger?'

'Nee, nee, ik luister naar u... Naar jou...'

'Ze heeft hem dus geloofd, zoals ik zei, en ik heb toen gezien, *gezien* met mijn eigen ogen, hoor je me, wat we "de macht van de liefde" noemen. Ze is weer opgekrabbeld, ze is gestopt met drinken, afgevallen, jonger geworden, en onder de korst van... verdriet, zoals je het net noemde, is haar gezicht van vroeger verschenen. Dezelfde trekken, dezelfde glimlach, diezelfde vrolijkheid in de ogen. Je weet hoe ze was wanneer er grappen in de lucht hingen? Levendig, onweerstaanbaar, gek. Zoals die gewiekste schoolmeisjes die zich in de slaapzaal vergissen en nooit worden gepakt... En mooi, Charles... Zo mooi...'

Charles wist het nog.

'Nou, het kwam door hem... Deze Paul... Je kunt je niet voorstellen hoe blij ik was haar zo te zien. Ik zei tegen mezelf: eindelijk, het Leven heeft begrepen wat het haar verschuldigd was. Eindelijk bedankt het Leven haar... In die tijd heb ik het vak opgegeven. Vanwege mijn man, inderdaad... Hij was op het nippertje ontsnapt en als we onze broekriem zouden aanhalen, konden we mijn salaris wel missen. Bovendien zou mijn dochter een baby krijgen en Anouk was terug, dus... Het was tijd ermee op te houden en een beetje voor mijn familie te zorgen... De baby is geboren, een kleine Guillaume, en ik heb weer als een normaal mens leren leven. Zonder stress, zonder nachtdiensten, zonder gedwongen te worden iedere keer een agenda te trekken als me werd gevraagd mee uit te gaan, en ik ben al die luchtjes vergeten... De bladen met maaltijden, de ontsmettingsmiddelen, de koffie die doorliep, het bloed, de medicijnenstrips... Ik heb alles ingeruild voor middagen in het parkje en pakken koek... Toen ben ik Anouk een beetje uit het oog verloren, maar we belden elkaar af en toe. Alles ging goed.

En op een dag, eerder een nacht, heeft ze gebeld en ik snapte niets van wat ze tegen me brabbelde. Het enige wat ik begreep was dat ze had gedronken... Ik heb haar de volgende dag opgezocht.

Hij had haar een brief geschreven waarvan ze niets begreep. Ik moest die lezen, *ik*, en het haar uitleggen. Wat zei hij nou? Wat zei hij nou?!! Ging hij haar verlaten of ging hij haar niet verlaten? Ze was... kapot. Ik heb dus die...'

Schudde haar hoofd.

'...troep gelezen, vol jargon in het kwadraat in een soepje van psy... Het zag er elegant uit, helemaal verstrikt in mooie woordjes. Het pretendeerde waardig te zijn, edelmoedig, maar het was alleen... het toppunt van lafheid...

"Nou? Nou?" smeekte ze. "Wat betekent het volgens jou? Waar sta ik?"

Wat moest ik haar zeggen? Je staat nergens. Kijk... Je bestaat niet eens meer. Hij minacht je zo erg dat hij niet eens de moeite neemt om duidelijk te zijn... Nee... Ik kon het niet. In plaats daarvan heb ik haar in mijn armen genomen en toen begreep ze het natuurlijk.

Zie je, Charles, het is iets wat ik vaak heb meegemaakt en nooit zal begrijpen... waarom wezens die in hun werk zo uitzonderlijk zijn, mensen die objectief bekeken het Goede op aarde doen in het echte leven verschrikkelijke idioten blijken? Nou? Hoe is dat toch mogelijk? Waar is als puntje bij paaltje komt hun menselijkheid?

Ik ben dus de hele dag bij haar gebleven. Ik was bang haar alleen te laten. Ik was er zeker van dat ze zich, in het beste geval, te pletter zou zuipen, in het ergste... Ik heb haar gesmeekt een tijdje bij ons te komen wonen, we hadden de kamer van de meisjes, we zouden ons niet opdringen en... Ze heeft haar neus flink gesnoten, haar haren weer vastgemaakt, haar oogleden glad gestreken, het hoofd geheven en naar me geglimlacht. De zieligste glimlach die ik ooit had gezien.

En God weet hoe... Nou ja... Laat maar zitten. Ze heeft een zo breed mogelijke glimlach proberen te trekken, wat een uitsloofster, en heeft me verzekerd, toen ze me naar de deur bracht, dat ik mocht gaan, dat ze me *dit* nooit aan zou doen, dat ze voor hetere vuren had gestaan en dat met de tijd haar huid dik genoeg geworden was.

Ik ben gezwicht onder de voorwaarde dat ik haar elk uur van de dag of van de nacht mocht bellen. Ze heeft gelachen. Ze heeft gezegd: afgesproken. Heeft eraan toegevoegd dat een zeikerd meer of minder niets meer uitmaakte... En ze heeft het inderdaad volgehouden. Ik kon het niet geloven. Ik heb haar toen vaker gezien en ik speurde naar het kleinste signaal, keek naar het wit van haar ogen, snoof aan haar jas als ik die op ging hangen, en... maar nee... Ze bleef nuchter...'

Stilte.

'Achteraf houd ik mezelf voor dat ik me juist dáárover zorgen had moeten maken. Het is verschrikkelijk wat ik je nu ga zeggen, maar uiteindelijk, zolang ze bleef drinken, hield dat in dat ze nog leefde en, op een of andere manier, ik weet het niet... *reageerde*... Maar goed... ik houd mezelf tegenwoordig zo veel dingen voor... En op een dag heeft ze me verteld dat ze ontslag zou nemen. Ik was stomverbaasd. Ik kan het me nog heel goed herinneren, we kwamen uit een theesalon en liepen langs de Tuilerieën. Het was mooi weer, we gaven elkaar een arm, en toen heeft ze me verteld: het is afgelopen. Ik houd ermee op. Ik was langzamer gaan lopen en bleef lang zwijgen omdat ik hoopte dat ze door zou gaan: ik stop ermee omdat of ik stop ermee want... Maar nee, niets. Waarom, Anouk, waarom? heb ik uiteindelijk kunnen uitbrengen, je bent pas vijfenvijftig... Hoe ga je leven? Waarvan ga je leven? Ik dacht vooral voor *wie* of voor *wat* ga je leven, maar zo heb ik het niet durven formuleren. Ze heeft helemaal niet gereageerd. Goed.

En toen dit gefluister: "Allemaal, allemaal... Ze hebben me allemaal in de steek gelaten. De een na de ander... Alleen het ziekenhuis niet, hoor je me? Nou moet ik als eerste weggaan, anders weet ik dat ik er nooit meer boven op zal komen. Dat ten minste één ding in mijn hondenleven mij niet laat zakken... Kun je het je voorstellen, ik op de dag van mijn afscheidsborrel?" grinnikte ze. "Ik neem mijn cadeau in ontvangst, ik geef iedereen een kus en dan? Waar ga ik dan heen? Wat doe ik? Wanneer ga ik dood?"

Ik wist niet wat ik moest antwoorden, maar dat was niet zo erg: ze stapte al achter in een bus en vanuit het raam zei me tot ziens.'

Ze zette haar glas neer en zei niets meer.

'En daarna?' waagde Charles. 'Is... Is het afgelopen?'

'Nee. Maar eigenlijk wel... Ja...'

Verontschuldigde zich, zette haar bril af, scheurde een stukje keukenrol af en verpestte haar make-up.

Charles kwam overeind, liep naar het raam, draaide zich deze keer met zijn rug naar haar toe en hield zich aan het balkon vast of het een bootreling was.

Hij had zin om te roken. Durfde niet. Er was kanker in dit huis geweest. Misschien had het niets met tabak te maken maar wie weet? Keek in de verte naar de torens en dacht weer aan die mensen...

Die nooit van haar hadden gehouden. Die haar nooit bij haar echte voornaam hadden genoemd. Die haar bloed met gemis, sjanker en zuipen hadden besmet. Die alleen een hand naar haar uitstaken om haar poen af te pakken. Dat zij had verdiend door de stervenden te verbieden te sterven, terwijl Alexis in zijn eentje z'n schooltas dichtdeed en zijn sleutel om zijn nek hing, maar ze hadden – laten we eerlijk zijn – op een zeer neerslachtige avond Nounou de gelegenheid geboden een formidabel goochelaarsnummer te improviseren.

'Hou op, schat, met die sukkels... Hou er nu mee op... Wat wil je eigenlijk? Vertel het me eens...'

En had, terwijl hij her en der in de keuken hulpstukken pakte, ze allemaal nagedaan.

Tot leven gebracht eigenlijk.

De mopperende vader. De troostende mama. De pestende oudere broer. Het slissende zusje. De bazelende opa. En de oude tante die onder haar plakkusjes zo prikte. En de oudoom die scheten liet. En de hond, en de kat, en de postbode, en mijnheer pastoor, en zelfs de veldwachter voor wie hij de trompet van Alexis had geleend... En het was net zo vrolijk als een familiemaaltijd en...

Hij ademde een flinke teug péripheriquelucht in en, god wat was het toch een lelijk woord, *formuleerde* wat hem al zes maanden achtervolgde. Nee, twintig jaar: 'Ik... ik hoor bij hen...'

'Bij wie?'

'Bij de mensen die haar in de steek hebben gelaten...'

'Ja, maar jij hebt veel van haar gehouden...'

Hij draaide zich om en ze zei nog, met een spottend kuiltje in haar wang: 'Ik weet trouwens niet waarom ik "veel" zeg...'

'Was het dan zo duidelijk?' zei het oude jongetje ongerust.

'Nee, nee, echt niet. Amper. Het was bijna even onopvallend als de kostuums van Nounou...'

Charles liet het hoofd zakken. Haar glimlach kittelde zijn oren.

'Weet je, ik durfde je niet in de rede te vallen toen je net beweerde dat hij haar enige liefdesverhaal was geweest, maar toen ik onlangs naar het kerkhof ben geweest en die oranje letters zag die als een groot vuurwerk knalden in deze... woestenij, ik die had gezworen nooit meer te huilen moet je bekennen dat... En toen is dat vreselijke wijf van ernaast gekomen en deed tsssh tsssh. Ze had hem gezien, de schurk die het had gedaan, wat een schande... Ik heb niet gereageerd. Hoe kon zij dat begrijpen, dat oude mens? Maar ik heb gedacht: die schurk, zoals u het noemt, was de liefde van haar leven.

Kijk niet zo naar me, Charles, ik heb je net gezegd dat ik niet meer wilde huilen. Ik ben het beu, zo... En ze zou ons zo niet willen zien, dit is...'

Keukenrol.

'Ze had een foto van jou in haar portefeuille, ze had het altijd over jou, nooit heeft ze een hard woord over jou gezegd. Ze zei dat je de enige man op aarde was geweest, de arme Nounou natuurlijk niet meegerekend, die zich tegenover haar als een gentleman had gedragen...

Ze zei: gelukkig ben ik hem tegengekomen, hij heeft alle anderen goedgemaakt... Ze zei ook dat dankzij jou Alexis er bovenop was gekomen, want toen jullie klein waren had je beter voor hem gezorgd dan zij... Je had hem altijd met zijn huiswerk en audities geholpen, en zonder jou zou het met hem nog slechter zijn afgelopen... Je was de ruggengraat van een gekkenhuis geweest en...'

'Het enige wat...' ging ze verder.

'Dat wat?'

'Dat haar wanhopig maakte, geloof ik, was het besef dat jullie ruzie hadden...'

Stilte.

'Toe, Sylvie,' lukte het hem uit te brengen, 'laten we het nu maar afmaken...'

'Je hebt gelijk. Het duurt niet lang meer... Ze is dus stilletjes bij het ziekenhuis weggegaan. Had het met de directie op een akkoordje gegooid om de anderen wijs te maken dat ze met vakantie was en nooit meer teruggekomen. Iedereen was verschrikkelijk teleurgesteld geen gelegenheid te hebben gehad haar van hun bewondering en genegenheid te getuigen, maar aangezien het haar keus was... In plaats daarvan heeft ze brieven gekregen. De eerste heeft ze gelezen en daarna niet meer, heeft ze me bekend, ze kon het niet meer. Maar je had het moeten zien... Het was indrukwekkend... Daarna werden onze telefoontjes zeldzamer en duurden steeds korter. In de eerste plaats omdat ze weinig meer te melden had en later omdat mijn dochter een tweeling kreeg en ik het héél druk had! Ten slotte omdat ze me had meegedeeld dat Alexis en zij elkaar weer hadden gevonden, en toen heb ik mezelf, tamelijk onbewust neem ik aan, stellig voorgehouden dat hij het van me overnam. Dat het nu zijn beurt was... Je weet hoe het gaat met mensen over wie je je veel zorgen hebt gemaakt... Als de toestand een beetje schijnt te verbeteren, ben je zo blij dat je kunt uitblazen... Ik heb het net als jij aangepakt... De minimale plichtplegingen... Haar verjaardag, nieuwjaarswensen, geboortekaartjes, ansichtkaarten... De tijd verstreek, ze werd een herinnering aan mijn vroegere leven. Een prachtige herinnering...

En toen kwam op een dag een van mijn brieven terug. Ik heb haar geprobeerd te bellen, maar haar lijn was afgesloten. Goed. Ze zat waarschijnlijk ergens bij haar zoon in de provincie en ze had stellig een hoop kinderen op schoot... Ze zou op een dag wel bellen en dan zouden we elkaar allerlei onnozele omaverhalen vertellen...

Ze heeft nooit meer gebeld. Ach... Zo is het leven... En... drie jaar geleden, geloof ik, ik zat in de RER en daar was die oude dame kaarsrecht achter in de wagon. Ik herinner het me, mijn eerste reactie was dat ik bij mezelf zei: op haar leeftijd zou ik er graag uitzien zoals zij... Weet je, zoals men het over een "knappe oude man" heeft. Mooie witte haardos, geen make-up, een huid als die van een non, erg gerimpeld, maar nog fris, een slanke taille en... ze draaide zich een beetje naar mijn kant om iemand te laten uitstappen en toen, een schok.

Ze herkende mij ook en glimlachte vriendelijk naar me, of we elkaar de vorige dag nog hadden gezien. Ik heb haar voorgesteld bij de volgende halte uit te stappen om een kopje koffie te gaan drinken. Ik voelde dat ze er niet bijster enthousiast over was, maar goed... als ik er zin in had...

En zij die zo graag kletste... die vroeger zo spraakzaam was, ik heb alles uit haar moeten trekken eer ze iets over zichzelf vertelde. Ja, haar huur was te hoog geworden en ze was verhuisd. Ja, het was een beetje een probleemwijk, maar er heerste daar een solidariteit die ze nooit ergens anders had gezien... Ze werkte 's ochtends in een medisch centrum en deed de rest van de tijd vrijwilligerswerk. Mensen kwamen bij haar langs of zij ging naar hun huis... Ze had sowieso niet veel geld nodig... Het was een wereldje van ruilhandel: een verband voor een schaal couscous of een spuit voor een beetje loodgieterswerk... Ze zag er wonderlijk kalm maar niet ongelukkig uit. Ze zei dat ze haar beroep nog nooit zo goed had vervuld. Ze had het idee nog nuttig te zijn, was kwaad als er "dokter" tegen haar werd gezegd en jatte stiekem spullen uit het medisch centrum. Alle medicijnen die bijna op de uiterste datum waren... Ja, ze woonde alleen en... En jij? vroeg ze. En jij?

Toen heb ik haar mijn dagelijks leventje verteld, maar op een gegeven moment merkte ik dat ze niet meer naar me luisterde. Ze moest ervandoor. Er werd op haar gewacht.

En Alexis? O... Toen betrok ze een beetje... Hij woonde ver weg en ze kon duidelijk merken dat haar schoondochter niet veel van haar moest hebben... Ze had altijd de indruk dat ze niet welkom was... Maar goed, hij had twee mooie kinderen, een grote dochter en een jongetje van drie en dat was het belangrijkste... Het ging goed met ze...

We waren weer terug op het perron toen ik haar vroeg of ze iets van jou had gehoord. En hoe gaat het eigenlijk met jouw Charles? Toen heeft ze geglimlacht. Ja hoor. Natuurlijk... Je werkte hard, je reisde over de hele wereld, je had een groot kantoor dicht bij de Gare du Nord, je woonde met een prachtige vrouw. Een echte Parisienne... De elegantste die er was... En jullie hadden een grote dochter, jullie ook... Die trouwens als twee druppels water op jou leek...'

Charles wankelde.

'Wat... Maar hoe wis...'

'Geen idee. Ik neem aan dat zij jou nooit uit het oog heeft verloren.'

Zijn gezicht verkrampte helemaal.

'Ik was volkomen in de war en ben bij de volgende halte uitgestapt en... de laatste keer dat ik iets over haar heb gehoord was het bericht over haar begrafenis, twee dagen later.

Niet Alexis heeft me gewaarschuwd, maar een van haar buurvrouwen met wie ze omging en die mijn nummer in haar spullen had gevonden...'

Trok haar trui weer recht.

'We zijn nu bij de laatste akte… Het is berekoud, de scène speelt zich enkele dagen voor kerst af op een ellendig kerkhof. Geen ceremonie, geen toespraak, niets. Zelfs de figuren van de begrafenisonderneming voelden zich niet op hun gemak. Ze knikten onrustig met hun hoofden, willekeurig in het rond kijkend of iemand het woord zou nemen, maar nee. Na een tijdje zijn ze toch maar naar voren in haar richting geschoven en hebben vijf minuten lang, met hun handen voor hun gulpen gekruist, gedaan of ze mediteerden, en ja, toen hebben ze ze losgemaakt, hun koorden, daarvoor werden ze tenslotte betaald…

Het verbaasde me jou daar niet te zien, maar omdat ze me had verteld dat je vaak op reis was…

Er stond bijna niemand voor me. Een van haar zussen, geloof ik, die leek zich stierlijk te vervelen en bleef met haar mobieltje spelen, Alexis, zijn echtgenote, een ander stel en een oudere man in een soort uniform van het Rode Kruis die als een kind jankte, en… dat was het.

Maar achter ons, Charles, achter ons… Vijftig, zestig mensen… Misschien wel meer… Veel vrouwen, volop kinderen, hele kleintjes, tieners, lange slungels die niet wisten wat ze met hun lange armen aan moesten, oude vrouwen, oude mannen, zondagse kleren, boeketten bloemen, prachtige juwelen en fantasiesieraden op dure jacks, types die mank liepen, figuren vol littekens, en… Van alle soorten, alle leeftijden, alle lagen… Al degenen die ze ooit had getroost, neem ik aan…

Wat een stel… En toch geen lawaai, geen geblèr, een ongelooflijke stilte, maar toen de grafdelvers achteruitliepen, hebben ze met z'n allen geapplaudisseerd. Het ging maar door…

Het was de eerste keer dat ik op een kerkhof hoorde applaudisseren en toen heb ik mezelf uiteindelijk toegestaan te huilen: zij had haar hulde gehad… en ik kan me niet voorstellen dat een priester of welke gelegenheidskletsmajoor ook treffender over haar zou hebben gesproken…

Alexis herkende me en is in mijn armen ingestort. Hij hikte zo erg dat ik nauwelijks heb begrepen wat hij tegen me snotterde. In grote lijnen dat hij geen goede zoon was, en dat hij tot het eind tekort was geschoten. Ik heb mijn handen weer in mijn zakken gestopt, het was koud en ik vond het een beetje te gemakkelijk. Zijn vrouw keek met een zuur glimlachje naar me en heeft hem van mijn jas af geweekt. Daarna ben ik vertrokken omdat… ik daar niets meer had te zoeken… Maar op de parkeerplaats sprak een vrouw me bij mijn voornaam aan. Zij was het, het telefoontje… Ze zei me: kom, laten we iets warms gaan drinken. Goed, van dichtbij bekeken had je snel door dat in haar leven warme dranken vast geen grote rol speelden... Ze bestelde trouwens een pastis...

En ze heeft me over de laatste levensjaren van Anouk verteld. Alles wat zij voor die mensen had gedaan, en ze hadden nog niet eens allemaal kunnen komen! Er was geen plaats meer in de bus van de zoon van Sandy! En het was ook nog niet eens zijn bus...

Ik ga er geen eindeloos verhaal van maken, je hebt haar net zo goed gekend als ik... Je kunt je het vast voorstellen... Die vrouw had een paar problemen... eh... met de uitspraak, maar op een gegeven moment zei ze iets heel moois: "Die vrouw, wa'k ervan zeg, nou, die had een hart zo groot als een plastic zak, da'kan ik ervan zeggen..."'

Glimlachen.

'Waaraan is ze gestorven, heb ik haar gevraagd. Maar ze kon niet meer praten. Ze raakte van dit alles te diep in de put... En opeens een luchtstroom in mijn rug en ze gilde: Jeannot! Kom die mevrouw eens gedag zeggen! Het is een vriendin van Anouk!

Het was mijn huilebalk van zojuist, zijn zakdoek was zo groot als een theedoek, en zijn cape van het Rode Kruis was van het model '14-'18. Hij glimlachte met een scheef bekje naar me en ik had meteen door dat hij haar laatste liefje moest zijn geweest... Een net zo onvoorspelbare figuur als Nounou. In ieder geval net zo verkleed... Aangenaam... Hij ging tegenover me zitten en zij is haar leed dichter bij de bar gaan verdrinken. Ik zag dat ook hij heel graag zijn hart uit wilde storten, maar ik was moe. Ik wilde weg, eindelijk alleen zijn... Ik heb dus meteen naar de feiten gevraagd: wat was er *op het eind* gebeurd? En toen kreeg ik, tussen de flipperkast en de herrie van de tv, te horen dat onze mooie Anouk, die haar hele leven maling had aan de dood die ten slotte zelf heeft gezocht.

Waarom? Dat wist hij niet. Maar een aantal dingen misschien...

Twee keer per week werkte ze bij Brood van de vriendschap, een sociale kruidenierszaak voor mensen in de penarie die heel goedkoop etenswaren verkocht. Een "cliënte" was met een hoop kinderen de winkel binnengelopen en wilde geen vlees omdat het niet halal was, en geen bananen omdat er zwarte vlekken op zaten, en geen yoghurt omdat de houdbaarheid de volgende dag verstreken zou zijn, en pats, ondertussen gaf ze er eentje een lel, en ineens begon Anouk, die gewoonlijk zo aardig was, te schreeuwen.

Dat het normaal was dat de armen arm bleven, omdat het echt klootzakken waren. En waarop sloegen nou die stomme verhalen over de wijze van slachten, als je zulke bleke en al ondervoede kinderen had?! En als je hem nog een keer een mep durft te geven, vuile slet, nog één keer, hoor je wat ik zeg? *Ik maak je af.* En wat heeft deze gloednieuwe mobiele kuttelefoon te betekenen en voor tien euro's per dag saffies roken terwijl je kleintjes midden in de winter geen sokken dragen! En waar komt die blauwe plek vandaan?! Hoe oud is hij? Drie? Waarmee heb je hem geslagen, teringwijf, dat hij zo'n plek heeft? Nou?

De ander is scheldend vertrokken en Anouk heeft haar schort uitgedaan. Ze zei dat het afgelopen was. Dat ze niet meer terug zou komen. Dat ze het niet meer op kon brengen.

"De andere kwestie," fluisterde de dikke... Jeannot, "was dat het de 15de was en dat haar zoon haar nog niet voor de kerst had uitgenodigd, daarom wist ze niet of ze de cadeautjes voor de kleinkinderen moest bewaren of die per post sturen. Het is gek, maar ze zat hier erg mee in de maag... En je had ook nog dat wicht... 'k weet haar naam niet meer... dat ze veel had geholpen met school en zo, en ze had haar zelfs een stageplaats op het gemeentehuis bezorgd, en het meisje heeft haar verteld dat ze zwanger was geworden... Zeventien... Toen heeft Anouk haar gezegd dat ze niet meer terug hoefde te komen als ze zich niet zou laten aborteren en...

Moet ik u zeggen waaraan zij gestorven is? Ze is gestorven aan moedeloosheid. Daaraan is ze gestorven. Joëlle", met z'n kin wees hij me mevrouw "warme dranken" aan, "heeft haar gevonden. Ze had niets meer in huis. Geen meubel, helemaal niets. Ze hebben me later verteld dat ze alles aan de liefdadigheid had gegeven. Er was nog maar één fauteuil en u weet wel zo'n ding met water dat vloeit... Een fontein? Nee, nee, zo'n ding van het ziekenhuis, u weet het vast wel, met een slang... Een infuus? Dat is het! De politie die heeft gezegd dat ze zelfmoord had gepleegd en de dokter die heeft beweerd van niet, dat ze zich eigenlijk had gethanasieerd... En omdat Joëlle huilde, heeft hij tegen haar gezegd dat ze niet had geleden, dat ze gewoon ingeslapen was. Dat was het zo'n beetje... Gaat het..."

"Maar u, u... U was een vriend van haar?"

"Och, zo kun je het zien, maar ik was vooral haar assistent, ziet u... Ik ging met haar naar de mensen toe, ik droeg haar tas, ja..."

Stilte.

"Het wordt nu duurder..."

"Wat?"

"Nou, de dokter."'

Sylvie was opgestaan. Ze wierp een blik op de klok, zette een pan water op het vuur en begon weer heel zachtjes, haar blik in het vage: 'Op de terugweg, in de files, herinnerde ik me een zin die ze miljoenen jaren eerder had uitgesproken, toen we na een bijzonder zware dag in de kleedkamer aan het klagen waren: "Zal ik je eens wat zeggen, pop... dit vak heeft maar één voordeel: het stelt ons in staat te vertrekken voor we de boel verzieken..."'

Hief het hoofd: 'Dit was het, m'n beste Charles, nu weet je er evenveel van als ik...'

Ze begon zenuwachtig te worden en hij voelde dat het tijd was haar met rust te laten. Durfde haar geen kus te geven.

Ze haalde hem op de overloop in.

'Wacht! Ik heb nog iets voor je...'

En ze overhandigde hem een doos met dikke tape eromheen waarop in vette hoofdletters zijn naam stond geschreven.

'Het is nog van die oude kerel... Hij vroeg me of ik een zekere Charles kende en hij haalde dit geval onder zijn jas vandaan. In haar huis, had hij vervolgd, lagen er alleen nog een grote tas voor haar zoon met de cadeaus voor de kleintjes en dit...'

Charles stopte de doos onder zijn arm en liep als een zombie weg. Recht vooruit. Rue de Belleville, Faubourg du Temple, Place de la République, Turbigo, Sébasto, Les Halles, Le Châtelet, de Seine, Saint Jacques met een radar en Port Royal op de bonnefooi, en haalde toen hij voelde dat het goed was, dat de lichamelijke vermoeidheid het over begon te nemen van de stuiptrekkingen van de emotie, zonder langzamer te gaan lopen, zijn sleutelbos tevoorschijn en gebruikte de kleinste om de tape open te scheuren.

Het was een doos voor kinderschoenen. Hij stopte zijn sleutelbos weer in z'n zak, liep tegen een paal, verontschuldigde zich en haalde het deksel eraf.

Stof, motten, of simpelweg de tijd hadden hun vieze werk gedaan, maar toch herkende hij hem. Het was Mistinguett, de opgezette duif van Nou...

Maar? Wat...

Hij dacht maar aan één ding: de doos tegen zich aan drukken en zo stevig mogelijk vastklemmen. Daarna, niets.

Er kon hem niets meer overkomen.

Maar goed ook. Hij was toch al te moe om door te gaan.

14

Het was heet onder zijn wang. Deed z'n ogen dicht, voelde zich goed.

Helaas kwamen ze hem al lastigvallen. Een hoop mensen.

Ik heb 'm niet gezien! Ik heb 'm niet gezien! Het ligt aan die nieuwe klote rijstroken! Hoeveel doden moeten die rotzakken nog? Maar ik heb 'm niet gezien, zeg ik jullie! Gezegd moet worden dat hij niet op het zebrapad liep, hè?! O, godverdomme... Ik heb 'm niet gezien!

Mijnheer? Mijnheer?

Gaat het?

Hij glimlachte.

Loop met z'n allen naar de hel...

Roep de brandweer, hoorde hij. Dat nooit. Besloot op te staan.

Niet naar het ziekenhuis.

Hij had z'n portie gehad, nou...

Stak z'n hand uit, steunde op een arm, nog een, liet zich ophijsen, wees naar z'n doos, bedankte met z'n hoofd en trippelde, zo gestut, naar de andere oever.

Beweeg eens met uw arm... De andere... En de benen... Het gezicht is flink toegetakeld... Ja maar de shock, je weet maar nooit... Dat kun je niet meteen zien, de nawerkingen... Moet hij overgeven of niet? Raak hem maar niet te veel aan... Wilt u niet dat we de brandweer roepen? Ik kan u bij de eerste hulp afzetten... Kom! We zijn hier vlak bij Cochin! Weet u het zeker? We moeten 'm niet zo laten zitten, hè? Wat zegt hij?

Hij zegt dat hij het zeker weet.

Toen zwermde de zwerm uit. Een dode die niet doodgaat, dat is niet zo interessant.

En... zonder problemen kom je niet in de problemen. Maar een goede burger stelde hem voor het kenteken van de chauffeur voor hem te noteren en voor de verzekering te getuigen.

Charles hield z'n doos tegen zijn hart en draaide z'n hoofd van rechts naar links.

Nee. Bedankt. Hij was alleen een beetje duizelig. Dat zou wel overgaan. Niets aan de hand.

De enige die naast hem op de bank bleef zitten, was een soort clochard. Dat was geen verdienste, hij verveelde zich.

Charles vroeg hem om een sigaret.

Toen hij zich naar de vlam boog, dacht hij flauw te vallen. Kwam weer zo langzaam mogelijk naar achteren, likte z'n lippen om het filter niet vies te maken en ademde een grote haal rust in.

Na een hele tijd, een uur misschien, stak zijn beschermengel de arm uit.

Hij wees hem de voorgevel van een apotheek.

De kleine apothekersassistente, Géraldine, het stond op haar borst vermeld, gaf een gil toen ze hem zag. Haar bazin snelde toe, bood hem een stoel aan en genoot erg van de pijn die ze hem bezorgde.

De roes van de esculaap...

Zijn nieuwe vriend was voor de etalage blijven staan en hief z'n duim om hem moed te geven.

Zijn nieuwe vriend vond Géraldine leuk...

Charles keek heel lelijk. Zijn gezicht, of wat ervan over was, werd afgekrabd, schoongemaakt, ontsmet, bestudeerd, besproken, en met hechtpleistertjes bedekt.

Hij leunde op een standaard en ging weer staan, hinkelde tot de kassa, liet zich zalf aansmeren voor de belofte bij een dokter langs te gaan, loog, bedankte, betaalde en keerde terug om de wereld te tarten.

Zijn oude vriend was weg. Hij sleepte zich voort tot een *tabac* en trok tot zijn verbazing veel ontwijkende blikken.

De kroegbaas was niet zo gevoelig. Hij had wel erger gezien...

'Zo?' lachte hij. 'Zijn we vanochtend onder de bus beland?'

Charles glimlachte voor zover de pijn het hem toestond: 'Een busje...'

'Ach... Volgende keer beter...'

Iemand van een *tabac*. Iemand van een tabac *in Parijs* die humor had... Geweldig...

Hij nam een biertje om het te vieren.

'Hier! Ik heb er een rietje bij gedaan... Wat? Honger? Nicole! Haal eens een pureetje voor deze jongeman!'

En Charles at, een bil op een barkruk, met de punt van zijn lippen z'n hapje en luisterde naar mijnheer Nicole die voor hem de lange lijst opsomde met alle gewonden, overredenen, verminkten, manken, doden en overige slachtoffers die hij dankzij de goede ligging (op de hoek van een grote kruising, dat moet je hebben voor een zaak) na vijfentwintig jaar uitkijken in de boeken op had kunnen nemen.

'Ik denk dat ik nog ergens een petitie heb liggen tegen die nieuwe klotebus tegen de rijrichting in, heeft u interesse?'

'Nee.'

Kwam moeizaam vooruit, hield zijn doos met de ene hand vast en zijn been met de andere. Was verloren.

Niet in de Rue Monge uiteraard, maar...

Toetste het telefoonnummer van Laurence in of je vijf kogels uit een revolver afschiet, zette het apparaat tegen zijn slaap en wachtte.

Voicemail.

Keerde om en liep een autoverhuurbedrijf binnen waar hij vijf minuten diep nadenken eerder langs was gelopen.

Stelde de verkoper gerust, niets aan de hand, een glazen deur. O... zei de ander opgelucht, nou mijn collega toevallig ook... Drie hechtingen. Charles haalde z'n schouders op. Wat een mietje, die collega...

Op het laatste moment smeekte zijn opgezwollen knie hem van gedachte te veranderen: 'Wacht! Geef me maar een automaat...'

Verbeet de tranen van pijn, wrong zich achter het stuur van een stadsautootje categorie A, keek in z'n agenda, opende die op de juiste pagina, stelde de spiegels bij en besefte dat Elephant Man mee zou reizen.

Was hem dankbaar voor zijn gezelschap... zo onverwacht, sloeg linksaf richting Porte d'Orléans.

De stoplichten sprongen net op groen. Ging weer rijden en keek op het dashboard.

Als alles meezat, zou hij voor het avondeten bij Alexis zijn.

Bedwong zijn glimlach omdat hij al te veel pijn had, maar zijn hart glimlachte wel.

III

I

In het begin was het makkelijk, hij had een beslissing genomen.

Verliet de stad, reed snel, lette niet op veilige afstand houden.

Wist niet wat hem te wachten stond, maar was er niet bang voor. Was nergens bang meer voor. Zijn spiegelbeeld of wat er in plaats van zijn gezicht was gekomen, zijn moeheid, en wat hij voor zich zag, die nauwgezette vrouw, op zoek naar haar ader, die er een lange naald in stak, die stevig vasthield, voor de laatste keer haar hand opende, de afknelband losmaakte en het peil van haar dood controleerde voor ze weer in de enige stoel ging zitten in een leeg appartement... Wat... Nee. Hij was gepantserd.

Had tussen twee vangrails z'n assistente kunnen bereiken en een boodschap voor Laurence achtergelaten.

'Heel goed, ik zeg het af. Wat maandagavond betreft... Vertrek 19.45. Ik denk dat het me is gelukt u een upgrade te bezorgen... Ik heb de ticketcode al, heeft u iets om het op te schrijven?' vroeg de eerste hem.

'Ik heb je boodschap ontvangen,' had uiteindelijk de tweede gebeld, 'hoor eens, het komt goed uit want, weet je, ik zit met mijn Koreanen dit weekend...' (Nee, dat wist hij niet.) 'Zeg eens, nu ik je toch spreek, vergeet Mathilde niet, hè? Je had beloofd haar maandag naar het vliegveld te brengen... Ik geloof dat het in het begin van de middag is, ik laat het je nog weten...' (De wachtkamers van Air France, z'n tweede vaderland...) 'En voor haar zakgeld? Heb je nog ponden?'

Nee. Nee. Hij was niets vergeten. Zijn grote meid niet en Howard niet.

Charles vergat nooit iets. Dat was trouwens zijn achilleshiel... Wat zei ze, Anouk? Dat hij intelligent was? Geen sprake van... Hij had zo vaak de gelegenheid gehad om met grote geesten te werken en koesterde geen enkele illusie over zichzelf. Als hij al die jaren z'n omgeving zo had kunnen belazeren, kwam dat alleen door zijn geheugen... Wat hij las, hoorde of zag, onthield hij.

Hij was tegenwoordig een man die het druk had, belast was, *loaded* in het Engels, zoals hun dobbelstenen. Wanneer ermee is geknoeid. En die verschrikkelijke migraineaanvallen waarvan hij op het moment geen last meer had, want ze lagen begraven onder een deklaag meer... uitgesproken pijnen, niets lichamelijks. Eerder een stupide informatica-achtige tegenslag. De brief van Alexis en de vloedgolf waartoe die had geleid, zijn jeugd, zijn herinneringen, Anouk, dat beetje dat we van haar weten en alles wat hij ons niet heeft verteld, alles wat hij heeft verkozen voor zichzelf te houden om haar nog te beschermen en omdat hij zo fijngevoelig is, deze overmaat aan onverwachte emoties had, op een of andere manier, zijn geheugen verzadigd. Chemicaliën, moleculen, een scan zelfs...? Kom maar op, dit alles zou toch geen enkel effect hebben. Hij moest zelf zijn bestanden op orde brengen.

Juist daarom was hij voor een tolpost vaart aan het minderen.

'Waar ben je?' vroeg Laurence.

'Saint Arnoult... Snelweg...'

'Wat is dat? Een nieuw bouwterrein?'

'Ja,' loog hij.

Het was de waarheid.

Maar hoe breder de horizon werd, des te minder logisch hem deze reis leek. Hij had de linkerbaan verlaten en peinsde in de schaduw van een enorme vrachtwagen.

Bij elk bord dat een afslag aangaf, gaf hij instinctief richting aan.

Het lag aan zijn geheugen, beweerde hij. Ho, ho... Valse bescheidenheid... een geschikte zonneklep als je koers naar het zuiden zet... Laten wij het even over hem hebben, en aan deze ezel die zich stoot geven wat hem toekomt.

Charles was bij toeval architect geworden, uit eerbied, door toewijding en omdat hij bijzonder goed kon tekenen. Zeker, alles wat hij zag, wat hij begreep, nam hij op in zijn geheugen, maar hij kon het ook uitbeelden. Moeiteloos. Vanzelfsprekend. Op het blad, in de ruimte, en voor welk publiek ook. Zelfs de meest sceptische blikken stemden uiteindelijk in. Maar dit talent is niet genoeg. Wat hij zo goed kon neerkrabbelen, waren zijn redeneringen, zijn scherpzinnigheid.

Hij was rustig, geduldig, en simpelweg naast hem mogen nadenken was een voorrecht. Meer dan dat zelfs, een spel. Had altijd, uit tijdgebrek, de vele betrekkingen als docent die hem waren aangeboden afgewezen, maar hield ervan zich op kantoor met jongeren te omringen.

Dit jaar Marc en Pauline, de geniale Giuseppe of de zoon van zijn vriend O'Brien in het verleden. Al deze studenten waren met open armen ontvangen in hun grote vertrekken aan de Rue La Fayette.

Hij was streng voor ze en liet ze heel hard werken, maar behandelde hen als gelijken. Jullie zijn jonger, dus alerter dan ik, peperde hij hun in, bewijs het dus maar. Wat zouden jullie doen?

Nam de tijd om naar hen te luisteren en kraakte hun stommiteiten af zonder hen ooit te vernederen. Moedigde hen aan om te kopiëren, zoveel mogelijk te tekenen, al was het slecht, om te reizen, te lezen, naar muziek te luisteren, opnieuw solfège te gaan leren, musea te bezoeken, kerken, tuinen en...

Was verdrietig over hun grove onwetendheid en sprong ten slotte op toen hij op zijn horloge keek. Maar...? Hebben jullie geen honger? Natuurlijk hadden ze honger. Nou dan? Waarom laten jullie me als een idioot de leraar uithangen? Is het niet tot jullie doorgedrongen dat het afgelopen is met de oude bokken van de Schone Kunsten? Kom op... Naar Terminus Nord als zoenoffer. Een plateau met fruits de mer voor de liefhebbers! Maar duwde zodra ze zaten, het was sterker dan hijzelf, hun menukaarten naar beneden en vroeg hun om zich heen te kijken. De École de Nancy, art deco, de nieuwe eenvoud, de reactie op de art nouveau, het zuiveren van de vorm, sobere en geometrische lijnen, bakeliet, verchroomd staal, zeldzame houtsoorten en... en de ober was er weer.

Zucht van opluchting door het gezelschap.

In hun microkosmos kon je hem makkelijk afkammen. Hij kreeg het verwijt... hoe zeg je het... een beetje, tja, *klassiek* te zijn. Had er als jongeman onder geleden. Maar had het gehoord. Daarom had hij zich met Philippe verbonden, die jongen was meer... subjectief, híj deinsde er niet voor terug gevoelsmatig op bepaalde feiten te reageren en hij bewonderde in hem de onverzettelijkheid, het talent, de creativiteit. Beroepshalve functioneerde deze tandem goed, maar de studenten wendden zich tot Charles.

Zelfs de grootste dwepers. Zij met visie, met passie, zij die bereid waren, ook zij, van honger om te komen aan de voeten van hun Sagrada Família.

Dat was Charles.

Zijn gezond verstand, zijn gematigdheid... Had hem lang verward. Op slechte dagen dacht hij inderdaad de zoon van zijn vader te zijn, had het nooit ver gebracht, zou het nooit ver brengen. Andere keren, zoals op die winterochtend een paar maanden eerder, toen hij al te laat was en midden in de file uit een taxi was gestapt, bleek plotseling alleen midden op de Cour Carrée du Louvre te staan waar hij in een eeuwigheid geen voet meer had gezet, was toen zijn afspraak vergeten, gestopt met rennen en weer op adem gekomen.

De vorst, het licht, die absoluut perfecte verhoudingen, dit gevoel van kracht zonder het minste verlangen om te verpletteren, dat goddelijke spoor van mensenhand... Was om zijn as gedraaid en had de duiven aangesproken: 'Hé, verrekt klassiek, nietwaar?'

Maar die absurde fontein... Liep weer door in de hoop dat Lescot, Lemercier en al de anderen, hoe hoog ze ook waren, er af en toe voor hun lol in spuwden.

Laten we ieder misverstand uitsluiten. Deze kritieken, *mainly* Franco-Franse trouwens, omschreven of probeerden een morele opstelling, een neiging te omschrijven, maar in geen geval de aard van zijn werk. Door zijn opleiding als ingenieur (deze zwakte, deze handicap ging hij op sommige avonden denken), zijn obsessie voor details, zijn perfecte kennis van structuren, materialen en van alle andere fysieke fenomenen, was de reputatie van Charles al heel lang boven iedere twijfel verheven.

Was simpelweg terug bij de theorie van de geniale Peter Rice en voor hem Auden, die wilde dat bij een project sommigen gedwongen waren het vuile werk van Shakespeares Jago op te knappen en de tomeloze bezieling van de passies van anderen systematisch in het gareel te houden.

Klassiek? Dat zal wel. Maar conservatief, nee. Nee. Het bewijs: de industrie, de projectontwikkelaars, de politiek en het grote publiek ervan overtuigen dat hun ideeën honderd-, duizendmaal beter waren dan die met leuke postmoderne of pseudohistorische tierlantijnen beklede alledaagse gebouwen, was het meest slopende onderdeel van zijn vak geworden.

En bleek met deze slechte behandeling weer *Perplex'd in the extreme* om bij *Othello* terug te keren.

Gelukkig trouwens, gelukkig. De rol was een beetje korter maar...

Ho? Waar ben je nou mee bezig, lobbes, vermande hij zich en voegde weer op de middelste baan in, wat ben je weer aan het brabbelen? Waar-

om heb je het ineens over Rice en de Moor?
Sorry, sorry. Het is alleen die kwestie met het geheugen waardoor het mis gaat.
Uiteraard.
Ze had gelijk...
Probeer het je te herinneren.
Een laatste keer.
Toen ze hier net kwam en ze al die berekeningen zag waarmee jij aan het worstelen was, voelde ze, terwijl ze je kuste, medelijden met je. Ze hield zichzelf voor dat je, voor jouw leeftijd, echt te veel tijd besteedde aan het rechtbuigen van de wereld. Ze wist het, ze wist het! Je ging haar vertellen dat het jouw studie was en zo, maar...
Maar?

Zweeg. Probeerde niet meer te argumenteren, was moe. De volgende afrit moest de goede zijn.

Nee.
Alsjeblieft.
Kom terug.
We zijn je niet tot hier gevolgd om bij Rambouillet rechtsomkeert te maken.
Waarom altijd dat gepeins? Als een bouwmeester leven, plannen tekenen, maquettes maken, op touw zetten, berekenen, anticiperen, vooruitzien? Waarom steeds die dwang? Je zei zojuist dat je nergens meer bang voor was...
Ik loog.
Waar ben je bang voor?

Ik zou willen dat...
Ja?

Goed. Laten we het slim spelen. Laten we de andere kant op kijken. De vorm van de wolken, de eerste koeien, de laatste Audi, de rustplaats aan de snelweg La Briganderie, de vlucht van deze buizerd, de prijs van ongelood over 17 km, de...
Toen we kinderen waren, begon zijn bewustzijn weer heel zachtjes, en we aan het kibbelen waren... wat dikwijls voorkwam omdat we allebei een rotkarakter hadden en omdat we, neem ik aan, om de aan-

dacht en de kussen van dezelfde vrouw vochten, haalde Nounou, wiens geduld en bedreigingen om ons te verzoenen óp raakten, uiteindelijk altijd zijn opgezette vogel, die daar boven op de koelkast stond te verstoffen, stopte het beest wat hij ook maar bij zich had in de bek, meestal een takje peterselie, en bewoog hem onder onze mokkende neuzen heen en weer: 'Roeee, roeee... De vredesduif, m'n schatjes... Roeeeee...'

En we proestten het uit. En het samen uitproesten, dat hield dus in niet meer kwaad zijn... en... En daar stond de schoenendoos, op de dodemansplaats, en...

Wat kan ons het loodvrij bommen. Huurauto's rijden toch altijd op diesel, niet? Wat? Sorry? Wat zei je?

Ging rechtop zitten, trok aan zijn gordel, was er... Was er nog een beetje hoop in dit vervloekte infuus? Was ze ons niet nog een keer aan het overschatten, ons op de proef aan het stellen?

Zou ze ons nooit met rust kunnen laten met haar verrekte overdosis liefde die ons al zoveel...

Zo? 1 euro 22 liefst... Zeg, Balanda, je vermoeit ons met je gezeik... Jouw superintelligentie, jouw citaten in originele versie, jouw striktheid, jouw beate studenten, jouw beschaving, jouw vindingrijkheid en heel de mikmak, weet je dat we al deze troep graag zouden ruilen voor een zin die loopt?

Fronste zijn wenkbrauwen, stak een sigaret op, wachtte tot de nicotine z'n merg had losgemaakt en biechtte zichzelf ten slotte zijn ellende op: 'Ik zou willen dat ze niet voor niets was gestorven.'

Nou, zie je wel! Kom, het is goed. Adem. Je bent zover. Je hebt dat probleem van je in een begrip vervat.

Jouw plan bestaat nu. Rij nu maar. Rij, zwijg en, sorry, adem niet zo snel. Je weet het niet, maar je hebt een gebroken rib.

Ja, maar als het niet goe...

Zwijg, hebben we gezegd. Schakel alles uit.

Stak, au, omdat hij zichzelf, op dit gebied tenminste, niet kon vertrouwen zijn arm uit naar de FM.

Tussen twee debiele reclamespotjes begon een popzanger met een hoge stem zeker tien keer *Relax, take it easy* te brullen.

Iii-iiiiiiii-zie.

Het is goed, het is goed. Ik snap het.

Zocht zijn zonnebril, zette die meteen weer af, te zwaar, te veel wonden, sloot het handschoenenkastje weer en deed het geluid uit.

Zijn mobieltje begon zich te verzetten. Zelfde lot.

Een helemaal door de motten opgevreten duif en een mismaakte mankepoot in een minuscule Japanse auto als ark van Noach, je kon over iets mooiers dromen, en toch, en toch... Brokkelde heimelijk af onder z'n hansaplast.

Na hem de zondvloed...

*

Verliet de snelweg, toen de rijkswegen, en spoedig de provinciale wegen.

Kwam er toen achter, voor de allereerste keer in maanden, dat de aarde om de zon draait, ja hoor, en dat hij in een land woonde dat aan het ritme van de seizoenen is gebonden.

Zijn eigen versuftheid, de lampen, de neonlichten, het schijnsel van de schermen en de jetlag, alles had samengespannen om het hem te laten vergeten. Eind juni, begin van de zomer, deed de ramen wagenwijd open en haalde zijn eerste hooi binnen.

Andere openbaring, Frankrijk.

Zo veel landschappen in zo'n klein land... En die kleuren... Dat buitengewone palet dat varieerde, contrasteerde en zich per regio preciseerde en de bouwmaterialen daar... Bakstenen, bruine en platte dakpannen, de warme tinten van de Sologne. De stenen met patina, de specie, het okerkleurige zand van de rivieren... Dan de Loire, de leisteen en de tufsteen. Het oneindige spel van grijs en krijtachtig wit van de gevels... Ivoor, grijsachtig beige in dit licht van het eind van de middag... De blauwachtige daken onderstreept door de rode bakstenen van de schoorstenen... Het vaak bleke houtwerk, of met meer uitgesproken kleuren, afhankelijk van de fantasie of de restjes verf van de eigenaars...

En snel weer een nieuwe streek, nieuwe steengroeven, nieuwe rotsen... Schist, kalksteen, zandsteen, lavasteen en zelfs hier en daar graniet. Nieuwe breukstenen, nieuwe rangschikkingen, nieuwe paramenten, nieuwe dakbedekkingen... Hier vervangen de gootmuren de puntgevels, daar zijn de winters strenger en de huizen dichter op elkaar gebouwd. Hier zijn de omlijstingen en de bovendrempels niet zo fijn bewerkt en de tinten meer...

Nu of nooit een kans voor Charles zich het bijzondere werk van Jean-Philippe Lenclos en diens atelier voor de geest te halen, maar goed... We hadden hem gesommeerd voortaan z'n bek te houden dus... Dus hield hij z'n santenkraam voor zichzelf, zijn contacten, zijn *referenties*, en reed steeds langzamer. Draaide grijnzend zijn hoofd om, reed over de bermen, draaide bruusk aan zijn stuur, nam stoepranden mee en reed door minuscule dorpen met alle ogen op hem gericht.

De soep stond op. Het was tijd om de geraniums te toppen, de banken en stoelen voor de nog zonovergoten gevels geschoven. Men schudde het hoofd toen hij langskwam, en sprak erover tot de volgende grote gebeurtenis.

De honden lichtten amper een oor op. Lieten vlooien en Parijzenaars hun gang gaan...

Charles was een nul op natuurgebied. Wallenlandschappen, heggen, hoogopgaand geboomte, heide, weilanden, hellingen, bosjes, bosranden, lanen, hij kende de woorden wel maar zou geen idee hebben waar ze te plaatsen, op een topografisch overzicht... Had nooit iets ver buiten een stad gebouwd en kon zich geen boek herinneren waaraan hij houvast zou hebben, bijvoorbeeld Dominique en Jean-Philippe Lenclos hadden zich tot de *habitat* 'beperkt'.

In ieder geval was het platteland voor hem een plek om te kunnen lezen. Voor een open haard in de winter, tegen een boomstam in het voorjaar en in de schaduw in de zomer. Hij had er toch aan moeten geloven... Bij zijn grootouders toen hij klein was, in de grote tijd van mijnheer Canut met Alexis, daarna, later toen Laurence hem meesleurde naar een of andere vriend in diens... *tweede huis*...

Herinneringen aan al te vertrouwde weekenden, waarop men hem onophoudelijk om zijn mening bedelde, bestekken, adviezen en omver te halen stukken muur. Beet dan op zijn tanden als hij die lelijke glazen puien zag, die criminele openingen, die ongepaste zwembaden, die kelders met hangsloten en die plattelandsmensen in zondagse kleren, met kundig besmeurde laarzen en kasjmier ton sur ton.

Antwoordde vaag, het was moeilijk te zeggen, hij moest het even bekijken, hij kende de streek niet zo goed, en liep nadat hij dit gezelschapje gewetensvol teleurgesteld had met een boek in z'n hand weg, op zoek naar een kuil om siësta te houden.

Van een kuil gesproken! Dit leek er wel op. Geen borden meer, geen enkele richtingaanduiding, spookachtige gehuchten, een door onkruid overwoekerde weg en als enige begeleiding een groep bezopen konijnen.

Wat had de zoon van Miles Daves in dit gat te zoeken?

Waar was hij trouwens?

Zijn agenda was als tomtom niets waard. Waar was de D73 nu? En waarom was hij nog niet door die negorij gereden waarvan hij de naam niet eens meer kon lezen?

Anouk...

Waar leid je me weer heen?

Zie je me nu? Met lege maag en lege tank, helemaal verloren voor een splitsing die niets anders aanduidt dan brandhout na 8 km en een al uitgedoofd Sint Jansvuur?

Welke kant zou jij in mijn plaats uitgaan?

Recht vooruit, nietwaar?

Kom...

Deed z'n raam open in het volgende dorp.

Hij was de weg kwijt. Marcy? Manery? Margery misschien? Zei hun dat wat?

Nee.

En de D73?

Ja! Die wel. Het was de weg daar, links aan het eind van het dorp, de rivier over en na de zagerij moet u meteen rechtsaf...

Een mevrouw zei: 'Zou het niet Les Marzeray zijn dat die mijnheer uit de Oise zoekt?'

En toen, het moet gezegd, beleefde Charles een heel eenzaam moment. Wat is...

Stond zijn arme hersenen de adempauze van een onnozele glimlach toe om deze rotzooi te ontwarren.

Eerst de Oise, dat moest zijn kentekenplaat wel zijn, hij had het niet gemerkt toen hij de auto had gehaald, maar laten we het maar aannemen, dan Les Marzer[ɛ], hoe schreef je dat? Met een 'y' op het eind? Een 'M' en een 'y' haastig gekrabbeld op de pagina van 9 augustus, dat waren de enige zekerheden die hij had. Probeerde zijn eigen schrift te lezen maar nee, afgezien van de heilige van de dag was er niets duidelijk. Wat de heilige betreft, haha, dat is geinig [Saint Amour].

Er werd overlegd, tamelijk lang gedebatteerd en ingestemd. Ja voor de Griekse y.

Die Oisers stelden rare vragen...

'Maar... Is het nog ver?'

'Ach... Twintig kilometer...'

Twintig kilometer waarin zijn stuur echt glad werd en zijn borstkas steeds stomper. Twintig heel trage kilometers die hem bevestigden: hij had zijn gezicht helemaal verloren.

Parkeerde in de berm toen de kerktoren van Les Marzeray in de verte zichtbaar werd.

Trok met zijn poot, piste tussen de struiken, ademde in, had pijn, blies uit, deed zijn overhemd open, pakte het bij de punten van de kraag en schudde eraan om het te drogen. Depte zijn voorhoofd tegen z'n arm. Had pijn aan de schaafwonden, had pijn aan het linnen. Ademde opnieuw in, god wat stonk hij, deed z'n knopen weer dicht, trok zijn colbert weer aan en ademde een laatste keer uit.

Z'n buik begon te rommelen. Was die dankbaar, maar schold hem uit principe uit. Kut, de toestand was ernstig! Wat nu? Een steak? Maar je hebt geen plaats meer, idioot. Je bent helemaal verschrompeld, dat zie je toch...

Ja... Zo... Een lekkere dikke steak met Alexis... Om haar een plezier te doen... *Eet, jongens, eet, de rest komt wel...*

Zijn enige probleem (alweer?! dat begon hem de strot uit te hangen) was z'n maag.

Die nu ongeveer naar buiten kwam...

Stak maar een sigaret op.

Om het op te lossen.

Ging op de lauwwarme motorkap zitten, nam z'n tijd, verhoogde het risico om impotent te worden en hulde een hoop kleine beestjes in de mist. Kon zich nog herinneren hoe hij had afgezien... Was wel cynisch in die tijd. Zei dat stoppen met roken het enige grote avontuur was dat hun, kleine te wel doorvoede westerlingen, restte. Het enige.

Was het niet meer.

Voelde zich oud, door de dood achtervolgd, afhankelijk.

Zette zijn mobieltje uit nieuwsgierigheid weer aan. Maar nee. Had geen bereik meer.

2

Sloeg voor het gemeentehuis de pagina van 10 augustus om, Alexis woonde in de Iependreef, zocht er een hele tijd naar en stemde ten slotte opnieuw op Radio Kletskousen af: 'O... Dat is verderop... Het zijn de nieuwe huizen na de coöperatie...'

'Nieuwe huizen', eerst had hij het niet geregistreerd, maar dat betekende in correcte prietpraat nieuwbouwwijk. Dat begon goed... Alles waar hij gek op was... Rotgebouwen, rotpleisterlagen, rolluiken, brievenbussen van de lopende band en aanstellerige lantaarnpalen.

En het ergste was dat al die puisten een vermogen kostten...

Oké, hou het kort. En nummer 8 dan?

Levensbomen, een aanstellerig hek en een poort met middeleeuws-Gamma-smeedwerk. Alleen de leeuwtjes boven iedere zuil ontbraken... Charles streek de zakken van zijn jasje glad en belde aan.

Een blond koppie verscheen achter de tuindeur.

Armen trokken het weg.

Goed.

Drukte opnieuw op die verrekte bel.

Een vrouwenstem reageerde: 'Ja?'

Nee? Dat kan toch niet? Hier een intercom? Hij had het niet gezien. Een intercom? Hier? In een van de meest verlaten gebieden van Frankrijk? Als natuurgebied aangemerkt en heel de mikmak? Het vierde huis van een verknoeide lap grond waarop er amper meer dan twaalf stonden, en een intercom? Maar... Dat sloeg toch nergens op?

'Wie is daar?' herhaalde het... toestel.

Charles antwoordde loop naar de hel maar drukte het anders uit: 'Charles. Een vr... een oude vriend van Alexis...'

Stilte.

Kon zich moeiteloos de opschudding bij het droomgezinnetje voorstellen, het 'Weet je 't zeker?', het 'Heb je 't goed gehoord?'. Trok de schouders op, hulde zich in een soort subliem gewaad en wachtte tot het hek (automatisch?) openging en Mozes bespatte.

Mislukt.

'Hij is er niet...'

Goed... Met tactiek en geduld bereik je meer dan met kracht enz. Hij had een stug type aan de andere kant, laten we ons daarbij neerleggen en het zware geschut in stelling brengen.

'U bent Corinne, nietwaar?' slijmde hij. 'Ik heb veel over u gehoord... Mijn naam is Balanda... Charles Balanda...'

De voordeur (tropisch hout, model Cheverny of misschien Chambord, gebruiksklaar, dwarslatjes van neplood in het dubbelglas verwerkt en met waterdichte naden om heel de lijst) ging open voor een eh... minder leuk gezicht.

Ze stak hem haar arm toe, haar hand, haar stormram, en omdat hij om haar te paaien naar haar probeerde te glimlachen begreep hij uiteindelijk wat haar ergerde: het was z'n smoel. Z'n eigen smoel.

En bovendien... Hij was het al vergeten... Hij had een gat in z'n broek, z'n jasje was gescheurd en z'n overhemd zat onder het bloed en de Betadine...

'Hallo... Sorry... Het is... Nou ja... Ik ben vanmorgen gevallen... Ik stoor toch niet?'

'...'

'Stoor ik?'

'Nee, nee... Hij kan ieder moment terug zijn...' En zich tot een jongetje wendend: 'Vlug naar binnen jij!'

'Heel goed... Ik wacht wel op hem...'

Normaal gesproken had ze moeten zeggen: 'Kom alstublieft binnen' of 'Zal ik een glas voor u inschenken terwijl u wacht?', of... maar ze herhaalde hetzelfde 'Heel goed' op een baziger toon, en liep haar gemetselde huisje weer binnen.

Authentiek.

En kwaliteit.

Toen bedreef Charles een beetje antropologie.

Zwierf de Iependreef rond.

Vergeleek de holle zuilen die een granietachtig reliëf hadden en slecht waren afgewerkt, de balusters van minder dan tien euro per strekkende meter, de fabrieksmatig verouderde tegels, de betonnen plavuizen in natuursteenkleur, de grandioze barbecues, de plastic tuinmeubelen, de fel gekleurde glijbanen, de polyester pergola's, de garagedeuren die even breed waren als het zogenaamde 'woongedeelte', de...

Wat een smaak...

Hij was niet cynisch meer. Hij was een snob.

Liep terug. Een andere auto stond achter de zijne geparkeerd. Liep langzamer, voelde zijn been weer verstijven, hetzelfde blonde ventje schoot de tuin uit, gevolgd door een man die zijn papa moest zijn.

En toen, ondraaglijk wanneer je erover nadenkt, maar je denkt niet meer na, je stelt vast, na al die beroering was de eerste gedachte die bij Charles opkwam: 'De smeerlap. Híj heeft al z'n haar nog...'

Ondraaglijk.

Maar daarna. Wat zouden we ons voor moeten stellen?

Violen? Slow motion? Wazige opnames?

'Nou, nou. Loop je als een oud mannetje tegenwoordig?'

Wat zouden we ons voor moeten stellen...

Charles kon geen antwoord bedenken. Hij was vast te aangedaan.

Alexis deed hem pijn toen hij hem op de schouder sloeg: 'Waaraan hebben we de eer te danken?'

Klootzak.

'Is dat je zoon?'

'Lucas, kom eens hier! Kom oom Charles begroeten!'

Boog zich om hem te kussen. Nam zijn tijd. Was de frisse geur van die huidjes vergeten...

Vroeg hem of hij het niet beu was dat Spiderman aan zijn T-shirt hing, raakte zijn haren aan, zijn nek, wat? ook op je sokken?... nou zeg... en op je onderbroek? Leerde hoe je je vingers moest plaatsen om een web te maken 'dat kleefde', probeerde het zelf, deed het verkeerd, beloofde te zullen oefenen, kwam weer overeind en zag dat Alexis Le Men huilde.

Vergat toen zijn goede voornemens en verwoestte het werk van de apotheekster.

De wonden, de builen, de hechtingen, de dijken en alle pleisters van het leven, alles brak.

Hun handen sloten zich dicht op elkaar en het was Anouk die ze omhelsden...

Charles week als eerste terug. De pijn, de blauwe plekken. Alexis tilde zijn jongen op, maakte hem aan het lachen door aan zijn buikje te knabbelen, maar het was om zich te verbergen, om te snuiten, en hees hem op zijn schouders.

'Wat is er met jou gebeurd? Ben je van een steiger gevallen?'

'Ja.'

'Heb je Corinne gezien?'

'Ja.'

'Was je in de buurt?'

'Precies.'

Charles bleef stilstaan. Drie stappen verder draaide de ander zich uiteindelijk om. Nam zijn arrogante houding van grootgrondbezitter aan en trok aan de benen van zijn zoon om het evenwicht van zijn vracht te herstellen. Deze in elk geval.

'Ben je gekomen voor een zedenpreek?'

'Nee.'

Ze keken elkaar lang aan.

'Nog steeds met je kerkhofwaanzin bezig?'

'Nee,' antwoordde Charles. 'Nee... Daar ben ik overheen...'

'Hoe ver ben je nu dan?'

'Nodig je me uit voor het eten?'

Opgelucht schonk Alexis hem een aardige glimlach van toen, maar het was te laat. Charles had al zijn knikkers teruggepakt.

Een Mistinguett voor een maaltijd in de Iependreef, gezien de prijs van de wansmaak, de benzine en de verloren tijd leek het hem een redelijke transactie.

De hemel was helder, liefje. Heb je hem gezien, heb je het toch gekregen, je olijftakje?

Natuurlijk was het kort door de bocht, een overgave eerder dan een actie, ik geef je gelijk, en voor jou is het uiteraard te weinig. Maar voor jou was het nooit genoeg...

En het gevoel dat zijn zakken weer vol zaten, dat hij de zekerheid had dat het potje was afgelopen, dat hij dus niet meer zou verliezen, omdat deze route, hoe vervelend ook, voortaan te kort was om zich met zo'n middelmatige tegenstander te meten, bezorgde hem een enorme opluchting.

Hinkte vrolijker, kietelde de knieën van de superheld, deed z'n hand open, kromde z'n middel- en ringvinger, mikte en pffoe, pakte een musje in dat op de elektrische draden danste: 'Gefopt!' reageerde de kleine Lucas. 'Waar is hij dan?'

'Ik heb hem in mijn auto gestopt.'

'Ik geloof er niks van...'

'Kun je beter wel doen.'

'Pff... Je zou zeggen dat ik jou gezien zou hebben, als het waar was...'

'Je zou zeggen dat het me zou verbazen omdat je meer aandacht had voor de hond van de buren...'

En terwijl Alexis de weekboodschappen aan het uitladen was en heen en weer liep tussen zijn kofferbak en zijn supermooie garage, snoerde Charles de mond van een heel achterdochtig jongetje.

'Ja, maar waarom is hij dan al op een stuk hout geplakt?'

'Eh... Je weet toch wel dat het kleeft, dat spiderweb...'

'Zullen we hem aan papa laten zien?'

'Nee, hij is nog in shock... We moeten hem nog een beetje met rust laten...'

'Is hij dood?'

'Welnee! Natuurlijk niet! Hij is in shock, zoals ik zei. We laten hem later wel los...'

Lucas schudde ernstig het hoofd en keek omhoog, Licht, en vroeg: 'Hoe heet jij?'

'Charles,' glimlachte Charles.

'En waarom heb je allemaal pleisters op je gezicht?'

'Raad eens...'

'Omdat je niet zo sterk bent als Spiderman?'

'Yep... Ik mis wel eens...'

'Wil je mijn kamer zien?'

Zijn moeder kwam deze spinachtige verstandhouding storen. Je moest eerst de garage door en je schoenen uittrekken. (Tot ergernis van Charles, hij had nog nooit z'n schoenen in een huis uit gedaan.) (Behalve in Japan uiteraard...) (O ja. Wat een snob was hij...) En toen wees ze met haar vinger: geen rotzooi maken, hè? Ten slotte draaide ze zich naar degene toe die zich leek te willen opdringen.

'U... U blijft eten?'

Alexis dook net op achter z'n Champion-tassen. (Dat zou z'n zwager nou leuk vinden... En wat zou het heerlijk zijn... Als hij zou durven, als hij bereik had, wat een prachtige mms zou hij Claire dan sturen...)

'Natuurlijk blijft hij! Wat...? Wat is er?'

'Niets,' antwoordde ze scherp op een toon die op het tegendeel duidde, 'alleen staat er nog niets klaar. Mag ik je eraan herinneren dat het morgen schoolfeest is en dat ik het kostuum van Marion nog steeds niet af heb. Ik ben geen naaister hoor!'

Alexis, nerveus, naïef, nog helemaal met zijn mooie verzoening bezig, legde z'n boeltje neer en veegde haar argumenten van tafel: 'Geen probleem. Maak je niet dik. Ik ga wel koken...'

Draaide zich om: 'Over Marion gesproken, is ze er niet? Waar is ze?'

Weer een zucht boven de sloffen: 'Waar is ze, waar is ze... Je weet heel goed waar ze is...'

'Bij Alice?'

Nee hoor, sorry, het waren niet de laatste woorden: 'Natuurlijk...'

'Ik ga ze bellen.'

Het waren de voorvoorlaatste woorden: 'Succes dan. Er neemt daar nooit iemand op... Ik snap echt niet waarom ze daar telefoon hebben...'

Alexis sloot de ogen, herinnerde zich dat hij vrolijk was, en liep naar de keuken.

Charles en Lucas durfden zich niet te verroeren.

'Ze vraagt of ze mag blijven slapen!' riep Alexis.

'Nee, we hebben een gast.'

Charles beduidde nee, nee, nee, hij weigerde dit slechte alibi te leveren.

'Ze zegt dat ze hun choreografie voor morgen aan het repeteren zijn...'

'Nee, laat ze naar huis komen!'

'Ze smeekt je,' drong haar papa aan. 'Ze zegt er zelfs "op de knieën" bij!'

Ten einde raad maakte Corinne, de gangmaakster, gebruik van het kleingeestigste argument: 'Geen sprake van. Ze heeft haar beugel niet bij zich.'

'Wacht even, als het alleen daarom gaat, kan ik die brengen...'

'O ja? Ik dacht dat jij voor het eten zou zorgen?'

Wat een sfeer... Charles, die ineens een beetje frisse lucht nodig had, mengde zich in iets wat hem niet aanging: 'Ik kan voor koerier spelen, als het jullie schikt...'

De blik die ze hem toewierp bevestigde het: hij had met dit alles absssoluut niets te maken.

'U weet niet eens waar het is...'

'Maar ik wel!' riep Lucas. 'Ik wijs hem de weg wel!'

Een engel kwam langs, vlak langs de muur.

De huiseigenaar voelde aan dat het tijd werd om zijn maat, kameraad, legervriend te laten zien *wie* hier de baas was. Potver.

'Goed, in orde, maar je komt meteen na het ontbijt thuis, hè?'

Charles installeerde hem achterin, keerde en maakte dat hij wegkwam van de Ja-jadreef.

Vroeg de achteruitspiegel: 'En waar gaan we nu heen?'

Een enoooooorme glimlach liet hem zien dat het muisje al twee keer langs was geweest.

'We gaan naar het beste superhuis van de wereld!'

'O ja? En waar is dat huis?'

'Nou...'

Lucas maakte zich los, boog voorover, keek naar de weg, dacht twee tellen na en schetterde: 'Rechtdoor!'

Z'n chauffeur hief de ogen naar de hemel.

Rechtdoor.

Natuurlijk...

Hoe kon hij zo stom zijn...

Naar de hemel...

Die roze was geworden.

Die zich om hen te vergezellen weer had gepoederd...

'Het lijkt wel of je huilt,' zei z'n buurman ongerust.

'Nee, nee, ik ben alleen erg moe...'

'Waarom ben je moe?'

'Omdat ik weinig geslapen heb.'

'Heb je een lange reis gemaakt om me op te komen zoeken?'

'Nou! Je moest eens weten...'

'En heb je met monsters gevochten?'

'Hé,' spotte Charles en wees met z'n duim naar zijn vechtjassensmoel, 'je denkt toch niet dat ik dit zelf heb gedaan?'

Eerbiedige stilte.

‘En dat? Is dat bloed?’
‘Wat denk je...’
‘Waarom zijn er donkerbruine en lichtbruine vlekken?’
De leeftijd van waarom en waarom en waarom. Hij was het vergeten...
‘Tja... Het lag aan de monsters...’
‘En wat waren de ergste?’
Ze waren midden in de rimboe aan het kwebbelen...
‘Zeg, is dat superhuis van jou nog ver?’
Lucas keek naar de voorruit, pruilde z’n lip, draaide zich om: ‘O... We zijn er net voorbij...’
‘Bravo!’ gromde Charles zogenaamd. ‘Bravo voor de copiloot! Ik weet niet of ik je nog wel meeneem op mijn toekomstige expedities!’
Berouwvolle stilte.
‘Wel hoor... Natuurlijk neem ik je mee... Kijk, kom op mijn schoot zitten... Dan kun je me gemakkelijker de weg wijzen...’
Deze keer, het was duidelijk en onherroepelijk, had hij met een Le Men vriendschap voor het leven gesloten.
Maar god, wat had hij een pijn...

Maakten een mooie manoeuvre op het bordes met bruine koeien, slingerden over het lauwwarme asfalt, sloegen af voor een bord waarop LES VESPERIES stond, gebruikten hun vier handen om op het karrenspoor terug te keren, reden een prachtige laan in met eiken erlangs.
Charles, die noch zijn geur noch zijn kleding was vergeten, begon zich zorgen te maken: ‘Woont Alice in een kasteel?’
‘Jazeker...’
‘Maar eh... Ken jij die mensen goed?’
‘Tja... Eigenlijk ken ik vooral de barones en Victoria... Victoria, je zult het zien, is de oudste en de dikste...’
O godver... De schooier en z’n gedrochtje bij de aristocraten... Dat ontbrak er nog aan...
Wat een dag, wát een dag...
‘En eh... Zijn ze aardig?’
‘Nee. De barones niet. Die is ka u té.’
Goed, goed, goed... Na het pleisterwerk van acryl de machicoulis...
Frankrijk, land van contrasten...

Omdat zij hem kietelden en hij dat lekker vond, hielpen de wilde lokken van zijn begeleider hem weer in het zadel: Sapperloot, kerel! Ten aanval! Op naar de slottoren!

Ja, maar het probleem was dat er geen kasteel stond... De honderd jaar oude laan voerde naar een half gemaaid veld.

'Je moet hier ergens afslaan...'

Ze volgden zo'n honderd meter de loop van een riviertje (de vroegere slotgracht?) en tussen de bomen tekende zich een verzameling min of meer ingezakte daken (eigenlijk meer) af. Iepen misschien, grinnikte de Parijzenaar in hem die amper een pier en een stier uit elkaar kon houden.

Op dus naar de bijgebouwen...

Hij voelde zich beter.

'En nu moet je stoppen, want deze brug staat op instorten...'

'O?'

'Yep, en het is supergevaarlijk,' zei hij er opgewonden bij.

'Ik snap het...'

Parkeerde naast een oeroude en besmeurde Volvo-stationcar. De achterklep stond open en twee honden lagen in de kofferbak te maffen.

'Dat is Ugly en dat is Hideous...'

Staarten begonnen te kwispelen en lieten het stof van het stro opwaaien.

'Ze zijn wel erg lelijk, hè?'

'Ja, maar dat is opzettelijk,' verzekerde zijn minigids hem, 'ze gaan elk jaar naar het asiel en vragen de vent hun de allerlelijkste hond te geven...'

'O ja? Maar waarom dan?'

'Nou... Dan kan hij daar natuurlijk weg!'

'Maar... Hoeveel hebben ze er dan in totaal?'

'Weet ik niet...'

Ik snap het, spotte Charles, ze waren helemaal niet bij Godfried van Bouillon, maar bij een nest neohippies van de Terug naar de Aarderichting.

Goeie genade.

'En zijn er ook geiten?'

'Ja.'

'Dat dacht ik al!'

'En de barones? Rookt ze gras?'
'Pff... je bent gek. Ze eet het, bedoel je...'
'Is het een koe?'
'Een pony.'
'En de dikke Victoria ook?'
'Nee. Zij was een koningin, geloof ik...'
Help.

Verder hield Charles z'n mond. Propte z'n kwade wil in z'n zak met z'n vieze zakdoek erover.

De plek was zo mooi...

Hij wist toch dat bijgebouwen altijd ontroerender waren dan hoofdgebouwen... Had een hoop voorbeelden in z'n hoofd... Maar hij zocht ze nu niet op, hij dacht niet meer, hij was vol bewondering.

Bij de brug had hij het al door moeten hebben. De ordening van de stenen, de elegantie van het brugdek, de brugwielen, de leuningen, de zuilen...

En deze binnenplaats, 'gesloten' was de term maar zo sierlijk... Die gebouwen... Hun verhoudingen... Dat gevoel van veiligheid, onkwetsbaarheid, terwijl alles in elkaar stortte...

Langs de weg had men een stuk of tien fietsen laten liggen en kippen scharrelden tussen de derailleurs. Er waren ook ganzen en vooral een merkwaardige eend. Hoe moet je het zeggen... bijna verticaal... Alsof hij op de toppen van z'n te... vliezen liep...

'Kom je?' vroeg Lucas ongeduldig.

'Wat een rare eend, hè?'

'Welke? Die daar? Die loopt vooral keihard, je zou hem moeten zien...'

'Maar wat is het? Een soort kruising met een pinguïn?'

'Weet ik niet... Hij heet Gansje... En als hij met zijn familie is, lopen ze achter elkaar op een rij, je lacht je rot...'

'In de ganzenpas dus?'

'Kom je?'

Charles kreeg weer een schok: 'En wie is dat daar?'

'Dat is de maaimachine.'

'Maar het is... Is het een lama!?'

'Begin er niet aan hem te aaien, anders loopt hij je overal achterna en dan raak je hem nooit meer kwijt...'

'Spuugt hij?'

'Soms... En z'n spuug komt niet uit z'n mond maar uit z'n buik, en dat stiiiiiiinkt...'

'Maar vertel me eens, Lucas... Wat is dit voor een plek? Een soort circus?'

'Ja!' lachte hij. 'Dat kun je wel zeggen. En daarom doet mama zo, eh...'

'Ze vindt het niet zo leuk dat jullie hierheen gaan...'

'Al helemaal niet iedere dag... Kom je?'

De deur bezweek onder een hoop... vegetatie (Charles had ook geen enkel benul van botanie), wingerd en rozen, dat ging nog, maar ook van die klimmende fel oranje gevallen in trompetvorm en andere, ongelooflijke, paarse, met een zeer overladen hart, en... meeldraden(?) zoals hij ze nooit had gezien, in 3D, onmogelijk na te tekenen, en bloempotten... Overal... Op de vensterbanken, langs de funderingen, aan een oude waterpomp hangend of op ijzeren tafels en tafeltjes gezet.

Tegen elkaar gedrukt, opgestapeld, sommige zelfs van een etiket voorzien. In alle maten en uit alle tijdperken, gietijzeren vanaf de Medici's tot en met oude conservenblikken, en tussendoor onthoofde kisten, emmers voor korrels *Haute Digestibilité* en grote glazen potten waarin bleke wortels te zien waren onder hun merk *Le Parfait*.

En verder aardewerk... Waarschijnlijk door kinderen gemaakt... Grof, lelijk, lachwekkend, en dan nog ouder, onwaarschijnlijker, een mand uit de achttiende eeuw onder het korstmos of het beeld van een faun die een hand miste (die met de fluit?) maar waarvan de armen nog lang genoeg waren om springtouwen aan te hangen...

Gamellen, kommen, een snelkookpan zonder handvat, een kapotte windhaan, een plastic barometer die aanprees hoe probaat *Sensas*-Lokaas was, een Barbiepop zonder haar, houten kegels, gieters uit een andere tijd, een schooltas onder het stof, een half afgekloven bot, een oud zweepje dat aan een verroeste spijker hing, een touw met aan het eind een bel, vogelnesten, een lege kooi, een schop, vermoeide bezems, een brandweerauto, een... En tussen al deze rommel twee katten.

Onverstoorbaar.

De achterkamer van Postbode Cheval...

'Waar sta je naar te kijken? Kom je?'

'Handelen de ouders van Alice in curiosa?'

'Nee, ze zijn dood.'

'...'

'Kom je?'

De voordeur stond op een kier. Charles klopte, legde toen z'n vlakke hand op het lauwe stuk hout.

Geen reactie.

Lucas was naar binnen geslopen. De deurknop was nog warmer, hield die even vast voor hij hem durfde te volgen.

In de tijd dat zijn pupillen aan de verandering van het licht wenden, waren zijn papillen al verbluft.

Prousts terugkeer naar Combray.

Die geur... Die hij vergeten was. Die hij meende kwijt te zijn. Waaraan hij schijt had. Die hij zou kunnen verachten en die hem opnieuw deed smelten. Die van chocoladetaart die wordt gebakken in de echte keuken van een echt huis...

Kreeg niet heel lang de kans het water in de mond te laten lopen want kon, net als een paar ogenblikken eerder op de drempel, nu al zijn verbazing niet meer bedwingen.

Een *flinke* troep die toch een vreemd gevoel gaf. Een gevoel van zachtheid, van vrolijkheid. Van orde...

In decrescendo in een rij geplaatste laarzen op enkele meters terracotta tegels, nog meer... zaadjes(?) (stekjes?) voor alle ramen in kistjes van piepschuim of boven op wijlen vanille-ijsbakken, een immense openhaard, in de steen zelf gehouwen en een balk van heel donker, bijna zwart hout erboven, daarop lagen een strijkstok, kaarsen, noten, meer nesten, een kruisbeeld, een helemaal bespikkelde spiegel, foto's en een verbazingwekkende stoet beestjes gemaakt van spullen uit het bos: boomschors, blaadjes, takken, eikels, napjes, mos, veren, dennenappels, kastanjes, gedroogde bessen, minuscule botjes, schalen, kastanjebolsters, vleugeltjes, katjes...

Charles was gefascineerd. *Wie* heeft dit gemaakt? vroeg hij in de leegte.

Een nog imposanter fornuis, van hemelsblauw email, met twee grote bolle deksels bovenop en vijf deurtjes aan de voorkant. Rond, zacht, lauw, nodigde tot strelen... Een hond ervoor, op een deken, een soort oude wolf die begon te jammeren toen hij hen zag, probeerde rechtop te gaan zitten om hen te verwelkomen of indruk op hen te maken, maar liet het daarbij en zeeg weer piepend ineen.

Een boerentafel (uit een refter?), gigantisch, door niet bij elkaar horende stoelen omringd, waaraan men zojuist had gegeten en die niet was afgeruimd. Zilveren bestek, met brood schoongeveegde borden, mosterdglazen met Walt Disney-copyright en ivoren servetringen.

Een beeldige servieskast, stijlvol, mooi, afgeladen met terrines, aardewerk, kommen, borden, beschadigde kopjes en schotels. In een nis van de muur een stenen aanrecht, ongetwijfeld zeer onpraktisch, waarin in een vergeelde teil een heleboel pannen stonden opgestapeld. Aan het plafond manden, een vliegenkast vol gaten, een porseleinen hanglamp, een soort kast haast zo lang als de tafel, hol, van openingen en gleuven voorzien waaraan de geschiedenis van de lepel in de loop van de tijd bungelde, een vliegenvanger uit een andere eeuw, vliegen uit deze eeuw, onbekend met de offers van hun overgrootouders en zich al in hun poten wrijvend bij het zien van al die lekkere koekkruimels...

Op de muren, die blijkbaar onder de Valois voor het laatst gekalkt waren, datums en voornamen van kinderen langs een onzichtbare meetlat, talloze scheuren, een stilleven, een stomme koekoeksklok en schappen die de taak op zich hadden genomen de juiste tijd aan te geven... Die op een leven wezen dat min of meer in ónze tijd speelde door te buigen onder het gewicht van pakken spaghetti, rijst, cornflakes, bloem, potten mosterd en andere kruiderijen van vertrouwde merken in zogeheten gezinsverpakking.

En verder... Maar... Vooral die dichtheid... De laatste stralen van een van de langste dagen van het jaar door een met spinnenwebben versierd raam.

Acacialicht, ambergeel, stil. Vol was, stof, haren en as...

Charles keerde zich om: 'Lucas!'

'Uit de weg, ik moet haar naar buiten zien te krijgen, anders poept ze alles onder...'

'Wat is dit nou weer?'

'Heb je nog nooit een geit gezien?'

'Maar ze is zo klein!'

'Ja, maar toch poept ze veel... Weg daar bij de deur asjeblieft...'

'En Alice dan?'

'Boven is ze niet... Kom, we gaan haar buiten zoeken... Verdomme, ze is me ontsnapt!'

De schijtster was boven op tafel geklommen en Lucas beweerde: jammer dan, maar het gaf niet. Dat Yacine de drollen in een snoepdoos zou doen en mee naar school zou nemen.

'Weet je het zeker? De grote hond lijkt er niet mee akkoord te gaan...'

'Ja, maar die heeft geen tanden meer... Kom je?'

'Loop niet zo snel, mijn jongen, mijn been doet zeer...'

'O, ja... Ik dacht er niet meer aan... Neem me niet kwalijk.'

Dit mannetje was echt te gek. Charles wilde hem dolgraag vragen of hij zijn grootmoeder had gekend maar durfde niet. Durfde geen vragen meer te stellen. Was bang iets te beschadigen, grof te zijn, zich nog lomper te voelen op deze ontwapenende planeet, van de wereld af, die je bereikte via een brug die op instorten stond, waar de ouders dood waren, de eenden kaarsrecht en de geiten in broodmanden lagen.

Had z'n hand op zijn schouder gelegd en volgde hem naar de ondergaande zon.

Ze liepen om het huis heen, gingen een wei door met hoog gras waarin alleen een pad was gemaaid, werden ingehaald door de honden uit de kofferbak, roken de geur van een sprokkelvuur (die was hij ook al vergeten...) en zag hen in de verte, aan de rand van een bos, in een kring, ze riepen naar elkaar rond de vlammen, lachten en sprongen.

'Verrek, hij volgt ons...'

'Wie?'

'Kapitein Haddock...'

Charles hoefde zich niet om te draaien om te weten om wat voor beest het nu weer ging...

Hij had lol.

Aan wie zou hij dit hele verhaal kunnen vertellen?

Wie zou hem geloven?

Hij was gekomen om ratten te bestrijden, om met zijn kindertijd te worstelen en die eindelijk van de hand te kunnen doen zodat hij weer rustig kon beginnen met oud te worden, en was er nu weer in beland en trok aan zijn houten poot omdat eh... lama's toch wispelturig waren, nietwaar? Ja, hij had lol en had zo graag gewild dat Mathilde er was... O, godver... Hij gaat spugen... Hij gaat spugen, ik voel het.

'Volgt hij ons nog steeds?'

Maar Lucas luisterde niet meer.

Een schimmenspel...

Een eerste silhouet draaide zich om, een tweede seinde naar hen, de zoveelste hond kwam naar hen toe, een derde wees met een vinger naar hen, een vierde, minuscuul, begon in de richting van de bomen te rennen, een vijfde sprong over het vuur, een zesde en zevende applaudisseerden, een achtste nam een aanloop, een negende draaide zich uiteindelijk om.

Al kneep Charles met zijn ogen en hield hij zijn hand ervoor als vizier, Lucas had de waarheid gezegd: er waren geen volwassenen. Werd ongerust... Het stonk naar verbrand rubber... Was dat niet een beetje gevaarlijk, al die basketbalschoenen die in de kooltjes uitgleden?

Wankelde toen. Zijn wandelstokje was hem ontsnapt. Het laatste silhouet dat zich had omgedraaid, dat met de paardenstaart, boog zich voorover, strekte haar armen uit en Lucas sprong tegen haar op.

Pling.

Een bal uit een flipperkast.

'*Hellooo mister Spiderman...*'

'Waarom zeg je altijd Spaille-deurmen?' vroeg hij geïrriteerd. 'Het is spie-der-man, ik heb het je al tig keer gezegd...'

'*Okay, okay...* Sorry, dag mijnheer Spiiiderman, heb je het naar je zin? Doe je mee aan onze dodensprongwedstrijd?'

En kwam weer overeind om hem te laten gaan.

Ik snap het, was het eureka van Charles, de kleine had hem voor de gek gehouden. De ouders waren helemaal niet dood maar waren weg, en het au pair-meisje liet hen alles doen wat ze wilden.

Het au pair-meisje in het tegenlicht dat hij amper onder zijn hand kon zien en dat niet erg verstandig was, maar een onweerstaanbare glimlach had. Bijna onvolmaakt. Een van haar snijtanden was een beetje over de tand ernaast gegroeid.

Gleed in haar schaduw om haar te begroeten zonder door het licht te worden gehinderd maar... werd het toch.

Had te veel meegemaakt om nog au pair te kunnen zijn en alles wat bij die glimlach hoorde, bevestigde dat, onderstreepte dat.

Alles.

Ze blies haar haarlok opzij om hem beter te kunnen zien, trok een grote leren handschoen uit, wreef haar hand aan haar broek af, stak die naar hem uit en vulde zijn handpalm met zaagsel en splinters.

'Goedenavond.'

'Hallo,' antwoordde hij, 'ik... Charles...'

'Aangenaam, *Charles...*'

Ze had het op z'n Engels gezegd, Tchârl'z, en door het zo te horen, anders uitgesproken, was hij helemaal van z'n stuk.

Of hij iemand anders was. Lichter en markanter.

'Ik ben Kate,' vervolgde ze.

'Ik... Ik ben met Lucas gekomen om...'

Haalde een toilettasje uit zijn zak.

'Ik snap het,' glimlachte ze op een andere manier, nog scherper, 'het martelwerktuig... *So* u bent een vriend van de Le Mens?'

Charles aarzelde. Kende de goede manieren, maar voelde al aan dat het zinloos was zo'n meisje wat voor te spiegelen.

'Nee.'

'O?'

'Ik wás het... Van Alexis bedoel ik... en... Nee... niks... Een oud verhaal...'

'Heeft u hem gekend toen hij musicus was?'

'Ja.'

'Dan begrijp ik u... Als hij speelt, is hij ook mijn vriend...'

'Speelt hij vaak?'

'Nee. *Alas...*'

Stilte.

Terug naar de goede manieren.

'Waar komt u vandaan? Van Hare Koninklijke Majesteit?'

'*Well... Yes...* en nee. Ik...' ging ze door terwijl ze haar arm uitstak, 'ik kom hier vandaan...'

Omvatte met dit gebaar het vuur, de kinderen, hun gelach, de honden, de paarden, de weiden, de bossen, de rivier, kapitein Haddock, haar gehucht met ingestorte daken, de eerste bleke sterren en zelfs de zwaluwen die juist spelenderwijs heel de hemel tussen haakjes zetten.

'Het is een mooie streek,' mompelde hij.

Haar glimlach ging verloren in de verte: 'Vanavond wel...'

Keerde terug: 'Jef! Doe de broek van je trainingspak omhoog, anders vlieg je in de fik, mijn jongen...'

'Het ruikt al naar varken van de grill!' barstte een andere stem los.

'Jef aan het spit! Jef aan het spit!' hief men aan de andere kant aan.

En voor Jef zijn aanloop nam, knielde hij om zijn 100 procent synthetische drie banden op te rollen.

Zes dus, corrigeerde Charles die, helemaal verdwaald, nog steun probeerde te vinden bij de troost van de striktheid.

Oké. Zes. Maar ga ons daarmee niet lastigvallen...
Waarmee?
Hé... Mooie streek, slijmbal, maar je keek naar haar arm...
Uiteraard... Is u ontgaan hoe zij eruitziet? Zo veel spieren aan zo'n tengere arm, geef toe dat het opvallend is...
Zeker...
Eh... Hou me ten goede, maar lijnen en bochten horen toch een beetje bij mijn vak...
Ja hoor...
Een geweldig gelach had Japie Krekel gewipt.

Duizelingen onder een gekneusde rib. Charles draaide zich heel langzaam om, bepaalde de oorsprong van dit wilde lachsalvo en merkte dat hij niet voor niets was gekomen.

'Anouk,' mompelde hij.

'Wat zegt u?'

'Zij... Daar...'

'Ja?'

'Is zij dat?'

'Zij wie?'

'De kleind... De dochter van Alexis...'

'Ja.'

Het was haar. Die het hoogst in de lucht sprong, het hardst gilde, en de lach had die het verst droeg.

Zelfde blik, zelfde mond, zelfde voorhoofd, zelfde ondeugende houding.

Zelfde kruit. Zelfde lont.

'Ze is knap, hè?'

Charles stemde gelukzalig toe.

Wat een geluk, voor een keer, om ontroerd te zijn.

'*Yes... beautiful... but a proper little monkey,*' bevestigde Kate, 'onze vriend Alexis is er nog niet klaar mee... Hij die zich zo inspant om alles wat uitsteekt in een etui te stoppen, zal nog raar opkijken...'

'Waarom zegt u dat?'

'Het etui?'

'Ja.'

'Ik weet het niet... Zo voel ik het...'

'Speelt hij echt nooit meer?'

'Jawel... Als hij een beetje zat is...'
'En komt dat vaak voor?'
'Nooit.'
De befaamde Jef kwam langs en wreef over zijn kuiten. Jawel, deze keer rook je inderdaad de brandlucht.
'Hoe herkende u haar? Zoveel lijkt ze niet op hem...'
'Haar grootmoeder...'
'Manouk?'
'Ja. U... u heeft haar gekend?'
'Nee... Amper... Ze is één keer met Alexis geweest...'
'...'
'Ik weet het nog... We waren in de keuken koffie aan het drinken en op een gegeven moment, zogenaamd om haar kopje in de gootsteen te zetten, is ze achter me gaan staan en heeft ze mijn nek gestreeld...'
'...'
'Het is gek, maar ik ben in tranen uitgebarsten... Maar waarom vertel ik u dit allemaal?' herstelde ze zich. 'Sorry.'
Charles nam het haar niet kwalijk: 'Mijn fout.'
'Het was een wat moeilijke tijd... Ik neem aan dat ze op de hoogte was van... van *my predicament*... Dit woord bestaat niet in het Frans... laten we zeggen deze ellende... Toen zijn ze weggereden, maar na een paar meter is hun auto gestopt en is ze weer naar me toe gekomen.
"Bent u iets vergeten?"
"Kate," had ze gefluisterd, "drink nooit in je eentje."'

Charles staarde naar het vuur.
'Ja... Anouk... Ik weet het nog... Hé! Laat de kleintjes nu eens springen! Lucas, kom eens hierheen... Het is niet zo breed... Jeez, als ik hem geroosterd aan z'n moeder teruggeef, slepen ze me voor de rechter...'
'Wat ik zeggen wilde,' reageerde Charles, 'we moeten ervandoor. Zij zitten vast op ons te wachten met het eten...'
'U bent *nu al* te laat,' schertste ze, 'je hebt mensen die je zelfs als je op tijd bent de indruk geven dat je ze hebt laten wachten... Ik loop met u mee...'
'Nee, nee...'
'Ja, ja!'
En zich tot de ouderen wendend: 'Sam! Jef! Ik ga weer naar m'n taarten! Wie komt me trouwens helpen? Jullie blijven tot het eind bij het

vuur en niemand springt meer, oké?'

'Ja, ja,' brulde de echo.

'Ik loop met je mee,' kondigde een dikkig ventje aan met een heel matte huid en een bos krullen.

'Maar... je zei me dat jij ook wilde springen. Kom op. Ik kijk naar je...'

'Ach...'

'Hij knijpt 'm!' werd hij van rechts bespot. 'Go, Yaya! Go! Laat je vet eens smelten!'

De kleine haalde zijn schouders op en draaide zich om: 'Kent u Aeschylus?'

'Eh...' zei Charles met opengesperde ogen, 'is het... Is het een van de honden?'

'Nee, het was een Griek die tragedies schreef.'

'O! Neem me niet kwalijk,' lachte hij, 'ik ken hem eh... vaag eigenlijk...'

'En weet u hoe hij gestorven is?'

'...'

'Nou, als adelaars een schildpad willen opeten, moeten ze die van heel hoog laten vallen om hem te verbrijzelen, en omdat Aeschylus kaal was, dacht de adelaar dat het een rots was en, tak, hij heeft zijn schildpad op z'n kop geflikkerd en dat was het.'

Waarom vertelt hij me dit? Ik heb toch nog wel een beetje...

'Charles,' schoot ze hem te hulp, 'mag ik u Yacine voorstellen... Alias Wiki. Van Wikipedia... Als u een inlichting nodig heeft, een korte biografie, of u wilt weten hoeveel keer Lodewijk de Zestiende in zijn leven in bad is geweest, is dit uw man...'

'Hoeveel?' vroeg hij en nam de minuscule hand die naar hem werd uitgestoken in de zijne.

'Hallo, veertig, wat is uw naamdag? Vier november toch?'

'Ken je de hele heiligenkalender van buiten?'

'Nee, maar 4 november is een zéér belangrijke datum.'

'Is het jouw verjaardag?'

Lichte. Lichte kinderlijke minachting.

'Eerder die van de meter en de kilo, zou ik zeggen... 4 november 1800, officiële datum van de overgang naar het decimaal stelsel van maten en gewichten in Frankrijk...'

Charles keek naar Kate.

'Ja... Het is soms een beetje vermoeiend, maar je went er op den duur aan... Kom... We gaan... En Nedra? Is ze weg?'

Hij wees naar de bomen: 'Ik heb het idee dat...'

'Nee toch...' zei ze treurig. 'Arme muis... Hattie! Kom eens even hier!'

Ze trok zich even met een ander meisje terug en fluisterde iets in haar oor voor ze haar het gebladerte in stuurde.

Met een blik raadpleegde hij Yacine, maar die deed of hij het niet begreep.

Ze kwam terug en boog zich om iets op te ra...

'Laat maar, laat maar,' zei hij en boog op zijn beurt.

Oké. Was *bijna* kaal en *bijna* stupide, maar nooit ofte nimmer zou hij een vrouw met iets zwaars naast zich laten lopen.

Was er niet op bedacht dat het zoveel woog. Kwam weer overeind en draaide zijn hoofd weg om zijn grimas te verbergen en liep hm... nonchalant verder terwijl hij zich verbeet.

Verdomme... Hij had in z'n leven toch al heel wat meisjesdingen gedragen... Tassen, shoppingspul, jassen, dozen, koffers, tekeningen, dossiers zelfs, maar een kettingzaag, eh...

Voelde dat de kneuzing erger werd.

Zette grotere stappen en deed een laatste poging om er ah, ah, mannelijk uit te zien: 'En wat is er achter deze muur?'

'Een moestuin,' antwoordde ze.

'Zo groot?'

'Het was de moestuin van het kasteel...'

'En u... U onderhoudt die?'

'Natuurlijk... Maar het is vooral het domein van René... Vroeger de boer...'

Charles kon er geen schepje meer bovenop doen, hij had te veel pijn. Het was niet zozeer het gewicht van dat geval, het waren z'n rug, z'n been, z'n slechte nachten...

Keek tersluiks naar de vrouw die naast hem liep.

Haar gebruinde huid, haar korte nagels, de twijgjes in haar haar, haar door Michelangelo gemaakte schouder, de trui die ze om haar middel had geknoopt, haar versleten T-shirt, de zweetsporen op haar borst en op haar rug, en voelde zich volstrekt erbarmelijk.

'U ruikt naar vers hout...'

Glimlach.

'Echt?' zei ze en hield haar armen weer langs haar lichaam. 'Dat is... dat is charmant gezegd.'

'Zeg... Weet je waarom hij René heet?'

Oef, Trivial Pursuit Junior richtte zich tot háár.

'Nee, maar je gaat het me wel vertellen...'

'Omdat zijn moeder vóór hem een andere jongen had gekregen die vrijwel meteen is gestorven, dus werd het *re-né*, herboren.'

Charles had een kleine voorsprong genomen om zijn vracht zo snel mogelijk kwijt te raken, maar hoorde haar fluisteren: 'En jij, Yacine van me? Weet je waarom ik zo gek op je ben?'

Vogelgeluiden.

'Omdat je dingen weet die internet nooit zal weten...'

Hij dacht het doel nooit te bereiken, wisselde van hand, het werd nog erger, zweette dikke druppels, holde de laatste meters en legde hem uiteindelijk voor de eerste de beste schuurdeur: 'Geweldig... Ik moet de ketting er toch van afhalen...'

O?

Verrek...

Zocht een zakdoek om er zijn leed in te verbergen...

Godverdomme, wat hij nu had gedaan zou niet één Guillaumet hebben gedaan, dat zwoer hij. Goed... en Lucas?

Ze liep met hen mee naar de overkant.

Charles had haar tig dingen te vertellen, maar de brug was te broos. Een 'Ik ben blij kennis met u te hebben gemaakt' leek hem ongepast. Wat had hij behalve haar glimlach en haar ruwe hand van haar leren kennen? Ja maar... Wat kun je anders zeggen in zulke omstandigheden? Hij zocht, hij zocht, hij... vond z'n sleutels.

Opende het achterportier en keerde zich om.

'Ik had graag kennis met u willen maken,' zei ze eenvoudig.

'Ik...'

'U bent helemaal toegetakeld.'

'Sorry?'

'Uw gezicht.'

'Ja, ik... Ik lette niet op...'

'O?'

'Ik ook. Ik bedoel, ik... Ik had graag...'

Na de vierde eik lukte het hem eindelijk een zin uit te spreken die een beetje liep: 'Lucas?'

'Ja?'

'Is Kate getrouwd?'

3

'Zo! Jullie zijn ook lang weggebleven!'

'Dat kwam omdat ze met z'n allen helemaal achter in de wei zaten,' legde de kleine uit.

'Wat had ik je gezegd,' grijnsde de ander, 'kom... aan tafel... Ik moet nog drie knopen aanzetten...'

Het terras was betegeld, het tafellaken vlekvrij behandeld en de barbecue brandde op gas. Er werd hem een witte plastic stoel aangewezen en Charles ging op een bloemetjeskussen zitten.

Kortom, het was een idylle.

Het eerste kwartier duurde uren.

Penelope was chagrijnig, Alexis wist zich geen houding te geven en onze hoofdpersoon was in gedachten verzonken.

Keek naar het gezicht dat hij had zien groeien, spelen, lijden, liefhebben, mooier worden, beloften wekken, liegen, uithollen, kronkelen en verdwijnen, en raakte gefascineerd.

'Waarom kijk je zo naar me? Ben ik zo oud geworden?'

'Nee... Ik dacht zojuist net het omgekeerde... Je bent niet veranderd.'

Alexis hield hem de fles wijn voor: 'Ik weet niet of ik dat als een compliment moet opvatten...'

Zij zuchtte.

'Help... Jullie gaan toch niet het weerzien van de oud-strijders spelen, hè...'

'Jawel,' antwoordde Charles en keek haar recht in de ogen, 'je kunt het als een compliment opvatten.' En zich tot Lucas richtend: 'Weet je dat jouw papa kleiner was dan jij toen ik hem leerde kennen?'

'Klopt dat, papa?'

'Het klopt...'

'Alex, er brandt wat aan, ik zeg het maar...'

Ze was geweldig. Charles vroeg zich af of hij deze avond aan Claire zou beschrijven... Nee, waarschijnlijk niet... Alhoewel... Alexis in een

Quechua-bermuda met zijn goed gesteven 'Ik ben de Chef'-schort, dat zou haar kunnen helpen de mythe weg te slikken...

'En hij was de grootste knikkerkampioen aller tijden...'

'Klopt dat, papa?'

'Ik weet het niet meer.'

Charles knipoogde naar hem om te bevestigen dat het klopte.

'En hadden jullie dezelfde juf?'

'Natuurlijk.'

'Dus je kende Manouk oo...'

'Lucas,' viel ze hem in de rede, 'je moet nu eten! Anders wordt het koud.'

'Ja, ik kende haar heel goed. En ik vond dat mijn vriend Alexis zich gelukkig mocht prijzen haar als mama te hebben. Ik vond haar mooi en lief, en als we bij haar waren lachten we altijd...'

Terwijl hij deze woorden uitsprak, wist Charles dat hij alles gezegd had, dat hij niet verder zou gaan. Draaide zich, om het haar te laten weten en haar gerust te stellen, naar de vrouw des huizes toe, overstelpte haar met een charmante glimlach en ging op de slijmtoer: 'Kom... Genoeg gesproken over het verleden... Deze salade is verrukkelijk... En u, Corinne? Wat doet u in het leven?'

Aarzelde heel even en besloot haar doos spelden weg te leggen. Vond het fijn om zo te worden aangesproken door een elegante man, die de mouwen van zijn overhemd niet opstroopte, een mooi horloge droeg en in Parijs woonde.

Ze praatte over zichzelf, hij stemde in en dronk te veel.

Om afstand te bewaren.

Hoorde niet alles, maar begreep dat ze werkte in de human resources (toen ze die twee laatste woorden uitsprak, vergiste ze zich ongetwijfeld in wat de glimlach van haar gast inhield...), bij een filiaal van France Telecom, dat haar ouders in de streek woonden, dat haar vader eigenaar was van een klein bedrijf in koelcellen en koelkasten voor de groothoreca, dat de tijden zwaar waren, het best frisjes was en er heel veel Chinezen waren.

'En jij, Alexis?'

'Ik? Ik werk met schoonpapa! Verkoop... Wat is er? Heb ik iets stoms gezegd?'

'...'

'Is het de wijn? Smaakt die naar kurk, is dat het?'

'Nee, maar ik... Jij... Ik dacht dat je muziekleraar was of eh... Ik weet het niet...'

Op dat moment, door die licht verknepen mond, door zijn hand die, laten we zeggen, een... mug wegjoeg, door het 'Chef' op zijn schort die onder tafel verdwenen was, kreeg Charles ze uiteindelijk te zien, die vijfentwintig jaar verwijdering, op het voorhoofd van de vertegenwoordiger in snelkoelunits.

'Och...' zei hij, 'de muziek...'

Met andere woorden: dat makkelijk te versieren meisje, dat avontuurtje.

Dat vervelende puistje.

'Wat heb ik nou gezegd?' vroeg hij weer bezorgd. 'Heb ik iets lomps gezegd?'

Charles zette zijn glas neer, vergat het oprolzonnescherm boven zijn hoofd, de tafelvuilnisemmer die paste bij het tafellaken en moeder de vrouw die paste bij de tafelvuilnisemmer: 'Je hebt zeker iets lomps gezegd. En je weet het maar al te goed... In al die jaren dat we samen waren, gebruikte je elke keer wanneer je iets belangrijks te zeggen had, kan ik me herinneren, *elke keer*, de muziek... Als je geen instrument had, vond je er eentje uit. Toen je op het conservatorium bent gegaan, werd je eindelijk een goede leerling. Als je een auditie had, ging iedereen plat. Als je bedroefd was, speelde je vrolijke dingen, als je vrolijk was liet je ons allemaal janken, als Anouk zong was het Broadway, als mijn moeder pannenkoeken voor ons bakte kwam je met je verrekte *Ave Maria* op de proppen, als Nounou down was deed je...'

Maakte zijn zin niet af.

'Onvoltooid verleden tijd, Balanda. Alles wat je net vertelde, is onvoltooid verleden tijd.'

'Precies,' hernam Charles met een nog toonlozere stem, 'ja... Je hebt gelijk... Beter kun je het niet zeggen... Bedankt voor het lesje grammatica...'

'Hé... Jullie wachten toch wel tot Lucas en ik naar bed zijn met elkaar jullie littekens te laten zien?'

Charles stak een sigaret op.

Ze stond meteen op en haalde hun bestek weg.

'En wie is die Nounou nou weer?'

'Heeft hij je nooit over hem verteld?' vroeg Charles geschrokken.

'Nee, maar hij heeft me wel veel andere dingen verteld, weet je... En

jullie pannenkoeken en zogenaamde vrolijkheid, nou, sorry, maar ik...'
'Stop,' zei Alexis bars, 'het is mooi geweest. Charles...' zijn stem was zachter geworden, 'je mist een paar afleveringen, dat realiseer je je best... en jou hoef ik niets te leren over het... wankelen van theorieën met ontbrekende gegevens in de berekeningen, hè?'
'Natuurlijk niet... Sorry.'
Stilte.
Fabriceerde een soort asbak van aluminiumfolie voor zichzelf en vulde aan: 'En hoe zit het met de koelkasten? Loopt dat lekker?'
'Je bent een lul...'
Die glimlach was leuk en Charles beantwoordde die graag.

Daarna hadden ze het over andere dingen. Alexis klaagde over een scheur in zijn trappenhuis en de specialist beloofde er een blik op te werpen.
Lucas kwam hun een kusje geven: 'En de vogel?'
'Die slaapt nog.'
'Wanneer wordt hij wakker?'
Charles draaide zijn handpalmen om, als teken dat hij het niet wist.
'En jij? Ben jij er morgen nog?'
'Natuurlijk is hij er dan nog,' verzekerde zijn vader. 'Kom... Ga nu maar naar bed. Mama wacht op je.'
'Je komt dus naar mijn schoolvoorstelling?'

'Je hebt mooie kinderen...'
'Ja... En Marion? Heb je haar gezien?'
'Wat dacht je...' mompelde Charles.
Stilte.
'Alexis...'
'Nee. Niets zeggen. Weet je, als Corinne zo tegen je doet, mag je niet kwaad op haar worden... Zij heeft echt het vuile werk opgeknapt en... En alles uit mijn verleden maakt haar bang, neem ik aan... Je... je begrijpt het?'
'Ja,' antwoordde Charles, die er helemaal niets van begreep.
'Zonder haar was ik erin gebleven en...'
'En?'
'Dat is moeilijk uit te leggen, maar ik had de indruk dat ik de muziek moest opgeven om uit de hel te komen. Een soort pact dus...'
'Speel je nooit meer?'

'Jawel... Lullige dingetjes... Voor hun voorstelling van morgen bijvoorbeeld, ik begeleid hen op de gitaar, maar echt spelen... Nee...'
'Ik kan het niet geloven...'
'Het is... Het maakt me kwetsbaar... Ik wil nooit meer de onthoudingsverschijnselen voelen, en muziek bezorgt me die... Zuigt me erin...'
'Heb je nog iets van je vader gehoord?'
'Nooit meer. En jij... Vertel eens... Heb jij kinderen?'
'Nee.'
'Ben je getrouwd?'
'Nee.'
Stilte.

'En Claire?'
'Claire ook niet.'
Corinne kwam net terug met het nagerecht.

*

'Gaat het?'
'Perfect,' antwoordde Charles, 'weet je zeker dat ik jullie niet stoor?'
'Hou op...'
'Ik ga in ieder geval heel vroeg weg... Mag ik een douche nemen?'
'Deze kant op...'
'Kun je me een T-shirt lenen?'
'Beter nog...'
Alexis kwam terug en hield hem een oud Lacoste-poloshirt voor.
'Herinner je je dit nog?'
'Nee.'
'Toch heb ik hem van jou gejat...'
Onder andere... dacht Charles terwijl hij hem bedankte.

Paste op dat zijn pleisters niet los zouden weken en liet zich wegsmelten. Langzaam.
Maakte de spiegel met het puntje van zijn handdoek schoon om zichzelf te bekijken.
Stak zijn lippen naar voren.
Vond dat hij een beetje op een lama leek.

Toegetakeld.

Dat had ze gezegd...

Zag toen hij zich vooroverboog om de luiken dicht te doen dat Alexis, een glas in de hand, alleen op een van de treden van het terras zat. Trok zijn broek weer aan en greep zijn pakje sigaretten.

En in het voorbijgaan de fles.

Alexis schoof opzij zodat hij een plaatsje had: 'Heb je de hemel gezien... Al die sterren...'

'...'

'En over een paar uur wordt het weer dag...'

Stilte.

'Waarom ben je gekomen, Charles?'

'Rouwverwerking...'

'Wat speelde ik voor Nounou? Ik weet het niet meer...'

'Het lag eraan hoe hij verkleed was... Als hij zijn belachelijke regen...'

'Ik weet het! De *Pink Panter*... Mancini...'

'Als hij onder de douche stond en we z'n behaarde bast zagen, was het iets in het genre van de aankomst van de gladiatoren in de arena...'

'Do... Do-Solll...'

'Als hij zijn *Lederhosen* aan had... Die met de eikels op de voorkant geborduurd, we moesten er heel hard om lachen, had je een kleine Beierse polka paraat...'

'Lohmann...'

'Als hij ons wilde dwingen ons huiswerk te maken, trok je *De brug over de River Kwai* voor hem...'

'En hij was er weg van... Hij hield het stokbrood onder z'n arm en geloofde er helemaal in...'

'Wanneer het hem lukte in één keer een haar uit z'n oor te trekken, was het *Aïda*...'

'Inderdaad... *De triomfmars*...'

'Als hij tegen ons aan het zeiken was, deed je het tatu-tatu van de ambulance na om hem naar het tehuis af te voeren. Als we iets lulligs hadden gedaan en hij ons in jouw kamer opsloot totdat Anouk terug was om ons te straffen, piepte je iets van Miles door het sleutelgat...'

'*Een lift naar het schavot?*'

'Uiteraard. Wanneer hij achter ons aan liep voor het bad, klom je op tafel en was het de *Sabeldans*...'

'Ik ging eraan kapot, ik weet het nog... Jee, ik heb een paar keer bijna het loodje gelegd...'

'Als we snoep wilden, zette je ook hem jouw Gounod voor...'

'Of Schubert... Het lag eraan hoeveel we wilden... Als hij voor ons die rotnummertjes opvoerde, slachtte ik voor hem de *Radetzkymars* af...'

'Dat herinner ik me niet meer...'

'Jawel...'

Poem poeme Strauss.

Charles glimlachte.

'Maar wat hij het mooiste vond...'

'Dat was dit...' vervolgde Alexis fluitend.

'Ja... Dan kregen we alles wat we wilden... Dan deed hij zelfs de handtekening van mijn vader na...'

'*La Strada...*'

'Weet je nog... Hij had ons meegenomen naar de Rue de Rennes om het te zien...'

'En we hadden de hele dag gemokt...'

'Nou ja... We hadden er niks van begrepen... Gezien z'n samenvatting dachten we dat het *De dikke en de dunne* was...'

'Wat waren we teleurgesteld...'

'Wat waren we stom...'

'Je leek net verbaasd, maar tegen wie kan ik erover praten? Met wie heb jij over hem gepraat?'

'Met niemand.'

'Zie je wel... Over zo'n Nounou kun je niet vertellen,' vulde Alexis aan en schraapte zijn keel. 'Je moes... je moest het meemaken...'

Een uil foeterde. Wat moet dat? We hebben niet eens meer rust in het donker!

'Weet je waarom ik je niet op de hoogte heb gesteld?'

'...'

'De begrafenis...'

'Omdat je een klootzak bent.'

'Nee. Ja... Nee. Omdat ik haar voor één keer alleen voor mezelf wilde.'

'...'

'Vanaf de eerste dag, Charles, ik... Ik was vreselijk jaloers... Trouwens, ik...'

'Kom op... Ga door... Vertel me... Het interesseert me te weten waarom je je door mijn schuld haast doodgespoten hebt. Mooie smoesjes voor kwade trouw hebben me altijd gefascineerd...'

'Je bent niet veranderd... Grote woorden...'

'Vreemd, ik kreeg eerder de indruk dat je niet zoveel aan je moeder had gehad... Ik kreeg de indruk dat ze zich op het eind een beetje eenzaam voelde...'

'Ik belde haar op...'

'Fantastisch. Goed... ik ga naar bed... Ik ben zo moe dat ik niet eens weet of ik in slaap kan komen...'

'Jij hebt alleen de goede kanten van haar gehad... Toen we kinderen waren, kreeg zij jou aan het lachen en ik maakte de plee schoon en bracht haar naar bed...'

'Soms hebben we de plee samen schoongemaakt...' mompelde Charles.

'Alles draaide om jou... Jij was de intelligentste, de talentvolste, de interessantste...'

Charles kwam overeind.

'Moet je eens kijken wat een goede kameraad ik ben, Alexis Le Men... De prachtvent die ik was – en ik neem de moeite om het voor je te herhalen, dan kun je makkelijker naar de tweede versnelling schakelen en je kinderen vertellen hoe een oude travestiet ons in onze broek liet pissen van het lachen door, bezopen in de straatgoten van de school, Fred Astaire na te doen – heeft haar veel eerder laten zakken dan jij, als een stuk vuil, en zonder *een enkel* telefoontje... En zou waarschijnlijk niet eens naar haar begrafenis zijn gegaan als jij zo'n groot hart had gehad hem op de hoogte te stellen, omdat alle inzet, de intelligentie en het talent van hem een drukbezette enorme grote lul hadden gemaakt. Nou, goedenavond.'

Alexis was hem achternagelopen: 'Dus je weet wat het is...'

'Wat?'

'Om dingen in de steek te laten wanneer je diep gezonken bent...'

'...'

'Om stukken uit je leven op te offeren om weer naar boven te krabbelen...'

'Opofferen... Stukken uit je leven... Je hebt nogal veel retorica voor een ijsboer,' spotte Charles, 'maar we hebben niets opgeofferd! We zijn alleen maar laf geweest... Ja, dat is een minder chic woord, laf...

Het is minder... gezwollen...' Hield zijn duim dicht bij zijn wijsvinger: 'Heel klein mondstuk, hè? Heel, heel, heel klein...'

Alexis schudde zijn hoofd.

'Zelfkastijding... Daar heb je altijd van gehouden... Het is waar ook, je bent door de paters onder handen genomen... Ik was het vergeten... Weet je wat het grote verschil tussen ons tweeën is?'

'Ja,' antwoordde Charles plechtig, 'ik weet het. Het is Sssmarrt. Met een grote s zoals in Spuit, kijk eens wat handig. Wat verwacht je voor antwoord op zo'n vraag?'

'Het verschil is dat jij bent opgegroeid tussen mensen die in een hoop dingen geloofden en ik met een vrouw die nergens in geloofde.'

'Ze geloofde in het le...'

Charles kreeg spijt van zijn laatste lettergreep. Te laat: 'Ja hoor. Kijk wat ze ermee gedaan heeft...'

'Alex... Ik begrijp het... Ik begrijp dat je erover wilt praten... Je kunt trouwens horen dat op deze kleine scène flink is gerepeteerd... Ik vraag me zelfs af of dit niet de reden is dat je me vorige winter die warme mededeling hebt gestuurd... Om mij alles in de maag te splitsen wat je niet meer in jouw kelder kwijt kan...

Maar ik ben niet de juiste persoon, snap je? Ik ben te veel bij... deze zaak betrokken... Ik kan je niet helpen. Het is niet dat ik het niet wil, het is dat ik het niet kán. Jij hebt nog kinderen gemaakt, jij... Terwijl ik, ik... ik ga naar bed. Doe je verlosser de groeten van me...'

Deed de deur van zijn kamer open: 'Nog één ding... Waarom heb je haar lichaam niet ter beschikking gesteld van de wetenschap zoals ze jou zo vaak heeft laten beloven?'

'Maar het ziekenhuis, godverdomme! Vind je niet dat ze daaraan genoeg ter be...'

De machine was vastgelopen.

Alexis viel achterover en liet zich op de grond glijden: 'Wat heb ik gedaan, Charlie?' vroeg hij snikkend. 'Zeg me wat ik heb gedaan...'

Charles kon niet op z'n hurken zitten en al helemaal niet op z'n knieën.

Raakte zijn schouder aan.

'Hou toch op... Ik zeg ook maar wat... Als ze het echt gewild had, zou ze je een briefje hebben nagelaten.'

'Dat heeft ze gedaan.'

Pijn, signaal, overleven, belofte. Trok zijn hand terug.

Alexis zakte door zijn heupen, zocht naar zijn portefeuille, haalde er een in vieren gevouwen blanco vel uit, schudde het open en schraapte z'n keel: '*Mon amour...*' begon hij.

Was weer gaan huilen, en gaf het aan hem.

Charles, die zijn bril niet bij zich had, zette een stap achteruit naar het licht in zijn kamer.

Dat was niet nodig.

Meer stond er niet.

Ademde heel diep en lang uit.

Om van pijn te veranderen.

'Zie je wel dat ze ergens in geloofde... Weet je,' hernam hij vrolijker, 'ik zou graag een hand naar je uitsteken om je te helpen overeind te komen, maar ik ben vanmorgen onder een auto beland, stel je voor...'

'Zeik niet,' glimlachte Alexis, 'jij moet het altijd beter doen dan een ander...' Pakte de slip van z'n jasje en hees zich naar hem op, vouwde haar brief weer dicht en liep weg terwijl hij de schelle stem van Nounou nadeed: '*Kom, schatjes van me! Zoef! Slapie-slapie doen!*'

Charles wankelde naar zijn bed, liet zich als een blok vallen, au, en dacht dat hij de langste dag van z'n...

Sliep al.

4

Waar was hij nu weer?

Welke lakens? Welk hotel?

De foeilelijke ranken op de gordijnen maakten hem helemaal wakker. O ja... De Iependreef...

Alles was stil. Keek op zijn horloge en dacht eerst dat hij het verkeerd om had.

Kwart over elf.

Deze eeuw voor het eerst uitgeslapen...

Er was een briefje voor de deur van z'n kamer gelegd: 'We hebben je niet wakker durven maken. Als je geen tijd hebt langs de school te komen (tegenover de kerk), laat de sleutel dan bij de buurvrouw (groene hek) achter. Veel liefs.'

Bewonderde het behang van de wc, het aan de herderinnen van de *Toile de Jouy* aangepaste wc-papier, warmde een kop koffie voor zichzelf op en ging voor de badkamerspiegel staan steunen.

De lama had in de nacht wat kleur gekregen... Een leuke schakering van groenachtig blauw en paars... Had de moed niet om in z'n gezicht te spugen en leende de scheermesjes van Alexis.

Schoor wat er geschoren kon en had meteen spijt. Werd er nog erger door.

Zijn overhemd stonk naar kadaver. Trok dus zijn oude jongeheer krokodil aan en voelde zich wonderlijk gelukkig. Al was die vormloos en versleten, om te zwijgen van de los zittende en kennelijk uitgeputte staart, nee, daarover kon je beter zwijgen, hij had hem herkend. Het was een cadeau van Edith. Een cadeau uit de tijd dat ze elkaar nog cadeaus gaven. Ik heb een witte gekocht, je bent *zo* conventioneel, had ze gezegd, en was haar, bijna dertig jaar later, dankbaar voor haar lullige principes. Met het voorkomen waarmee hij vandaag pronkte zou een andere kleur minder... gepast zijn geweest...

Belde verschillende keren bij de buurvrouw met het groene hek aan, geen reactie. Durfde de sleutelbos niet bij een ander af te geven (Corinne kon kankeren!) en besloot een kleine omweg via de school te maken.

Was een beetje verstoord Alexis overdag terug te zien. Had zich liever bij de laatste noten van de vorige avond gehouden om zijn reis zonder hem voort te zetten... maar troostte zich met de gedachte Lucas en de knappe Marion te kussen voor hij hen helemaal uit het oog zou verliezen...

*

Tegenover de kerk, jawel, maar zo onkerkelijk als maar kan.

Een school à la Jules Ferry, waarschijnlijk in de jaren dertig gebouwd, de jongens en meisjes symmetrisch tegenover elkaar, het stond in de steen gegraveerd onder de vervlochten letters R en F, met een echte binnenplaats met donkergroen geschilderde muren tot waar de schoenen reikten en met wit gekalkte kastanjebomen. Niet meer uit te wissen hinkelbanen (dat was vast minder leuk) en golfjes in het asfalt waarvan knikkeraars vast blij werden...

Een heel mooi gebouw met bakstenen versierd, recht, streng, *republikeins*, ondanks alle ballonnen en lampionnen waarmee het die dag was uitgedost.

Charles baande zich een weg door zijn armen omhoog te steken om de zwerm kinderen die alle kanten op renden te ontwijken. Vond na de chocoladetaart en de geur van het houtvuur, de sfeer van de schoolfeesten van Mathilde terug. Met een vleugje landelijkheid erbij... Opa's met petten en oma's met moltonbenen hadden de elegante mensen van het vde arrondissement vervangen en er waren geen stalletjes met biosandwiches maar daar werd een echt speenvarken geroosterd...

Het was mooi weer, hij had meer dan tien uur geslapen, de muziek was vrolijk en zijn mobieltje was leeg. Stopte het terug in z'n zak, leunde met z'n rug tegen een muurtje, lekker tussen de geuren van suikerspin en die van het varkentje, kreeg er pretoogjes van.

Feestdag...

Alleen de postbode ontbrak nog...

Een dame hield hem een bekertje voor. Bedankte haar door een keer met het hoofd te knikken of hij een vreemdeling was, te verward om zich z'n allereerste Frans te herinneren, nam een slok van deze vloeistof... onherkenbaar, droog, wrang, draaide zijn wonden naar de zon toe, en bedankte de buurvrouw omdat ze hem met de sleutelbos had laten zitten.

De hitte, de alcohol, de suiker, het accent van de streek, de kreten van de kinderen, knikkebolde heerlij...

'Slaap je *nog steeds*?!'

Hoefde z'n ogen niet open te doen om de stem te herkennen van zijn superbijrijder.

'Nee. Ik ben aan het zonnen...'

'Nou, ik zou er maar mee stoppen want je bent al helemaal bruin!'

Liet het hoofd zakken: 'Hé? Ben je als piraat verkleed?'

Van onder de zwarte ooglap werd ingestemd.

'En je hebt geen papegaai op je schouder?'

De haak ging weer omlaag: 'Nou nee...'

'Wil je dat we mijn vogel gaan halen?'

'Maar als die nou wakker wordt?'

Al was hij deels door Nounou opgevoed, of misschien wel daarom, Charles had altijd gedacht dat het makkelijker was om tegen kinderen de waarheid te zeggen. Had weinig principes wat pedagogie betreft, maar de waarheid wél. De waarheid had de fantasie nooit beteugeld. Integendeel.

'Weet je... Hij kan niet wakker worden, want hij is opgezet...'

De snor van Lucas verbreedde tot z'n oorbellen: 'Ik wist het, maar ik wilde het je niet zeggen. Ik was bang dat je verdrietig zou worden...'

Wie? Wie is op dat schitterende idee gekomen kinderen uit te vinden, smolt hij en klemde zijn bekertje achter een dakpan.

'Kom. We gaan hem halen...'

'Ja maar...' kieskauwde de kleine, 'het is geen echte papegaai...'

'Ja maar...' zei de grote hoogdravend, 'jij bent ook geen echte piraat...'

Op de terugweg stopten ze bij De Rustende Jager, dat tevens een kruideniersz aak was, een wapenhandel, een Boerenleenbank en op donderdagmiddag een kapsalon, kochten een bolletje touw en Charles zette, op z'n knieën voor de kerk, Mistinguett goed vast voor hij hem weer het podium op stuurde.

'En waar zijn je ouders?'

'Weet ik niet...'

Verrukt en heel voorzichtig liep hij naar zijn klas terug.
Praatte al tegen hem: 'Zeg eens "Coco", Coco.'
Charles ging z'n muur weer stutten. Zou op de voorstelling van Lucas wachten voor hij terugging naar Parijs...

Een klein meisje bracht hem een dampend bord: 'O, dank je... Wat aardig...'
Verderop, achter een immense tafel, stuurde dezelfde mevrouw van zojuist, die met de indrukwekkende boezem, hem allerlei groetjes.
Oeps, hij had sjans... Wendde zich snel weer tot z'n plastic bestek en concentreerde zich grijnzend op z'n stukje gegrilde ham.
Herinnerde zich net de waslijn van mevrouw Canut...
'Ik zweer je dat het haar bh is...' herhaalde Alexis.
'Hoe weet je dat zo zeker?'
'Nou... Dat zie je...'
Het was... fascinerend.

Opwinding op het podium. Met kleine stapjes werden oma's naar de beste plaatsen begeleid terwijl de versterker: een, twee, hoort u mij? Pieptoon, een, twee, Jean-Pierre, a.u.b., techniek, zet je glas nou weg, een twee, is iedereen er? Hallo allemaal, ga rustig zitten, ik herinner u eraan dat de trekking van de tom... pieptoon, Jean-Pierre! Verdo... pieppp.
Goed.
Mama's op hun knieën liepen kapsels en make-up na, terwijl papa's aan hun camcorders frunnikten. Charles kwam Corinne tegen die in een gesprek met twee andere dames opging, een probleem met een trainingspak dat klaarblijkelijk gestolen was, en gaf haar haar sleutelbos terug.
'Heeft u er ook aan gedacht het hek te sluiten?'
Ja. Hij had eraan gedacht. Prees haar geweldige gastvrijheid en liep weg. Zo ver mogelijk.

Zocht de zon op, trok een stoel in de richting van de binnenplaats om tussen twee optredens zo onopvallend mogelijk te kunnen verdwijnen, strekte zijn benen en begon, omdat het speelkwartier bijna voorbij was, weer aan z'n werk te denken. Trok zijn agenda, liep de afspraken van de week door, besloot welke dossiers hij mee zou nemen naar Roissy en begon aan een lijst...

Een geroezemoes links van hem haalde hem even uit z'n concentratie. Amper. Een bekoorlijk retourtje tussen netvlies en hersenschors. Net lang genoeg om te beseffen dat er ook heel sexy mama's waren bij de gemeenteschool van Les Marzeray... lijst van telefoontjes, en met Philippe dat verhaal bekijken over...

Hief het hoofd weer.

Ze glimlachte naar hem.

'*Hullo...*'

Charles liet zijn agenda vallen, trapte erop toen hij z'n hand naar haar uitstak, en terwijl hij zich bukte om de agenda op te rapen, had ze haar plaats verlaten om naast hem te komen zitten. Niet helemaal trouwens, ze liet een stoel tussen hen tweeën leeg. Een soort chaperon misschien?

'Sorry. Ik had u niet herkend...'

'Dat komt omdat ik mijn laarzen niet aan heb,' grapte ze.

'Ja... Dat moet het zijn...'

Ze droeg een wikkeljurk die haar borsten omhulde, haar taille benadrukte, haar dijen mooi aftekende en ook haar knieën ontblootte wanneer ze haar benen over of uit elkaar deed en ze aan de grijsblauwe stof trok waarop kleine turkooizen arabesken over elkaar tuimelden.

Charles hield van mode. Snit, stof, patronen, afwerking, had altijd gedacht dat architecten en couturiers min of meer hetzelfde vak beoefenden en bekeek net hoe die arabesken de mouwgaten benaderden zonder de lijn van hun krullen te verliezen.

Ze voelde die blik. Grijnsde: 'Ik weet het... Ik had dit nooit aan moeten trekken... Ik ben veel dikker geworden sinds...'

'Geen sprake van!' protesteerde hij. 'Geen sprake van... Ik keek naar uw...'

'Mijn wat?' legde ze hem de duimschroeven aan.

'Uw... Uw motieven...'

'Mijn motieven? *My God*... u wilt zeggen dat u die al kent?'

Charles liet z'n hoofd zakken en glimlachte. Een vrouw die een kettingzaag uit elkaar kon halen, een zachtroze bh liet zien als ze voorover boog en die zo goed met twee talen kon spelen, hoefde je niet te proberen iets op de mouw te spelden...

Voelde, help, dat ze hem op haar beurt monsterde.

'Heeft u onder een regenboog geslapen?'

'Ja... Met Judy Garland...'

Wat een mooie glimlach had ze toch...

'Ziet u, dit is wat ik hier het meest mis...' zuchtte ze.

'Musicals?'

'Nee... Dit soort gevatte weerwoorden... Want...' vervolgde ze ernstiger, 'dat is pas eenzaamheid... Niet dat de nacht al om vijf uur valt, je de beesten moet voeren en de kinderen de hele dag ruziemaken, het is... Judy Garland...'

'*Well, to tell you the truth, I feel more like the Tin Man right now...*'

'*I knew you must speak English.*'

'Niet goed genoeg *to catch your... motives,* jammer genoeg...'

Terugkeer naar het snijdende: 'Des te beter...'

'Maar u?' ging hij verder. 'Wat is uw moedertaal?'

'Moedertaal? Frans omdat mijn moeder in Nantes geboren is. *Native? English. On my father's side...*'

'En waar bent u opgegroeid?'

Hoorde haar antwoord niet omdat Super-dj terug was bij de knopjes: 'Nogmaals hallo allemaal dus, en bedankt dat jullie met zoveel gekomen zijn. De voorstelling gaat zo beginnen. Jawel, jawel... De kinderen zijn flink zenuwachtig... Ik herinner jullie eraan dat er nog tijd is om kaartjes te kopen voor onze grote tombola. Fan-tas-ti-sche prijzen dit jaar!

Eerste prijs, een romantisch weekend voor twee in een drie-korenaren-B&B aan het Meer van Charmièges, met... Riemen vast... waterfiets, jeu de boules-baan, en reuzekaraoke!

Tweede prijs, een Toshiba-dvd-speler, geschonken door de firma Frémouille waar we graag eens langs gaan, geen geknoei bij Frémouille, en niet te vergeten...'

Charles had zijn wijsvinger op de bovenste Hansaplast gelegd. Voelde dat die eraf zou flikkeren als hij door zou gaan met zo stom te lachen.

'...niet te vergeten de vele gevulde mandjes van huize Graton en zonen, gevestigd op Rue du Lavoir 3 in Saint Gobertin, slagerij & vleeswaren, gespecialiseerd in poten en bloedworsten, huwelijken, begrafenissen en communiefeesten, en nog tientallen troostprijzen omdat niet iedereen het geluk heeft dat zijn vrouw vreemdgaat, nietwaar, Jean-Pierre? Haha! Kom, kom... Tijd voor de artiesten en ik vraag jullie om een heel luid applaus voor hen... Toe, nog luider! Jacqueline, bij de receptie vragen ze naar je... Hallo a...' Pieppp, bis.

Jean-Pierre had geen humor.

Alexis, vergezeld door het beste meisje van de klas met vlag en wimpel, nam achteraan plaats, terwijl de juffen de allerkleinsten, als vissen verkleed, tussen de golven van karton lieten zitten. Door de muziek gingen ze met hun heupen wiegen en het liep meteen mis met de kinderen. Waren te druk bezig naar hun mama's te seinen om de stroming te kunnen volgen...

Charles wierp een blik naar de dij... sorry, naar het programma dat Kate op haar knieën had gelegd: *De wraak van de piraat van de Caraïben.*

Zozo...

Merkte ook dat ze niet meer zo ad rem was en dat zelfs haar ogen te veel blonken om oprecht te zijn, draaide zich naar het podium om te zien wie van die sardientjes haar in zo'n staat kon brengen...

'Is er eentje van u bij?'

'Niet eens,' onderdrukte ze haar lach, 'maar ik word altijd ontroerd door dit soort in elkaar geflanste voorstellingen... Stom hè?'

Had haar handen aan beide kanten van haar neus gehouden om zich voor hem te verbergen en raakte nog onthutster toen ze besefte dat hij haar de hele tijd aanstaarde: 'O... Niet naar mijn handen kijken. Ze zijn...'

'Nee. Ik bewonderde uw intaglio...'

'O ja?' zuchtte ze van opluchting en draaide haar handpalm om, heel verbaasd dat hij er nog zat.

'Prachtig.'

'Ja... En heel oud... Een cadeau van mijn... Maar goed,' fluisterde ze en wees naar de golven, 'de rest vertel ik u later wel...'

'Daar houd ik u aan,' mompelde Charles nog zachter.

De rest van de voorstelling las hij op het gezicht van Alexis af.

Lucas en zijn piratenbende hadden hen net geënterd en zongen een ontgoocheld lied:

Wreder en erger dan wij bestaat er niet
En wat doen we nu op dit vergiet?
We maken het dek schoon en wassen af,
Kaptein, het is genoeg, we worden maf!
Poetsen en opruimen is een straf.
Kaptein, luister eens even.
Bezorg ons een mooi fregat, een goede lading.
Kaptein, alleen dit is van onze gading:
Knokken en rum is ons leven!

Alexis, die eerst niets in de gaten had, zo ging hij op in zijn gitaarspel.

Ging toen weer rechtop zitten, glimlachte naar de coulissen, zag zijn zoon en keerde terug naar z'n snaren.

Nee.

Kwam terug.

Kneep de ogen toe, miste twee, drie akkoorden, zette grote ogen op, sperde ze open, en speelde maar wat. Maar dat deed er niet toe. Wie had hem boven de woede van de zeeschuimers uit kunnen horen? Knokken en rum is ons leven, even, even! gilden ze in alle toonaarden voor ze achter een groot zeil verdwenen.

Een kanon donderde en ze verschenen weer, tot de tanden gewapend. Ander lied, andere noten, Mistinguett ging uit z'n dak en Alexis was het spoor bijster.

Liet uiteindelijk de schouder van zijn zoon los en zocht in het publiek naar een oplossing.

Stuitte uiteindelijk na veel moeite op de spottende glimlach van zijn oude kameraad. Die net had ontdekt dat het niet zo moeilijk was de lippen van iemand die werd misverstaan te lezen...

Met een gebaar van zijn kin naar Lucas: *Is zij het?*

Charles stemde in.

Maar hoe heb jij...

Wees glimlachend met z'n wijsvinger in de richting van de hemel.

De ander schudde het hoofd, liet het zakken en hief het pas weer toen de buit werd verdeeld.

Charles benutte het applaus om ervandoor te gaan. Had geen zin om de lange tranen op te halen.

Missie volbracht.

Terug naar het leven.

Stond op het punt de hekken van de school door te gaan toen een '*Hey!*' hem inhaalde. Stopte z'n sigaret terug in zijn zak en draaide zich om: '*Hey, you bloody liar!*' riep ze hem na en toonde hem haar linkervuist. '*Why did you say* "Daar houd ik u aan" *if you don't give a shit?*'

Wachtte niet tot zijn gezicht helemaal wegtrok om er met een vriendelijker stem aan toe te voegen: 'Nee... sorry... Dat wilde ik *helemaal niet* zeggen... Eigenlijk wilde ik u uitnodigen om... nee... niets...' Keek hem in de ogen en op een nog zachtere toon: 'U... U gaat al weg?'

Charles deed geen poging haar blik te doorstaan.

'Ja, ik... ik ha...' hakkelde hij, 'ik had gedag moeten zeggen, maar ik wilde u niet rost... sorry, storen...'

'O?'

'Ik was niet van plan hierheen te gaan. Ik heb... hoe moet ik het zeggen... gespijbeld en nu moet ik echt terug.'

'Ik snap het...'

Met een laatste glimlach, eentje die hij niet van haar kende, haalde ze, zonder er ook maar een seconde in te geloven, haar slapste troef tevoorschijn: 'En de trekking van de tombola dan?'

'Ik heb geen lootje gekocht...'

'Aha. Nou... Tot ziens...'

Ze stak haar hand naar hem uit. Haar ring was omgedraaid, de steen was koud.

Me voor wat uitnodigen? herinnerde Charles zich, maar het was al te laat. Ze was al ver weg.

Zuchtte en keek naar haar... fijnste arabesken, steeds verder weg...

*

Op zoek naar zijn auto herkende hij de hare, schuin onder de platanen tegenover het postkantoor geparkeerd.

De kofferbak stond nog steeds open en dezelfde honden begroetten hem met dezelfde goedmoedigheid als gisteravond.

Sloeg zijn agenda open, kwam bij de pagina van 9 augustus en prentte zich de namen van de steden in waar hij langs moest.

Reed een goed halfuur zonder iets te bedenken wat duidelijk te verwoorden is. Zocht naar een benzinestation, vond dat achter een supermarkt, het duurde lang eer hij dat verrekte, verdomde kutknopje van de tankdop vond. Trok het handschoenenkastje open, zocht naar de handleiding, maakte nog meer drukte, vond het, gooide de tank vol, vergiste zich in de betaalkaart, toen in de pincode, gaf het op, betaalde contant, en ging drie keer de rotonde rond eer hij het spoor van zijn gekrabbel terug kon vinden.

Zette de radio aan, uit. Stak een sigaret op, doofde die. Schudde z'n hoofd, kreeg er spijt van. Had z'n migraine gewekt. Vond eindelijk het bord waarop hij hoopte. Stopte voor de witte lijn, keek naar links, keek naar rechts, keek naar de overkant en...

...ging even vervoegen: 'Maar ik ben een zak. Maar jij bent een zak... Maar hij is een zak!'

5

Ze was naar iets aan het snuffelen in de zak van haar schort: 'Ja?'

'Hallo, eh... Ik zou graag een stuk van die chocoladetaart willen hebben die u gisteren tegen kwart voor negen in uw oven aan het bakken was...'

Hief het hoofd.

'Tja,' vervolgde hij en zwaaide met een uitgescheurd lootjesboek, 'toch nog de jeu de boules-baan én de reuzekaraoke... Ik heb spijt gekregen...'

Ze had een paar tellen nodig om te reageren, fronste haar wenkbrauwen en beet op haar lippen om niet te glimlachen.

'Er waren er drie.'

'Sorry?'

'Taarten... In de oven...'

'O?'

'Ja,' reageerde ze kortaf, nog steeds beledigd, 'bij mij wordt namelijk geen half werk geleverd...'

'Dat had ik al begrepen...'

'*So?*'

'Nou eh... Misschien zou u me van allemaal een stukje kunnen geven...'

Sneed zonder zich verder om hem te bekommeren drie minuscule stukjes af en hield hem z'n bord voor: 'Twee euro. Aan het meisje hiernaast te betalen...'

'Waarvoor wilde u me uitnodigen, Kate?'

'Voor het eten, denk ik. Maar ik ben van gedachte veranderd.'

'O?'

Ze was al bezig iemand anders te bedienen.

'En als ik ú uitnodig?'

Stond weer overeind en poeierde hem vriendelijk af: 'Ik heb ze beloofd om te helpen alles op te ruimen, ik heb een half dozijn kinderen onder mijn hoede en er is in een straal van vijftig kilometer geen restaurant – smaakt-ie trouwens?'

'Sorry?'

'De taart?'

Eh... Charles had er eigenlijk niet veel zin meer in... Zocht naar een laatste rake repliek toen een vent die buiten adem was en zichtbaar zeer geërgerd zijn scène kwam verstoren: 'Zeg? Zou uw zoon zich vanmiddag niet over de stand met het ballengooien ontfermen?'

'Jawel, maar u heeft hem gevraagd de bar te runnen...'

'O, ja! Natuurlijk... Pech, ik ga het aan...'

'Wacht,' viel ze hem in de rede en draaide zich naar Charles om, 'Alexis heeft me verteld dat u architect bent, is dat zo?'

'Eh... Ja...'

'Nou, dan is die stand voor u. Conservenblikken opstapelen, dat moet echt iets voor u zijn, toch?' En ze riep de ander terug: 'Gérard! U hoeft niet verder te zoeken...'

Charles werd in de tijd dat hij een hapje taart naar binnen kon werken naar het eind van de binnenplaats geloodst.

'*Hey!*'

Wat nu weer...

Draaide zich om en vroeg zich af welke *bloody* nu als uitbrander zou volgen.

Maar nee.

Er kwam niets.

Alleen een kleine knipoog boven een groot mes.

*

'Voor elk potje moeten de kinderen u een blauw kaartje geven, ze weten waar die te koop zijn... en de winnaars mogen iets uit die doos uitkiezen... Een ouder van een leerling zal u vanmiddag een paar minuten komen vervangen als u een pauze nodig heeft,' legde de meneer hem uit terwijl hij de kinderen die zich al rond hen verdrongen wegstuurde. 'Zo lukt het wel? Heeft u nog vragen?'

'Geen vragen.'

'Veel succes. Ik heb altijd een probleem om een goedzak voor deze stand te vinden, want u zult het merken...' deed of hij z'n oren dichthield, 'het is een beetje luidruchtig...'

De eerste tien minuten volstond Charles ermee de kaartjes in z'n zak te stoppen, de ballen van met zand gevulde sokken aan te geven en de blikken op hun plaats terug te zetten, later kreeg hij een beetje zelfvertrouwen en deed hij wat hij altijd had gedaan: zorgen dat de dingen op de bouwplaats beter verliepen.

Legde zijn colbert op een krukje en kondigde de nieuwe ruimtelijke indeling aan: 'Goed... Twee minuten stil zijn, je kunt jezelf hier niet verstaan... Jij... Ga eens een krijtje halen... Om te beginnen wil ik deze wanorde niet meer... Jullie gaan met z'n allen netjes in de rij staan, achter elkaar aansluiten. De eerste die voordringt, leg ik tussen de blikken, begrepen? Bedankt...'

Pakte het krijtje, trok twee duidelijke lijnen en zette een teken op de houten paal: 'Dit is de meetlat... Wie kleiner is dan deze streep mag op de eerste lijn gaan staan, de rest moet achter de tweede blijven, is dat duidelijk?'

Het was hun duidelijk.

'Verder mogen de kleintjes op deze blikken mikken, daar...' wees naar de grootste, die de kok had gegeven en waarin beslist zeker tien kilo gemengde groente of gepelde tomaat had gezeten, 'maar de groten moeten deze eraf gooien...' (Kleiner en veel talrijker...) 'Jullie hebben recht op vier sokken de man, en om iets te winnen moet de plank natuurlijk helemaal leeg zijn... Jullie kunnen me nog steeds volgen?'

Eerbiedig hoofdknikken.

'En ten slotte... ik ga m'n zaterdag niet verpesten met jullie rotzooi op te rapen, dus heb ik een assistent nodig... Wie wil mijn assistent nummer een zijn? Niet vergeten dat een assistent gratis mag spelen...'

Er werd gevochten om hem bij te staan.

'Prima!' juichte generaal Balanda. 'Prima. En nu... Dat de beste moge winnen...'

En hoefde alleen nog de punten te tellen, intussen moedigde hij de kleintjes aan en provoceerde de tieners. Hij stuurde de armen van de kleintjes en deed of hij zijn bril aan de tieners overhandigde, die heel arrogant aantraden, bah! ballen gooien, niks aan, en de muur vaker troffen dan nodig was...

Al vrij snel was het druk en Charles dacht, met dank aan de versterker, dat al had hij zijn rug en zijn eer gered, hij aan het eind van de dag misschien toch doof zou zijn...

Z'n eer, jawel... Hief af en toe het hoofd en zocht haar. Had graag gewild dat ze hem zo zou zien, triomfantelijk te midden van zijn leger scherpschutters, maar nee. Was nog steeds tussen haar cakes aan het kakelen, aan het lachen, aan het buigen naar bosjes kinderen die haar een kusje kwamen geven en... Had eigenlijk lak aan hem. Hoorde hij.

Als hij nog iets zou kunnen horen...

Maakte niets uit. Was blij. Hield voor het eerst van zijn leven van het leiden van een project, en het beheren van aluminium bouwsels, heus, het was voor het eerst.

Jean Prouvé zou trots op hem zijn geweest...

Natuurlijk kwam niemand hem vervangen, natuurlijk moest hij pissen, wilde hij roken, en natuurlijk liet hij uiteindelijk dat gedoe met de blauwe kaartjes zitten.

'Heb je er geen meer?'

'Nou... nee...'

'Toe... Speel toch maar...'

Zonder kaartje? De info verbreidde zich zo snel dat hij zijn neigingen ertussenuit te knijpen moest opgeven. Hij was de conservenkoning, hij legde zich erbij neer en betreurde het, voor het eerst in jaren, zijn schetsboekje niet bij de hand te hebben. Er waren hier een paar glimlachjes, een paar staaltjes branie, een paar blunders die wel een beetje eeuwigheid hadden verdiend...

Lucas was naar hem toe gekomen: 'Ik heb mijn papegaai aan papa gegeven...'

'Goed zo.'

'Het was geen papegaai. Het was een witte duif.'

Hé... Yacine was er ook...

Hij werd door de tombola gered. De trekking werd aangekondigd en alle kinderen verspreidden zich als bij toverslag. Wat ondankbaar, dacht hij en zuchtte opgelucht. Vertrouwde z'n lootjes aan de jongens toe, zocht de over de vier hoeken van de binnenplaats uitgestrooide sokken bij elkaar, deed alle blikken in een jutezak, raapte een hoop snoeppapiertjes op en trok iedere keer dat hij moest bukken een lelijk gezicht.

Raakte z'n zij aan.
Waarom deed het zo'n pijn?
Waarom?

Nam zijn colbert en zocht een plekje waar hij kon roken zonder door de surveillant te worden betrapt.

Maakte eerst een omweg via de toiletten en raakte flink... in het nauw. De potten waren zo laag... Mikte zo goed hij kon, en vond de geur terug van de gele zeep, die nooit schuimde en daar altijd op de houder van verchroomd messing lag te verschrompelen.

De goede oude tijd... Verstopte zich achter het oude gebouw om er een op te steken.

Hm... Wat was dat lekker...

Zelfs de graffiti hadden zich niet eens zoveel ontwikkeld... Dezelfde hartjes, dezelfde Dinges + Dingetje = Eindeloze Liefde, dezelfde tieten, dezelfde pikkies en dezelfde kwaaie strepen door dezelfde onthulde geheimen...

Gooide z'n peuk over de muur en ging weer terug naar de luidsprekers.

Liep langzaam. Wist niet precies waarheen. Had geen zin Alexis weer te zien. Hoorde de vervelende verhalen van de vriend van Jean-Pierre en telde in zijn hoofd de uren af die hem nog van de Maarschalkboulevards scheidden.

Goed... Ik ga haar toch maar gedag zeggen, deze keer... *Goodbye, So long, Farewell,* aan vocabulary ontbrak het hem niet... Ook *Adieu,* dat, zoals veel heel mooie woorden, de elegantie heeft zonder paspoort te reizen.

Ja... *à Dieu*... dat was niet slecht, voor een vrouw die...

Was zo ver met zijn hersenspinsels toen Lucas op hem afkwam: 'Charles! Je hebt gewonnen!'

'De waterfietsen?'

'Nee! Een grote mand vol worst en paté!'

Wat een ellende...

'Ben je niet blij?'

'Jawel, jawel... Superblij...'

'Ik ga hem voor je halen. Je blijft hier, hè?'

'Dat is mooi, zo kunt u me bij mij thuis uitnodigen...'

Draaide zich om.

Ze was haar schort aan het losmaken.

'Ik heb geen bloemen,' glimlachte hij naar haar.

'Geeft niet... Ik kan u er wel lenen...'

Een van de jongens die hij de vorige dag had gezien, groette hem voor hij hun theaterstukje onderbrak: 'Mogen Jef, Fanny, Mickaël en Léo vannacht bij ons komen slapen?'

'Charles,' zei ze, 'mag ik u Samuel voorstellen? Mijn grote Samuel...'

Hij was inderdaad groot... Bijna net zo groot als hijzelf... Lang haar, huid van een tiener, gekreukt wit shirt maar zeer elegant, het moest van een andere generatie als de zijne zijn geweest en was gemerkt met de hoofdletters L.R., jeans met gaten, rechte neus, eerlijke blik, heel slank en... over een paar jaar... heel knap...

Ze gaven elkaar een hand.

'Zeg, heb je soms gedronken?' vervolgde ze met gefronste wenkbrauwen.

'Eh... Ik stond niet bepaald bij de koekjes, weet je...'

'Dan ga je niet met je scooter terug...'

'Welnee... Het komt alleen omdat ik het restant van een vat bier over m'n broek heb gekregen... Kijk... Mooi, en hoe gaat het vanavond?'

'Als de ouders het goed vinden, vind ik het goed. Maar jullie helpen ons met alles hier op te ruimen, oké?'

'Sam!' riep ze hem terug. 'Laat ze hun slaapzakken meenemen, hè?'

Deed z'n duim omhoog om haar te laten weten dat hij het begrepen had.

Tegen Charles: 'U ziet wat ik bedoelde... Ik had het over een half dozijn kinderen maar ik ben altijd een beetje pessimistisch... En ik heb niets te eten... Gelukkig dat u lootjes heeft gekocht...'

'Ik ben blij dat u het zegt.'

'En het ballen gooien? Ging het...'

Werden opnieuw onderbroken. Door het meisje dat ze gisteravond Hattie genoemd had, hij wist het nog.

'Kate?'

'En hier hebben we dan Miss Harriet... Onze nummer drie...'

'Goedenavond...'

Charles kuste haar.

'Mag Camille bij ons komen slapen? Ja... ik weet het... Slaapzak...'

'Als je het weet is het prima,' antwoordde Kate. 'En Alice? Heeft zij soms ook iemand uitgenodigd?'

'Ik weet het niet, maar je moest eens zien wat ze allemaal op de rommelmarkt heeft gevonden! Je moet de auto dichterbij zetten...'

'*Good Lord, no!* Vinden jullie niet dat we al genoeg van die troep hebben?'

'Wacht maar af, het is supermooi! Er is zelfs een stoel voor Nelson!'

'Aha... Eén minuut,' riep ze haar terug en gaf haar een portemonnee, 'ren naar de bakker en neem al het brood dat ze nog hebben...'

'*Yes M'am...*'

'Wat een organisatie...' zei Charles verrukt.

'O? U noemt dat zo? Ik had eerder de indruk dat het precies het omgekeerde was... U... u komt toch?'

'Nou en of!'

'Wie is Nelson?'

'Een enorme snob van een hond...'

'En L.R.?'

Kate verstarde: 'Hoezo... Waarom vraagt u me dat?'

'Het overhemd van Samuel...'

'O ja... Sorry. Louis Ravennes... Zijn grootvader... Niets ontgaat u, zie ik...'

'Toch wel, allerlei dingen, maar een tiener met een monogram kom je niet vaak tegen...'

Stilte.

'Kom...' schudde ze zich uit, 'laten we dit allemaal opruimen en naar huis gaan. De beesten hebben honger en ik ben moe.'

Maakte haar haar weer vast.

'En Nedra?' vroeg ze aan Yacine. 'Waar hangt die nu weer uit?'

'Ze heeft een goudvis gewonnen...'

'Nou... Daarvan zal ze niet spraakzamer worden... Kom... aan het werk...'

Meer dan een uur lang stapelden Charles en Yacine stoelen op en braken tenten af. Nou ja... vooral Charles... De ander werkte minder efficiënt omdat hij hem een hoop verhalen had te vertellen: 'Hé, toen je die knoop losmaakte, stak je je tong uit. En weet je waarom?'

'Omdat het moeilijk is en jij me niet helpt?'

'Helemaal niet. Het is omdat wanneer je je op iets concentreert, je de hersenhelft gebruikt die ook de motorische functies regelt, als je dus *opzettelijk* iets in je lichaam blokkeert, ben je geconcentreerder... Daarom vertragen mensen die aan het lopen zijn hun pas wanneer ze over een ingewikkeld probleem gaan nadenken... Snap je?'

Charles richtte zich op en hield de onderkant van zijn rug vast: 'Hé, mijnheer de Encyclopedist... Zou jij je tong ook niet eens een beetje uit willen steken? Dan zou het sneller gaan...'

'En weet je wat de sterkste spier in heel je lichaam is?'

'Ja, mijn biceps als ik zo meteen je strot dichtknijp.'

'Fout! Het is je tong!'

'Ik had het kunnen weten... Kom... Pak het andere eind van die tafel eens vast...'

Greep de kans dat hij met z'n hersenhelft bezig was om ook hem een vraag te stellen: 'Is Kate jouw mama?'

'O,' antwoordde hij met het piepstemmetje dat kinderen aannemen als ze ons willen inpakken, 'ze zegt van niet, maar ik weet best dat ze wel... in elk geval een beetje, hè?'

'Hoe oud is ze?'

'Ze zegt dat ze vijfentwintig is, maar we geloven haar niet...'

'O ja? En waarom niet?'

'Nou, als ze echt vijfentwintig was, zou ze niet meer in bomen kunnen klimmen...'

'Goed gezien...'

Hou op, dacht Charles, hou op hiermee. Des te meer je zoekt des te minder je het snapt. Laat de gebruiksaanwijzingen toch voor wat ze zijn... Speel jij ook eens een beetje...

'Tja, ik zeg je dat ze echt vijfentwintig is...'

'Hoe weet je dat?'

'Dat zie je.'

Toen alles aangeveegd was, vroeg Kate hem of hij de twee kleintjes mee kon nemen.

Terwijl hij bezig was ze achterin te installeren kwam er een lange spriet aan: 'Gaat u naar de Vesp'?'

'Wat zeg je?'

'Naar Kate, bedoel ik... Kunt u ons meenemen, mij en m'n vriendin?'

Ze wees hem een andere lange spriet aan.

'Eh... natuurlijk...'

Ze wrongen zich met z'n allen in de kleine huurauto en Charles luisterde met een glimlach naar hun gekakel.

Had zich in jaren niet zo nuttig gevoeld.

De liftsters hadden het over een nachttent waar ze nog niet heen mochten en Yacine zei tegen Nedra, het mysterieuze meisje dat op een Balinese prinses leek: 'Jouw vis... Je zult hem nooit zien slapen omdat hij geen oogleden heeft en je zult denken dat hij je niet hoort omdat hij geen oren heeft... Maar in feite rust hij uit, weet je... En goudvissen hebben het beste gehoor omdat water heel goed geleidt en omdat ze een botstructuur hebben die alle geluiden in hun onzichtbare oor laat weerkaatsen en eh...'

Charles was gefascineerd en spande zich in om hem boven het gegiechel van de andere twee uit te volgen: '...dus kun je toch met hem praten, snap je?'

Zag haar vanuit zijn achteruitspiegel ernstig ja knikken.

Yacine ving zijn blik op, boog zich naar voren en fluisterde: 'Ze zegt bijna nooit iets...'

'En jij? Hoe kom jij alles te weten wat je weet?'

'Ik weet het niet...'

'Je bent zeker een goede leerling?'

Een grijnsje.

En een brede glimlach van Nedra in de spiegel die nee schudde met haar hoofd.

Probeerde zich Mathilde op dezelfde leeftijd te herinneren. Maar nee... Herinnerde het zich niet meer... Hij die nooit iets vergat, was dit onderweg kwijtgeraakt. De kindertijd van kinderen...

Dacht daarna aan Claire.

Aan de moeder die ze had kun...

Yacine, wie niets ontging, legde zijn kin op zijn schouder (het was zijn papegaai...) en zei om hem aan iets anders te laten denken: 'Hé... Je bent toch wel blij dat je ze hebt gewonnen, je worsten?'

'Ja,' antwoordde hij, 'je kunt je niet voorstellen hoe blij...'

'Eigenlijk mag ik er niet van eten... Vanwege mijn religie, weet je... Maar Kate zegt dat God er lak aan heeft... Dat hij nu eenmaal niet mevrouw Varon is... Denk je dat ze gelijk heeft?'

'Wie is mevrouw Varon?'

'De mevrouw die in de kantine toezicht op ons houdt... Denk je dat ze gelijk heeft?'

'Ja.'

Dacht terug aan het verhaal dat Sylvie hem de dag voordien had verteld over die sociale levensmiddelenzaak en raakte er zeer door van streek.

'Hé! Pas op! Je moet nu afslaan!'

6

'Zo! Ik zie dat jullie er geen gras over hebben laten groeien! Jullie hebben al de twee mooiste meisjes van de streek gestrikt!'

Die nog harder gingen giechelen, vroegen waar de anderen waren en in de natuur verdwenen.

Kate had haar laarzen weer aan gedaan.

'Ik wilde met het voeren gaan beginnen, komt u mee?'

Ze liepen de binnenplaats over: 'Normaal gesproken zorgen de kinderen voor het voeren van de beestenboel, maar goed... Het is hun feest vandaag... En zo kan ik u ook een rondleiding geven...' Draaide zich om: 'Gaat het wel, Charles?'

Hij had overal pijn. Zijn hoofd, zijn gezicht, zijn rug, zijn armen, zijn bovenlichaam, zijn benen, zijn voeten, zijn agenda, zijn vertraging die maar toenam, zijn slechte geweten, Laurence en de telefoontjes die hij nog niet had gepleegd.

'Heel goed, dank u.'

Kreeg al het pluimvee achter z'n broek. Plus drie stinkhonden. Plus een lama.

'Aai hem niet, anders...'

'Ja, ja... Lucas heeft me gewaarschuwd... Hij zou nogal plakkerig zijn...'

'Net als ik,' grinnikte ze en bukte om een emmer te pakken.

Nee, nee. Ze had het niet gezegd.

'Waarom die glimlach?' vroeg hij ongerust.

'Nergens om... *Saturday Night Fever*... Nou, dit is de vroegere varkensstal, maar tegenwoordig is het de proviandkamer... Let op de nestjes... Hier regent het, net als in al de andere gebouwen, de hele zomer vogelpoep... Hier slaan we de zakken graan en korrels op en wanneer ik "proviandkamer" zeg, bedoel ik helaas eerder een proviandkamer voor de muizen en de zevenslapers...' En zich tot een kat richtend die op een oud donsbed sliep: 'Hoe is het, opaatje? Is het leven niet te zwaar?' Tilde een plank op en vulde met een conservenblik haar emmer. 'Ach... Kunt u die gieter pakken, daar...?'

Ze liepen de binnenplaats weer in de andere richting over.

Ze draaide zich om: 'Komt u?'

'Ik ben bang een kuiken te pletten...'

'Een kuiken? Geen sprake van. Het zijn eendjes... Gewoon lopen zonder op hen te letten. Ach... Daar is de slang...'

Charles vulde de gieter niet helemaal. Was bang die niet meer te kunnen tillen...

'Dit is de kippenstal... Een van mijn lievelingsplekjes... De grootvader van René had heel moderne ideeën over kippenhokken en voor zijn kippetjes kon het niet mooi genoeg zijn... Wat trouwens, als ik het goed heb begrepen, steeds weer tot ruzie met z'n vrouw leidde...'

Charles deinsde eerst terug vanwege de lucht en was toen verbijsterd door... hoe moet je het noemen? De aandacht, de zorg waarmee over deze plek was nagedacht... De ladders, de stokken en de leghokjes, keurig op een rij, versierd, afgestoken, met snijwerk zelfs...

'Moet u eens kijken... Tegenover die balk heeft hij zelfs een raam gemaakt zodat de dames van het uitzicht kunnen genieten terwijl ze hun ei leggen... En hier, volgt u me maar... Een ren om te kunnen ravotten, een rocaille, een poeltje, drinkbaden, een beetje stof tegen ongedierte en... Zie het uitzicht eens... Zie hoe mooi het is...'

Terwijl hij z'n gieter leeggoot, vervolgde ze: 'Op een dag van... ik weet het niet... van grote wanhoop, denk ik...' ze lachte... 'heb ik het absurde idee gehad om de kinderen mee te nemen naar een van die vakantieoorden met de naam Center Parcs, kent u die?'

'Van naam...'

'Het slechtste idee van mijn leven, geloof ik... Om die wildebrassen onder een stolp te houden... Ze zijn onverdraaglijk geweest... Ze hebben zelfs bijna een kind verdronken... Goed, vandaag lachen we erom, maar toen... de prijs in aanmerking genomen... nou ja, laten we het maar vergeten... Ik wil u met dit alles maar zeggen dat op de eerste avond, nadat we hadden rondgekeken in die... toestand, Samuel plechtig heeft verkondigd: onze kippen worden beter behandeld. Vervolgens hebben ze de hele week tv-gekeken... Van 's ochtends vroeg tot 's avonds laat... Ware zombies... Ik heb het laten gebeuren... Dat was per slot van rekening voor hen iets heel bijzonders...'

'Hebben jullie er geen?'

'Nee.'
'Maar jullie hebben internet?'
'Ja... Ik kan ze toch niet de hele wereld ontnemen...'
'Gebruiken ze het veel?'
'Vooral Yacine. Voor zijn onderzoeken...' glimlachte ze.
'Die jongen is verbazingwekkend...'
'Zeg dat wel.'
'Vertel eens, Kate, is...'
'Later. Pas op, het loopt over... Goed... we laten de eieren, dat is het grote plezier van Nedra...'
'Wat haar betreft...'
Ze draaide zich om: 'Houdt u van heel goede whisky?'
'Eh... ja...'
'Later, dan.'

'Dit is de oude bakkeet... Die nu als huis voor de honden dient... Pas op, de lucht is niet te harden... Dit is een berghok... Dit is de stal... Omgebouwd tot fietsenstalling... Dat is de kelder... Let niet op de troep... Het was de werkplaats van René...'
Charles had nog nooit zoiets gezien. Hoeveel opgehoopte eeuwen? Hoeveel karren, hoeveel armen en hoeveel weken om dit allemaal leeg te krijgen?
'Heeft u al dat gereedschap gezien!' riep hij uit. 'Het lijkt het Musée des Arts et Traditions wel, het is fantastisch...'
'Vindt u dat?' grijnsde ze.
'Ze hebben geen tv, maar ze hoeven zich geen seconde te vervelen...'
'Niet één, helaas...'
'En wat is dit?'
'Het is de befaamde motorfiets waaraan René knutselt sinds... de oorlog, meen ik...'
'En dit?'
'Ik weet het niet.'
'Dit is ongelooflijk...'
'Wacht... We hebben nog beter in petto...'

Kwamen weer in het volle licht.
'Dit zijn de konijnenhokken... Leeg... Ik ken mijn grenzen... Dit is een eerste schuur voor het hooi, de hooizolder dus... Daar het stro... Waar kijkt u naar?'

'De betimmering... Ik ben verbluft over die lui... U kunt zich niet voorstellen hoeveel theoretische kennis je moet hebben om zoiets te maken... Nee,' vervolgde hij dromerig, 'u kunt het zich niet voorstellen... Zelfs ik, die uit het vak kom, ik... Hoe pakten zij het aan? Het is een mysterie... Als ik oud word, neem ik timmerles...'

'Pas op voor de kat...'

'Weer een! Hoeveel heeft u er wel niet?'

'Och... Er is een grote turnover... Er gaan er veel dood en er worden er veel geboren... Het komt vooral door de rivier... Die stommeriken slikken haken door waaraan nog aas zit en blijven erin...'

'En de kinderen?'

'Een drama. Tot het volgende nest...'

Stilte.

'Hoe speelt u het klaar, Kate?'

'Dat doe ik niet, Charles, dat doe ik niet. Maar ik geef wel eens Engelse les aan de dochter van de dierenarts voor een paar consulten...'

'Nee, maar... Ik bedoelde heel de rest...'

'Ik ben net als de kinderen: ik wacht op het volgende nest. Het is iets wat het leven me heeft geleerd... Op een dag...' Deed het ene na het andere slot dicht... 'Wel genoeg zo...'

'Sluit u de katten op?'

'Katten komen toch nooit door een deur...'

Ze draaiden zich om en het leek wel... Het Wonderhof...

Vijf heel rasloze honden, de ene nog erger toegetakeld dan de andere, wachtten op etenstijd.

'Kom, mormeltjes... Nu is het jullie beurt...'

Liep terug naar de proviandkamer en vulde hun voerbakken.

'Die daar...'

'Ja...'

'Hij heeft maar drie poten?'

'En hij mist ook een oog... Daarom hebben we hem Nelson genoemd...'

Zag de verwarring van haar gast en verduidelijkte: '*Admiral Lord Nelson... Battle of Trafalgar...* Zegt u dat iets?'

'Dit is de houtschuur... Daar, nog een schuur... Met de vroegere zolder... Voor het graan, dus... Niets bijzonders... Alleen maar troep... Nog een museum zoals u het noemt... Hier, eentje die nog verder is ingestort... Maar met mooie dubbele deuren omdat daar de door paarden getrokken voertuigen stonden... Er zijn er nog twee, in erbarmelijke staat. Kom kijken...'

Stoorden de zwaluwen: 'Maar dat is nog mooi...'

'Dat karretje daar? Dat heeft Sam opgeknapt. Voor Ramon...'

'Wie is Ramon?'

'Zijn ezel,' legde ze uit, met haar ogen naar de hemel, 'die stomme ezel van hem...'

'Waarom doet u zo wanhopig?'

'Omdat hij in z'n kop heeft gezet deze zomer mee te doen aan een wedstrijd in de buurt voor trekdieren...'

'Ja? En is hij er nog niet klaar voor?'

'O jawel, hij is er klaar voor! Hij heeft zelfs zoveel getraind dat hij is blijven zitten... Maar laten we het daar maar niet over hebben, ik wil m'n goede humeur bewaren...'

Leunde met haar rug tegen een draagbaar: 'U heeft het wel gezien... Het is hier een puinhoop... Alles loopt mis, alles scheurt, alles stort in... De kinderen lopen de hele tijd op blote voeten in hun laarzen, als ze die al hebben... Ik moet ze twee keer per jaar tegen de wormen behandelen, ze rennen overal rond, bedenken een miljoen stommiteiten per minuut en mogen alle vrienden uitnodigen die ze willen, maar één ding staat nog recht overeind: dat is de studie. Als u ons 's avonds met z'n allen rond de keukentafel zou zien, dan gaat het ernstig toe... Dokter Katyll verandert in Mister Hyde! En nu... Samuel... Hij is mijn eerste flop... Ik weet het, ik zou niet "mijn" mogen zeggen maar ja... het is ingewikkeld...'

'Zo erg is het toch niet?'

'Nee, neem ik aan... Maar...'

'Ga door, Kate, ga door, vertel...'

'Afgelopen september is hij naar het lyceum gegaan, ik heb hem dus naar een kostschool moeten sturen... Ik had hier geen keus... Op de middenschool ging het al niet geweldig... Maar daar is het een ramp geworden... Ik had het helemaal niet verwacht, omdat ik zelf heel fijne herinneringen heb aan mijn jaren op de *boarding school*, maar... ik weet het niet... misschien is het anders in Frankrijk... Hij was zo opgelucht in het weekend thuis te zijn dat ik het hart niet had hem aan het werk te zetten. En dit is het resultaat...'

Ze lachte als een boer met kiespijn.

'Misschien krijg ik er een Frans kampioen rijden met de ezelkar voor terug... Kom... Laten we gaan... We maken de moeders bang...'
Inderdaad piepte het flink in de nesten boven hun hoofd.

'Heeft u kinderen?' vroeg ze.
'Nee. Ja... Ik heb een Mathilde van veertien... Ik heb haar niet zelf gefabriceerd, maar...'
'Maar dat maakt niet veel uit...'
'Nee.'
'Weet ik. Kijk... Ik ga u een plek laten zien die u leuk zult vinden...'
Klopte op de deur van een zoveelste gebouw: 'Ja?'
'Kunnen we langskomen?'
Nedra deed open.

Als Charles dacht dat niets hem nog zou kunnen verbazen, had hij zich vergist.
Bleef een lange minuut sprakeloos.
'De werkplaats van Alice,' fluisterde ze hem toe.
Kon opnieuw geen woord uitbrengen.
Er was zoveel te zien... Schilderijen, tekeningen, fresco's, maskers, marionetten van veren en schors, van stukken hout gemaakte meubelen, slingers van bladeren, schaalmodellen en een heleboel bijzondere dieren...
'Dat was zij dus, de dingen boven de openhaard?'
'Dat was zij...'

Alice zat, met de rug naar hen toe, aan een tafel onder het raam, draaide zich om en hield hun een doos voor: 'Kijk al die knopen eens die ik op de rommelmarkt heb gevonden! Kijk eens hoe mooi deze is... Met een mozaïek... En die daar... Een vis van parelmoer... Die is voor Nedra... Ik ga een ketting voor haar maken om de komst van Mijnheer Blup te vieren...'
'Mogen we weten wie Mijnheer Blup is?'
Charles was blij niet de enige te zijn die stomme vragen stelde.
Nedra wees hen naar het eind van de tafel.
'Maar...' ging Kate verder, 'hebben jullie hem in de mooie vaas van *Granny* gedaan?!'
'Nou ja... Dat wilden we je nog zeggen... We konden geen aquarium vinden...'

'Omdat jullie slecht hebben gezocht... Tussen haakjes, jullie hebben al tientallen vissen gewonnen en jullie hebben die nooit langer dan één zomer in leven weten te houden, en ik heb *al* een heleboel baks gekocht...'

'Bakken,' corrigeerde de kunstenares.

'Bedankt, *bowls*. *So*... lossen jullie het zelf maar op...'

'Ja, maar ze zijn allemaal heel klein...'

'Nou, dan moeten jullie er zelf maar een maken! Net als Guus!'

Trok de deur weer dicht en wendde zich met een zucht tot Charles: 'Ik had die zin nooit in de mond mogen nemen: "Dan moeten jullie er zelf maar...", dat is altijd een teken dat je het niet meer weet... Kom... We sluiten de rondleiding af met de paardenstal en vergeet u de gids niet? Volg mij...'

Gingen naar een volgende binnenplaats.

'Kate? Mag ik u een laatste vraag stellen?'

'Gaat u uw gang.'

'*Wie* is Guus?'

'Kent u Guus Flater niet?' zei ze met spijt. 'Guus en zijn vis Bubbel?'

'Ja, ja, natuurlijk...'

'Om Guus te kunnen volgen ben ik me op mijn tiende serieus aan het Frans gaan wijden. Wat heb ik trouwens afgezien... Vanwege de onomatopeeën.'

'Maar... Hoe oud bent u? Als het niet al te onbescheiden is... Maakt u zich geen zorgen, ik heb Yacine verzekerd dat u vijfentwintig bent, maar...'

'Ik dacht dat het de laatste vraag was,' glimlachte ze.

'Ik heb me vergist. Er zal nooit een laatste vraag zijn. Het ligt niet aan mij, maar u bent...'

'Bent wat?'

'Ik voel me heel sullig, maar ik heb de indruk de... De Nieuwe Wereld te ontdekken... dus onvermijdelijk een hoop vragen...'

'Toe nou... Bent u nooit op het platteland geweest?'

'Het is niet de omgeving waarvan ik zo onder de indruk ben, maar van wat u ervan heeft gemaakt...'

'O ja? En wat heb ik er dan volgens u van gemaakt?'

'Ik weet het niet... Een soort paradijs, toch?'

'U zegt dat omdat het zomer is, het licht mooi is, en de school is afgelopen...'

'Nee. Ik zeg het omdat ik leuke, intelligente en gelukkige kinderen zie.'

Ze verstijfde.

'U... Gelooft u echt wat u net zei?'

Haar stem was heel ernstig geworden...

'Ik geloof het niet, ik weet het zeker.'

Ze steunde op zijn arm om een steentje uit haar laars te halen: 'Bedankt,' mompelde ze met een lelijke grijns, 'ik... Gaan we?

Sullig, het was te zacht uitgedrukt, Charles voelde zich een enorme lul, jawel...

Waarom moest hij dit allerliefste meisje aan het huilen maken?

Ze zette een paar stappen en vervolgde opgewekter: 'Precies... bijna vijfentwintig... Niet helemaal... Zesendertig, om preciezer te zijn...

U heeft het dus begrepen, de grote laan met eiken, die was niet voor deze bescheiden boerderij, maar voor een kasteel dat het bezit van twee broers was... En nu moet u zich voorstellen dat zij het tijdens de Terreur zelf in brand hebben gestoken... Het was amper klaar, zij hadden hun ziel en zaligheid erin gestoken en al hun geld, nou ja... dat van uw voorouders... en toen het hier te heet onder hun voeten begon te worden zouden ze, wil de legende, maar de legende bevalt me, nog de tijd hebben genomen om nauwgezet hun kelder leeg te drinken voor ze de boel in de fik staken en ze zouden zich met z'n tweetjes hebben opgehangen.

Ik heb het uit de mond van een complete mafketel die op een dag hier kwam aanwaaien omdat hij op... Nee... het verhaal is te lang... Ik vertel het u een andere keer... Om op die broers terug te komen... Het waren oude vrijgezellen die alleen voor de jacht leefden... Jacht wil zeggen lange jacht, te paard dus, en het kon voor hun paarden nooit te mooi zijn. Oordeel zelf...'

Ze gingen net de bocht bij de laatste schuur om: 'Kijk eens hoe prachtig...'

'Sorry?'

'Niks. Ik was kwaad omdat ik m'n schetsboekje niet bij me heb.'

'Ach... Dan komt u toch terug... 's Ochtends is het nog mooier...'

'U moet hier toch wonen?'

'De kinderen wonen hier 's zomers... Er zijn volop kamertjes voor de stalknechten, u zult het zien...'

Charles stond kortademig en met zijn handen op de heupen het werk van zijn verre collega te bewonderen.

Een rechthoekig gebouw, met een okerkleurige en heel sleetse bepleistering, waardoor je alleen de hoekstenen kon zien en de natuurstenen omlijstingen van de ramen, een kapot dak met dunne platte dakpannen bedekt, een stipte afwisseling van gekrulde en ronde zolderramen, een grote gewelfde deur met twee heel lange drinkbakken aan beide kanten...

Deze paardenstal, eenvoudig, elegant, gebouwd waar de wereld ophield en alleen voor het plezier van twee lieden uit de lagere adel die geen geduld hadden gehad om op hun beurt bij het tribunaal te wachten, sprak boekdelen over de geest van de Gouden Eeuw.

'Die lui hadden grootheidswaanzin...'

'Het schijnt van niet. Nog steeds volgens die vent bleken de tekeningen van het kasteel juist nogal teleurstellend... Ze waren gek op paarden... En nu,' lachte ze, 'profiteert onze dikke Ramon ervan... Kom... Ziet u de vloer? Het zijn stenen uit de rivier...'

'Net als op de brug...'

'Ja... Om te voorkomen dat de hoeven uitgleden...'

Binnen was het erg donker. Meer dan elders waren de balken en dwarsbalken hier door tientallen zwaluwnesten gekoloniseerd. De ruimte moest wel tien bij dertig meter zijn en bestond uit zes boxen die gescheiden waren door heel donkere houtwanden, bevestigd aan palen die met kogels van messing waren versierd.

Pegasus, Vaillant, de Hongaarse... Meer dan twee eeuwen, drie oorlogen en vijf republieken hadden het niet uitgewist...

De koelte van de stenen, de vele met spinnenwebben bedekte hertengeweien, het licht dat door de ronde zolderramen straalde en grote bundels fluorescerend stof zichtbaar maakte, en deze stilte, plotseling, alleen verstoord door de echo van hun onzekere voetstappen die tegen het grillige reliëf van de rivierstenen op botste... Charles, die altijd panische angst voor paarden had gehad, kreeg de indruk een religieus gebouw te hebben betreden en durfde zich niet verder dan het schip te wagen.

Een vloek van Kate haalde hem uit zijn verdoving: 'Zie deze trui nu eens... Ja hoor... De muizen hebben hem aangevreten... *Fuck*... Kom deze kant eens op, Charles... Ik zal u alles vertellen wat die meneer van Historische Monumenten me heeft geleerd toen hij hier was... Het valt niet zo op, maar we zijn hier in een ultramoderne paardenstal... De steen van de voerbakken is gepolijst voor het gemak van de... paardenborstes... Borsten?'

'Borsten *sounds good*,' glimlachte hij.

'...voor het gemak van de knollen dus, en uitgehold in individuele troggen om hun dagelijkse porties in de gaten te kunnen houden, de ruiven, stelt u zich voor, zijn Versailles waardig... Van gedraaid eikenhout en aan het eind kleine uitgesneden vaasjes...'

'Kroonlijsten...'

'Als u het zegt... Maar dit is nog niet het summum van verfijning... Kijk... Elke tralie kan vrij draaien om... hoe zei hij het ook weer?... Om "de afvoer van het voer niet te beletten"... Voer dat altijd vervuild was met stof en muizenkeutels en dat allerlei ziektes veroorzaakte, daarom zijn deze, anders dan die van de andere boerenlullen, niet scheef maar bijna verticaal, met een klepje, daar onderin, om dat verdomde stof op te vangen... En omdat de paarden voor een blinde muur stonden, zijn er tussen de boxen hekken geplaatst zodat ze zich niet verveelden en met de buurman konden kwebbelen... *Hello, dear, did you see the fox today?* Kijk hoe mooi ze zijn... Je zou zeggen een golf die tegen een paal uitrolt... Boven uw hoofd een aantal openingen om het stro van de zolder te halen en...'

Trok aan z'n mouw om hem te dwingen haar te volgen: 'Hier, de enige dichte box. Heel groot en gelambriseerd... Daarin lagen de drachtige merries en de veulentjes... Hoofd omhoog... Door het raampje daarboven kon de stalknecht vanuit z'n bed volgen hoe de bevalling vorderde...'

Stak een arm uit: 'Mag ik uw aandacht vragen voor de drie lampen aan het plafond... Ze gaven nauwelijks licht en het was vreselijk ingewikkeld ermee om te gaan, maar het was een stuk minder gevaarlijk dan losse verlichting op de vensterbanken en... Wat... wat is er zo grappig?'

'Niets. Ik ben verrukt... Ik heb het idee dat er enkel en alleen voor mij een lezing wordt gegeven...'

'Pff...' haalde ze haar schouders op, 'ik sloof me uit omdat u architect bent maar als u het beu bent, moet u me onderbreken.'

'Vertel me eens, Kate?'
'Wat?' draaide ze zich om.
'Heeft u toevallig een rotkarakter?'
'Ja,' gaf ze ten slotte toe na een serie pruilmondjes, helemaal in de stijl van de periode, erg achttiende eeuw, 'dat zou best eens kunnen... Gaan we verder?'
'Ik volg u.'
Hield zijn handen achter zijn rug en zijn glimlach op waakstand.
'Daar...' hervatte ze geleerd, 'die trap bijvoorbeeld... Is die niet subliem?'
'Inderdaad.'

Toch was er niets bijzonders aan. Een trap uit twee gedraaide kwartstukken, die omdat hij niet voor de lieve paardjes was bestemd, uit heel gewoon hout was gesneden. Die de kleur van de stenen en het betreden met laarzen had gekregen. Maar, wat niet genoeg kon worden benadrukt, helemaal perfect van proporties. Zo perfect dat Charles niet eens op het idee kwam de proporties te bewonderen van zijn mooie gids, die vlak voor hem de leuning vasthield, hij ging te veel op in het bepalen van de hoogte van de stootborden in verhouding tot de breedte van de treden.
Wat schrijnwerkers de 'aantrede' noemen, maar dat was eigenlijk geen reden.
Wat een idioten, die diepe denkers...

'Dit zijn de kamers... Er zijn er vier... Eigenlijk drie... De laatste zit dicht...'
'Is die ingestort?'
'Nee, ze verwacht babyuilen... Hoe zeg je dat trouwens? Uilenkuikentjes?'
'Ik weet het niet...'
'U weet niet veel, hè?' plaagde ze terwijl ze langs hem heen schoof om de tweede deur te openen.

Het meubilair was nogal sober. Kleine ledikanten van ijzer bedekt met opengescheurde stromatrassen, wankele stoelen, haken waaraan riemen van beschimmeld leer hingen. Hier een opgegeven openhaard, daar eh... een... een bijenkorf misschien, verderop een voor de helft uit elkaar gehaalde motor, daar vishengels, stapels boeken, gelezen en herlezen door generaties verwoede knaagdieren, stukken verpulverde bepleistering, nog een kat, laarzen, oude nummers van *Het Boerenbestaan*, lege flessen, een radiatorrooster van een Citroën, een geweer, dozen met patronen, een... Aan de muren kinderlijke prentjes toegetakeld met pikante posters, een playmate die aan het strikje van haar bikini trekt en knipoogt naar een crucifix die al erg naar voren buigt, een kalender uit 1972 aangeboden door Derome Kunstmest en overal, overal dezelfde vloerbedekking, donker, dik, geduldig gevlochten door duizenden en duizenden dode vliegen...

'In de tijd van de ouders van René werden hier de landbouwarbeiders ondergebracht...'

'En slapen uw kinderen hier?'

'Nee,' stelde ze hem gerust, 'ik ben vergeten u de laatste kamer onder de trap te laten zien... Maar wacht even... U die zo van betimmering houdt... Kom de zolder eens bekijken... Let op uw ho...'

'Te laat,' kreunde Charles voor wie een buil meer of minder niets meer uitmaakte.

Trok snel zijn hand van zijn hoofd: 'Kunt u zich dat voorstellen, Kate? Het werk en de intelligentie die deze mensen nodig hebben gehad om zo'n constructie te kunnen maken? Heeft u gezien hoe dik die steunbalk is? En hoe lang die nokgording? Dat is de hoogste balk daar boven... Alleen al het omhakken, snoeien en verplaatsen van zo'n stam, kunt u zich voorstellen hoeveel hoofdbrekens dat kost? En alles is perfect vastgepend... En de makelaar is niet eens met een stuk metaal versterkt... Hij wees haar de plaats waarop alles leek te steunen... Het is een dakconstructie met twee vlakken, het zogenaamde mansardedak waardoor je veel dakhoogte wint... Daarom heeft u zulke mooie dakvensters...'

'Aha. U weet toch wel het een en ander...'

'Nee, ik ben een nul als het om plattelandsbouw gaat. Ik heb nooit, om het jargon van mijn collega's over te nemen, iets op het gebied van het *patrimonium* gedaan. Ik hou van uitvinden, niet van restaureren. Maar als ik dit zie, voel ik me natuurlijk, hoe graag ik ook altijd experimenteer met nieuwe materialen en nieuwe technieken en gebruikmaak van steeds perfectere computerberekeningen... hoe zal ik het zeggen... een beetje overstelpt...'

'En het matrimonium?' had ze eruit gegooid toen ze weer op de trap stonden.

'Sorry?'

'U heeft me net gezegd dat u niets op het gebied van het patrimonium heeft gedaan, en verder, bent... bent u getrouwd?'

Charles hield zich aan de vermolmde leuning vast.

'Nee.'

'En... Woont u samen met... eh... de mama van uw Mathilde?'

'Nee.'

Au.

Het was niets. Een vervelende splinter die niet van leugentjes hield.

Had hij gelogen?

Ja.

Maar *leefde* hij met Laurence?

'Kijk... Ze hebben heel hun boeltje al geïnstalleerd...'

Een berg kussens en slaapzakken lag midden in de kamer opgestapeld. Er lagen ook een gitaar bij, zakjes snoep, een fles cola, een spel tarotkaarten en sixpacks bier.

'Nou... dat belooft wat,' siste ze. 'We zijn nu dus in de zadelkamer beland... Het enige comfortabele vertrek van het gehucht Les Vesperies... Het enige vertrek met een mooie parketvloer en waar het houtwerk in orde is... Het enige vertrek dat gezegend is met een kachel die zo mag heten... En waarom is dat allemaal volgens u?'

'Voor de rentmeester?'

'Voor het leer, mijn beste! Om het tegen vocht te beschermen. Om de zadels en de teugels van de edele heren van een perfecte luchtvochtigheid te laten genieten! Van iedereen vroren de ballen eraf maar de zweepjes hadden het lekker warm. Geweldig, niet? Ik heb altijd gedacht dat deze kamer het lot van de duiventil heeft bezegeld...'

'Welke duiventil?'

'De duiventil die de mensen uit de streek steen voor steen hebben afgebroken als troost dat ze destijds het kasteel waren misgelopen... Het is meer uw geschiedenis dan de mijne, maar duiventillen waren echt de meest gehate symbolen van het *Ancien Régime*... Des te meer de heer wilde pronken des te groter was zijn duiventil, en des te groter zijn duiventil was des te meer vraten de duiven het zaaigoed op. Een duif kan tegen de vijftig kilo graan per jaar naar binnen werken... Om maar te zwijgen van de jonge scheuten in de moestuin, waar ze gek op zijn...'

'U weet evenveel als Yacine...'

'Eh... Ik heb dat allemaal van hem!'

Ze lachte.

Deze geur... Zo had Mathilde geroken toen ze klein was... En waarom was ze eigenlijk gestopt met paardrijden? Terwijl ze er zo weg van was...

Ja... Waarom? En waarom wist hij het niet? Wat was hem weer ontgaan? In wat voor kwellende vergadering had hij die dag gezeten? Op een ochtend had ze hem gezegd: het is niet meer nodig dat je me naar de club brengt, en hij zou niet eens de reden van deze verloochening hebben willen weten? Hoe was het...

'Waaraan denkt u?'

'Aan m'n oogkleppen...' mompelde hij.

Draaide haar z'n rug toe en bekeek de haken, de zadeldragers, de kapotte teugels, de bank die tegelijk een kist was, het hoekfonteintje van marmer, de pot vol... teer(?), de jerrycan insecticide, de muizenvallen, de muizenkeutels, de laarzenknechten onder het raam, de onberispelijk onderhouden tuigage, van de ezel waarschijnlijk, de keurig op een schap gelegde hoefijzers, de borstels, de hoefkrabbers, de ruiterpetjes van de kinderen, de dekens van de pony's, de kachel die zijn pijp kwijt was maar zes flesjes Kronenbourg rijker en dat wigwamvormige meubel dat hem intrigeerde...

'Wat is dat?' vroeg hij haar.

'Een *porte-chambrières.*'

'O.'

Hij zou wel in het woordenboek kijken...

'En dat?' vroeg Charles met z'n neus tegen het raam.

'Het hondenhok... Of wat ervan over is...'

'Het was enorm...'

'Ja. En wat ervan over is, wekt de indruk dat de honden even goed werden behandeld als de paarden... Ik weet niet of u het van hier kunt zien, maar er zijn medaillons met hondenprofielen boven elke deur uitgesneden... Nee... Er is niets meer van te zien... Ik zou hier alles eens struikvrij moeten maken... Maar eerst de bramen... Kijk... Zelfs het hekwerk is mooi... Toen de kinderen klein waren en ik een beetje rust wilde, stopte ik ze hierin. Voor hen was het net een box en het gaf mij de kans iets anders te doen zonder me zorgen te maken over de rivier... Op een dag had de juf van... Alice, geloof ik, me op het matje geroepen: "Hoort u eens, ik vind het heel vervelend om dit met u te bespreken, maar de kleine heeft in de klas verteld dat u haar met haar broertjes in een hondenhok opsluit, is het waar?"'

'En toen?' smulde Charles.

‘Toen heb ik haar gevraagd of ze het ook over de zwepen had gehad. In elk geval was mijn reputatie gevestigd...’

‘Het is geweldig...’

‘Om kinderen met de zweep te geven?’

‘Nee... Al die verhalen die u vertelt...’

‘Ach... En u dan? U vertelt niets...’

‘Nee. Ik, ik... Ik luister graag...’

‘Ja, ik weet het, ik ben een kletskous... Maar het gebeurt zo zelden dat er een beschaafd iemand bij ons langskomt...’

Zette het andere raam op een kier en herhaalde tegen de tocht: ‘Hoogst zelden...’

Keerden terug: ‘Ik sterf van de honger... U niet?’

Charles haalde z’n schouders op.

Dat was geen antwoord, maar hij wist niet meer wat hij moest zeggen.

Wist niet meer hoe hij de plattegrond vast moest houden. Kon de schaal niet meer zien. Wist niet of hij moest vertrekken of blijven. Of hij naar haar moest blijven luisteren of haar ontvluchten. Of hij het eind van het verhaal moest afwachten of de sleutels van de huurauto in de brievenbus van het verhuurbedrijf stoppen zoals op het contract vermeld.

Was niet berekenend, maar zijn leven bestond uit dingen aan zien komen, en...

‘Ik ook,’ bevestigde hij om de cartesiaan, de logicus, de paragraaf in de marge, het gezien voor akkoord, het in een leven vol voorschriften, bepalingen en garanties ingekapselde te verjagen. ‘Ik ook.’

Uiteindelijk had hij deze tocht gemaakt om Anouk terug te vinden en had het gevoel dat ze niet al te ver weg was.

Zij had die nek zelfs aangeraakt, hier.

Hier, vlakbij...

‘Laten we dan eens gaan kijken wat de slakken voor ons hebben overgelaten...’

Zocht een mand die hij meteen uit haar handen pakte. En verlieten net als de vorige avond, en onder dezelfde grote tekening van de bleke hemel, de binnenplaats en werden kleiner tussen de grassen.

Herderstasjes, margrieten, duizendblad met tengere schermpjes, speenkruid, grote gouwe, muur, Charles had geen benul van deze bloemennamen maar wilde een beetje goed voor de dag komen: 'Wat is dat voor... voor een witte stengel daar?'

'Waar?'

'Vlakbij...'

'Hondenstaart.'

'O?'

Haar glimlach, met spot en al, was... paste precies in het landschap...

De muur van de moestuin was in zeer slechte staat, maar het hek, met twee zuilen ernaast, maakte nog indruk. Charles streelde erover in het voorbijgaan en voelde de droge kitteling van het korstmos.

Kate liet de deur van een berghok piepen, zocht een mes, en hij volgde haar tussen de groenten. Aan beide kanten van twee elkaar kruisende paden waren bedden ingericht, kaarsrecht, onberispelijk onderhouden. In het midden was er een put, bossen bloemen in alle hoeken.

Nee, hij deed niet overdreven, hij leerde graag.

'En die kromme boompjes daar, langs de lanen, wat zijn dat?'

'Krom...' reageerde ze verontwaardigd, 'gesnoeid bedoelt u! Dat zijn appelbomen... En dan geleid, als het u belieft...'

'En dat geweldige blauw op de muur?'

'Dat? De Bordeauxse pap? Dat is voor de wijnstokken...'

'Maakt u wijn?'

'Nee. We eten de druiven niet eens op... Ze smaken verschrikkelijk...'

'En die grote gele bloemkronen?'

'Dille.'

'En die pluimen daar?'

'Aspergegroen...'

'En die grote bollen?'

'Knoflook...'

Draaide zich om: 'Krijgt u voor het eerst een moestuin te zien, Charles?'

'Van zo dichtbij wel ja...'

'Echt?' reageerde ze oprecht bedroefd. 'Maar hoe heeft u dan tot nu toe kunnen leven?'

'Dat vraag ik me ook af...'

'Heeft u nooit vers geplukte tomaten of frambozen gegeten?'

'Als kind misschien...'

'Heeft u nooit een kruisbes boven uw lippen laten rollen? Heeft u nooit een bosaardbeitje gegeten dat nog lauw was? Heeft u uw tanden nooit stukgebeten en uw tong beschadigd door op veel te bittere hazelnoten te kauwen?'

'Ik vrees van niet... En die enorme rode bladeren links?'

'Weet u... U zou al die vragen aan de oude René moeten stellen, dat zou hem zo'n plezier doen... En bovendien vertelt hij er veel beter over dan ik... Ik, ik mag amper hier komen... Trouwens, kijk...' bukte... 'We nemen alleen een paar kroppen sla voor bij uw festijn en we leggen het mes terug, hop, wat niet weet wat niet deert...'

Zo gezegd, zo gedaan.

Charles keek eens naar de inhoud van zijn mand.

'Waar zit u nou weer mee?'

'Onder een blad... Er zit een enorme slak...'

Ze bukte. Haar nek... Pakte het beestje en zette hem in een emmer naast het klapdeurtje.

'Vroeger plette René ze allemaal, maar Yacine heeft net zo lang gezeurd tot hij er niet meer aan durft te komen. Nu flikkert hij ze in de moestuin van zijn buurman...'

'Waarom de buurman?'

'Omdat die z'n haan dood heeft gemaakt...'

'En waarom interesseert Yacine zich voor slakken?'

'Alleen maar voor die dikke hier... Omdat hij ergens heeft gelezen dat ze tussen de acht en tien jaar kunnen worden...'

'Nou en?'

'*My goodness!* U bent net zo'n klit als hij! Ik weet het niet... Hij vindt dat als de Natuur of God of wat dan ook *welbewust* zo'n klein, weerzinwekkend en toch sterk dier heeft geschapen, dat een reden moet hebben, en dat een harde klap met een schop om ze kwijt te raken een belediging voor heel de schepping zou zijn. Hij heeft trouwens veel van dit soort theorieën... Hij kijkt toe als René aan het werk is en praat urenlang tegen hem over de oorsprong van de wereld vanaf de eerste pieper tot onze tijd.

De kleine is blij, hij heeft een publiek, de oude is de hemel te rijk, hij heeft me eens toevertrouwd dat hij voor zijn dood nog het papiertje van de lagere school wil, en de dikke slakken zijn verrukt. Ze maken een ritje naar de stad... Eigenlijk heeft iedereen er baat bij... Volg me, we gaan via het uitzichtpunt terug en dan zullen we zien wat voor stomme streken ze aan het uithalen zijn... Het is altijd verontrustend als je niets hoort.'

Liepen langs de resten van de muur en namen een zandpad dat hen een heuvel op voerde.

Zo ver het oog reikte heuvelachtige weitjes met heide erlangs, balen hooi, stukjes bos, een immense hemel en daaronder een groep kinderen, zo'n beetje in badkleding gestoken en zo'n beetje op harige beesten rijdend, ze lachten, gilden, schreeuwden en renden langs de oevers van een heel donkere rivier die zijn loop volgde en achter andere bosjes verdween...

'Goed... Alles is in orde,' zuchtte ze. 'Dan kunnen wij ook even uitrusten...'

Charles bleef staan.

'Gaat u mee?'

'Wen je er ooit aan?'

'Waaraan?'

'Hieraan...'

'Nee... Het is elke dag weer anders...'

'Gisteren,' dacht hij hardop, 'was de lucht roze en waren de wolken blauw, en vanavond is het andersom, de wolken zijn... U... u woont hier al lang?'

'Negen jaar. Kom, Charles... Ik ben moe... Ik was al heel vroeg op, ik heb honger en ik heb het een beetje koud...'

Hij trok zijn jasje uit.

Het was een oude truc. Hij had hem al duizend keer gebruikt.

Ja, het was een oude truc om zijn colbertje over de schouders van een knappe vrouw te leggen op de terugweg, maar de grote nieuwigheid was dat hij een dag eerder een kettingzaag droeg en vandaag een mand vol slakken...

En morgen?

'U ook, u ziet er moe uit,' zei ze.

'Ik werk hard...'

'Dat kan ik me voorstellen. En wat bouwt u dan?'

Niets.

Liet zijn arm zakken.

Een zware aanval van blues viel hem op het lijf.

Hij had haar vraag niet beantwoord...

Kate boog het hoofd. Bedacht dat ze ook met blote voeten in haar laarzen liep...

Dat haar jurk onder de vlekken zat, haar nagels gebroken waren, en haar handen vreselijk om te zien. Dat ze geen vijfentwintig meer was. Dat ze de hele middag bezig was geweest zelfgemaakte taarten te verkopen op het plein van een met sluiting bedreigd schooltje. Dat ze had gelogen. Dat er vijftien kilometer verderop een restaurant was. Dat ze zich vast belachelijk had gemaakt hem haar hele hoop stenen te laten bezichtigen alsof het om een schitterend paleis ging. Uitgerekend hem... Deze man die ze vast allemaal had bezichtigd... En die ze gek had gemaakt met haar verhalen over knollen, kippen, en ongemanierde kinderen...

Ja maar... Waarover had ze het anders kunnen hebben?

Wat was er tegenwoordig verder in haar leven?

Begon haar handen weer in haar zakken te stoppen.

De rest zou moeilijker te verbergen zijn.

Schouder tegen schouder, zwijgend en heel ver van elkaar vandaan liepen ze de heuvel af.

De zon ging achter hun rug onder en hun schaduwen waren enorm.

'*I*'... fluisterde ze heel zachtjes,

'I will show you something different from either
Your shadow at morning striding before you
Or your shadow at evening rising to meet you
I will show you your fear in a handful of dust.'

Omdat hij zich niet verroerde en haar aankeek op een manier waardoor ze zich ongemakkelijk voelde, achtte ze zich gedwongen uit te leggen: 'T.S. Eliot...'

Maar de naam van de dichter interesseerde Charles geen zak, het was de rest die... dat... hoe had ze het geraden?

Die vrouw... die over een wereld vol spoken en kinderen heerste, die zulke mooie handen had en bij het vallen van de avond glasheldere poëzie voordroeg, wie was dat?

'Kate?'

'Mmm...'

'Wie bent u?'

'Gek is dat, precies de vraag die ik mezelf aan het stellen was... Nou... Zo van een afstandje zou je kunnen zeggen een dikke boerin met Le Chameau-laarzen die interessant probeert te doen door flarden uit een deprimerend gedicht voor te dragen aan een man die onder de hechtpleisters zit...'

En haar lach schudde hun schaduwen door elkaar.

'*Come along*, Charles! Laten we maar stevige boterhammen gaan maken! Die hebben we wel verdiend...'

7

Ze werden begroet door het gejammer van de oude hond op z'n armzalige bed. Kate hurkte neer, legde z'n kop op haar knieën, wreef over zijn oren en zei lieve woordjes tegen hem. Daarna, en Charles meende te *hallucineren*, om de favoriete uitdrukking van Mathilde te gebruiken, spreidde ze haar armen uit, pakte hem van onder vast, tilde hem van de grond op (waarbij ze op haar lippen beet) en bracht hem naar de binnenplaats om te pissen.

Hallucineerde zo hevig dat hij haar niet eens durfde te volgen.

Hoeveel zou zo'n beest niet wegen? Dertig, veertig kilo?

Deze vrouw zou hem voortdurend... wat? Hem verbijsteren. Hem onwijs fascineren, om terug te keren naar zijn woordenboekje van veertienenhalf. Ja, hem superonwijs fascineren.

Haar glimlach, haar nek, haar paardenstaart, haar jurkje uit de seventies, haar heupen, haar ballerina's, haar kinderschaar in de natuur, haar plannen om struiken weg te halen, haar gevatte antwoorden, haar tranen wanneer je die het minst verwachtte, en nu het met een helikopterlier optillen van een waakhond in vierenhalve seconden, dit was...

Dit was te veel voor hem.

Was met lege handen teruggekomen.

'Wat is er met u?' zei ze en ze stofte haar dijen af. 'Het lijkt wel of u net de Heilige Maagd in hotpants hebt gezien. De kinderen uit de streek zeggen dat... Ik ben gek op die uitdrukking... "Ho! Mickaël! Heb je de Heilige Maagd in hotpants gezien of zo?!"... Een biertje?'

Bekeek de deur van haar koelkast.

Hij moest er echt erg suf uitzien, want ze stak haar arm uit om hem te laten zien wat dat was, een biertje.

'Bent u er nog?'

En gaf toen, waardoor hij zijn verwarring niet aan haar banaliteit kon wijten, een meer rationele verklaring: 'Z'n achterlijf is verlamd... Hij is de enige zonder naam... We noemen hem Grote Hond en hij is de laatste heer van dit huis... Zonder hem zouden we waarschijnlijk vanavond hier niet zijn... Nou ja, ik, ik zou er niet meer zijn...'

'Hoezo?'

'Hé... Heeft u er nog niet genoeg van?' zuchtte ze.

'Waarvan?'

'Van mijn streekromannetjes?'

'Nee.'

En omdat ze langs het aanrecht heen en weer begon te lopen, pakte hij een stoel en ging naast haar zitten.

'Sla wassen, dat kan ik wel,' verzekerde hij haar. 'Kom... Ga zitten... Neem uw biertje en vertel...'

Ze aarzelde.

De bouwmeester fronste zijn wenkbrauwen en stak zijn wijsvinger op, of hij een beetje dressuur beproefde: '*Sit!*'

Ze ging uiteindelijk zitten, trok haar laarzen uit, sloeg de slippen van haar jurk over zich heen en leunde achterover.

'O...' kreunde ze, 'dat is de eerste keer dat ik zit sinds gisteravond. Ik kom nooit meer overeind...'

'*Onvoorstelbaar,*' ging Charles verder, 'dat u met zo'n onpraktisch aanrecht voor zo veel mensen kunt koken. Dit is niet eens meer een rustieke inrichting, dit is... Dit is masochisme! Of misschien wel snobisme, niet?'

Met de hals van haar flesje wees ze hem een deur naast de schoorsteen: 'De bijkeuken... Daar is geen dienstmeisje, maar u vindt er een groot aanrecht en als u goed kijkt zelfs een vaatwasser...'

En liet een vette boer.

Als de *Lady* die ze was.

'Perfect... maar eh... het geeft niets, ik blijf bij u. Ik krijg het wel voor elkaar...'

Verdween, kwam terug, liep heen en weer, opende kasten, vond van alles en maakte er het beste van.

Onder een geamuseerde blik.

Terwijl hij met de slakken worstelde, vervolgde hij: 'Ik wacht nog steeds op mijn nieuwe aflevering...'

Ze draaide naar het raam toe: 'We kwamen hier aan in... oktober, geloof ik... Ik zal u later vertellen onder welke omstandigheden, nu heb ik te veel honger om mezelf leeg te persen... En na een paar weken toen het almaar vroeger nacht werd, begon ik bang te worden... Dat was iets heel nieuws voor mij, angst.

Ik was helemaal alleen met de kleintjes en elke avond waren er in de verte autolichten... Eerst aan het eind van de laan en toen almaar dichterbij... Het had eigenlijk niets te betekenen... Alleen de koplampen van een stilstaande auto... Maar dat was het ergste: dat niets. Net een paar gele ogen dat ons in de gaten hield... Ik heb het er met René over gehad. Hij heeft me het jachtgeweer van z'n vader gegeven maar eh... Daar schoot ik weinig mee op... Dus ben ik op een ochtend, nadat ik de kinderen naar school had gebracht, naar de dierenbescherming gegaan, zo'n twintig kilometer hier vandaan. Het is trouwens niet echt van de dierenbescherming... Eerder een soort asiel annex autokerkhof. Een... eh... sympathiek plekje met een laten we zeggen nogal... *kleurrijke* baas. Hij is tegenwoordig een vriend, kijk maar naar het aantal sukkels dat hij ons in de maag heeft gesplitst, maar die dag, geloof me, voelde ik me geen held. Ik dacht dat ik gewurgd, verkracht en tot schroot vermalen zou eindigen.' Ze lachte. 'Ik dacht: Verdomme, wie gaat dan om vier uur de kinderen halen?

Maar nee. Dat witte oog, dat gat in het hoofd, die ontbrekende vingers en de fantasievolle tatoeages waren gewoon... zijn stijl. Ik heb hem mijn probleem verteld, lange tijd zei hij niets en toen gaf hij me een teken hem te volgen. "Met hem daar komen ze u niet meer onder uw balkon lastigvallen, dat garandeer ik u..." Ik schrok me kapot. In een kooi die naar stront stonk probeerde een soort wolf ons te intimideren door als een razende tegen het hek op te springen. Tussen twee fluimen door vervolgde hij: "Heeft u een hondenlijn?"

Eh...'

Charles, die zijn slahartjes had laten zitten, draaide zich lachend om: 'Hád u een hondenlijn, Kate?'

'Niet alleen had ik geen hondenlijn, maar vooral vroeg ik me af hoe ik met hem weer in de auto zou komen! Hij zou me levend opvreten, dat was zo klaar als een klontje! Maar goed... Ik heb me niet laten kennen... Hij pakte een riem, deed schreeuwend de kooi open, kwam er weer uit met dat met kwijl overdekte monster, en toen gaf hij me hem aan of het een radiator was of een verchroomde velg. "Normaal gesproken vraag ik uit principe wat geld, maar in dit geval wilde ik hem toch kapotschieten... Goed, nou, dan laat ik jullie verder. Ik moet aan de slag..." En hij heeft me daar laten staan. Niet letterlijk "laten staan", want in een mum van tijd werd ik meegesleurd. Ik moet erbij zeggen dat ik destijds nog een beetje vrouwelijk was, ik was nog niet in Charles Ingalls veranderd!'

De ander, die van ons, had te veel lol om haar tegen te spreken.

'Uiteindelijk is het me gelukt hem naar de kofferbak te manoeuvreren en toen...'

'En toen?'

'En *toen* ben ik bezweken...'

'U heeft hem aan die man teruggegeven?'

'Nee. Ik besloot naar huis te lópen... Ik heb me nog een honderd meter mee laten sleuren en liet uiteindelijk die halve gare los. Ik heb hem gezegd: "Of je gaat met me mee en je krijgt het leven van een pasja, en wanneer je oud wordt, zal ik je vlees malen en draag ik je elke avond naar de tuin, of je gaat terug naar waar je vandaan komt en je eindigt als vloerkleedje in een weggerotte Renault 5. Jij mag kiezen." Natuurlijk is hij er meteen vandoor gegaan, dwars over de velden en ik dacht dat ik hem nooit meer zou zien. Maar nee... Hij kwam af en toe weer tevoorschijn... Ik zag hem achter de kraaien aan rennen, in het onderhout verdwijnen en grote cirkels om me heen maken. Grote cirkels die steeds minder groot werden... En drie uur later toen we door het dorp liepen, volgde hij me rustig, tong uit z'n bek. Ik heb hem te drinken gegeven en wilde hem in de tijd dat René me op z'n brommertje naar mijn auto zou brengen in de hondenren opsluiten, maar hij werd weer dol, toen heb ik hem gevraagd op me te wachten en lieten we hem daar maar.'

Kwam weer op adem bij een slok bier: 'Toen we terugkwamen, kneep ik hem toch wel...'

'Dat hij 'm gesmeerd was?'

'Nee, dat hij de kinderen zou opvreten! Ik zal die scène nooit vergeten... Destijds parkeerde ik nog op de binnenplaats... Ik wist niet dat de brug op instorten stond... Hij lag voor de deur, deed z'n kop omhoog, ik zette de motor af en richtte me tot de kinderen: "We hebben een nieuwe hond, hij ziet er kwaadaardig uit maar ik denk dat het alleen de buitenkant is... Zullen we eens gaan kijken. Oké?"

Ik stapte als eerste uit, ik nam Hattie in mijn armen en liep rond de auto om de twee anderen eruit te laten. Hij kwam net overeind, ik probeerde een paar stappen te zetten, maar Sam en Alice klampten zich vast aan m'n jas. Hij kwam grommend onze kant op, ik zei tegen hem: "Ophouden, idioot, je ziet toch dat het mijn kleintjes zijn..." en we zijn gaan lopen. Ik wil niet verhelen dat mijn benen... *like jelly* waren en dat de kinderen ook niet bepaald het hoogste woord hadden... En toen lieten ze me uiteindelijk los... We zijn naar de schommel gegaan en de grote hond is in de laan gaan liggen. Daarna zijn we naar huis gegaan, hebben gegeten en hij vond zijn plaats voor de openhaard... Pas later zijn de problemen begonnen... Hij heeft een schaap gedood, twee schapen, drie schapen... Een kip, twee kippen, tien kippen... Ik heb alle schade vergoed maar het was me duidelijk, door het gebrabbel waar René patent op heeft, dat de jagers in de kroeg het er veel over hadden. Dat er een jachtpartij dreigde... Op een avond heb ik hem dus gewaarschuwd: "Als je zo doorgaat, gaan ze je afmaken, weet je..."'

Charles was met een slacentrifuge aan het worstelen die nog uit de yeah-yeahjaren moest dateren.

'En toen?'

'Toen heeft hij gedaan wat hij altijd deed: naar me geluisterd. Ik moet er wel bij zeggen dat we toen een pup hadden gekregen en... ik weet het niet... misschien wilde hij die het goede voorbeeld geven... Hij is in ieder geval rustiger geworden.

Voor ik hierheen kwam, had ik nooit dieren gehad en ik vond mensen met hun hondjes ridicuul, maar hij, ziet u, heeft me...

Hij heeft me goed afgericht...

Een heer, zei ik u... Zonder hem zou ik het niet hebben gered... Hij is voor mij als m'n beschermengel opgetreden, als *nanny*, als badmeester, als vertrouweling, als boodschapper, als antidepressivum, als... noem maar op... Wanneer ik de kinderen uit het oog had verloren, bracht hij de kudde terug en als ik de blues had, dwong hij zich een stommiteit uit te halen om me op andere gedachten te brengen... En passant een kippetje, een bal, het been van de postbode, de superrosbief voor zondag... Jawel! Hij heeft z'n best gedaan om mij het hoofd boven water te laten houden! Daarom zal ik... Ik zal hem tot het eind dragen...'

'En uw avondbezoekers?'

'De dag na zijn komst waren de koplampen er weer. Ik stond in mijn nachthemd achter het keukenraam en ik geloof dat hij mijn angst heeft *geroken*. Hij is als een bezetene voor de deur begonnen te janken. Ik had de deur amper open of hij stond al aan het eind van de laan. Ik denk dat hij de hele buurt wakker heeft gemaakt... Daarna heb ik rustig geslapen. Die nacht, en alle andere...

In het begin noemden de mensen van hier me het wolvenvrouwtje... Goed,' rekte ze zich uit. 'Is het klaar?'

'Ik maak de vinaigrette...'

'*Excellent. Thank you, Jeeves.*'

*

'Daar,' zei ze, 'dat is mijn tuin...'

Ze waren aan de andere kant van het huis en Charles had in heel zijn leven nooit zo veel bloemen gezien.

Het was net zo rommelig, wild en wonderbaarlijk als de rest.

Geen paden, geen borders, geen bloemperken, geen gazon, alleen bloemen.

Overal.

'In het begin was het prachtig... Mijn moeder had het ontworpen en daarna... ik weet het niet... met de jaren is alles scheef gegaan... Ik moet er wel bij zeggen dat ik er weinig aan doe... Tijdgebrek... Iedere keer dat ze komt is ze wanhopig en brengt ze haar vakanties op haar knieën door om haar etiketten te zoeken... Op dat gebied is ze veel Engelser dan mijn vader... Een heel, heel grote tuinvrouw... Fana de Vita Sackville-West, lid van de Royal Horticultural Society, van de Royal National Rose Society, van de British Clematis Society, van... Nou ja, u ziet het type wel voor u...'

Charles dacht dat rozen de aangewezen bloemen waren, meestal roze, of wit, of rood, wanneer je de bloemist een trucje vroeg om een gevoelige vrouw te versieren, ook verbaasde het hem zeer te horen dat al die struiken, die slingerplanten, die grote bloemkronen, die kruipende gevallen en dat soort heel simpele bladen óók rozen waren.

Tussen de bloemen, onder een prieel waaraan alles hing wat bladeren had en graag klom, stond een grote tafel met een nog minder bij elkaar passend stel stoelen dan in de keuken. Kate maakte met plezier de inventaris op: 'Blauweregen... Clematis... Kamperfoelie... Bignonia... Akebia... Jasmijn... Maar in augustus is het het mooist. In augustus hier gaan zitten, aan het eind van de dag, als je echt moe bent en alle geuren een frisse neus halen, is... geweldig...'

Zetten hun stapels borden op het tafellaken, de mand met vleeswaren, de vier grote broden, een fles wijn, servetten, potten met augurken, kannen met water, een dozijn mosterdglazen, twee wijnglazen en de grote slabak.

'Goed... tja, we kunnen de bel gaan luiden...'

'Het lijkt of u zich zorgen maakt,' zei ze hem toen ze weer in het huis waren.

'Mag ik gebruikmaken van uw telefoon?'

Hun blikken kruisten.

Kate liet haar hoofd zakken.

Had net autolichten in de verte opgemerkt.

'Na... natuurlijk...' stotterde ze en bewoog haar handen heen en weer op zoek naar een onzichtbare schort, 'de... daar, aan het eind van de gang.'

Maar Charles verroerde zich niet. Wachtte tot ze weer terug was.

Wat gebeurde, met een verbeten glimlachje.

'Ik moet het verhuurbedrijf waarschuwen. Voor de auto, weet u...'

Ze stemde zenuwachtig in. Op een manier die aangaf nee, ik wil het niet weten. En liep, terwijl hij richting Parijs ging, naar buiten en hurkte neer voor de pomp.

Je wist dat het geen goed idee was, vervloekte ze zichzelf en ze verdronk zich onder een almaar koudere waterstraal.

Wat dacht jij, *you silly old fool*, dat hij gekomen was om de bruggen van Madison County te fotograferen?

Het was een oud toestel met een draaischijf. En het duurt lang, een nummer op een draaischijf draaien. Hij begon dus met Mathilde, om wat moed te krijgen.

Voicemail.

Deed haar veel groetjes en verzekerde haar dat ze maandagochtend op hem kon rekenen.

Vervolgens het verhuurbedrijf.

Voicemail.

Zei dat hij het was, legde de situatie uit en had er begrip voor dat de prijs hoger werd.

Laurence ten slotte.

Liet hem vijf keer overgaan, vroeg zich af wat hij haar ging...

Voicemail.

En verder?

'Wilt u zo vriendelijk zijn een bericht achter te laten?' was haar verzoek aan iedereen op een erg 'haute couture'-toontje.

Vriendelijk? Dat wás Charles. Stortte zich in een warrige uitleg, gebruikte het woord 'tegenslag' en had nauwelijks de tijd om de gr... dat werd door de piep afgebroken.

Legde de hoorn op de haak.

Keek naar de salpetersporen en de scheuren op de hele muur. Raakte die lepra aan en bleef een lang ogenblik in de leegte schilferen.

De bel maakte daar een eind aan.

Voegde zich weer bij Kate op de binnenplaats.

Ze zat op de derde tree van een stenen trap, droeg haar ballerina's en had een dikke trui aangetrokken.

'Kom naar de voorstelling!' riep ze hem toe. 'Ik zorg voor de voice off!'

Aarzelde aan haar voeten te gaan zitten... Ze zou zijn kalend hoofd zien...

Maar goed... Pech gehad.

'Yacine zal de eerste zijn. Omdat hij de grootste lekkerbek is en omdat hij nooit iets aan het *doen* is... Yacine doet nooit met een spelletje mee... Hij is een bangerik en onhandig... Volgens de anderen komt dat omdat zijn hoofd te zwaar is... Hij zal worden vergezeld door Hideous en Ugly, onze schitterende Jansen en Janssen van het hondenras... Kijk... Daar zijn ze... Daarna Nelson, vergezeld door zijn vrouwtje en gevolgd door Nedra, die dezelfde aanbidding voelt voor dezelfde Alice...'

De deur van de werkplaats ging open.

'Wat zei ik u... Daarna de tieners... Die buiken op poten die nooit iets horen, behalve de bel op etenstijd. Iedere veertien dagen drie winkelwagens, Charles... *Drie* winkelwagens boordevol! Tegelijk met hen verschijnen Ramon, kapitein Haddock en als klap op de vuurpijl de geit... Heel het stel komt voor het lokkertje van de avond... En ja, het lokkertje...' zuchtte ze, 'wij zijn een huis vol stomme rituelen zoals dit... Het heeft me wat tijd gekost maar op een dag had ik door dat stomme rituelen je helpen om te leven...

En de laatste honden die hier of daar nog rondzwerven... de pup waarover ik u net vertelde en die een prachtig eh... soort dashond geworden is, gezien de verbazingwekkende lengte van z'n oren... en *last but not least* onze lieve Freaky, die in een vorig leven beslist de mof van Frankenstein is geweest... Heeft u hem ontdekt?'

'Nee,' zei Charles vanuit zijn loge, zijn hand als zonneklep en een nadrukkelijke glimlach, 'ik geloof het niet...'

'Dat komt wel, het is de kleine dikke vol littekens, met een slecht aangenaaid oor en uitpuilende ogen...'

Stilte.

'Waarom?' vroeg hij.

'Waarom wat?'

'Al die dieren?'
'Om me te helpen.'
Wees met haar vinger naar de heuvel: 'Daar komen ze... Mijn god... Er zijn er nog meer dan ik dacht... En helemaal daarginds, in de buurt van de dennenbomen, ik weet niet of u ze ziet... Onze grote amazones... Harriet en haar vriendin Camille op de pony'tjes die voor één keer heel hard gaan. Hebben we nog wel genoeg lokvoer???'

De grote stoet die volgde, gaf haar in alle opzichten gelijk. De binnenplaats zou zo meteen vol geschreeuw, stof en gekakel zijn.
Kate volgde vanuit een ooghoek de reacties van haar gast: 'Sinds kort probeer ik me in u te verplaatsen,' bekende ze hem ten slotte. 'Ik zei bij mezelf: Maar wat vindt hij van dit alles? Dat u in een gekkenhuis bent beland, nietwaar?'
Nee. Hij was juist aan het denken over het contrast tussen de huidige opwinding en zijn drukke verwarring aan het eind van de gang.
De laatste tijd had hij de indruk dat zijn leven eruit bestond tegen apparaten te praten...

'U geeft geen antwoord...'
'Probeert u maar niet zich in mij te verplaatsen,' grapte hij zoetzuur, 'veel te...'
'Veel te wat?'
Met de punt van zijn schoen tekende hij cirkelbogen op het grind.
'Minder levendig.'

Ineens had hij erg veel zin met haar over Anouk te praten.
'Aan tafel!' riep zij en kwam overeind.
Benutte haar vertrek om aan Yacine te vragen: 'Je moet me eens vertellen... Hoe heten babyuiltjes?'
'Uilenschatjes,' glimlachte Alice.
De ander was ontdaan.
'Hé! Maar het is niet erg, als je het niet weet...' stelde hij hem gerust.
Maar toch.
Het was erg.
'Ik weet dat je "juveniel" zegt bij vogels die nog niet volwassen zijn, maar uilen eh...'
'En de kleintjes van de kameel?' vervolgde Charles op goed geluk en om hem uit zijn netelige positie te bevrijden.

Brede glimlach.
'Kameeltjes.'
Oef.

Nou ja, 'oef'... Bij wijze van spreken... De jongen hield hem hiermee een groot deel van de maaltijd aan de praat. Katje, ratje, gansje, stiertje, arendje, struisvogeltje, tralalaatje, buffeltje, ezeltje, karpertje, wolfje, gorillaatje en girafje.

Nee. Sorry. Giraffeveulen.

Vanaf de andere kant van de tafel keek ze hoe hij serieus ja knikte en amuseerde zich very much.

Ze zaten met zijn twaalven onder het loof. Iedereen praatte door elkaar. Het brood en de augurken gingen alle kanten op en ze vertelden elkaar verhalen over het schoolfeest.

Wie wat had gewonnen, dat het zoontje van de juffrouw vals had gespeeld en na hoeveel glazen vadertje Jalet de toog van de bar had verlaten.

De groten wilden onder de blote hemel slapen en de kleintjes hielden vol dat ook zij groot waren. Met de ene hand vulde Charles het glas van Kate, met de andere joeg hij de snuit weg van iets wat op de schouder kwijlde... van Kate die bromde: '*For Christ's sake!* Hou op de honden te voeren!' en naar wie niemand luisterde omdat ze raaskalde. Die toen zuchtte en heimelijk boterhammen met paté aan haar Grote gaf.

Voor het toetje werden fakkels en kaarsen aangestoken. Samuel en zijn groep gingen afruimen en de onverkochte taarten halen. Er werd een beetje geruzied. Niemand wilde de appeltaart van mevrouw Dinges want mevrouw Dinges stonk. De tieners spraken, terwijl ze bezig waren de displays van hun allernieuwste mobieltjes over hun mouwen op te poetsen, over goede visstekken, over de problemen van het kalveren en over de nieuwe hakselaar van de Gagnoux. Een knap meisje had een wit hemdje aan waarop op de plaats van de linkertepel een zwarte stip stond getekend met een pijl die waarschuwde: 'klappenautomaat' en het apparaat werkte nogal goed.

Yacine vroeg zich hardop af of je walvisje of walviskalf zei, Nedra keek naar de vlam van een kaars en Charles naar Nedra.

Een Georges de La Tour...

De liftsters waren weg, op zoek naar een plaats waar 'er bereik was', en Alice maakte lieveheersbeestjes van kaarsvet en de peperkorrels uit de worst.

Tussen twee kreten door hoorde je de wind in de bomen en het geroep van de juvenielen.

Aandachtig richtte Charles zich op wat zou volgen.
Hun stommiteiten, hun gelach, hun gezichten.
Dit eilandje in de nacht.
Hij wilde niets vergeten.

Ze hield hem tegen met haar hand op zijn mouw: 'Nee, blijf zitten. Nu moeten de kinderen eens wat doen... Wilt u koffie?'
Alice zei dat ze koffie zou zetten, Nedra bracht de suiker en de anderen trokken een fakkel uit de grond om de beesten naar de wei terug te brengen.

Het werd een heel vrolijke maaltijd vol eendagsvliegen.

8

Ze waren weer met z'n tweeën.

Kate had haar glas weer gepakt en draaide haar stoel naar het donker. Charles kwam op de plaats van Alice zitten.

Wilde haar beestjes bekijken...

Draaide zijn heupen, zocht naar zijn sigaretten en bood die haar aan: 'Afschuwelijk,' piepte ze, 'ik zou dolgraag met u meedoen maar ik heb *zo veel* moeite gehad ermee te stoppen...'

'Luister, ik heb er nog maar twee. Laten we onze laatste samen oproken en dan hebben we het er niet meer over.'

Kate keek angstig alle kanten op: 'Zijn er kinderen?'

'Ik zie er geen...'

'Mooi... Super...'

Nam een trekje en sloot haar ogen.

'Ik was het vergeten...'

Glimlachten elkaar toe en vergiftigden zich vol overgave.

'Het komt door Alice...' legde ze uit.

Liet het hoofd zakken en hervatte zachter: 'Ik was in de keuken. De kinderen sliepen al een hele tijd. Ik rookte de ene sigaret na de andere en ik dronk... *in m'n eentje*, om de uitdrukking van de moeder van Alexis over te nemen...

Ze kwam jammerend aanzetten. Ze had buikpijn. Het was een tijd dat we allemaal meer of minder buikpijn hadden, geloof ik... Ze wilde een omarming, een liefkozing, troostwoorden, alles wat ik hun niet meer kon geven... Het is haar toch gelukt op me te klimmen en op mijn schoot te kruipen.

Ze had haar duim weer in haar mond gestopt en hoe ik ook zocht, ik kon niets vinden om haar te kalmeren of om haar te helpen weer in slaap te vallen. Ik... Niks...

In plaats daarvan keken we naar het vuur.

Na een hele poos vroeg ze me: Wat wil "voortijdig" zeggen?

Eerder dan verwacht, was mijn antwoord. Ze zweeg weer en ging toen verder: "Wie gaat er voor ons zorgen als jij voortijdig doodgaat?"

Ik boog me over haar heen en bedacht dat ik mijn pakje Craven op haar schoot had laten liggen.

En dat ze net had leren lezen...

Wat kon ik hierop antwoorden?

"Gooi het in het vuur."

Ik heb gekeken hoe het pakje kronkelde en verdween, en ben gaan huilen.

Ik had echt het idee dat ik net mijn laatste krukken had verloren... Veel later heb ik haar naar bed gebracht en ben hollend teruggekomen. Waarom zo snel? Om de as te doorzoeken, wat dacht je!

Ik was al erg *down* en door dit acuut afkicken ben ik nog dieper in de put beland... Destijds haatte ik dit koude en trieste huis dat me inmiddels alles had afgenomen, maar ik moest zeggen dat het *één* voordeel had: de dichtstbijzijnde tabakswinkel was zes kilometer verderop en ging om zes uur 's avonds dicht...'

Drukte de peuk in de grond uit, legde hem op tafel en schonk een glas water voor zichzelf in.

Charles zweeg.

Ze hadden de hele nacht voor zich.

'Het zijn de kinderen van mijn z...' Haar stem was gebroken. 'Sorry... van mijn zus en... O,' zei ze en vervloekte zichzelf, 'dáárom wilde ik u niet uitnodigen voor het eten.'

Hij schrok op.

'Toen u gisteravond met Lucas kwam, zag ik namelijk zelfs achter uw wonden, of misschien juist daardoor, die blik van u en...'

'En?' herhaalde hij, een beetje verontrust.

'En ik wist wat er zou gebeuren... Ik wist dat we rond deze tafel zouden eten, dat de kinderen zich zouden verspreiden, dat ik alleen met u zou achterblijven en dat ik u zou vertellen wat ik nooit tegen iemand heb verteld... Het verwart me het u te bekennen, meneer Charles De Onbekende, maar ik wíst dat de keus op u zou vallen... Dat heb ik u net in de zadelkamer gezegd... Er zijn expedities naar hier geweest, maar u bent de eerste beschaafde man die zich naar het kippenhok heeft gewaagd en ik, om eerlijk te zijn... ik durfde niet meer op u te hopen.'

Enigszins mislukte poging tot een glimlach.

Altijd dat probleem met woorden, verdomme. Charles had ze nooit bij de hand als hij ze nodig had. Had, als het tafellaken nu nog van papier was geweest, iets voor haar geschetst. Een vluchtlijn of een horizonlijn, iets van perspectief of eventueel een vraagteken, maar praten, mijn god, wat... Wat kun je met woorden zeggen?

'U kunt nog weg, weet u!' voegde ze eraan toe.

Deze glimlach was gelukt.

'Uw zus,' mompelde hij.

'Mijn zus was... Goed, luister,' vervolgde ze iets vrolijker, 'ik zal maar meteen gaan huilen, dan hebben we dat gehad.'

Trok aan de mouw van haar trui, zoals je een zakdoek openvouwt: 'Mijn zus, mijn enige zus heette Ellen. Ze was vijf jaar ouder dan ik en ze was een... prachtmeid. Mooi, geestig, stralend... Dat zeg ik niet omdat zij het was, ik zeg het omdat zij *het was*. Ze was mijn vriendin, de enige geloof ik, en nog veel meer dan dat... Ze heeft vaak voor me gezorgd toen we kinderen waren. Schreef me brieven toen ik op kostschool zat, en zelfs na haar huwelijk belden we elkaar bijna elke dag op. Zelden langer dan twintig seconden omdat er altijd een oceaan of twee continenten tussen ons zaten, maar twintig seconden, ja.

Toch waren wij heel verschillend. Zoals in de romans van Jane Austen, u weet wel... De grote *sensibele* en de kleine *sensitieve*... Zij was mijn Jane en mijn Elinor, zij was kalm, ik was onstuimig. Zij was zacht, ik was moeilijk. Zij wilde een familie, ik wilde erop uit. Zij wachtte op kinderen, ik op visa. Zij was genereus, ik was ambitieus. Zij luisterde naar de mensen. Ik nooit... Net als met u vanavond... En omdat zij perfect was, gaf zij mij het recht dat niet te zijn... Zij was de pijler en de pijler was stevig, ik kon dus de hort op... De familie zou overeind blijven...

Ze heeft me altijd gesteund, gestimuleerd, geholpen, van me gehouden. Wij hadden alleraardigste ouders maar helemaal maf, en zij heeft me opgevoed.

Ellen...

Het is lang geleden dat ik haar naam hardop heb uitgesproken...'

Stilte.

'En hoe cynisch ik destijds ook was,' vervolgde ze, 'ik móest wel toegeven dat *happy ends* niet alleen aan victoriaanse romans waren voorbehouden... Ze is getrouwd met haar eerste liefde en haar eerste liefde was niet zomaar iemand... Pierre Ravennes... Een Fransman. Een geweldige kerel. Even genereus als zij... *Beau-frère* betekende dan ook veel meer dan *brother in law*. Ik hield veel van hem en de wet heeft daar helemaal niets mee te maken. Hij was enig kind en had daar zeer onder geleden. Hij was trouwens verloskundige geworden... Ja, zo'n man was hij. Die wist wat hij wilde... Ik denk dat een tafelgezelschap zoals dat van vanavond hem verrukt zou hebben... Hij zei dat hij zeven kinderen wilde en je wist nooit of hij het meende. Samuel werd geboren... Ik ben zijn meter... Toen Alice, en Harriet. Ik zag ze niet erg vaak, maar ik werd altijd getroffen door de sfeer die bij hen heerste, het was... Kent u Roald Dahl?'

Hij knikte.

'Ik hou van die vent... Aan het eind van *Danny The Champion Of The World* is er een boodschap voor zijn jonge lezer die er ongeveer op neerkomt: Wanneer jullie groot zijn, vergeten jullie dan alsjeblieft niet dat kinderen ouders willen en *verdienen* die *sparky* zijn.

Ik weet niet hoe ik het moet vertalen... Briljant? Grappig? Sprankelend? Vol dynamiet? Champagne misschien... Maar wat ik wel weet, is dat hun gezin... sparkyssime was... Ik was verrukt en tegelijk een beetje *confused*, ik dacht dat ik dit nooit zou kunnen... Dat ik de generositeit, de vrolijkheid en het geduld miste die je nodig had om kinderen zo gelukkig te maken...

Ik herinner me heel goed dat ik mezelf voor de grap en ter geruststelling voorhield: Als ik op een dag kinderen krijg, vertrouw ik ze aan Ellen toe... En toen...'

Treurig gezicht.

Charles wilde haar schouder of haar arm aanraken.

Maar durfde niet.

'En toen, kijk eens aan... Vandaag lees ík hun de boeken van Roald Dahl voor...'

Nam haar haar glas uit handen, vulde het en reikte het haar weer aan.

'Bedankt.'

Lange stilte.

Het gelach en de gitaarakkoorden in de verte gaven haar de moed om door te gaan.

'Op een dag ben ik ze onverwachts gaan opzoeken... Voor de verjaardag van mijn petekind eigenlijk... Destijds woonde ik in de Verenigde Staten, ik werkte hard en had hun jongste nog nooit gezien... Ik was al een paar dagen bij hen toen de vader van Pierre zijn komst aankondigde. De befaamde Louis van het shirt... Het was een gekke, originele, grappige man. Door en door sparky... Een wijnhandelaar die hield van drinken, eten, lachen, kinderen naar het plafond gooien voor hij ze aan hun voeten ophing, een man die zijn dierbaren tegen zijn dikke pens verstikte.

Hij was weduwnaar, hij aanbad Ellen, en ik geloof dat zij evengoed met hem was getrouwd als met zijn zoon... Ik moet erbij zeggen dat onze vader al een oude heer was toen wij werden geboren... Docent Grieks en Latijn aan de universiteit... Heel aardig maar nogal... verstrooid... Meer op z'n gemak bij Plinius de Oude dan bij zijn dochters... Toen Louis begreep dat ik daar was en ik op de kinderen kon passen, heeft hij Pierre en Ellen gesmeekt met hem mee te gaan om een wijnkelder of ik weet niet wat in de Bourgogne te bezoeken. Ga mee, hield hij aan, dat zal jullie goed doen... Jullie zijn al zo lang niet meer weg geweest! Toe... Ga mee... We gaan een mooi wijngoed bezoeken, smikkelen en smullen, in een uitstekend hotel slapen en morgenmiddag zijn jullie weer terug... Pierre! Doe het voor Ellen! Verlos haar even van haar zuigflessen!

Ellen aarzelde. Ze had helemaal geen zin me daar te laten, geloof ik... En daarom zeg ik, Charles, dat het leven een smeerlap is: *ik* heb erop aangedrongen dat ze vertrok. Ik merkte dat dit uitstapje Pierre en zijn vader zo'n plezier zou doen... Ga toch, zei ik haar, ga smikkelen en smullen en in een hemelbed slapen, *we'll be fine*.

Ze stemde toe, maar ik wist dat ze zich daartoe dwong. Dat ze de anderen weer eens voor liet gaan...

Alles werd razendsnel geregeld. We hadden besloten niets tegen de kinderen te zeggen om het risico op een zinloze scène te vermijden, ze waren naar een tekenfilm aan het kijken. Mama zou morgen terug zijn, wanneer Mowgli zijn dorp had teruggevonden, niets aan de hand.

Auntie Kate voelde dat ze dit wel aan kon. Auntie Kate had nog niet alle cadeautjes uit haar reistas gehaald...'

Stilte.

'Alleen is mama nooit teruggekomen. En papa niet. En opa niet.'

'De telefoon ging 's nachts, een stem met rollende "r" vroeg me of ik een familieband had met Louis Rrravennes, Pierre Rrravennes, of Élin

Chérrraingueton. Ik ben haar zus, antwoordde ik, toen hebben ze me met een ander verbonden, iemand met een hogere rang, en die ander heeft het vuile werk opgeknapt.

Had de bestuurder te veel gedronken? Was hij ingedut? Het onderzoek zou het uitwijzen, maar vast stond dat hij veel te hard reed en dat de ander, de chauffeur van de vrachtwagen die landbouwmachines vervoerde, beter had moeten parkeren en zijn warnings aan had moeten zetten voor hij ging pissen.

Toen hij zijn broek dichtknoopte, was er achter hem van sparky geen sprake meer.'

Kate was overeind gekomen. Verschoof haar stoel naar haar hond toe, deed haar schoenen uit en schoof haar voeten onder diens verlamde zij.

Tot nu toe had Charles zich goed gehouden, maar nu hij zag dat dit grote beest, dat niet meer met z'n staart kon kwispelen, ernstig naar haar opkeek om zijn vreugde te uiten dat hij nog iets voor haar kon betekenen, werd het hem uiteindelijk te veel.

En hij had geen sigaretten meer...

Legde zijn hand op z'n gezwollen wang.

Waarom was het leven zo onverschillig jegens z'n trouwste dienaren?

Waarom?

Waarom zíj?

Hij had geluk. Moest zevenenveertig worden om te begrijpen wat Anouk vierde wanneer ze alles opzij schoof onder het voorwendsel dat ze leefden.

De bekeuringen, hun slechte cijfers, de afgesneden telefoon, haar auto weer stuk, haar geldzorgen en de dwaasheid van de wereld.

Indertijd vond hij dat een beetje slap, laf zelfs, alsof dit simpele woord al haar zwakheden moest goedpraten.

'Leefden.'

Uiteraard... Wat anders?

Dat sprak vanzelf.

Dat telde trouwens niet eens.

Eerlijk gezegd begon ze ons hiermee te vervelen...

'Ellen en haar schoonvader waren op slag dood. Pierre, die achterin zat, heeft gewacht tot hij in het ziekenhuis van Dijon was om zijn collega's een laatste groet te brengen... Ik heb al vaak de gelegenheid gehad om...' vertrokken mond... 'om *deze feiten te vertellen*, dat kunt u zich wel voorstellen... Maar in feite heb ik nooit wat gezegd...'

'Bent u er nog, Charles?'

'Ja.'

'Mag ik even?'

Knikte. Was te ontroerd om het risico te nemen haar zijn stemgeluid te laten horen.

Een aantal minuten verstreek. Hij dacht dat zij het had opgegeven.

'Eigenlijk geloof je niet dat wat ze je net hebben verteld ergens op slaat, het was een nare droom. Ga toch weer slapen.

Natuurlijk kun je dat niet en breng je de rest van de nacht wezenloos door, met naar de telefoon kijken, je wacht tot kapitein Huppeldepup je terugbelt om zijn verontschuldigingen aan te bieden. Luisterrr, errr is een verrrgissing met de lichamen... Maar nee, de aarde draait door. De meubels van de huiskamer hebben hun plaats weer ingenomen en een nieuwe dag komt je lastigvallen.

Het is bijna zes uur en je loopt het hele appartement door om de omvang van het drama te bepalen. Samuel, in een blauw kamertje, zes jaar sinds gisteren, zijn voorhoofd tegen zijn *teddy bear* en met wijd open handen. Alice, in eenzelfde kamertje, maar dan roze, drieënhalf, en al vastgekleefd aan haar duim... En dicht bij het bed van haar ouders Harriet, acht maanden, ze kijkt verbaasd als je je over haar wieg buigt, en ze is, je ziet het best, *al* een beetje teleurgesteld bij het terugzien van jouw wat onzekere gezicht in plaats van het gezicht van haar moeder...

Je tilt dit kind op, je doet de deuren van de andere kamers dicht omdat zij begint te brabbelen en eerlijk gezegd heb je niet bepaald haast dat ze wakker worden... Je bent er trots op dat je nog weet hoeveel lepels poeder er voor het flesje nodig zijn, je gaat op een stoel voor het raam zitten, want je moet hoe dan ook deze nieuwe rotdag het hoofd bieden, dan kun je maar het beste in de ogen van een zuigende baby kijken en je... je huilt niet, je bent in die staat van...'

'Sideratie,' mompelde Charles.

'*Right. Numb.* Je neemt haar tegen je aan voor het boertje en je doet haar pijn door jezelf zo hard aan haar vast te houden, of die kleine *burp* het belangrijkste op de wereld is. Het laatste waaraan je je nog vast kunt klampen. Sorry, zeg je tegen haar, sorry... En je wiegt jezelf in haar nek.

Je bedenkt dat je vliegtuig de volgende dag weer vertrekt, dat je de beurs hebt gekregen waarop je al zo lang wachtte, dat je een verloofde hebt die net is gaan slapen, duizenden kilometers van hier, en dat je van plan was het volgende weekend naar de *garden party* van de Millers te gaan, dat je vader binnenkort drieënzeventig wordt, en dat je moeder, dat onbezonnen vogeltje dat nooit voor zichzelf heeft kunnen zorgen, dat... dat er niemand aan de horizon is. Maar vooral, en dat besef je nog niet, dat je Ellen nooit meer terug zult zien...

Je weet dat je je ouders moet bellen, al is het maar omdat íemand daarheen moet. Vragen beantwoorden, wachten tot ze de ritsen van de hoezen opendoen en papieren tekenen. Je houdt jezelf voor: ik kan *Dad* daar niet heen sturen, hij is niet... opgewassen tegen dit soort situaties, wat mama betreft... Je kijkt naar de mensen die met grote stappen over straat lopen en je verwijt hun hun egoïsme. Waar gaan ze toch heen? Waarom doen ze of er niets is gebeurd? Alice haalt je uit je versuftheid en het eerste wat ze aan je vraagt is: Is mama terug?

Je maakt een tweede flesje klaar, zet haar voor de televisie en prijst je gelukkig met Tweety en Sylvester. Je kijkt trouwens mee. Samuel komt eraan, hij kronkelt zich tegen je aan, hij zegt: niks aan, Tweety wint altijd. Je geeft hem gelijk. Er is echt helemaal niets aan... Je blijft zo lang mogelijk met hen voor de televisie zitten, maar op een gegeven moment is er niets meer te zien... En je had ze gisteren beloofd hen mee te nemen naar de Jardin du Luxembourg, dus moet iedereen zich aankleden, nietwaar?

Samuel wijst je waar de vuilnisbakken moeten staan en hoe je de achterkant van de kinderwagen hoger krijgt. Je kijkt hoe hij het doet en je vermoedt dat je van dit jongetje nog veel meer zult leren over het leven...

Je loopt op straat en je herkent niets, je zou echt je ouders moeten bellen, maar je kunt de moed niet opbrengen. Niet vanwege hen, vanwege jezelf. Zolang je niets zegt, zijn ze niet dood. De politieman kan je nog zijn excuses aanbieden.

Het is zondag vandaag. En zondagen tellen niet. Het is een dag waarop nooit iets gebeurt. Waarop je bij je familie blijft.

De zeilbootjes op de vijver, de draaimolens, de schommels, de poppenkast, alles werkt. Een grote jongen zet Samuel op de rug van een ezel en zijn glimlach biedt een geweldige adempauze. Je kunt het niet weten, maar dit is het begin van een grote passie die je bijna tien jaar later naar de karrenwedstrijd van Meyrieux sur Lance leidt...'

Ze glimlachte.

Charles niet.

'Daarna neem je ze mee om friet te eten bij de Quick in de Rue Soufflot en je laat ze heel de middag in de ballenbak spelen.

Je bent daar. Je hebt je dienblad niet eens aangeraakt. Je kijkt naar ze.

Twee kinderen vermaken zich als gekken in de speelruimte van een fastfood op een aprildag in Parijs en de rest is van geen enkel belang.

Op de terugweg vraagt Samuel je of zijn ouders er zullen zijn wanneer ze thuiskomen en omdat je laf bent, antwoord je dat je het niet weet. Nee, je bent niet laf, je wéét het alleen niet. Je hebt nooit kinderen gehad, je weet niet of je hun het nieuws zonder omwegen moet brengen of een soort van... dramatische opbouw moet scheppen waardoor ze aan het ergste kunnen wennen. Eerst zeggen dat ze een auto-ongeluk hebben gehad, hun het vieruurtje geven, hun vervolgens vertellen dat ze in het ziekenhuis liggen, hen in bad doen, erbij zeggen dat het vrij ernstig is en... Als het om jou ging, zou je het hun meteen zeggen, maar het gaat helaas niet om jou. Ineens spijt het je dat je niet in de *States* bent, daar zou je moeiteloos het nummer van een *helpline* vinden en een heel zelfverzekerde psychologe aan de lijn krijgen om je te helpen. Je bent radeloos en je kijkt lang in de etalage van de speelgoedwinkel op de hoek van de Rue de Rennes om tijd te winnen...

Wanneer je de deur van het appartement openduwt, stort Samuel zich op de knipperende knop van het antwoordapparaat. Het is je ontgaan, want je bent aan het worstelen met het piepkleine jasje van Harriet en boven het gebabbel van Alice uit, die haar speelgoedserviesje in de hal uitpakt, herken je de stem van de kapitein.

Hij biedt je helemaal geen excuus aan. Hij snauwt je eerder af. Hij begrijpt niet dat je hem niet hebt teruggebeld en verzoekt je het nummer van het politiebureau en het adres van het ziekenhuis te noteren waar de lijken liggen. Hij groet je stuntelig en betuigt je nogmaals zijn medeleven.

Samuel kijkt je aan en je, je... je kijkt de andere kant op... Een Harriet stevig op de heup geklampt, je helpt haar zus haar rommel te verplaatsen en terwijl je het hummeltje in haar box legt, vraagt een stemmetje achter je rug: De lijken van wie?

Dan ga je met hem naar z'n kamer en je beantwoordt z'n vraag. Hij luistert ernstig naar je en je bent beduusd over zijn... *self-control* en dan wendt hij zich weer tot z'n autootjes.

Je bent stomverbaasd, je bent opgelucht maar je vindt het heel... *fishy*. Goed, alles op z'n tijd. Laat hem maar nu spelen, laat hem maar spelen... Maar als je zijn kamer uit gaat, komt hij er tussen twee vroem-

vroems op terug: Goed, ze komen nooit meer terug, maar wanneer wel?

Dan vlucht je het balkon op en vraag je je af waar in dit huis de sterkedrank ligt. Je gaat de telefoon van z'n oplader halen en je begint, nog steeds vanaf het balkon, met je geliefde te bellen. Je krijgt de indruk hem wakker te hebben gemaakt, je legt hem de situatie nuchter uit en na een stilte zo groot als... de Atlantische Oceaan is hij even ontmoedigend als de kleintjes: *Oh honey... I feel so terribly sorry for you but... when are you coming back?* Je hangt op en eindelijk ga je huilen.

Je hebt je in je leven nooit zo alleen gevoeld, en uiteraard is dit nog maar het begin.

Precies het soort situatie waarin je Ellen zou moeten bellen...

Charles?'

'Ja.'

'Verveel ik je?'

'Nee.'

'Sterkedrank, zei ik... Houdt u van whisky? Wacht even...'

Ze liet hem de fles zien: 'Wist u dat een van de beste whisky's ter wereld Port Ellen heet?'

'Nee, ik weet niets, dat weet u toch...'

'Heel moeilijk aan te komen... De distilleerderij is al ruim twintig jaar dicht, meen ik...'

'Dan moet u hem bewaren!' protesteerde hij.

'Nee. Ik ben blij dat ik hem vanavond met u kan drinken. U zult merken, het is ongelooflijk. Een cadeau van Louis... Een van de weinige dingen die ons tot hier is gevolgd... Hij had u beter dan ik kunnen vertellen over de tonen van citrusfruit, van turf, van chocola, van hout, van koffie, van hazelnoten en weet ik nog meer van wat, maar voor mij is het gewoon... Port Ellen... Geweldig dat er nog wat van over is! Er was een tijd dat ik moest drinken om in slaap te komen en ik lette niet erg op de etiketten... Maar deze fles had ik nooit durven gebruiken om buiten westen te raken. Ik heb op u gewacht.'

'Een grapje,' verbeterde ze zichzelf, en reikte hem een glas aan, 'luister niet naar me. Wat zult u wel niet van mij denken? Ik ben belachelijk.'

Weer schoten woorden tekort... Ze was helemaal niet belachelijk, ze was... Hij wist het niet... Een vrouw met tonen van hout, zout en chocola misschien...

'Goed, ik maak mijn verhaal af... Ik geloof dat ik het ergste gehad heb... Vervolgens kwam het op leven aan en wat ze ook zeggen, het is altijd gemakkelijker als je móet leven. Ik heb mijn ouders gebeld. Mijn vader verschanste zich in zijn stilzwijgen, *as usual*, en mijn moeder werd hysterisch. Ik heb de kinderen aan de dochter van de conciërge toevertrouwd en heb de auto van mijn zus geleend om me bij haar in de hel te voegen. Het is allemaal heel ingewikkeld geweest... Ik wist niet dat doodgaan zo ingewikkeld was... Ik ben daar twee dagen gebleven... In een deprimerend hotel... Daar ben ik ongetwijfeld begonnen met leren drinken... In de buurt van het station van Dijon vind je na middernacht gemakkelijker een fles J&B dan slaappillen... Ik ben naar de begrafenisondernemer gegaan en heb alles geregeld om de lichamen in Parijs te laten cremeren. Waarom cremeren? Omdat ik niet wist waar de kinderen gingen wonen, neem ik aan... Het was idioot, maar ik wilde hen niet ver van hun kinderen laten begra...'

'Dat is helemaal niet idioot,' onderbrak Charles haar.

Ze werd verrast door de toon van zijn stem.

'Louis is bij zijn vrouw in de Bordeaux begraven. Waar anders?' glimlachte ze. 'Maar de urnen van Pierre en Ellen zijn hier...'

Charles kromp in elkaar.

'In een van de schuren... Tussen de troep... Ik denk dat de kinderen ze al wel duizend keer hebben gezien zonder een seconde te vermoeden dat... Nou ja, we komen er wel op terug wanneer ze groter zijn... Dat is ook iets wat ik heb ontdekt... Wat doen we met onze doden? In theorie is het zo eenvoudig... Je denkt dat de herinnering aan hen veel belangrijker is dan hoe ze begraven zijn en uiteraard klopt dat, maar wat doe je in de praktijk, vooral wanneer die doden niet echt jouw doden zijn? Voor mij is dat erg moeilijk geweest omdat ik... Ik heb voor mijn rouw veel meer tijd nodig gehad dan zij... Nu is die er niet meer, maar er heeft lang een heel grote foto in de keuken gestaan. Ik wilde dat Pierre en Ellen bij al onze maaltijden waren... Niet alleen in de keuken trouwens... Ik had overal foto's gezet... Ik werd achtervolgd door de gedachte dat zij misschien hun ouders vergaten. Wat heb ik ze daarmee gekweld, wanneer ik eraan terugdenk... In de huiskamer was er een plank waarop ze plechtig alle op school gemaakte cadeautjes voor moederdag uitstalden. In een bepaald jaar had Alice... ik weet het niet meer... een juwelendoosje meegenomen, geloof ik... En natuurlijk was het, zoals alles wat Alice maakt, prachtig. Ik heb haar erom geprezen en ben het bij de andere dingen op het altaar gaan zetten. Ze heeft niets gezegd, maar toen ik weg was, heeft ze het gepakt en uit alle macht tegen de muur gesmeten. "Ik heb het voor jou gemaakt!" begon ze te schreeuwen. "Voor jóu! Niet voor een dode!" Ik heb de resten opgeraapt en ben de foto in de keuken gaan weghalen. Deze kinderen kwamen me nog weer eens opvoeden en ik geloof dat ik die dag het zwart heb afgezworen. Hij is goed, niet?'

'Goddelijk,' antwoordde Charles tussen twee slokken door.

'Om diezelfde reden heb ik het altijd afgewezen dat ze me mama noemden en achteraf denk ik dat dit hun veel kwaad heeft gedaan... Dat geldt minder voor Sam, maar wel voor de meisjes... Vooral op school... Op de speelplaats... Maar ik ben jullie mama niet, zei ik hun steeds weer, jullie mama was veel beter dan ik. Ik had het vaak met hen over haar... En ook over Pierre... Terwijl ik hem uiteindelijk niet zo goed heb gekend... En toen besefte ik op een dag dat ze niet meer naar me luisterden. Ik dacht ze te helpen maar ik was gewoon... ziekelijk. Ik wilde mezelf helpen... Voortaan hing er altijd een schaduw over dat "mama", alsof het een onbetamelijk woord was. Wanneer je erover nadenkt is dat het toppunt... Toch kan ik het mezelf niet kwalijk nemen, ik... ik aanbad mijn zus...

Nog steeds gaat er geen dag voorbij zonder dat ik tegen haar praat... Het lijkt me dat ik zo reageer om... ik weet het niet... om haar te eren... Hoor eens,' hief ze het hoofd, 'wat een stemming...'

Gegiechel en plonsgeluiden kwamen uit het dal.

'Dat lijkt zwemmen om middernacht... Om op het verhaal terug te komen, het was Yacine, de wijze Yacine, door wie we allemaal ontspanden. Hij was één dag bij ons, zei niets, luisterde naar al onze gesprekken, en sloeg zich aan tafel, onder het eten, op zijn voorhoofd: "Aaah, ja hoooor... ik heb het door... Eigenlijk betekent Kate mama in het Engels!" En we keken elkaar allemaal glimlachend aan: hij had het precies door...'

'Maar bijvoorbeeld de vent die me heeft aangesteld voor het ballen gooien... die zei "uw zoon" toen hij het over Samuel had...'

'Tja... Hij kon toch niet weten dat "uw zoon" in het Vesperies-Frans *your nephew* betekent... Zullen we gaan kijken wat ze uitspoken?'

Werden zoals gewoonlijk vergezeld door een paar rasloze honden die aan de schroothoop waren ontsnapt.

Kate, die op blote voeten was, liep heel voorzichtig. Charles bood haar zijn arm aan.

Vergat zijn pijntjes en richtte zich fier op.
Had het idee een koningin in de nacht te begeleiden.

'Storen we hen niet?' tobde hij.
'Welnee... Ze zullen het heerlijk vinden.'

De groten haalden dicht bij de rivier stommiteiten uit en de kleintjes vermaakten zich door snoep op het vuur te laten smelten.

Charles kreeg een half gesmolten krokodilletje dat een beetje op het blazoen leek dat op zijn hart zat.

Het was weerzinwekkend.

'Mmmmm... heerlijk.'

'Wil je er nog een?'

'Echt niet, dank je.'

'Kom je zwemmen?'

'Eh...'

De meisjes discussieerden in een hoek en Nedra leunde tegen de schouder van Alice.

Dit kind sprak alleen met de vlammen...

Kate eiste een serenade. De musicus van dienst ging er graag op in.

Ze zaten allemaal in kleermakerszit en Charles had het idee weer vijftien te zijn.

Met veel haar...

Hij dacht aan Mathilde... Als zij hier was geweest, had ze hem wel interessantere stukken geleerd dan dit getingel. Hij dacht aan Anouk, helemaal alleen op haar rotkerkhof, honderden kilometers van haar kleinkinderen vandaan. Aan Alexis, die zijn ziel bij de garderobe had ingeleverd en 'zijn planning moest halen' om koelcellen aan kantines in onderdistricten te slijten. Aan het gezicht van Sylvie. Aan de zachtheid en de grootmoedigheid waarmee zij hem een heel leven, waaraan zoveel had ontbroken, had beschreven... Weer aan Anouk, die hij hierheen was gevolgd en die met zo veel plezier met de kinderen van Ellen had gedold... Die kilo's vieze snoepjes had verslonden en die rond het vuur handen klappend een zigeunernummer ten beste had gegeven.

Die zelfs op dit uur beslist al in het water was gesprongen...

'Ik moet tegen een boom leunen,' bekende hij haar met een vertrokken gezicht, zijn hand op z'n borst.

'Natuurlijk... Laten we daarheen gaan...' greep in het voorbijgaan de fakkel. 'U heeft pijn, is het niet?'

'Ik heb me nog nooit zo goed gevoeld, Kate...'

'Maar... Wat is u precies overkomen?'

'Ik ben gisterochtend door een auto aangereden. Niets ernstigs.'

Zij wees hem twee clubfauteuils van boomschorsleer en zette haar grote kandelaar onder de sterren.

'Waarom?'

'Pardon?'

'Waarom bent u door een auto aangereden?'

'Omdat... Dat is een nogal lang verhaal... Ik zou graag eerst het eind van uw verhaal willen horen. Ik zal het mijne de volgende keer vertellen.'

'Er komt geen volgende keer, dat weet u best...'

Charles draaide zich naar haar toe en...

'Kom, we gaan verder,' zei hij liever dan met een soort Haribo-winegumverhaal te komen.

Hoorde haar zuchten.

'Ik ga het u vertellen omdat ik... Ik ben net als u. Ik...'

Verdorie, het vervolg was... zat al aan z'n vingers geplakt.

Hij kon haar toch niet vertellen dat hij niet meer hoopte. Zij, zij had dit als een grap verteld, het kippenhok, de conquistadores en heel de troep terwijl hij... bij hem...

Bij hem waren het geen glittertjes...

'Ja, u?'

'Niets. Ik wacht mijn beurt af.'

Stilte.

'Kate...'

'Ja?'

'Ik ben heel blij u te hebben ontmoet... Heel, héél blij...'

'...'

'Vertel me nu eens wat er is gebeurd tussen het gegil van uw mama en het schoolfeest van vandaag...'

'Jij daar... Yacine! Kom eens even hier, kleine man! Ga alsjeblieft de fles en onze twee glazen die op tafel staan halen. En,' zich tot Charles richtend, 'ga er vooral niets achter zoeken, ik heb haar gehoorzaamd.'

'Wie?'

'Manouk. Ik drink niet meer alleen. Ik heb alleen mijn Port Ellen nodig om met u zover te komen... Waarom kijkt u zo naar me?'

'Niets... U moet de enige persoon in de wereld zijn die haar ooit heeft vertrouwd...'

Yacine, buiten adem, gaf hun hun glazen aan en ging terug naar zijn prakje.

'*So... Back to Hell...* Mijn ouders kwamen de volgende dag. Als de kinderen nog niet beseften dat hun leven een puinhoop was geworden, heeft het vreselijke voorkomen van hun Granny het hun wel ingepeperd... Via een vriendin van Ellen heb ik een jong au pair-meisje gevonden om hen bij te staan en ben teruggegaan naar mijn campus in Ithaca.'

'U studeerde toen nog?'

'Nee, ik ben... nou ja, ik was landbouwingenieur. De appel valt niet ver van de boom,' schertste ze, 'mijn moeder had me tuinieren geleerd, maar ik wilde de mensheid redden! Ik wilde geen medaille winnen op de Chelsea Flower Show, ik wilde heel het probleem van de honger in de wereld voor eens en altijd oplossen! Haha,' voegde ze er zonder lach aan toe, 'ik was schattig, hè? Ik heb een hoop ziektes bestudeerd en... Ik vertel u dat allemaal later wel... Toen had ik net een beurs gekregen om de zwarte vlekken op de papaja te bestuderen.'

'Echt waar?' vroeg Charles geamuseerd.

'Echt waar. *Ring Spot Virus...* Maar goed... Ze hebben dit probleem zonder mij opgelost... Alhoewel... Ik heb het u zojuist niet laten zien, maar ik heb daarginds een klein laboratorium...'

'Nee?!'

'Eh, ja... Nu red ik de wereld niet meer, ik rommel met planten om rijke mensen beter en langer te laten leven... Laten we het er maar op houden dat ik in de luxe geneesmiddelen zit... Ik heb het op het ogenblik erg druk met taxus... Heeft u wel eens over de taxol van de taxus in de oncologie gehoord? Nee? *Well...* Dat is een ander verhaal... Nu ben ik in mijn dienstappartementje met mijn verloofde die me vraagt of ik een pastasalade wil maken voor de barbecue van de Millers.

The situation was totally insane. Wat moest ik bij de Millers gaan klooien terwijl ik twee urnen achter in een hangkast had liggen, met drie weeskinderen zat opgescheept en twee ouders moest troosten? De nacht daarna heeft heel lang geduurd. Ik begreep het, ik hoorde zijn argumenten aan, maar goed, het was al te laat... Ik had er bij Ellen op aangedrongen iets leuks te gaan doen en ik vond dat ik... hoe moet ik het zeggen... in deze kwestie voor een deel... *verantwoordelijk* was...'

Slok turf om dit woord uit haar mond te krijgen.

'Het ergste is dat we van elkaar hielden, die Matthew en ik... We hadden zelfs plannen om te trouwen geloof ik... Tja, je hebt van die nachten dat in een paar uur levens instorten... Ik kon het weten... De volgende dag heb ik een rondje administratie gedaan en heb me zorgvuldig... *deleted*. Ingetrokken, doorgestreept, opgeheven bij een hoop collega's en uit alle papieren die me met boze ogen werden uitgereikt, of ik een klein egoïstisch meisje was dat haar speelgoed kapotmaakte en haar beloftes brak.

Ik had hondshard gewerkt om zo ver te komen en liep weg met de staart tussen mijn benen, ik geloof zelfs dat ik me schuldig voelde... Ik heb ze ongetwijfeld zelfs mijn verontschuldigingen aangeboden... In een paar uur heb ik alle schepen achter me verbrand: de man van wie ik hield, mijn tien jaar studie, mijn vrienden, mijn adoptieland, mijn zwakke stamcellen, mijn DNA, mijn papaja's en zelfs mijn kat...

Matt heeft me naar het vliegveld gebracht. Het was vreselijk. Weet je, heb ik hem gezegd, ik ben ervan overtuigd dat er in Europa ook volop boeiende projecten zijn... We zaten in hetzelfde vak... Hij heeft zijn hoofd geschud en kwam met een reactie die me lang heeft achtervolgd: Jij denkt alleen maar aan jezelf.

Ik huilde toen ik de slurf in liep. Terwijl ik de hele wereld over naar plantages was gezworven, ben ik vanaf die dag nooit meer in het vliegtuig gestapt...

Soms denk ik nog wel eens aan hem... Wanneer ik hier ben, verloren in dit gat, met mijn laarzen aan, half bevroren, toekijk hoe Sam zijn ezel africht, met mijn afgetakelde honden, de oude René en zijn onverstaanbare dialect, en alle kinderen van het dorp die me op de schuttingen zitten aan te moedigen en wachten tot de nieuwe taart eindelijk klaar is, denk ik aan hem, aan wat hij me heeft gezegd, en een geweldig *Fuck you* warmt mijn hart doeltreffender op dan mijn dikke Aga...'

'Wie is dat?'

'Het fornuis... Het eerste wat ik heb gekocht toen ik hier kwam... Het was trouwens waanzin... Ik heb er al mijn spaargeld in gestoken... Maar er stond er een bij mijn *nanny* in Engeland en ik wist dat ik er zonder haar niets van terecht zou brengen... In het Frans is het hetzelfde woord, *cuisinière*, voor de dame en voor het apparaat, en deze lexicale vaagheid heb ik altijd relevant gevonden. Voor mij, voor ons allemaal, is het echt een persoon. Een soort warme oude oma, lief, altijd aanwezig, en we hangen voortdurend aan haar rokken. De oven linksonder bijvoorbeeld is heel nuttig...

Wanneer de kinderen in bed liggen en ik het kotsbeu ben, ga ik ervoor zitten en steek ik mijn voeten erin. Het is... *lovely*... Gelukkig komt er nooit iemand! De wolvenvrouw met de voeten in de oven, dat zou ze wel een paar seizoenen bezighouden! Ja, we hadden in die tijd dan wel een helemaal verrotte auto, maar ook een Aga wedgwoodblauw die me net zoveel had gekost als een Jaguar...

Goed... terug naar onze schapen. Naar onze lammeren, zou ik moeten zeggen. Onze offerlammeren. Mijn ouders zijn teruggegaan, het au pair-meisje heeft me te verstaan gegeven dat mijn moeder het moeilijkst handelbaar was... En verder?

En het was heel zwaar...

Samuel is weer in zijn bed gaan plassen, Alice kreeg nachtmerries en bleef me elke dag vragen wanneer mama niet meer dood zou zijn.

Ik ben met hen naar een kinderpsychiater gegaan, die heeft me gezegd: Stel hun vragen, ondervraag hen constant, dwing hen om hun onbehagen te formuleren en laat ze vooral, vooral nooit bij u slapen. Ik heb ja, ja gezegd, en ik heb na drie sessies de hele zaak afgeblazen.

Ik heb hun nooit vragen gesteld, wel ben ik de grootste expert geworden op het gebied van Playmobil, Lego, en stickers uit de hele wereld. Ik heb de kamer van Ellen en Pierre afgesloten en we zijn met z'n allen in de kamer van Sam gaan slapen. Met de drie matrassen op de grond... Het schijnt crimineel te zijn, maar ik vond dat enorm efficiënt. Geen nachtmerries meer, geen bedplassen, en volop verhalen voor het slapengaan... Ik wist dat Ellen Frans met ze sprak, maar dat ze Enid Blyton, Beatrix Potter en alle boeken uit onze jeugd in het Engels voorlas en ik ben daarmee doorgegaan.

Ik heb hen niet gedwongen hun "onbehagen te formuleren", maar Samuel wees me vaak terecht om me uit te leggen hoe mama die passage las en ook dat ze de boze stem van Mr MacGregor of die van Winnie de Pooh beter nadeed dan ik... We zitten nog steeds, met Yacine en Nedra, in de originele versie van *Oliver Twist*. Wat niet verhindert dat ze op school verschrikkelijk slechte cijfers halen, maakt u zich geen zorgen!

En daarna kwam de eerste Moederdag... De eerste van een lange reeks die ons altijd een beetje door elkaar schudt... En ik ben hun juffen gaan opzoeken om hun te vragen met dat verrekte uur van de mama's te stoppen... Alice vertelde me dat op een avond... Dat het haar altijd aan het huilen maakte... "En nu jullie jassen aantrekken, kinderen, want het is bijna het uur van de mama's!" Ik heb hun gevraagd of ze er "en van de tantes..." aan toe wilden voegen, maar dat is nooit echt gelukt...

Tja! Het onderwijzend personeel... Dat zijn mijn windmolens... Kunt u zich voorstellen dat Yacine de slechtste van z'n klas is? Hij? Het briljantste, het nieuwsgierigste jongetje dat ik ooit ben tegengekomen? En dat allemaal omdat hij niet fatsoenlijk een potlood kan vasthouden. Ik neem aan dat ze hem nooit hebben leren schrijven... Ik heb het wel geprobeerd, maar niets helpt, al doet hij zijn uiterste best, het blijft onleesbaar. Een paar maanden geleden moest hij een scriptie over Pompeï maken. Hij heeft er waanzinnig veel tijd aan besteed en het was geweldig. Alice had alle illustraties gemaakt en zelfs hadden we op de keukentafel een paar reproducties van afgietsels gemaakt. Iedereen had meegeholpen... Nou, hij kreeg maar een 5 omdat ze heel duidelijk had gezegd dat de teksten met de hand moesten worden geschreven. Ik ben naar haar toe gegaan om haar ervan te verzekeren dat hij alles zelf had getypt, maar ze antwoordde me dat het "ten opzichte van de anderen" was...

Ten opzichte van de anderen...

Ik haat die uitdrukking.

Ik moet ervan kotsen.

Ten opzichte van de anderen, wat is ons leven eigenlijk sinds negen jaar?

Een schipbreuk?

Een vrolijke schipbreuk...

Nu houd ik me in omdat Nedra erna komt, maar als ik klaar ben met de lagere school, ga ik naar haar toe en zeg ik haar: "Mevrouw Christèle P., u bent een vreselijk kutwijf." Ja, ik ben grof, maar ik hoef er geen spijt van te hebben want het heeft me een heel leuke beloning opgeleverd...

Ik vertelde deze anekdote tegen ik weet niet meer wie, dat ik binnenkort die stomme koe uit zou schelden, en Samuel die er met zijn vriendjes bij stond zei met een diepe zucht: "Mijn echte moeder had dit nooit gedaan..." Dat was een mooie beloning, want de laatste tijd gaat het nogal moeizaam met hem... Klassieke puberteitscrisis, neem ik aan, maar in ons geval heel wat ingewikkelder... Hij heeft zijn ouders nog nooit zo erg gemist... Hij draagt alleen maar de kleren van zijn vader en zijn grootvader, en uiteraard is... tante Kate met haar taarten en haar lokkertjes bij het raam een beetje een pover voorbeeld voor het leven geworden... Gelukkig heeft me dit *teder* uitgesproken zinnetje geleerd dat deze ondankbare, luie en puisterige vreetzak nog een beetje humor heeft... Maar goed, dat mag me niet van mijn voornemen afbrengen. Ik zal haar hebben, dat kutwijf!'

Gelach.

'Maar hoe zijn jullie met z'n allen hier beland?'

'Dat komt zo... Geef me uw glas eens.'

Charles was dronken. Dronken van de verhalen.

'Ik heb dus gedaan wat ik kon... Ik was vaak niets waard, maar deze kinderen zijn zo voorbeeldig lief en geduldig geweest... Net als hun mama... Hun mama die ik zo miste... Want eigenlijk huilde ík 's nachts. Wanneer ze ongelukkig waren wilde ik dat zij er was, en wanneer ze gelukkig waren was het nog erger. Ik woonde in haar appartement, tussen haar spullen, ik gebruikte haar haarborstel en droeg haar pullovers. Ik las haar boeken, haar briefjes op de deur van de koelkast, en op een avond van diepe wanhoop zelfs haar liefdesbrieven... Ik had niemand om over haar te praten. Mijn *dearest friends* stonden op wanneer ik naar bed ging, en je had nog geen internet, Skype en al die geniale satellieten die onze grote planeet in een klein boudoir hebben veranderd...

Ik wilde dat ze me leerde de stem van Winnie na te doen. En die van Tigger. En ook die van Rabbit. Ik wilde dat ze me van boven tekens stuurde om me te zeggen wat ze van mijn malle initiatieven vond en of het zo erg was om bij elkaar te slapen met ons verdriet... Ik wilde dat ze me nog eens zei dat die jongen het niet waard was en dat ik er goed aan had gedaan hem geen kans te geven me terug te vinden. Ik wilde dat ze me in haar armen nam en dat ze ook voor mij grote kommen met hete melk en oranjebloesem klaarmaakte...

Ik wilde haar opbellen en haar vertellen hoe zwaar het was de kinderen op te voeden van een zus die was verdwenen en er terdege voor gezorgd had geen afscheid van hen te nemen, om hun geen verdriet te doen. Ik wilde alles terugdraaien en haar zeggen: Laat die twee toch hun wijntje gaan drinken, wij houden ons bij sherry en ik zal je verhalen over papaja's en seks op de campus vertellen.

Ze had het héérlijk gevonden dat ik zo tegen haar praatte. Ze wachtte er gewoon op...

Ik geloof dat ik een beetje gek aan het worden was en dat het verstandiger was geweest te verhuizen, maar ik kon hun dat niet aandoen... En zo eenvoudig was het niet... Ik ben helemaal vergeten u de... *technische* kant van deze zaak te vertellen... De familieraad, de oproep van de voogdijrechter, de notaris en alle trammelant om geld te krijgen voor hun opvoeding... Bent u daarin ook geïnteresseerd, Charles, of zullen we meteen naar het platteland gaan?'

'Ik ben er zeer in geïnteresseerd maar...'

'Maar?'

'Vatten ze geen kou door zo laat in het water te spartelen?'

'Pfff... Die beestjes zijn niet kapot te krijgen... Over twee minuten gaan de jongens achter de meisjes aan, en iedereen wordt weer lekker warm, geloof me...'

Stilte.

'U ontgaat niets, hè?'

Hij bloosde in het donker.

De klappenuitdeelster kwam net gillend voorbij, achtervolgd door Bob Dylan.

'Heb ik het u niet gezegd... Trouwens... Zou u soms condooms in de zadelkamer leggen?'

Charles sloot zijn ogen.

Een ware achtbaan, deze vrouw...

'Ik wel... Naast de suikerpot voor de paarden... Toen ik het aan Sam vertelde, keek hij me verschrikt aan, of ik vreselijk pervers was, maar hoe pervers ook, ik heb wel een gerust geweten!'

Hij onthield zich van elk commentaar. Hun schouders raakten elkaar af en toe en het onderwerp was een beetje... nou ja...

'Ja. De technische kant interesseert me zeer,' glimlachte hij en keek diep in zijn glas.

's Nachts is het moeilijk te zeggen, maar hij meende haar glimlach te horen.

'Dit gaat lang duren,' waarschuwde ze hem.

'Ik heb alle tijd...'

'Het ongeluk had op 18 april plaats en ik heb "als een speer", zoals mijn tieners het noemen, voor een overgangsregeling gezorgd tot eind mei, daarna moest er een zogeheten "familieraad" bijeen worden geroepen, dat wil zeggen drie personen van de kant van de vader en drie van de andere kant. Van onze kant was het vlug bekeken, *Dad*, mama en ik, van Pierres kant bleken de zaken veel ingewikkelder te liggen. Dat was geen familie, het leek eerder addergebroed als uit een boek van

Mauriac, en ze hadden zo veel tijd nodig om overeenstemming te bereiken dat wij een eerste afspraak moesten afzeggen.

Ik zag ze aankomen en voelde een enorme opwelling van tederheid voor Louis en zijn zoon. Ik begreep waarom de eerste hen niet meer wilde zien en waarom de tweede zo vreselijk verliefd op mijn zus was geworden. Het waren mensen... hoe moet ik het noemen... zwaar bewapend... Ja, dat is het... Zwaar bewapend in het leven... De oudste zus van Louis, haar echtgenoot, en Edouard, Pierres oom van moederskant... Eh... Kunt u me nog volgen?'

'Ja, ik kan u nog volgen.'

'Oom Edouard had een aardige glimlach en cadeaus voor de kinderen, de twee anderen, laten we ze maar "de accountants" noemen, aangezien het zijn beroep was en haar obsessie, de rekeningen bedoel ik, begonnen met de vraag of ik Frans sprak. Het begon heel, heel heftig!'

Ze lachte.

'*I think I've never spoken French as well as*... zo goed als die dag! Ik heb mijn complete Chateaubriand en mijn mooiste *imparfaits du subjonctif* voor die boerenlullen uit de provincie uit de kast gehaald!

Nu, punt één... Wie zou tot voogd van de kinderen worden benoemd? Wel... Ze stonden niet bepaald te dringen. De rechter keek me aan en ik glimlachte naar haar. Geregeld. Punt twee, wie zou tot vervangend voogd worden benoemd? Dat wil zeggen, wie zou smerisje over mij spelen? Wie zou mijn "boeken nazien"? O! Toen heerste er meteen opwinding onder de kasjmiertruien. De oorontstekingen, de nachtmerries en de tekeningen van die kinderen met armloze poppetjes, dat was niet zo belangrijk, maar hun erfenis, pas op...'

Bij wijze van imitatie porde Kate hem dikwijls steels met haar elleboog aan...

'Wat moest ik tegen die twee uitrichten? Moest ik sterven of zou een mooie wanhoop me dan komen redden? Ik keek naar het gezicht van mijn oude papa die aantekeningen maakte, intussen wrong mijn moeder haar zakdoek uit en luisterde kreunend hoe zij met hun verhalen de rechter bewerkten. Het arme schatje was blut, er was eerder een beetje cash aan Louis' kant te vinden... Een appartement in Cannes en nog een in Bordeaux, dat van Pierre en Ellen niet meegeteld. Nou ja... vooral van Pierre... Mevrouw de expert kende de koopakte beter dan ik... Het probleem was dat Louis en zijn zus al tien jaar in een proces waren verwikkeld over een stukje grond of weet ik wat en... maar goed, ik bespaar u de details...

Good Lord, ik voelde aan dat het een bewogen zaak zou worden... Uiteindelijk heeft de zwager van Louis de titel binnengehaald. *Burgerlijk wetboek artikel 420 en verder*, riep de rechter in herinnering, *de rol van de vervangend voogd houdt in de onbevoegde minderjarigen te vertegenwoordigen wanneer de belangen van de laatsten in strijd zijn met die van de voogd.* We zijn met z'n allen akkoord gegaan terwijl de griffier grifte, maar ik weet nog dat ik er al niet meer bij was. Ik bedacht:

Zeventien jaar...

Zeventien jaar en twee maanden onder hun blik...

Help.'

'Toen we de rechtbank uit kwamen, deed mijn vader eindelijk zijn mond open: "*Alea jacta est.*" [De teerling is geworpen]

Zo... daarmee schoot ik wat op zeg... En omdat hij mijn moedeloosheid had geraden, voegde hij eraan toe dat ik niets te vrezen had, dat bij Vergilius te lezen stond: *Numero deus impare gaudet...*' [God houdt van het oneven aantal]

'En dat wil zeggen?' vroeg Charles.

'Dat deze kinderen met z'n drieën waren en dat de Godheid van oneven getallen hield.'

Keek hem lachend aan: 'Ik zei u toch dat ik me eenzaam voelde! Daarna zijn er vele afspraken bij de notaris geweest om het plan voor een lijfrente te regelen die me elke drie maanden zou worden uitbetaald en om de zekerheid te krijgen dat de kinderen mooie studies zouden kunnen volgen als ik ze tot die tijd fatsoenlijk "gevoogdijd" had... Wat, ik zal er niet omheen draaien, een hele opluchting was. Zeventien jaar en twee maanden, zelfs met dit kleine bedrag kon ik het voor elkaar krijgen en zouden ze het vast redden, als ze tenminste niet zodra ze meerderjarig waren met de poen naar het casino zouden rennen...

Nou ja... We zien wel... Zoals ik net zei: dag voor dag... Kom, allebei een laatste glas, tijd om naar die rivier te gaan...'

'Tussen al die afspraken en duizenden telefoontjes gaat het leven door.

Ik raak de gezondheidsboekjes kwijt, ik koop zomerschoenen, ik maak kennis met andere mama's, ik hoor veel over Ellen praten, ik glimlach vaag, open haar post en stuur rouwbrieven of fotokopieën van overlijdensaktes terug, begin te koken, leer de *pounds and onces*, de *cups*, de *tablespoons*, de *feet*, de *inches* enzovoorts om te rekenen, ik doe mee aan het eerste schoolfeest, begin het al redelijk te redden met de debiele stem van Tigger, ik hou het vol, ik stort in, ik bel Matthew 's nachts op, ik stoor hem tijdens een proef, hij kan niet met me praten, hij zal me terugbellen. Ik huil tot de volgende ochtend en laat het nummer veranderen omdat ik bang ben dat hij me echt terugbelt en overtuigender argumenten vindt om me terug te laten komen...

Het wordt zomer. We gaan naar mijn ouders in hun cottage nabij Oxford. Het zijn verschrikkelijke weken. Verschrikkelijk triest. Mijn vader is verteerd door het verdriet en mijn moeder haalt altijd Hattie en Alice door elkaar. Ik wist niet dat de schoolvakanties in Frankrijk zo lang waren... Ik had het gevoel twintig jaar ouder te zijn geworden. Ik zou weer een laboratoriumjas aan willen en me tussen mijn kiemplantjes opsluiten... Ik lees hun niet zo veel verhalen voor, maar ik help Harriet met haar eerste stapjes en ik... ik heb moeite om haar te volgen...

De weerslag, neem ik aan... Zolang alles voor ons in de steig... gers?... ging?'

'Wat?' vroeg hij bezorgd.

'Dit nieuwe bestaan...'

'Kies dan maar voor steigers, met dit woord werden de kathedralen gebouwd...'

'O? Zolang alles voor ons in de steigers stond, was ik actief, ik weerde me, maar nu was dat voorbij. Er zat niets anders op dan het zeventien jaar en een maand vol te houden. Vijf mensen zijn van mij afhankelijk en ik bekort deze vakantie die me kapotmaakt. Omdat ik sterk vermagerd ben en ik alles heb achtergelaten, trek ik vaker en vaker Ellens kleren aan en ik... het gaat helemaal niet goed met me...

Het is om te stikken in Parijs, de kinderen draaien maar rond en ik geef Samuel z'n eerste pak voor z'n broek, en dan besluit ik in een opwelling een huisje in een verloren gat te huren... Het dorp heet Les Marzeray en we gaan er elke dag met de kinderwagen heen om inkopen te doen en tegenover de kerk muntlimonade te drinken.

Ik leer jeu de boules te spelen en begin weer boeken te lezen met droevige, maar verzonnen verhalen. De mevrouw van het café en de kruidenierszaak wijst me een boerderij waar ik eieren en zelfs een kip zou kunnen krijgen. Het is geen gemakkelijke kerel, maar ik kan het altijd proberen...

De kinderen krijgen weer kleur, we wandelen veel, picknicken en houden buiten siësta, Samuel is helemaal weg van een ezelin en haar kleintje, en Alice begint een prachtig herbarium. *It runs in the blood...'*

Glimlach.

'Ik ben net als zij, ik ontdek of herontdek de natuur op een andere manier dan onder microscoopplaatjes, ik koop een wegwerptoestel en vraag een toerist mij met de kleintjes op de foto te zetten. De eerste... Die staat op de schoorsteen in de keuken en niets ter wereld is me zo dierbaar... Wij vieren voor de fontein bij de bakkerij van Les Marzeray, die zomer... We krabbelen op, wankel op de stenen rand en durven amper naar deze onbekende te lachen maar... we leven...'

Tranen.

'Sorry,' hervatte ze en wreef met haar neus langs haar mouw. 'Komt door de whisky... Hoe laat is het? Bijna één uur... Ik moet ze naar bed brengen.'

Charles, die zich door al die verhalen beklemd voelde, bood Nedra aan haar in zijn armen te nemen.

Ze weigerde.

Yacine liep naast hem, stilletjes. Hij was misselijk. Harriet en Camille volgden hen en sleepten hun slaapzakken achter zich aan.

De blote hemel was te koud...

*

Kate droeg haar hond weer naar de keuken en verdween naar boven, na hem te hebben gevraagd het vuur aan te steken.

Was even bang, maar nee, zo onhandig was hij toch niet dat... Ging houtblokken onder het afdak halen, spoelde hun glazen om en ook hij ging zich tegen hun grote gietijzeren *nanny* wrijven. Ging op zijn hurken zitten, aaide de hond, raakte het email aan, deed alle ovens open en tilde de twee deksels op.

Onder zijn handpalm waren de temperaturen allemaal verschillend.

Hij ontdekte van alles...

Zocht naar de foto waarover zij had gesproken en grijnsde droevig.

Ze waren zo klein...

'Mooi, hè?' zei ze achter zijn rug.

Nee. Zo zou hij het niet zeggen...

'Ik had me niet gerealiseerd dat ze zo jong waren...'

'Nog geen tachtig kilo,' antwoordde ze.

'Sorry?'

'Zoveel wogen we destijds... Alle vier op de weegschaal op het busstation... Maar, goed... Toen we er met acht voeten tegelijk en onze boeken en alle knuffels op sprongen, kregen we het toch voor elkaar om door de vent achter het loket te worden afgebekt. Mevrouw! Hou uw kinderen tegen, zeg! Met uw stommiteiten maakt u het apparaat nog stuk!

Good.

Dat was precies wat ik wilde bereiken...'

Ze had een rieten stoel, die een armleuning miste, omgedraaid. Charles zat wat lager, armen om zijn knieën, op een minuscuul voetsteuntje bekleed met roze knopen en mottengaten.

Bleven even stil.

'De niet zo gemakkelijke kerel was René, nietwaar?'

'Ja,' glimlachte ze. 'Kijk, ik ga mezelf een genoegen doen... Ik ga de tijd ervoor nemen... Maar zit u toch wel goed?'

Hij draaide zich zo dat hij met zijn rug tegen de stijl van de openhaard zat.

Zat voor de eerste keer recht tegenover haar.

Keek naar haar gezicht, alleen verlicht door het vuur waarvoor hij ging zorgen, en tekende haar.

Begon met haar mooie wenkbrauwen, die heel recht waren, daarna eh...

Zo veel schaduw...

'Neemt u alle tijd,' fluisterde hij.

'Het was op 12 augustus... Harriets verjaardag... Haar eerste kaarsje... Een verdrietige of een vrolijke dag, we moesten kiezen. We besloten een taart voor haar te bakken en zijn op zoek gegaan naar die fameuze verse eieren. Maar dat was een smoes... Op onze vorige wandelingen had ik deze ver van het dorp gelegen boerderij ontdekt en wilde die graag van dichtbij zien.

Het was heel warm, herinner ik me, en onder de grote eiken in de laan voelden we ons al beter... Sommige bomen waren ziek en ik dacht aan al die genomen van paddenstoelen die anderen dan ik waarschijnlijk aan het ontleden waren...

Samuel reed op zijn fietsje voor ons en telde ze, Alice zocht eikels met gaatjes en Hattie sliep in haar wagentje...

Zelfs met het vooruitzicht op een kaars was ik behoorlijk depri. Ik had geen idee waar ons dit zou brengen... Ik voelde me ook verzwakt door een soort eczeem of ik weet niet wat voor parasiet... *Solitudina vulgaris* misschien? De kinderen waren doodop van het wandelen en de frisse lucht, en vielen heel vroeg in slaap, zo had ik lange avonden om over mijn lot te piekeren. Ik ben weer gaan roken, ik loog net tegen u... Ik heb ze niet allemaal gelezen, de romans die ik had meegebracht... Ik las wel haiku's... Een boekje gepikt van Ellens nachtkastje...

Ik vouwde een hoekje op de pagina's waarop stond:

Bedekt met vlinders
Staat de toch zo dode boom
Volop te bloeien!

Of:

Zonder zware zorg
Op mijn kussen met kruiden
ben ik weg gegaan.

Maar de enige die me destijds echt achtervolgde, had ik op een wc-deur op de campus gelezen:

Life's a bitch
and then
you die.

Ja. Die klonk goed...'

'Maar u herinnert ze zich toch nog,' antwoordde Charles scherp. 'De Japanse, bedoel ik...'

'Dat is geen verdienste. Tegenwoordig ligt de bundel bij ons op de wc,' antwoordde ze met een glimlach.

'Ik ga door... We liepen de brug over en de kinderen waren beduusd. Kikkers! Waterspinnen! Libelles! Ze wisten niet waar ze moesten kijken.

Samuel had zijn fiets laten liggen en Alice gaf me haar sandalen. Ik heb ze een tijdje laten spelen en ze plukten voor haar biezen en waterran... *ranuculus aquatilis*... En toen liet Harriet, die ik daarboven in haar wagentje had gelaten, zich horen en zijn we met onze schatten weer naar boven gegaan. Vervolgens... Ik weet niet wat u gisteravond dacht toen u hier aankwam met Lucas, maar voor mij was het met deze muurtjes, deze binnenplaats, dit onder de wingerd verborgen huisje en al deze gebouwen eromheen... versleten maar nog zo onverschrokken... *love at first sight.* We klopten op de deur, niemand, en we zijn ons vieruurtje gaan opeten, vanwege de hitte in een van de schuren. Samuel stortte zich op de tractoren en keek gefascineerd naar de oude karren. Zijn er paarden, denk je? De meisjes verkruimelden hun koekjes en lachten tussen de kippen en ik was wanhopig omdat ik mijn fototoestel was vergeten. Het was de eerste keer dat ik ze zo zag... Niet ouder of jonger dan hun leeftijd...

Er verscheen een hond. Een soort foxje dat ook van chocokoeken hield en tot Sams schouder kon springen. Zijn baasje kwam achter hem aan... Ik heb gewacht tot hij zijn emmers had weggezet en zich aan de pomp had opgefrist eer ik hem durfde te storen.

Omdat hij zijn hond zocht, zag hij ons alle drie en hij kwam rustig naar ons toe. Ik had hem nog niet begroet of de kinderen vuurden vragen op hem af.

"Zo!" zei hij met zijn handen in de lucht. "Wat een Parijs' accent hebben jullie!"

Hij vertelde hun hoe zijn hond heette, Filou, en liet die volop grappige kunstjes doen.

Een echte circushond...

Ik zei hem dat we eieren kwamen halen. "O ja, natuurlijk, ik heb er vast in de keuken, maar de kleintjes gaan ze liever zelf rapen, nietwaar?" en hij nam ons mee naar zijn kippenhok. Voor een niet zo gemakkelijke meneer vond ik hem best vriendelijk...

Toen zijn we met hem meegelopen naar zijn keuken voor een doosje en toen ontdekte ik dat hij al heel lang alleen moest wonen... Het was zó vuil... Om over de stank maar te zwijgen... Hij bood ons iets te drinken aan en we zijn met z'n allen rond zijn plastic tafellaken gaan zitten, dat aan onze ellebogen plakte. Het was heel rare limonade en er zaten dode vliegen in de suikerpot, maar de kinderen gedroegen zich voorbeeldig. Ik durfde Hattie niet uit haar wagentje te halen. De vloer was even... kleverig als de rest... Op een gegeven moment, ik kon niet meer, ben ik opgestaan om het raam open te zetten. Hij keek naar me zonder een woord te zeggen en ik geloof dat toen onze vriendschap is geboren, toen ik me omdraaide en zei: "Aaah... Zo is het toch wel beter, niet?"

Hij was een oude vrijgezel die zich nogal ongemakkelijk voelde en nooit kinderen van zo dichtbij had gezien, ik was een toekomstige oude vrijster die schijt had aan een stroeve raamknop en het nog zeventien jaar moest volhouden, we hebben naar elkaar geglimlacht in dit lauwe briesje...

Sam legde hem uit dat de eieren dienden om een verjaardagstaart te maken voor zijn kleine zusje. Hij keek naar Harriet op mijn schoot: "Is het vandaag haar verjaardag?" Ik knikte en hij vervolgde: "Ik denk dat ik wel een knuffelbeestje voor dit kleintje heb." Help, ik vroeg me af wat voor vies prul hij haar in de handen zou drukken... Een roze konijn, op een kermis in 1912 gewonnen in de schiettent?

"Kom maar mee," zei hij en hij hielp Alice uit haar stoel te klimmen. Hij nam ons mee naar een ander gebouw en begon in het donker te grommen: "Waar hangen ze ook weer uit...?"

De kinderen hebben ze gevonden en toen moest ik Hattie echt losmaken...'

Charles begon de Kate-glimlachjes behoorlijk goed te kennen, maar deze was echt aanstekelijker dan de andere...

'Waar ging het om?'

'Om jonge poesjes... Vier minuscule poesjes verstopt onder een oude auto... De kinderen gingen uit hun dak. Ze vroegen hem of ze hen mochten oppakken en we zijn met z'n allen op het gras achter het huis gaan spelen.

Terwijl ze zich met hen amuseerden of het marshmallows waren, zijn wij op een bank gaan zitten. Hij had zijn hond op schoot, draaide een sigaret, glimlachte terwijl hij naar ze keek en feliciteerde me: ik had ook een heel mooi nest... Ik ben meteen gaan huilen. Ik had al tijden niet genoeg geslapen, ik had niet meer met een welwillende volwassene gesproken sinds... Ellen, en ik heb er alles uit gegooid.

Hij zweeg lang met zijn aansteker in zijn knuist en toen zei hij me: "Worden toch gelukkig, let maar op... En? Welke heeft ze gekozen, het grapjasje?"

De groten hadden namens haar gekozen en ik beloofde dat we het poesje de dag voor ons vertrek op zouden halen. Hij is tot de eiken met ons meegelopen. De wandelwagen zat onderin vol groente uit zijn moestuin. De kinderen draaiden zich telkens om en zwaaiden naar hem.

Eenmaal in ons keukentje van het gehuurde huis besefte ik dat ik geen oven had... Ik heb een kaarsje op een madeleine gezet en ze zijn uitgeput gaan slapen. Oef, deze rotdag lag achter ons... Ik had besloten er een vrolijke dag van te maken, maar het was me nooit gelukt zonder dat huis dat, vond ik, een mooie naam voor de avondschemer had...

Ik zat net een sigaret op het terras te roken toen Sam eraan kwam, zijn beer achter zich aan slepend. Het was de eerste keer dat hij zo naar mij toe kwam. De eerste keer dat hij me in zijn armen nam... En deze keer diende niet het vuur als onze hulptelevisie maar de sterren...

"Weet je, ik geloof niet dat we het poesje moeten nemen," deelde hij me uiteindelijk heel serieus mee. "Ben je bang dat het zich verveelt in Parijs?" "Nee, maar ik wil niet dat het gescheiden wordt van zijn mama en zijn broers en zusjes..."

O, Charles... Ik huilde tranen met tuiten... Overal om. Overal huilde ik om...

"Maar we kunnen het morgen wel weer opzoeken, hè?" voegde hij eraan toe.

Natuurlijk. We zijn de volgende dag teruggegaan, en de dag erna, en uiteindelijk hebben we de rest van de vakantie op de boerderij doorgebracht. De kinderen knutselden in de schuren terwijl ik de spullen uit de keuken op de binnenplaats zette en de keuken heel grondig reinigde. Deze meneer René, met zijn kippen, zijn koeien, het oude paard dat hij in pension had, zijn hondje en zijn enorme bende was onze nieuwe familie geworden. Voor de eerste keer voelde ik me goed. Beschermd. Ik had het idee dat ons achter die muurtjes niets slechts kon overkomen, dat de rest van de wereld zich aan de andere kant van de slotgracht bevond...

De dag van ons vertrek waren we allemaal erg aangedaan, en we beloofden hem dat we hem rondom Allerheiligen weer op zouden zoeken. "Dan moeten jullie me in het dorp opzoeken," zei hij, "want dan woon ik hier niet meer..." O ja? Waarom niet? Hij was te oud, hij wilde hier niet meer helemaal alleen de winter doorbrengen. Was vorig jaar erg ziek geweest en had besloten bij zijn zus te gaan wonen, die weduwe was geworden. Hij ging het huis aan jonge mensen verhuren en zou alleen de moestuin houden.

"En de dieren?" vroegen de kinderen ongerust. Nou... Hij zou de kippen en Filou meenemen, maar de rest, tja...

Dat "tja" klonk een beetje naar abattoir...

Goed. Dan zouden we hem dus in het dorp opzoeken... We maakten een laatste grote ronde voor we vertrokken en ik kon niet alle kistjes meenemen die hij zo vriendelijk voor me had klaargezet: de auto was te klein.'

Ging staan, deed het linkerdeksel open en vulde een ketel.

'Ook het appartement vonden we nogal klein... En de trottoirs... En het pleintje... En de parkeerwachters... En de lucht... En de bomen van de Boulevard Raspail... En zelfs de Jardin du Luxembourg waar ik niet meer heen wilde omdat de korte ritten op de ezelsrug te kostbaar waren geworden...

Iedere avond hield ik mezelf voor dat ik dozen ging inpakken en het appartement opnieuw ging inrichten, en elke ochtend schoof ik deze beproeving door naar de volgende dag. Door bemiddeling van een oud-collega bood de American Chestnut Foundation me aan een enorme dissertatie over kastanjeziektes te vertalen. Ik schreef Hattie in bij de crèche, ik sla ook hier alle administratieve rompslomp over... Afschuwelijke vernederingen... En terwijl de grote kinderen op school zaten, worstelde ik met de *Phytophtora cambivora* en andere *Endothia parasitica.*

Ik haatte dit werk, zat de hele tijd door het raam naar het grijs te kijken en vroeg me af of er een gaatjespan in de keuken van René was...

En toen kwam er een dag die zwarter was dan de andere... Hattie was voortdurend ziek, snotterde, hoestte en stikte 's nachts in haar slijm. Het was een hel om een afspraak bij de dokter te maken en de wachttijd voor een bezoek aan de fysio maakte me gek. Sam kon bijna lezen en verveelde zich dood in de eerste klas, en de juf van Alice, dezelfde als het jaar ervoor, bleef op de briefjes die ze uitdeelde de handtekeningen van beide ouders eisen. Ik kon het haar natuurlijk niet kwalijk nemen, maar als ik haar vak had gekozen, zou ik meer aandacht hebben geschonken aan dat meisje dat al zoveel beter kon tekenen dan alle anderen...

Wat gebeurde er verder die dag? De conciërge zeurde aan mijn kop over de kinderwagen die haar ingang vies maakte, ik had net een brief gekregen van de vereniging van eigenaren met de offerte voor de werkzaamheden aan de lift, heel duur en volkomen onverwacht, de cv-ketel was stuk, mijn computer had me net in de steek gelaten en veertien pagina's kastanjes waren in rook opgegaan... en, *icing on the cake,* terwijl ik eindelijk een verrekte afspraak bij de fysio had losgepeuterd, was de auto weggesleept... Een ander, een slimmer iemand, zou een taxi hebben gebeld, maar ik ben gaan huilen.

Ik huilde zo hard dat de kinderen me niet eens durfden te zeggen dat ze honger hadden.

Ten slotte heeft Samuel voor iedereen kommen cornflakes klaargemaakt en... de melk was niet goed meer, zuur geworden...

Niet om huilen, zei hij bedroefd, we kunnen ze ook met yoghurt eten, weet je...

Wat waren ze lief, als ik eraan terugdenk...

We zijn in ons bivak gaan liggen. Ik had de moed niet gehad om ze een verhaal voor te lezen en in plaats daarvan vertelden we elkaar verhalen in het donker... Zoals vaker brachten onze dromen ons terug naar Les Vesperies... Hoe groot zouden de poesjes nu zijn? Zou René ze hebben meegenomen? En het ezeltje? Zouden andere kinderen het na school appels brengen?

Wacht even, zei ik tegen hen.

Het moet negen uur 's avonds zijn geweest, ik heb een telefoontje gepleegd en toen ik terugkwam stapte ik op de buik van Sammy om hem te laten kankeren. Ik ben weer tussen hen drieën onder mijn dekbed gekropen en ik sprak langzaam deze woorden uit: Als jullie willen, gaan we daar voor altijd wonen...

Diepe stilte en toen mompelde hij: "Maar... mogen we ons speelgoed meenemen?"

We hebben nog een poosje gepraat en toen ze eindelijk sliepen, ben ik weer opgestaan en ben ik dozen in gaan pakken.'

De ketel floot.

Kate zette een dienblad voor het vuur. Lindebloesemgeuren.

'Het enige wat René me door de telefoon had gezegd was dat het huis nog niet was verhuurd. De jongeren die erin wilden, vonden het te afgelegen. Misschien had er bij mij een belletje moeten gaan rinkelen... Dat mensen uit de buurt met kleine kinderen ervan hadden afgezien er te wonen... Maar ik was te opgewonden om er aandacht aan te besteden... Veel later die winter kreeg ik volop gelegenheid erbij stil te staan. Er waren nachten dat we het zó koud hadden... Maar goed, we waren gewend geraakt aan kamperen en we zijn met z'n allen rond de openhaard van de huiskamer gaan liggen. Lichamelijk zijn onze eerste jaren hier de zwaarste van mijn leven geweest maar ik voelde me... onkwetsbaar...

Daarna kwam de Grote Hond en toen het ezeltje om het jochie te bedanken dat me elke avond hielp met houtblokken te sjouwen, en de poezen hebben nieuwe poezen gekregen, en het is hier het vrolijke zootje geworden dat u nu kent... Wilt u honing?'

'Nee, bedankt. Maar... U... u woont al die jaren alleen?'

'Oei!' glimlachte Kate verborgen achter haar *mug*. 'Mijn liefdesleven... Ik wist niet of ik wel aan dit hoofdstuk moest beginnen...'

'Natuurlijk gaat u het er met me over hebben,' antwoordde hij en hij porde de gloeiende kooltjes op.

'O ja? En waarom dan wel?'

'Ik heb het nodig om het terrein helemaal te kunnen opmeten.'

'Ik weet niet of het de moeite is...'

'Vertel toch maar...'

'En dat van u dan?'

'...'

'Goed, ik merk dat ik wéér de pineut ben! Ik wil het best doen, maar het is niet al te geweldig hoor...'

Ze was naar voren geschoven om dichter bij het vuur te zitten en Charles draaide een onzichtbare bladzij om.

Nu haar profiel...

'Hoe zwaar ze ook waren, de eerste maanden gingen heel vlug voorbij. Ik had zoveel te doen... Ik heb geleerd scheuren te dichten, te plamuren, te schilderen, hout te hakken, een drupje Glorix in het water van de kippen te doen om te voorkomen dat ze ziek worden, luiken te schuren, ratten dood te maken, tocht te bestrijden, vlees te kopen dat in de reclame is en dat voor het invriezen in stukken te snijden, en... en een heleboel dingen waarvan ik nooit had geweten dat ik het kón, en altijd met een nieuwsgierig meisje aan mijn rokken...

Destijds ging ik tegelijk met de kinderen naar bed. Na acht uur 's avonds was ik *out of order*. Dat was trouwens het beste wat me kon overkomen... Ik heb nooit spijt van mijn beslissing gehad. Nu is het ingewikkelder geworden vanwege de scholen en straks wordt het nog ingewikkelder maar, geloof me, negen jaar geleden heeft dit Robinsonbestaan ons allemaal gered. En toen braken de mooie dagen aan... Het huis was haast gerieflijk geworden en ik ben weer in de spiegel gaan kijken om mijn haar te doen. Gek, maar dat was me al een jaar niet overkomen...

Op een ochtend heb ik weer een jurk aangedaan en de volgende dag ben ik verliefd geworden.'

Ze lachte.

'Natuurlijk hield ik dit verhaal destijds voor het toppunt van romantiek. De onverhoopte pijl van een Cupido die in de omgeploegde velden was afgedwaald en al die *foolisheries*, maar inmiddels, achteraf gezien, en de gevolgen in aanmerking genomen van die... Kortom, ik heb het engeltje inmiddels aan de dijk gezet.

Het was voorjaar en ik wílde verliefd worden. Ik wilde dat een man me in z'n armen nam. Het kwam me de strot uit Superwoman uit te hangen die úren nodig had om haar laarzen uit te trekken en in minder dan negen maanden drie kinderen had gekregen. Ik wilde gekust worden en te horen krijgen dat ik zo'n zachte huid had. Al was dat niet eens meer zo...

Ik had dus een jurk aangetrokken om de klas van Samuel en de kinderen van de andere leerkracht op ik weet niet wat voor uitstapje te vergezellen... en op de terugweg ben ik in de bus naast hem gaan zitten...'

Charles liet zijn schetsen rusten. Haar gezicht was te veranderlijk. Tien minuten geleden was ze zo oud als de mensheid en wanneer ze zo glimlachte, achter in de bus, was ze nog geen vijftien.

'De volgende dag vond ik een smoesje om hem hierheen te lokken en heb ik hem verkracht.'

Draaide zich naar hem toe: 'Eh... Hij had toegestemd, hoor! Hij had toegestemd, was lief, iets jonger dan ik, vrijgezel, kind van de streek, een superdoe-het-zelver, had een supertalent voor kinderen, was supergoed in vogels, bomen, sterren, trektochten... Ideaal, dus... Vlug voor me inpakken dan vries ik hem in!

Nee... Ik zou niet zo cynisch moeten doen... Ik was verliefd... Ik verging van liefde en ik heb écht van hem gehouden... Het leven was zoveel makkelijker geworden... Hij is hier komen wonen. René, die hem van kleins af kende, gaf me zijn zegen, de Grote Hond heeft hem niet opgevreten, en hij heeft alles aanvaard zonder moeilijk te doen. Het werd een mooie zomer en Hattie kreeg voor haar tweede verjaardag een echte taart... En vervolgens ook een mooi najaar... Hij leerde ons van de natuur te houden, naar haar te kijken, haar te begrijpen, hij abonneerde ons op *De Bosuil*, stelde me aan een hoop heerlijke mensen voor die ik zonder hem nooit had gekend... Heeft me eraan herinnerd dat ik nog geen dertig was, dat ik vrolijk was en van uitslapen hield...

Ik werd helemaal maf. Ik zei de hele tijd: "Ik heb mijn meester gevonden! Ik heb mijn meester gevonden!"

Het volgende voorjaar wilde ik een kind. Waarschijnlijk was het een beetje te vroeg maar ik verlangde er zo naar. Ik moet hebben gedacht dat het een manier was om alle banden te versterken. Met hem, met Ellens kinderen, met dit huis... Ik wilde een eigen kind om er zeker van te zijn dat ik de andere drie nooit in de steek zou laten... Ik weet niet of u me kunt begrijpen?'

Nee. Charles was te jaloers om te proberen dit alles uit de knoop te halen.

Ik heb écht van hem gehouden...

Dat 'echt' had hem onder de krokodil gebeten.

Hij wist niet eens wat het betekende...

En het was wel het minste voor een boerenlul van een onderwijzer om met kinderen om te kunnen gaan en de Grote Beer te herkennen!

'Natuurlijk begrijp ik het,' fluisterde hij ernstig.

'Het is nooit gelukt... Een ander had waarschijnlijk meer geduld gehad, maar na een jaar ben ik naar de grote stad gegaan om allerlei onderzoeken te ondergaan. Ik had er zonder morren drie genomen, ik had toch recht op een eigen kind, nietwaar?!

Ik was zo geobsedeerd door mijn buik dat ik de rest een beetje heb verwaarloosd...

Sliep hij niet meer elke avond thuis? Dat was omdat hij rust nodig had om zijn dictees te corrigeren... Struinde hij niet meer elke zondag met ons de streek af naar nieuwe zolderopruimingen? Dat kwam omdat hij een beetje genoeg had van onze troep... Ging het in bed ook niet meer zo innig? Maar dat lag ook aan mij! Met al mijn berekeningen waarvan hij verslapte... Vond hij dat de kinderen knap lastig waren? Ja hoor... Er waren er drie... En slecht opgevoed? Ja hoor... Ik vond dat het Leven hun dat verschuldigd was... Dat hun kinderjaren op een prachtige opgestoken middelvinger mochten lijken... Dat ik te vaak Engels sprak wanneer ik me tot hen richtte? Ja hoor... Wanneer ik moe ben, spreek ik de taal die spontaan bij me opkomt...

Dat... Dat... Dat... Dat hij zijn overplaatsing had aangevraagd voor het volgende schooljaar?

Oei... Toen had ik geen weerwoord meer.

Ik had het helemaal niet zien aankomen... Ik geloofde dat voor hem hetzelfde gold als voor mij, dat zijn woorden en beloftes zich te verbinden, ook zonder rechter en zonder griffier, iets betekenden. Ondanks de strenge winters die zich aankondigden en een wat overmatige bruidsschat...

Hij kreeg zijn overplaatsing en ik werd wie ik was toen ik u over mijn laatste sigaret vertelde...

Een verlaten voogd...

Wat was ik ongelukkig, wanneer ik eraan terugdenk,' glimlachte ze beschaamd. 'Maar wat deed ik hier ook?! Waarom was ik in zo'n rothuis mijn leven komen verpesten? Door op mijn mesthoop voor Karen

Blixen te spelen... Door elke avond hout binnen te halen en door mijn boodschappen steeds verder weg te gaan doen zodat men niets tegen me zou zeggen over het aantal flessen dat ik onopvallend tussen de pakjes koekjes en het kattenvoer legde...

Bij heel deze ineenstorting kwam nog iets veel gevaarlijkers: zelfhaat. Oké, ons verhaal was uit, maar goed... dat overkomt heel wat mensen... Het probleem zat in de drie jaar leeftijdsverschil... Ik dacht niet: hij is weg omdat hij niet meer van me hield. Ik dacht: hij is weg omdat ik oud ben.

Te goedhartig en te stom om te worden bemind. Te lelijk, te veel ballast. Te oud, dus out.

Niet zo glamoureus met mijn kettingzaag, mijn gebarsten lippen, mijn rode handen en mijn *cuisinière* die zeshonderd kilo woog...

Nee... Niet zo.

Ik nam het hem niet kwalijk dat hij was vertrokken, ik begreep het.

In zijn plaats zou ik precies hetzelfde hebben gedaan...'

Schonk zich weer een kop in en blies lang op het lauwe water.

'Het enige positieve aan dit verhaal,' grapte ze, 'is dat we nog steeds een abonnement hebben op *De Bosuil*! Kent u de vent die het maakt? Die Pierre Déom?'

Charles beduidde haar van niet.

'Geweldig. Een onvervalst... Een onvervalst genie... Het zou me verbazen als hij erheen zou willen, maar deze meneer zou een groot hol in het Pantheon verdienen... Maar goed... Mijn hoofd stond er niet meer zo naar om het verschil te zien tussen een door een eekhoorn aangevreten hazelnoot of een hazelnoot waaraan een veldmuis had geknabbeld... Alhoewel... Ik moest me er toch wel een beetje voor interesseren, anders hadden we hier vanavond niet gezeten...

Een eekhoorn splijt de noot in tweeën, terwijl een veldmuis er een mooi geciseleerd gat in maakt. Zie voor meer details de balk boven deze openhaard...

Mijn geval leek meer op wat een veldmuis doet... Ik was nog heel, maar vanbinnen helemaal leeg. Baarmoeder, hart, toekomst, vertrouwen, moed, kasten... Het was allemaal leeg. Ik rookte, ik dronk tot steeds later in de nacht door en toen, omdat Alice had leren lezen, kon ik niet meer voortijdig sterven, dus heb ik er een soort depressie van gemaakt...

U vroeg me net waarom ik zo veel dieren heb, nou, indertijd wist ik dat wel. Namelijk om 's ochtends vroeg op te staan, de katten eten te geven, de deur open te doen voor de honden, hooi naar de paarden te brengen en het de kinderen lastig te maken. De dieren gingen door met leven aan dit huis te geven en hielden me de kinderen van het lijf...

De dieren plantten zich voort in de paartijd en dachten de rest van de tijd alleen maar aan vreten. Dat was een geweldig voorbeeld. Ik las geen verhaaltjes meer voor en gaf hun schijnkusjes, maar elke avond als ik de deuren van hun kamers sloot, zag ik erop toe dat ze allemaal hun favoriete kat als kruik hadden...

Ik weet niet hoe lang dit door had kunnen gaan of waartoe het had geleid... Ik begon de draad kwijt te raken. Zouden zij niet beter af zijn in een echt pleeggezin? Met een standaard papa en mama? Zou ik er niet beter aan doen alles hier te verpatsen en met hen naar de Verenigde Staten terug te gaan? Of eventueel zonder hen...

Zou het... Ik praatte niet eens meer met Ellen en hield mijn hoofd omlaag om er zeker van te zijn haar blik niet te kruisen...

Op een ochtend belde mijn moeder me. Kennelijk was ik dertig geworden.

Tja?

Al?

Pas?

Om het te vieren heb ik me aan de wodka bezopen.

Ik had m'n leven verpest. Ik wilde wel voor het minimale zorgen, drie maaltijden per dag en hen naar school brengen, maar daarmee hield het op.

Heeft u klachten, wendt u dan tot de rechter.

In dit moeras ben ik Anouk tegengekomen en heeft zij haar hand in mijn nek gelegd...'

Charles bestudeerde de haardijzers.

'En toen kreeg ik op een dag een telefoontje van het secretariaat van de afdeling gynaecologie waar ik een paar weken eerder was geausculteerd... Ze konden me niets vertellen, ik moest komen. Ik heb de afspraak genoteerd, maar wist al dat ik er niet heen zou gaan. De vraag was niet meer aan de orde en zou waarschijnlijk ook niet meer aan de orde komen.

Toch ben ik erheen gegaan... Om er eens uit te zijn, om de gedachten te verzetten en omdat Alice tubes verf nodig had of ik weet niet wat voor ander spul dat hier absoluut onvindbaar is.

De dokter liet me binnen. Hij heeft mijn röntgenfoto's toegelicht. Mijn eileiders en mijn baarmoeder waren helemaal weggekwijnd. Minuscuul, verstopt, niet in staat te baren. Er waren allerlei vervolgonderzoeken nodig, maar hij had in mijn dossier gelezen dat ik lange tijd in Afrika had doorgebracht en meende dat ik tuberculose had opgelopen.

Maar... ik kan me niet herinneren ziek geweest te zijn, verweerde ik me. Hij was heel kalm, was stellig de hoogste man in de tent en was het gewend onaangenaam nieuws te brengen. Hij heeft lang met me gesproken, maar ik heb helemaal niet geluisterd. Het was een vorm van tuberculose waaraan je heel goed ongemerkt kon lijden en... ik herinner het me niet meer... Mijn hersenen waren even afgestorven als de rest...

Ik herinner me wel dat ik, toen ik weer op straat stond, onder mijn trui mijn buik heb aangeraakt. Die zelfs heb gestreeld... Ik was helemaal van de kaart.

Gelukkig liep de klok door. Ik moest opschieten als ik nog tijd wilde hebben om bij de grote kantoorboekhandel langs te gaan voor ik de kinderen zou ophalen wanneer de school uitging. Ik heb alles voor haar gekocht... Alles waarover ze zou hebben gedroomd... Verf, pastel, een doos met waterverf, houtskool, papier, kwasten en penselen, een kit voor Chinese kalligrafie, kralen... Alles.

Daarna ben ik naar een speelgoedwinkel gegaan en heb ik de andere twee overmatig verwend... Het maakte niet uit wat, ik had al moeite de eindjes aan elkaar te knopen, jammer dan. *Life was* definitely *a bitch.*

Ik was heel laat, kreeg bijna een ongeluk en verscheen met m'n haar in de war voor de hekken. Het was bijna donker en ik zag hoe ze op me wachtten, ongerust, ze zaten alle drie onder het afdak.

Er was verder niemand op de speelplaats...

Ik zag hen het hoofd heffen en ik zag hen glimlachen. De glimlach van kinderen die nu beseften dat ze niet in de steek waren gelaten. Ik heb me op hen gestort en hen in mijn armen genomen. Ik heb gelachen, ik heb gehuild, ik heb hun vergeving gevraagd, ik heb gezegd dat ik van ze hield, dat we altijd bij elkaar zouden blijven, dat we de sterksten waren en dat... Dat, hé, de honden zitten vast op ons te wachten!

Ze hebben hun cadeaus opengemaakt en ik ben weer gaan leven.'

'Dat was het,' vulde ze aan en zette haar kopje neer. 'Nu weet u alles... Ik weet niet wat u gaat berichten aan degenen die u hierheen hebben gezonden, maar in mijn ogen heb ik u alles laten zien...'

'En de andere twee? Yacine en Nedra... Waar komen die vandaan?'

'O, Charles,' zuchtte ze, 'ik ben nu bijna...' stak haar hand uit, pakte zijn pols en draaide die om op zijn horloge te kijken... 'zeven uur zonder ophouden over mezelf aan het praten... Bent u het niet beu?'

'Nee. Maar als u moe bent, dan...'

'Heeft u niet één sigaret meer?' onderbrak ze hem.

'Nee.'

'*Shit*. Goed... Nou ja, gooi er dan nog maar een blok hout op... Ik ben zo terug...'

Ze had een spijkerbroek onder haar jurk aan gedaan.

'Weer gaan leven hield voor mij met mijn dode buik in mijn huis voor andere kinderen openstellen.

Het was zo groot, er waren zo veel beesten, zo veel schuilplaatsen, zo veel hutten... En ik had tenslotte zo veel tijd... Ik heb me bij sociale zaken aangemeld om gezinsassistente te worden. Mijn plan was om in de vakantie kinderen op te vangen. Om ze een superzomerkamp te bieden, leuke herinneringen... Nou ja, ik wist het niet precies maar dacht dat het bestaan hier er zich goed voor leende... Dat we allemaal in hetzelfde schuitje zaten en dat we elkaar moesten helpen... en dat... Dat ik best iets goeds zou kunnen doen... ondanks alles... Ik heb het er met de kinderen over gehad en hun reactie was vast zoiets als: Maar... moeten we dan ons speelgoed uitlenen?

Verder geen wolkje aan de lucht...

Ik heb een heel nieuwe wereld leren kennen. Ben bij de kinderbescherming een formulier gaan halen en heb zorgvuldig de hokjes ingevuld. Mijn burgerlijke staat, mijn inkomsten, mijn motivatie... Heb m'n toevlucht tot mijn Harrap's genomen om geen spelfouten te maken en deed er foto's van het huis bij. Ik dacht dat ze me waren vergeten, maar een paar weken later kondigde een maatschappelijk werkster aan dat ze zou komen kijken of ik een goedkeuring kon krijgen.'

Lachend greep ze naar haar voorhoofd.

'Ik weet nog dat we de dag voordien op de binnenplaats alle honden hebben gewassen! Ze stonken dan ook vreselijk! En ik had vlechten in de haren van de meisjes gemaakt... Ik geloof zelfs dat ik me als dame had vermomd... We waren perfect!

De maatschappelijk werkster was jong en vriendelijk, haar collega, de kinderverzorgster, was eh... minder aardig... Ik heb hun eerst voorgesteld de ronde van het terrein te maken en we zijn begonnen. Sam ging mee, zijn zusjes, de kinderen uit het dorp die altijd in de buurt rondhingen, de honden, de... nee, de lama was er nog niet... nou ja... u kunt zich de stoet voorstellen...'

Dat kon Charles zeker.

'We waren zo trots als wat. Het was toch het mooiste huis van de wereld? De kinderverzorgster verpestte ons plezier door om de drie tellen te vragen of het niet gevaarlijk was. En de rivier? Is die niet gevaarlijk? En de slotgracht? Is die niet gevaarlijk? En het gereedschap? Is dat niet gevaarlijk?

En de put? En het rattengif in de stallen? En... Die grote hond daar?

En die stomme kop van je? wilde ik graag reageren, heeft die nog niet genoeg schade aangericht?

Maar goed, ik ben heel *fair play* gebleven. Luister, de kinderen hebben het er tot nu toe goed afgebracht, schertste ik.

Daarna heb ik ze in mijn huiskamer ontvangen... U kent die niet, maar hij is heel chic. Ik noem hem mijn Bloomsbury... De fresco's op de muren en de schoorsteen zijn niet gemaakt door Vanessa Bell en Duncan Grant, maar door de knappe Alice... Verder heeft het een beetje dezelfde sfeer als in Charleston. Van alles door elkaar, oude rommel, schilderijen... Ten tijde van dat bezoek was hij netter. De meubels van Pierre en Ellen hadden nog een beetje allure en de honden mochten niet op de banken met chintz kruipen...

Ik maakte er een hele voorstelling van. Zilveren theepot, geborduurde servetten, *scones, cream and jam*. De meisjes deden de bediening en ik trok mijn rok glad voor ik ging zitten. De Koningin zelf zou... *delighted* zijn geweest...

Het klikte meteen met de jonge maatschappelijk werkster. Ze stelde me scherpzinnige vragen over... mijn visie op dingen... Mijn ideeën over opvoeding, of ik goed kon omschakelen, me aan moeilijke kinderen aanpassen, of ik geduldig was, hoe tolerant... Zelfs met die zelfhaat waarover ik het net met u had en die me sindsdien trouw is blijven vergezellen, voelde ik me onaantastbaar. Ik vond dat ik mezelf had bewezen... Dat dit huis vol tocht tolerantie uitstraalde en dat de kreten van de kinderen op de binnenplaats voor mij pleitten...

Die andere koe luisterde niet naar ons. Ze keek rond, verschrikt, de elektriciteitsdraden, de stopcontacten, het afgekloven bot dat aan mijn aandacht was ontsnapt, het kapotte raam, de sporen van vocht op de muren...

We zaten rustig te praten toen ze een gilletje gaf: een muis kwam kijken of er al wat kruimeltjes onder het tafeltje lagen...

Holy Shit!

Nee hoor, een oude bekende! stelde ik haar gerust, ze hoort bij de familie weet u... De kinderen geven haar elke ochtend cornflakes...

Het was de waarheid, maar ik zag wel dat ze me niet geloofde...

Aan het eind van de middag zijn ze weer vertrokken en ik bad de Hemel dat de brug niet onder hun auto in zou storten. Ik was vergeten hen te waarschuwen dat ze aan de overkant moesten parkeren...'

Charles glimlachte. Hij zat op de eerste rang en het stuk was echt voortreffelijk.

'Ik heb de goedkeuring niet gekregen. Ik kan me de blabla niet meer herinneren, maar het kwam erop neer dat de elektriciteit niet aan de normen voldeed. Goed... Aanvankelijk voelde ik me verschrikkelijk gekwetst en daarna vergat ik het... Ik wilde toch kinderen? Nou, ik hoefde maar uit het raam te kijken! Ze waren overal...'

'Dat zei de vrouw van Alexis me,' reageerde Charles.

'Wat?'

'Dat u net de Rattenvanger van Hamelen was... Dat u alle kinderen uit het dorp lokte...'

'Om ze te verdrinken soms?' zei ze geïrriteerd.

'...'

'Pff... Wat een kutwijf is dat toch... Hoe houdt die vriend van u het bij haar uit?'

'Ik zei u al dat hij mijn vriend niet meer is.'

'Het wordt nu uw verhaal, nietwaar?'

'Ja.'

'Bent u voor hem gekomen?'

'Nee... Voor mezelf...'

'...'

'Mijn beurt komt nog. Ik beloof het u... Vertel me nu eens over Yacine en Nedra...'

'Waarom interesseert u dit allemaal zo?'

Wat moest hij haar antwoorden?

Om zo lang mogelijk naar u te kunnen kijken. Omdat u het stralende gezicht heeft van wie me naar u heeft gebracht. Omdat zij, als ze in haar jeugd niet zo was beschadigd, op haar manier was geworden wat u bent...

'Omdat ik architect ben,' antwoordde hij.
'Wat is het verband?'
'Ik begrijp graag waarom gebouwen overeind blijven...'
'O ja? En wat zijn wij dan? *A zoo? Some kind of boarding house or... A hippy camp?*'
'Nee. Jullie zijn... Ik weet het nog niet... Ik denk na. Ik zal het u zeggen... Toe... Ik zit op Yacine te wachten...'
Kate strekte haar nek. Was moe.

'Een paar weken later kreeg ik een telefoontje van de vriendelijke mevrouw, die wel van mijn regels hield... Ze heeft me nog eens gezegd hoe het haar speet, is de overheid en de regels gaan hekelen die zo debi... Ik heb haar onderbroken. Geen probleem. Ik was er overheen.

In verband hiermee... Ze had daar een jongetje dat echt vakantie nodig had... Hij woonde bij een van zijn tantes maar het ging helemaal niet meer... Zou het misschien mogelijk zijn om de zegen van het departementsbestuur te omzeilen? Het was maar iets voor een paar dagen... Om hem eens wat anders te laten zien... Ze had het nooit aangedurfd de boel zo te belazeren als het niet om hem was gegaan, maar hij, u zult het zien, hij was echt ongelooflijk... Ze voegde er lachend aan toe: Ik vind dat hij het verdient naar uw muizen te komen kijken!

Het ging om de paasvakantie, geloof ik... Op een ochtend bracht ze hem "illegaal" naar me toe, als ik het zo mag noemen en... U kent hem... We hebben hem meteen in het hart gesloten.

Hij was onweerstaanbaar, stelde een boel vragen, was overal in geïnteresseerd, was heel behulpzaam, was weg van Hideous, stond heel vroeg op om René in de moestuin te helpen, wist wat mijn naam betekende en vertelde een hoop geweldige verhalen aan mijn boerenpummeltjes die nooit verder dan hun dorp waren geweest...

Toen ze hem kwam ophalen, was het... vreselijk.

Hij huilde tranen met tuiten... Ik weet het nog, ik heb hem bij de hand genomen en we zijn naar de achterkant van de binnenplaats gegaan. Ik heb hem gezegd: "Over een paar weken is het grote vakantie en dan mag je twee maanden blijven..." Maar, snikte hij, hij wilde voor al-al-altijd blijven. Ik beloofde hem dat ik vaak zou schrijven, toen, ja, als ik hem bewees dat ik hem niet zou vergeten, dan was het goed. Hij zou weer in de auto van Nathalie stappen...

Hij knuffelde lang zijn lievelingshond en intussen vertrouwde zij, dat ambtenaartje dat zich in haar ambt door haar hart liet leiden, me, eer ze haar autoportier dichtklapte, toe dat zijn vader zijn moeder voor zijn ogen had doodgeslagen.

Dat kwam hard bij me aan. Dat zou me wel leren de grote weldoenster uit te hangen... Ik wilde een zomerkamp beginnen en niet nog meer stront aan de knikker...

Maar goed... Nu was het te laat... Yacine was weg, maar de beelden niet. De bezetenheid van een man die de moeder van z'n kinderen in een hoek van de huiskamer molde... Ik dacht toch een beetje gehard te zijn... Maar nee. Het leven heeft voortdurend vrolijke verrassingen voor ons in petto...

Ik schreef hem dus... Wij schreven hem allemaal... Ik heb heel veel foto's van de honden gemaakt, van de kippen, van René en schoof er een of twee in elke brief... En eind juni kwam hij terug.

De zomer verstreek. Mijn ouders kwamen. Hij palmde mijn moeder in en zei haar de Latijnse namen van alle bloemen na en vroeg vervolgens mijn vader om ze voor hem te vertalen. Mijn vader zat onder de grote acacia te lezen. Hij droeg hem voor: *Tityre, tu patulae recubans sub tegmine fagi* [Tityrus, jij ligt hier beschut onder een lommerrijke beuk] en leerde hem de naam van de schone Amaryllis te zingen...

Ik was de enige die zijn verhaal kende en het verbaasde me dat een jochie als hij dat zoveel had meegemaakt zo'n rustgevend element kon zijn...

De kinderen lachten hem de hele tijd uit omdat hij zo'n schijterd was, maar hij voelde zich nooit gekwetst. Hij zei: ik kijk naar jullie omdat ik nadenk over wat jullie aan het doen zijn... Ik, ik wist dat hij *nooit meer* het minste risico zou willen lopen pijn te lijden. Hij liet ze "martelende indiaantjes" spelen en ging terug naar Granny bij haar rozen...

Vanaf half augustus begon ik te vrezen voor zijn vertrek.

Nathalie had afgesproken hem de 28ste op te halen. De avond van de 27ste was hij verdwenen.

De volgende dag hebben we een enorme partij verstoppertje gespeeld. Tevergeefs. En Nathalie ging erg bezorgd weg. Dit zaakje kon haar duur komen te staan... Ik beloofde haar dat ik hem persoonlijk naar haar toe zou brengen zodra ik hem terugvond. Maar twee avonden later was hij nog steeds onvindbaar... Ze raakte in paniek. De politie moest gebeld. Misschien was hij verdronken? Terwijl ik probeerde haar gerust te stellen, zag ik in deze keuken iets vreemds, ik zei haar: gun me nog een beetje tijd, ik zal ze op de hoogte stellen, ik beloof het je...

De kinderen waren erg opgefokt, ze aten stilletjes, en riepen zijn naam door de gangen toen ze naar bed gingen.

Midden in de nacht ben ik thee voor mezelf gaan zetten. Ik heb het licht niet aangedaan, ben aan het hoofd van de tafel gaan zitten en heb tegen hem gepraat: Yacine, ik weet waar je bent. Je moet nu tevoorschijn komen. Je wilt toch niet dat de politie je komt halen, wel?

Geen enkele reactie.

Uiteraard...

Als ik hem was geweest had ik hetzelfde gedaan, en ik heb gedaan wat ik gewild zou hebben dat men deed als ik hem was geweest.

Yacine, luister naar me. Als je nu tevoorschijn komt, ga ik het met je oom en tante op een akkoordje gooien en ik beloof je dat je bij ons kunt blijven.

Natuurlijk nam ik een risico maar goed... uit een aantal toespelingen van Nathalie had ik begrepen dat de oom in kwestie er niet echt op zat te wachten deze zoveelste mond te voeden...

Yacine, *please*. Je krijgt alle vlooien van die hond! Ik heb toch nooit tegen je gelogen sinds je me kent?

En ik hoorde: "Oei... Je kunt je niet voorstellen wat een honger ik heb!"'

'Waar zat hij?' vroeg Charles.

Kate draaide zich om: 'De bank, daar, tegen de muur, die op een grote kist lijkt... Ik weet niet of u ze kunt zien, maar er zitten twee openingen aan de voorkant... Het is een hok-bank die ik bij een antiquair vond toen we hier pas zaten... Ik vond het een geniaal idee maar de honden gingen er natuurlijk nooit in... Ze hadden liever de banken van Ellen... En destijds, het leek toeval, kroop Hideous er voortdurend in en hij kwam tijdens het avondeten niet eens onder onze borden kwijlen...'

'*Elementary, my dear Watson,*' glimlachte hij.

'Ik heb hem eten gegeven, zijn oom gebeld en hem op school ingeschreven. Dat is het verhaal van Yacine... Wat Nedra betreft, ze is op dezelfde manier naar binnen gesmokkeld, maar onder veel dramatischer omstandigheden... Niemand wist iets over haar, alleen dat ze uit een soort kraakpand was gered en dat ze een kapot gezicht had. Dat was twee jaar geleden, ze moet drie zijn geweest, nou ja... niemand heeft het ooit goed geweten... En het was weer een slimmigheidje van Nathalie.

Dit had ook tijdelijk moeten zijn... Tot haar kaak weer in orde was, die was door een wat te harde klap ontwricht, en ze kon herstellen tot hier of daar een gastgezin was gevonden...

En geloof me, Charles, wanneer je al je melktanden nog hebt maar geen papieren is het leven heel heel ingewikkeld... We vonden een arts die haar zwart wilde opereren maar verder is het om wanhopig te worden. Ze hebben haar op school geweigerd aan te nemen en ik geef haar zelf thuis les. Nou ja... ik doe wat ik kan want ze praat niet...'

'Helemaal niet?'

'Ja... Een beetje... Wanneer ze alleen is met Alice... Maar ze heeft een hondenleven... Nee. Sorry. Niet te vergelijken met mijn honden. Ze is helemaal niet gek en begrijpt haar situatie heel goed... Ze weet dat ze haar van de ene dag op de andere kunnen komen halen en dat ik dan niets voor haar kan doen.'

Charles begreep ineens waarom ze de vorige avond de bosjes in was gevlucht.

'Ze kan zich altijd nog onder de bank verstoppen...'

'Nee... Dit is een ander geval... Yacine mag hier zijn, het is zijn kosthuis. Ik heb alleen de data omgeruild en verplicht hem in de vakantie naar zijn familie te gaan. Terwijl zij... Ik weet het niet... Ik ben bezig een adoptiedossier samen te stellen, maar ook dat is een hel. Altijd dat gedonder met regels... Ik zou een aardige echtgenoot moeten vinden die ambtenaar is,' glimlachte ze, 'een soort schoolmeester, alhoewel...'

Kromde haar rug en rekte haar armen voor het vuur.

'Zoooo,' geeuwde ze, 'u weet alles.'

'En de andere drie?'

'Wat?'

'U zou hen ook kunnen adopteren...'

'Ja... Ik heb eraan gedacht... Bijvoorbeeld om van mijn toeziende voogden af te zijn, maar...'

'Maar?'

'Ik zou het gevoel hebben of ik hun ouders nog eens doodde...'

'Hebben ze er nooit met u over gesproken?'

'Ja. Natuurlijk wel. Het is trouwens een soort gimmick geworden... "Ja, ja, ik ga mijn kamer opruimen... wanneer jij ons hebt geadopteerd..." en het is goed zo...'

Lange stilte.

'Ik wist niet dat dit bestond,' fluisterde Charles.

'Wat?'

'Mensen zoals u...'

'En u heeft gelijk. Ze bestaan niet. Nou ja, ik heb niet het gevoel dat ik besta...'

'Ik geloof u niet.'

'Toch is het zo... De afgelopen negen jaar zijn we nauwelijks weg geweest... Ik probeer steeds wat geld opzij te leggen om een grote reis met ze te maken, maar het lukt me niet. Vooral niet omdat ik het huis vorig jaar heb gekocht... Het was een obsessie. Ik *wilde* dat wij thuis zouden zijn. Ik *wilde* dat de kinderen later ergens vandaan komen. Ik zal aandringen dat ze weggaan maar ik *wilde* dat ze deze basis hebben... Ik heb René hierover dagelijks aan z'n hoofd gezeurd tot hij zwichtte. Het zit wel, zuchtte hij, sinds de Grote Oorlog in de familie... Waarom moest daar verandering in komen? En hij had nog zijn neven in Guéret...

Ik heb 's ochtends geen koffie meer met hem gedronken als ik terugkwam van school en na vijf dagen is hij gezwicht.

"Idioot, je weet best dat wíj je neven zijn..." kafferde ik hem vriendelijk uit.

Natuurlijk moest ik me tot de rechter en tot mijn dierbare toeziend voogd wenden en ze begonnen me de haren van het hoofd te vragen. Waarom? Was dit wel redelijk? En waarom deze ruïnes? En hoe zat het met het onderhoud?

Gvd... Zij hadden hier 's winters niet gezeten, zij... Ten slotte heb ik hun gezegd: het is heel eenvoudig, u geeft me toestemming een appartement te verkopen om dit huis te kopen, of ik geef jullie de kinderen terug. De nieuwe rechter moest nog meer zaakjes opknappen en de andere twee waren zo stom mij serieus te nemen...

Ik ben met René en zijn zus naar de notaris gegaan en ik heb een rotappartement in residence Mimosa geruild tegen dit schitterende koninkrijk. Wat een feest die avond... Ik had het hele dorp uitgenodigd... Zelfs Corinne Le Men...

Ik wil u maar zeggen hoe gelukkig ik was...

Nu leef ik van de huur van twee appartementen die een heel ijverige vereniging van eigenaren hebben... Er is altijd werk aan de winkel, onderhoud, ellende... *Well*... Misschien is het ook wel goed zo... Wie zou er voor onze dieren zorgen als wij van huis gingen?'

Stilte.

'Leven? Overleven? Wie weet... Maar *bestaan*, nee. Ik heb spieren gekregen, maar mijn arme hersenen hebben me onderweg in de steek gelaten. Nu bak ik taarten en verkoop ze op het schoolfeest...'

'Ik geloof u nog steeds niet.'

'Nee?'

'Nee.'

'En u hebt weer gelijk... Van een afstandje denk je vast: een beetje een heilige, nietwaar? Maar je moet niet in de goedheid van gulle mensen geloven. In werkelijkheid is niemand zo egoïstisch als zij...

Ik bekende u, toen ik het net met u over Ellen had, dat ik een ambitieuze jonge vrouw was...

Ambitieus en heel *ijdel*! Ik was belachelijk, maar het was niet alleen een grap toen ik u zei dat ik de honger uit de wereld wilde bannen. Mijn vader had ons in de dode talen opgevoed en mijn moeder vond dat Mrs. Thatcher een mooi kapsel had of dat de laatste hoed van de *Queen Mum* in Ascot helemaal niet bij haar jurk paste. *So*... het was geen al te grote verdienste dat ik op een wat grootser leven hoopte, hè?

Ja, ik was ambitieus. En kijk... Dit lot, dat ik op eigen kracht was misgelopen, omdat ik nooit had kunnen tippen aan mijn voorbeelden, is me bezorgd door deze kinderen... Een lot van niks,' grijnsde ze. 'Maar goed... leuk genoeg om u tot drie uur 's morgens wakker te houden...'

Ze draaide zich om en keek hem met een glimlach aan.

En toen, op dat eigenste moment, wist Charles het.

Dat hij als een rat in de val zat.

'Ik weet dat u haast heeft, maar u gaat nu toch niet weg, hè? U kunt de kamer van Samuel nemen, als u wilt...'

Hij vervolgde, omdat ze haar armen over elkaar deed waardoor zijn oog erop viel en hij helemaal geen haast meer had: 'Eén laatste vraag...'

'Ja?'

'U heeft me het verhaal over uw ring niet verteld...'

'Dat is waar ook! Ik ben er niet bij met mijn gedachten.'

Keek haar aan.

'Nou...'

Boog zich naar hem toe en legde haar wijsvinger boven haar rechterjukbeen: 'Ziet u dat sterretje daar? Tussen de kraaienpootjes?'

'Natuurlijk,' zei Charles, die zo bijziend was als wat.

'De eerste en de laatste klap die mijn vader me ooit heeft gegeven... Ik moet zestien zijn geweest en raakte gewond door zijn ring... De arme man, hij was er ziek van... Zo ziek dat hij de ring nooit meer heeft gedragen...'

'Maar wat had u dan gedaan?' vroeg hij verontwaardigd.

'Ik weet het niet meer... Ik heb vast gezegd dat ik baalde van Plutarchus!'

'En waarom dan?'

'Plutarchus heeft een verhandeling over het opvoeden van kinderen geschreven die me echt helemaal tot hier zat! Nee, dat is een grapje, ik denk dat het weer eens een verhaal over uitgaan was... Doet er niet toe... Ik bloedde... Natuurlijk heb ik het opgeklopt en zodoende heb ik de intaglio nooit meer teruggezien...

Ik was er trouwens dol op... Als meisje droomde ik ervan... Die blauwe steen... Ik weet het niet meer... Ik geloof dat hij niccolo wordt genoemd... En de voorstelling... Hij is nu erg vies, maar zie de jonge man die zo mooi loopt met een haas op zijn schouder... Ik vond hem geweldig... Hij had zo'n mooi achterwerk... Ik heb hem vaak gevraagd wat ermee was gebeurd, maar hij wist het niet meer. Misschien had hij hem verkocht...

En toen, tien jaar later, toen we uit het kantoor van de rechter kwamen en de teerling was geworpen, zijn we een kopje thee gaan drinken op de Place Saint-Sulpice. Mijn oude papa deed net of hij zijn bril zocht en haalde de ring tevoorschijn die in een zakdoek was verstopt. *You make us proud, he said* en hij gaf me de ring. *Here, you'll need it too when you're looking for respect...* Aanvankelijk was hij veel te groot en draaide hij rond mijn middelvinger, maar na al dat hout dat ik heb gekapt, blijft hij nu heel goed aan mijn klauwtjes zitten!

Twee jaar geleden is hij gestorven... Weer een groot verdriet... Maar een natuurlijker verdriet...

Wanneer hij 's zomers kwam, droeg ik hem op het bereiden van de jam in de gaten te houden... Dat was echt een job voor hem... Hij pakte zijn boek, ging voor de Aga zitten, draaide met een hand de bladzijden om en met de andere de houten lepel... Op een van die lange abrikozenmiddagen gaf hij me z'n laatste les in oude geschiedenis.

Hij had *heel lang* getwijfeld me deze intaglio te geven, bekende hij me, omdat volgens zijn vriend Herbert Boardman deze scène samenhing met een thema dat vaak terugkeert in de antieke gemmologie, het thema van de "offers van het land".

Daarop volgde een lange theorie over het idee achter offeren, met de *Elegieën* van Tibullus en heel de club als geluidsillustratie, maar ik luisterde niet meer naar hem. Ik keek naar zijn spiegelbeeld in de koperen pan en vond dat ik me gelukkig mocht prijzen onder de ogen van zo'n verfijnde man te zijn opgegroeid...

Omdat dat idee achter offeren, weet je, nogal betrekkelijk is...

Take it easy, Dad, stelde ik hem gerust, je weet toch dat voor al deze dingen geldt *there is no sacrifice at all*... Toe... Concentreer je, anders brandt het aan...'

Stond weer op met een zucht: 'Dat was het dan. Het is afgelopen. U kunt doen wat u wilt, maar ik ga naar bed...'

Nam het dienblad uit haar handen en liep naar de bijkeuken.

'Het ongelooflijke met u is,' riep hij, 'dat alles een verhaal wordt en dat het allemaal mooie verhalen zijn...'

'Maar álles is een verhaal, Charles... Echt alles, en voor iedereen... Alleen vind je nooit iemand om ernaar te luisteren...'

*

Ze had hem gezegd: de laatste kamer aan het eind van de gang. Het was een zolderkamertje en net als in de kamer van Mathilde keek Charles lang naar de muren van deze tiener. Vooral een foto trok zijn aandacht. Die was met punaises boven zijn bed opgehangen, op de plaats voor het crucifix, en het paar dat erop glimlachte gaf hem de laatste nagelkrab van de dag.

Ellen zag er precies zo uit als Kate had verteld: stralend... Pierre kuste haar op de wang en hield een slapend jongetje in de holte van zijn arm.

Hij ging op de rand van het bed zitten, het hoofd omlaag en de handen gevouwen.

Wat een reis...

Had in zijn leven nooit zo'n jetlag ervaren... Klaagde er deze keer niet over, hij was alleen... de kluts kwijt.

Anouk...

Wat was dit nu weer voor ellende?

En waarom ben jij weggegaan, terwijl al deze mensen op wie je dol was geweest zo veel moeite hebben gedaan om door te gaan?

Waarom heb je haar niet vaker opgezocht? Je hield ons telkens voor dat je je echte familie onderweg tegenkomt...

En verder? Dit huis was van jou... En deze mooie vrouw ook... Zij had je getroost voor die ander...

En waarom heb ik je nooit meer opgebeld? Ik heb al die jaren zo hard gewerkt en toch zal ik niets achterlaten wat me overleeft... De enige belangrijke funderingen, degene die me naar dit kamertje hebben gebracht en die al mijn aandacht hadden verdiend, heb ik met egoïsme en wedstrijden opgevuld... Verspeeld in de meeste gevallen... Nee, ik gesel mezelf niet, jij zou dat vreselijk hebben gevonden, het is alleen dat ik...

Sprong op. Een poes had zijn hand gevonden.

Ontdekte op een van de toiletmuren Kates handschrift in originele versie. Het was een citaat van E.M. Forster dat ongeveer zo luidde:

I believe in aristocracy, though... *En toch geloof ik in aristocratie. Als het woord juist is en een democraat het gebruiken kan. Niet in een aristocratie van macht, gebaseerd op rang en invloed, maar in een aristocratie van de attente, decente mensen en hen die lef hebben. Je vindt haar leden in alle naties, onder alle klassen en bij mensen van alle leeftijden. En wanneer ze elkaar tegenkomen, is er zoiets als een geheime verstandhouding tussen hen. Ze vertegenwoordigen de enige echte menselijke traditie, de enige bestendige overwinning van ons vreemde ras op de wreedheid en de chaos.*

Duizenden van hen verdwijnen in het duister; weinigen hebben een grote naam. Ze luisteren naar anderen zoals ze naar zichzelf luisteren, zijn oplettend zonder ophef te maken, en hun dapperheid is geen houding maar eerder een aanleg om alles te kunnen verdragen. En daarbij... they can take a joke... *Ze hebben gevoel voor humor...*

Tja... zuchtte Charles, die zich al naarmate ze over haar leven vertelde steeds kleiner had voelen worden, neem dit er nu ook maar bij... Een paar uur geleden zou hij deze tekst hebben gelezen en uitsluitend stil hebben gestaan bij wat probleempjes in de vertaling, *queer race, swankiness*... Maar hóórde nu deze woorden. Had hun taarten gegeten, hun whisky gedronken, was de hele middag met hen gaan wandelen en had gezien hoe ze veranderden in een glimlach die steeds dicht bij tranen lag.

Het kasteel was er niet meer, de adel was gebleven.

Gebogen en de broek op de hielen, voelde zich nogal bescheten.

Ontdekte, terwijl zijn ogen het roze papier zochten, haar bloemlezing met haiku's.

Sloeg die op goed geluk open en las:

Klim jij maar zachtjes
kleine wijngaardslak, want je
bent op de Fuji!

Glimlachte, bedankte Kobayashi Issa voor z'n morele steun en viel in slaap op het bed van een jonge man.

*

Stond bij het krieken van de dag op, liet de honden los voor hij naar zijn auto ging, maakte een omweg om de eerste zonnestralen op het oker van de stallen te pakken. Plakte zijn handen tegen het raam, zag een heleboel slapende tieners, ging naar de bakker en kocht de hele ovenlading croissants. Nou ja... wat de verkoopster, nog door de slaap gekneed, croissants noemde...

Een Parijzenaar zou zeggen: 'Jullie soort kleine kromme brioches...'

Toen hij terugkwam, rook de keuken heerlijk naar koffie en Kate was in haar tuin.

Maakte een schaal klaar en ging naar haar toe.

Ze legde haar snoeischaar weg, liep barrevoets door de dauw, zag er nog verkreukelder uit dan de bakkersvrouw en bekende hem dat ze vannacht geen oog had dichtgedaan.

Te veel herinneringen...

Klemde haar kom vast om weer warm te worden.

De zon kwam stilletjes op. Ze had niets meer te zeggen en Charles had nog veel te ontwarren...

De kinderen kwamen zich als poezen tegen haar aanvlijen.

'Wat gaat u vandaag doen?' vroeg hij.

'Ik weet het niet...' Haar stem klonk een beetje verdrietig. 'En u?'

'Ik heb veel werk...'

'Dat kan ik me voorstellen... Wij hebben u van het goede pad afgebracht...'

'Zo zou ik het niet noemen...'

En omdat het gesprek een beetje deprimerend werd, vervolgde hij vrolijker: 'Morgen moet ik naar New York en voor één keer zal ik als toerist reizen... Een avondje ter ere van een oude architect die ik heel graag mag...'

'Gaat u daar echt heen?' werd ze opgewekt. 'Wat een mazzel! Als ik durfde zou ik u vragen me...'

'Durf, Kate, durf. Vertel het me.'

Ze stuurde Nedra weg om iets van haar nachtkastje te halen, dat ze op haar beurt aan hem overhandigde.

Het was een ijzeren doosje met op het deksel een plaatje van een das.

BADGER

HEALING BALM

RELIEF FOR HARDWORKING HANDS

Verzacht de handen van mensen die hard werken...

'Is dat dassenvet?' vroeg hij geamuseerd.

'Nee, van een bever, geloof ik... In ieder geval heb ik nooit iets gevonden dat beter werkt... Ik liet het me altijd door een vriendin opsturen, maar ze is verhuisd...'

Charles keerde het doosje om en vertaalde hardop: 'Paul Bunyon heeft op een dag gezegd: Geef mij genoeg Badger en ik zou de kloven van de Grand Canyon kunnen dichten. Dat is nogal wat... En waar kan ik dat voor u vinden? In een drugstore?'

'Komt u in de buurt van Union Square?'

'Absoluut,' loog hij.

'U liegt...'

'Absoluut niet...'

'Leugenaar...'

'Kate, ik heb een paar uur vrij en ik zou... het een eer vinden die aan u te wijden... Is het op Union Square zelf?'

'Ja, een winkeltje dat Vitamin Shoppe heet, geloof ik... Anders misschien bij de Whole Foods...'

'Prima. Dat lukt me wel.'

'En...'

'En?'

'Als u een beetje verder Broadway af gaat, is er boekhandel Strand. Als u twee minuten over heeft, zou u dan voor mij snel langs alle afdelingen kunnen lopen? Ik droom daar al zo lang over...'

'Wilt u dat ik een bepaald boek voor u meeneem?'

'Nee. Alleen de sfeer... Ga naar binnen, loop tot achterin links, waar de biografieën staan, bekijk alles goed en adem in terwijl u aan mij denkt...'

'Inademen terwijl ik aan u denk? Mmm... Daarvoor hoef ik toch niet zo ver weg?'

Stuitte op zoek naar de badkamer op Yacine die in een woordenboek verdiept was: 'Vertel me eens, hoe hoog is de berg Fuji?'

'Eh... wacht... "Hoogste punt van Japan, gevormd door een gedoofde vulkaan, 3776 meter."'

Gedoofd? Mijn neus.

Nam een douche en vroeg zich af hoe zo'n grote familie met zo'n Spartaanse ruimte toe kon. Geen spoor van schoonheidscrème hier... Liep alle kamers langs, kuste de kinderen en vroeg hun zijn groeten aan de groten over te brengen, wanneer ze wakker zouden worden.

Zocht overal naar Kate.

'Ze is weg om Totette bloemen te brengen,' vertelde Alice hem. 'Ze heeft me gezegd jou namens haar gedag te zeggen.'

'Maar... Wanneer komt ze terug?'

'Ik weet het niet.'

'O?'

'Ja, daarom heeft ze me gevraagd je gedag te zeggen...'

Zij had het dus ook beter gevonden een nutteloze scène te vermijden...

Dit onmogelijke vertrek leek hem erg heftig.

Dacht onder de donkere boog van de eiken weer aan die van Ellen, terwijl Baloo aan Mowgli leerde hem na te zingen:

Je hebt weinig nodig om gelukkig te zijn.
Jazeker! Echt heel weinig om gelukkig te zijn...

Ademde uit, had pijn. Sloeg rechts af en was terug op het asfalt.

IV

I

'Parijs 389'

Tijdens de eerste driehonderdachtentachtig kilometer dacht Charles uitsluitend aan die nog warme uren. Zette de automatische piloot aan en werd door een veelheid aan beelden bestormd.

Nedra als gewonde vogel met haar wijd open bek, de namen van de paarden, de glimlach van Lucas in de achteruitspiegel, zijn grote sabel van verguld karton, de klokkentoren van de kerk, de vierkanten van krijt waarmee de kastanjebomen waren belaagd, de liefdesbrief die Alexis in zijn portefeuille bewaarde, de smaak van de Port Ellen, het gegil van een van de lange sprieten toen Léo haar wilde bespuiten met zijn spray 'Lokmiddel voor wild zwijn, geur van een loopse everzeug', de geur van de lolly's die aan het uiteind van hun stokjes smolten, het klotsen van de rivier in de nacht, de nacht onder de sterren, de sterren die de man, van wie ze een kind had gewild, beweerde te kennen, de ezels in de Jardin du Luxembourg, de Quick waar hij Mathilde zo vaak mee naartoe had genomen, de speelgoedwinkel in de Rue Cassette waarvoor ook zij hadden staan dromen en die *Er was eens...* heette, de dode vliegen in de kamers van de stalknechten, die stommeling van een Matthew die het DNA van het geluk niet had weten te isoleren, de ronding van haar knie toen ze naast hem was komen zitten, de aanvaring die was gevolgd, de ontreddering van Alexis, het koffertje dat hij niet meer opendeed, de trieste glimlach van de Grote Hond, het dreigende oog van de lama, het spinnen van de kat die hem uit zijn ontroostbaar verdriet was komen halen, het uitzicht vanuit hun kommen vanochtend, de muur van bekrompenheid waarmee Corinne haar heel kwetsbare echtgenoot had omringd, het lachen van hun Marion die dit alles binnenkort zou verpulveren, het maniertje dat ze had om steeds weer haar lok weg te blazen zelfs als haar haar vastzat, de kreten van de kinderen en de herrie van de conservenblikken onder het afdak van de speelplaats, de roos *Wedding Day* die voor het prieel onder de bloemen bezweek, de resten van Pompeï, de dans van de zwaluwen en het bezemen van de uil toen ze terugdachten aan Nino Rota, de stem van Nounou die hen voor een allerlaatste keer naar bed had gestuurd, de blaas van de vrachtrijder, de oude professor die op de wang van zijn jongste dochter de afdruk van een mooie jonge efebe had achtergelaten, de smaak van lauwwarm fruit die hij nooit had geproefd, het poloshirt dat hij nooit meer aan zou trekken, de voorspelling van René, hun gedonder op de weegschaal, de muis op het tapijt, de tien kinderen met wie ze de vorige dag hadden gegeten, het huiswerk onder de lamp en de goedkeuring die haar was onthouden, deze brug die op een dag zou instorten en hen voorgoed van de wereld zou afsluiten, de schoonheid van de betimmering, de kopergroene korstmosvlekken op de stenen van de trap, haar enkel naast hem, de motieven op de sloten, de verfijning van het lijstwerk, het wrak van de auto, haar twee nachten in een hotel naast het rouwcentrum, het atelier van Alice, de geur van de verkoolde basketbalschoenen, het moedervlekje dat ze in haar nek had en dat hem zo lang ze haar ontboezeming deed bezighield, alsof elke keer dat ze haar hoofd in haar handen nam om te lachen of te huilen Anouk naar hem zou knipogen, de veerkracht van de kleine Yacine, de veerkracht van hen allemaal, de geur van de kamperfoelie en de sobere zolderramen, de gang op de eerste verdieping waar ze allemaal hun dromen op de muur hadden geschreven, haar eigen droom, de condoleances van de politieman, de urnen in de schuur, de condooms tussen de suikerklontjes, het gezicht van haar zus, het leven dat ze had opgegeven, de bedden die ze bij elkaar had gezet, het paspoort dat verlopen moest zijn, haar dromen over overvloed die haar onvruchtbaar hadden gemaakt, hoe dik de muren waren, de geur van Samuels kussen, de dood van Aeschylus, de koplampen in de nacht, hun schaduwen, het raam dat ze had geopend, de...

Tijdens de laatste kilometer, in een Parijs waar de lucht volgens de dagwaarde 'redelijk goed' was, besefte hij dat hij heel de heenweg door de dood geobsedeerd was geweest en heel de terugweg verbluft door het leven.

Het ene gezicht was over het andere geschoven en de ene gelijke letter die hun twee voornamen verbond had hem uiteindelijk helemaal aan het wankelen gebracht.

Gebruiksaanwijzingen waren nutteloos, het lot was, voor het oor tenminste, een geval op zich.

2

Ging rechtstreeks naar kantoor. Dreigde woest te worden omdat niet alle lichten waren uitgedaan. Besloot ervan af te zien. Niet nu. Laadde zijn mobieltje op, zocht naar zijn reistas en kleedde zich eindelijk om. Worstelend met een van zijn broekspijpen zag hij de stapel post die op zijn bureau op hem wachtte.

Maakte zijn broekriem vast en zette zijn computer weer aan zonder een spier te vertrekken. Het slechte nieuws lag achter hem, de rest zou slechts ergernis zijn, en ergernis zou hem nooit meer raken. Hun nieuwe normen, hun duurzaamheidsplannen, hun wetten, hun hypocriete decreten om een al bloedeloze planeet te redden, hun offertes, hun cijfers, hun rentes, hun conclusies, hun oproepen, hun vermaningen en hun klachten, lucht, lucht, alleen maar lucht. Je had hier, in ons midden, mensen van een andere kaste die elkaar herkenden wanneer ze elkaar tegenkwamen en die hem in vertrouwen hadden genomen.

Toch hoorde hij er niet bij. Had niet de minste moed en hoedde zich om het minste verdriet te 'verduren'. Alleen dit. Kon hen niet meer negeren. Anouk had hem een dooie mus in de handen gestopt en hij had zich in een kippenhok gewaagd...

Was gehavend teruggekeerd, maar bracht in zijn ruim specerijen en goud mee.

Laten we de cartograaf niet te veel eer bewijzen, laten we hem niet door het hof ontvangen worden, laten we hem eenvoudig dit alles in lood veranderen.

Het was niet het verhaal van haar leven dat hem had ontsteld, het was wat zij tegen z'n schim had gezegd.

Misschien zou hij daar nooit terugkomen, misschien zou hij nooit de gelegenheid krijgen afscheid van haar te nemen, misschien zou hij nooit weten of Samuel genoeg had getraind en zou hij nooit de stem van Nedra horen, maar één ding stond vast, zou er ook nooit meer weggaan.

Waar hij ook heen zou gaan, wat hij verder ook zou doen, zou bij hen blijven en zou met open handen verdergaan.

Het interesseerde Anouk geen zak hier of elders uit elkaar te vallen. Het interesseerde haar allemaal geen zak, alleen wat ze hem net had geschonken, terwijl ze er zelf van had afgezien.

Om op de uitdrukking van Kate terug te grijpen, zou nooit 'aan zijn voorbeelden kunnen tippen', had geen kinderen gekregen en zou 'in het duister' sterven, maar tot die tijd zou hij leven. Leven.

Het was zijn hoofdprijs, verstopt onder de terrines en de worsten.

Las met deze diepe lyrische vleeswarengedachten zijn mails en ging weer aan het werk.

Stond na een paar minuten weer op en liep naar zijn plankenkast.

Zocht naar een kleurenlexicon.

Er was iets wat hem sinds het eerste vuur prikkelde...

Venetiaans: haarkleur met mahonieglans. Het zogenaamde Venetiaanse blond *draagt bij aan de schoonheid van Venetiaanse vrouwen.*

Net wat hij dacht...

Maakte van de gelegenheid gebruik om 'chambrière' in de Petit Larousse op te zoeken.

Je hebt gelijk, maatje, je kunt je niet losrukken, hè...

Haalde zijn schouders op en ging écht weer aan het werk. Kwam de ellende uit alle hoeken? Van geen belang. Had zijn 'grote zweep om paarden in de maneges aan het werk te zetten' bij de hand.

Bleef tot zeven uur geconcentreerd, leverde de auto in en ging te voet naar huis.

Hoopte iemand achter de deur aan te treffen...

De twee antwoordapparaten die hij om beurten had uitgehoord, hadden deze vraag niet kunnen beantwoorden.

Liep, nog een beetje stijf, over de Rue des Patriarches.

Had honger en droomde ervan in de verte een bel te horen...

3

'Ik geef je geen kus, ik heb net een masker op gedaan,' waarschuwde ze hem met getuite lippen. 'Je kunt je niet voorstellen hoe kapot ik ben... Ik heb het weekend met totaal hysterische Koreaanse vrouwen doorgebracht... Ik denk dat ik een bad ga nemen en dan naar bed ga...'

'Wil je niet eten?'

'Nee. We werden met de Ritz opgescheept en ik heb te veel gegeten. En jij? Is het allemaal goed gegaan?'

Had het hoofd niet geheven. Zat weggedoken op de bank en bladerde de Amerikaanse *Vogue* door.

'Kijk toch eens hoe vulgair dat is...'

Nee. Charles had geen zin om te kijken.

'En Mathilde?'

'Bij een vriendin...'

Hield zich aan de deurknop vast en kende een moment van... neerslachtigheid.

Het was een inbouwkeuken, ontworpen door een van de vrienden van Laurence, een binnenhuisarchitect, specialist in ruimteconcepten, schepper van volume, lichtdesigner en andere onzin.

Frontjes van licht esdoornhout, brede verticale pilasters van geborsteld roestvrij staal, werkblad van dolomiet, schuifdeuren, uit één stuk gelaste gootsteen, een kraan voor heet water, een kraan voor koud water, Miele-apparatuur, afzuigkap, koffiezetapparaat, wijnkast, stoomoven, en de hele mikmak.

Ja, hoor. Het was mooi...

Schoon, helder, onbevlekt. Zo mooi als een lijkenhuis.

Het probleem: dat er niets te eten was... Veel potjes crème in de koelkastdeur, maar niet uit de weiden van Isigny helaas... van La Prairie... Cola light, 0 procent vet-yoghurt, kant-en-klaarmaaltijden en diepvriespizza's.

O ja, Mathilde ging de volgende dag met het vliegtuig mee... En zij gaf het ritme aan de weinige maaltijden die hier werden bereid... Laurence kookte voor vrienden, maar blijkbaar hadden haar onvoorspelbare werkuren en haar telkens terugkerende reizen hen uiteengejaagd...
Tegenwoordig waren er alleen nog onkostennota's.

En pakte, omdat hij het goede voornemen had niet meer over haar gebreken te zuchten, het laatste nummer van de *Moniteur* uit zijn aktetas en ging haar vertellen dat hij naar de kroeg op de hoek ging.

'Maar...' rimpelde het masker, 'wat is er met jou gebeurd?'
Hij moet net zo verbaasd hebben geleken als zij, want ze vulde aan: 'Heb je gevochten?'
O... *Dat*?
Dat was zo lang geleden... In een ander leven...
'Nee, ik... Ik ben tegen een deur op gelopen...'
'Het is verschrikkelijk.'
'Och... Er zijn ergere dingen...'
'Nee, ik bedoelde je hoofd...'
'Aha. Sorry...'
'Weet je zeker dat het wel gaat? Je ziet er raar uit...'
'Ik heb honger... Ga je mee?'
'Nee. Ik zei je net dat ik kapot was...'

Bladerde zijn wekelijkse bijbel door boven een entrecote en bestelde nog een biertje om de friet met bearnaisesaus weg te spoelen. At met smaak en ploos met bijna nieuwe ogen de pagina's over de openbare aanbestedingen uit. Of het aan het klokje rond bij Alexis lag of aan zijn nacht op Les Vesperies, hij was helemaal niet moe meer.
Bestelde koffie en stond op om een pakje sigaretten te kopen.
Draaide zich om voor de toog.
Uit solidariteit.
Stoppen met roken zou een manier zijn om het wezenlijke van het gemis te vertroebelen.
(Dit had hij niet zelf bedacht.)
Ging weer zitten, friemelde aan een suikerklontje, stak zijn nagel in het witte papiertje ervan en vroeg zich af wat zij op dit moment aan het doen was...
Tien over halftien...

Zaten ze nog aan tafel? Aten ze buiten? Was het net zo zacht als gisteren? Hadden de meiden een fatsoenlijk aquarium voor Mijnheer Blup gevonden? Hadden de oudere kinderen de zadelkamer in de staat achtergelaten waarin de gebroeders Blazoen hem graag hadden gezien bij hun terugkeer uit ballingschap? Zat het hek van het weiland goed dicht? Lag de Grote Hond weer aan de voeten van hun nanny?

En zij?

Zat ze voor een open haard? Was ze aan het lezen? Aan het dromen? Zo ja, waarover? Dacht ze aan...

Kwam niet tot het eind van die laatste vraag. Had zes maanden lang met spoken gevochten, had net een berg friet naar binnen gewerkt om de tijd en de verloren gaatjes in z'n broekriem in te halen en wilde zijn hoofdprijs niet meer uit het oog verliezen.

Hij was niet moe meer. Had twee, drie projecten omcirkeld die hem interessant leken, had een hoogst belangrijke opdracht gekregen, moest naar een das in New York op zoek, wist haar achternaam niet, maar was er zeker van dat als hij 'Mademoiselle Kate, Les Vesperies' zou schrijven een postbode haar wel zou vinden en haar de balsem zou geven.

Belde Claire, praatte met haar over Alexis, maakte haar aan het grinniken. Hij had haar zoveel te vertellen... Ik heb morgenochtend een heel belangrijke zitting, ik moet beslist alles nog eens doornemen, verontschuldigde ze zich, gaan we binnenkort lunchen?

Zei haar voornaam nog eens toen ze ging ophangen.

'Ja?'

'Waarom zijn mannen zo laf?'

'Oei... Waarom vraag je me dit ineens?'

'Ik weet het niet... Omdat ik er de laatste dagen een hoop ben tegengekomen...'

'Waarom?' zuchtte ze. 'Omdat ze geen leven schenken, neem ik aan... Neem me niet kwalijk, dit is wel een erg clichéantwoord, maar je overvalt me een beetje, en ik heb het dossier nog niet rond... Maar... Wil je mij er iets mee zeggen?'

'Jullie allemaal...'

'Ben je op je hoofd gevallen of zo?'

'Ja. Wacht even, ik laat het je zien...'

Stomverbaasd legde Claire haar telefoon op haar stapel gedonder. Hij trilde weer. Ontdekte het bont en blauwe gezicht van haar broer op het schermpje en lachte een laatste keer voor ze terugging naar haar zuiveringsinstallaties.

Alexis met slof-slof en schort voor zijn gasbarbecue... Wat heerlijk... En haar broer die vanavond zo'n vrolijke stem had...

Hij had zijn Anouk dus teruggevonden... vergiste ze zich met een licht melancholieke glimlach.

*

Melancholiek? Dat was zacht uitgedrukt. Toen ze vanmorgen terugkwam, wist Kate dat zijn auto er niet meer zou staan en toch... kon zich niet bedwingen nog eens goed te kijken.

Sleepte zich de hele dag voort. Ging zonder hem terug naar alle plaatsen die ze hem had laten zien. De schuren, het kippenhok, de stallen, de moestuin, de heuvel, de rivier, het prieel, het bankje waar ze hadden ontbeten tussen de salie en... *Alles was ontvolkt.*

Herhaalde een aantal keren tegen de kinderen dat ze moe was.

Dat ze nog nooit zo moe was geweest...

Kookte lang om in die keuken te mogen blijven waar ze een deel van de nacht met Ellen hadden doorgebracht.

Kreeg voor het eerst in jaren bij het vooruitzicht van de grote vakantie een verschrikkelijke angstaanval. Twee maanden hier, alleen met de kinderen... Mijn god...

'Wat is er met je?' vroeg Yacine.

'Ik voel me oud...'

Zat op de grond, leunde tegen haar oven met de kop van de Grote Hond op haar schoot.

'Welnee, je bent niet oud! Je bent nog lang geen zesentwintig...'

'Gelijk heb je,' lachte ze, 'nog superlang niet!'

Hield zich goed tot het eind van de zwaluwen, maar was al naar bed toen Charles Mathilde tegenkwam op de gang: 'Zo!' schrok ze. 'Waarvan was die deur gemaakt?' Ging op de toppen van haar tenen staan: 'Goed... Waar moet ik mikken om je een kus te geven?'

Liep achter haar aan en stortte zich op haar bed, intussen pakte ze in en vertelde ze over haar weekend.

'Wat wil je voor muziek?'

'Als het maar cool is...'
'Maar geen jazz, hè?' vroeg ze huiverend.

Was haar sokken aan het tellen toen hij haar vroeg: 'Waarom ben je gestopt met paardrijden?'
'Waarom vraag je me dat?'
'Omdat ik twee heerlijke dagen tussen kinderen en paarden heb doorgebracht en ik voortdurend aan jou dacht...'
'Echt waar?' glimlachte ze.
'De hele tijd. Elke minuut vroeg ik me af waarom ik je niet had meegenomen...'
'Ik weet het niet... Omdat het ver weg was... Omdat...'
'Omdat wat?'
'Omdat je de hele tijd bang was...'
'Voor paarden?'
'Dat niet alleen. Dat ik zou vallen... Dat ik zou verliezen... Dat ik me pijn zou doen... Dat ik het te warm zou hebben of te koud... Dat er files zouden zijn... Dat mama op ons moest wachten... Dat ik geen tijd zou hebben om mijn huiswerk af te maken... Dat... Ik kreeg de indruk je weekends te verpesten...'
'Echt?' fluisterde hij.
'Nee, maar dat was niet het enige...'
'Wat nog meer dan?'
'Ik weet het niet... Goed, je moet me nu mijn bed teruggeven...'

Deed haar deur weer achter zich dicht en had de indruk dat hij uit het paradijs was verdreven.
De rest van het appartement bracht hem van z'n stuk.
Kom, schudde hij het van zich af, wat is dit nou weer voor aanstellerij? Je bent hier thuis! Je woont hier sinds jaren! Het zijn jouw meubels, jouw boeken, jouw kleren, jouw centen... *Come on*, T'Chârl'z.
Kom terug.

Draaide door de huiskamer rond, zette koffie voor zichzelf, maakte schoon, bladerde weekbladen door zonder ook maar de plaatjes te bekijken, keek op naar zijn bibliotheek, vond die te netjes opgeruimd, zocht naar een cd, maar naar welke wist hij niet meer, waste zijn kopje af, droogde het af, ruimde het op, maakte weer schoon, trok een kruk naar voren, voelde aan z'n zij, besloot zijn schoenen te poetsen, liep naar de hal, hurkte neer, vertrok zijn gezicht weer, maakte een kast open en poetste *al* z'n paren schoenen.

Gooide de kussens opzij, deed een lamp aan, legde zijn aktetas op de salontafel, zocht naar zijn bril, pakte dossiers, bekeek de plaatjes zonder op de teksten te letten, begon weer van voren af aan, liet zich achterovervallen en bestudeerde de buitengeluiden. Kwam weer overeind, probeerde het nog eens, liet zijn bril zakken en wreef in zijn ogen, deed deze map weer dicht en legde zijn handen erop.

Zag alleen haar gezicht.

Had moe willen zijn.

Poetste zijn tanden, duwde behoedzaam de deur van de echtelijke kamer open, zag in het halfdonker de rug van Laurence, hing zijn kleren over de stoel die hem was toebedeeld, hield zijn adem in en opende zijn kant van het beddengoed.

Dacht aan zijn laatste prestatie. Rook haar parfum, haar warmte. Zijn hart ging tekeer. Wilde liefhebben.

Rolde zich tegen haar aan, stak zijn hand uit en liet die tussen haar dijen glijden. Raakte, zoals altijd, van streek door de zachtheid van haar huid, tilde haar arm op, likte haar oksel en wachtte tot ze zich omdraaide en zich helemaal opende. Liet zijn kussen de ronding van haar heupen volgen, pakte haar elleboog om te voorkomen dat ze bewoog en...

'Wat ruik ik daar?' zei ze.

Hij snapte haar vraag niet, trok het dekbed over zich heen en...

'Charles? Wat is dat voor lucht?' vroeg ze nog eens en smeet de veren opzij.

Zuchtte. Maakte zich van haar los. Antwoordde dat hij het niet wist.

'Het is jouw colbertje, niet? Het is jouw colbertje dat naar een houtvuur stinkt...'

'Kan zijn...'

'Haal het van die stoel weg, alsjeblieft. Het leidt me af.'

Verliet het bed. Pakte zijn kleren.

Smeet ze in de badkuip.

Als ik nu niet terugga, ga ik nooit meer terug.

Kwam terug en ging liggen, met zijn rug naar haar toe.

'En nu?' vroegen haar nagels die op zijn schouder lange achten trokken.

Nu niks. Hij had haar bewezen dat hij nog een stijve kon krijgen. Voor de rest kon ze de pot op.

De grote achten werden kleine nullen en verdwenen toen.

Weer was zij het die als eerste in slaap viel.

Geen kunst.

Ze was opgescheept geweest met de Ritz en de hysterische Koreaanse vrouwen.

Charles, die telde schaapjes.

En koeien, en kippen, en katten, en honden. En kinderen.

En haar *beauty marks*.

En kilometers.

Stond bij het krieken van de dag op, schoof een briefje onder de deur van Mathilde. 'Elf uur beneden. Vergeet je identiteitskaart niet.' Plus drie kruisjes, want zo kusten ze waar ze heen ging.

Deed de poort open.

Ademde.

4

'We hebben nog bijna een uur, wil je iets eten?'

'...'

Het was niet zijn gebruikelijke Mathilde.

'Hé,' zei hij en pakte haar bij de nek, 'ben je gestrest of zo?'

'Een beetje...' blies ze tegen zijn borst, 'ik weet niet eens waar ik heen ga...'

'Maar je hebt me de foto's laten zien, ze zien er erg *kind* uit, die familie MacDinges...'

'Een maand is wel lang...'

'Welnee... Het vliegt om... En Schotland is zo mooi... Je zult het heerlijk vinden... Toe, kom ontbijten...'

'Ik heb geen honger.'

'Iets drinken dan. Kom mee...'

Baanden zich een weg tussen koffers en karren en vonden helemaal achter in een smerige eettent een plaatsje. Alleen in Parijs waren de luchthavens zo vies, dacht hij. De vijfendertigurige werkweek, de *famous frenchy* nonchalance of de zekerheid dat men, na een taxirit met gemopper, de leukste stad van de wereld had? Hij wist het niet, maar was nog steeds gedeprimeerd.

Knabbelde op het uiteind van haar rietje, keek angstig om zich heen, hield de tijd op haar telefoon in de gaten en had zelfs haar koptelefoon niet in.

'Maak je niet ongerust, liefje, ik heb nooit van mijn leven een vliegtuig gemist...'

'Dat zal wel! Ga je met me mee?' zei ze alsof ze het verkeerd had verstaan.

'Nee,' zei hij en schudde z'n hoofd, 'nee. Maar ik stuur je elke avond een sms'je...'

'*Promise* je dat?'

'*I promise.*'

'Toch niet in het Engels?'

Zij deed juist haar best nonchalant over te komen...

Charles ook.

Het was de eerste keer dat ze zo ver en zo lang wegging.

Het vooruitzicht van deze vakantie beangstigde hem enorm. Een maand in dat appartement, zij tweeën, en zonder dit kind... Mijn god...

Nam haar de rugzak uit handen en liep met haar mee naar de röntgenstralen.

Was ervan overtuigd, omdat ze heel langzaam liep, dat ze naar de etalages keek. Stelde haar voor kranten voor haar te kopen.

Ze had er geen zin in.

'Kauwgum dan?'

'Charles...' bleef ze staan.

Hij had deze scène eerder meegemaakt. Had haar vaker weggebracht als ze naar een zomerkamp vertrok en wist dat dit kordate meisje helemaal van slag raakte als het verzamelpunt naderde.

Zocht zijn hand, voelde zich gevleid die arm te hebben, en bereidde in z'n hoofd een paar ferme, maar geruststellende zinnen voor, om die in haar achterzak te laten glijden.

'Ja?'

'Mama zei me dat jullie uit elkaar gaan...'

Struikelde even. Had net een Airbus tegen z'n slaap gekregen.

'O?'

Kleine geplette lettergreep die kon betekenen: 'O? Ze heeft het je dus gezegd?' of: 'O? Ik ben niet op de hoogte...'

Had de kracht niet om de bink uit te hangen: 'Ik ben niet op de hoogte.'

'Ik weet het... Ze wacht met het je te vertellen tot het beter met je gaat.'

Het is een heel groot type. Hun A380, niet?

'...'

'Ze zei dat je sinds een paar maanden jezelf niet bent, maar zodra je beter bent, zouden jullie uit elkaar gaan...'

'Jullie... Jullie hebben maar rare gesprekken voor jouw leeftijd,' slaagde hij erin uit te brengen.

De terminal strekte zich voor hen uit.

'Charles?'

Ze had zich omgedraaid.

'Mathilde?'

'Ik kom bij jou wonen.'

'Pardon?'

'Ik zeg het je maar vast, als jullie werkelijk uit elkaar gaan, ga ik met jou mee.'

Omdat ze zo elegant was geweest hem die laatste woorden toe te kauwen op de toon van een cowgirl die haar pruimtabak uitspuugt, reageerde hij op dezelfde wijze: 'O! Ik zie je al aankomen! Je zegt dit om mij te laten doorgaan met het maken van jouw huiswerk voor wis- en natuurkunde!'

'Damned. Hoe heb je dat geraden?' dwong ze zich tot een glimlach.

Kon deze toon niet volhouden. Had een landingsgestel in zijn maag gekregen.

'En zelfs als het waar is, weet je best dat het niet mogelijk is... Ik ben er nooit...'

'Daarom juist...' grapte ze weer.

Maar omdat hij haar voorbeeld niet meer volgde, vulde ze aan: 'Het zijn jullie zaken, het maakt me geen bal uit, maar ik ga met je mee. Dat je het maar weet...'

Er werd omgeroepen dat ze moest boarden.

'We zijn nog niet zover,' fluisterde hij in haar oor en nam haar in zijn armen.

Ze antwoordde niet. Moet hem heel naïef hebben gevonden.

Liep door het poortje, draaide zich om, en wierp hem een kus toe.

De laatste uit haar jeugd.

Haar vlucht verdween van de borden.

Charles stond er nog steeds. Had geen millimeter bewogen, wachtte op de hulpdienst. Het rinkelde in zijn zak: *U heeft een nieuw bericht.*

IK HVJ

Gleed op de toetsen uit en moest zijn hand aan zijn hart afvegen om haar te helpen haar Engels een beetje op te halen: 'MI 2'

Keek op z'n horloge, draaide om, liep een hoop mensen ondersteboven, raakte met z'n voeten verstrikt in tassen, gaf de zijne bij het bagagedepot af, rende naar de taxistandplaats, probeerde voor te dringen, kreeg ervan langs, zag een motorrijder voor 'alle bestemmingen' en vroeg of hij hem naar de plaats kon brengen waar de vaas net overliep.

Zou nooit van zijn leven meer wankelend in een vliegtuig stappen.

Nooit meer.

5

Duwde, zo'n honderd meter van het lyceum waar zij het volgende schooljaar zou beginnen, de deur van een makelaarskantoor open, vertelde dat hij zo dichtbij mogelijk een tweekamerappartement zocht, ze lieten hem foto's zien, voegde eraan toe dat hij geen tijd had, koos het lichtste uit, liet zijn kaartje achter en tekende een vette cheque om serieus te worden genomen.

Over twee dagen zou hij terugkomen.

Zette zijn helm weer op en vroeg zijn chauffeur hem naar de andere oever te brengen.

Vertrouwde hem z'n aktetas toe en verzekerde hem dat het niet al te lang zou duren.

De befaamde beige vloerbedekking van Chanel... Bevond zich weer als de lomperik van meer dan tien jaar terug in het vizier van de ober van dienst.

Liet haar omroepen. Voegde eraan toe dat het dringend was.

Zijn mobieltje ging over: 'Heeft ze haar vliegtuig gemist?' vroeg ze ongerust.

'Nee, maar kun je naar beneden komen?'

'Ik zit midden in een vergadering...'

'Kom dan maar niet naar beneden. Ik wilde je alleen zeggen dat het beter met me gaat.'

Hoorde het krikkrak van radertjes onder haar mooie paardenstaart.

'Maar... Ik dacht dat jij ook een vliegtuig moest halen?'

'Ik ga nu. Wees maar niet bang... Het gaat beter met me, Laurence, het gaat beter.'

'Hoor eens, je maakt me er dolblij mee,' lachte ze een beetje nerveus.

'Je kunt dus bij me weg.'

'Wat... Wat is dat nou weer voor verhaal?'

'Mathilde heeft me jullie geheim toevertrouwd...'

'Het is belachelijk... Wacht, ik kom eraan...'

'Ik heb haast.'
'Ik kom eraan.'

Vond haar voor het eerst sinds hij haar kende te zwaar opgemaakt.
Had er niets aan toe te voegen.
Hij had een appartement gevonden, moest weg, ervandoor.
'Charles, hou daarmee op. Dat had niets te betekenen... Meidenpraat... Je weet hoe dat gaat...'
'Alles gaat goed,' glimlachte hij naar haar, 'alles gaat goed, *ik* ga weg. *Ik* ben de schoft.'
'Goed dan... Als jij het zegt...'
Tot het laatst moest hij haar klasse bewonderen.

Ze zei nog iets, maar schudde vanwege zijn helm het hoofd zonder te weten waarom.
Tikte op de dij van de jongeman om hem aan te sporen zich tussen de auto's te wringen.
Mocht deze vlucht niet missen. Er moest een das worden opgejaagd.

*

Een paar uur later zou Laurence Vernes naar de kapper gaan, zou naar de kleine Jessica glimlachen terwijl ze in haar kapmantel schoot, zou voor een spiegel gaan zitten terwijl een ander haar kleur klaarmaakte, zou een tijdschrift pakken, de roddels doorbladeren, haar hoofd heffen, zichzelf aankijken en in tranen uitbarsten.
We weten niet hoe het verderging.
Ze zit niet meer in het verhaal.

6

Stortte zich op een enorm dossier met de titel *P.B. Tran Tower/Exposed Structures* en beende het uit tot een stewardess hem vroeg z'n tafeltje in te klappen.

Herlas zijn aantekeningen, verifieerde de naam van het hotel, keek door het raampje naar de omtrekken van de steden en dacht dat hij goed zou slapen. Dat hij de oude was.

Dacht aan allerlei andere dingen. Aan het werk dat hij zojuist had gedaan, dat hem gelukkig maakte en dat hij overal in de wereld kon verrichten. Vanuit zijn kantoor, vanuit een onbekend tweekamerappartement, vanuit een vliegtuigstoel of vanuit...

Sloot zijn ogen, glimlachte.

Alles zou erg ingewikkeld worden.

Des te beter.

Het was zijn vak oplossingen te verzinnen...

'Detail van een verbinding tussen de steenelementen van de zuilen dat de inpassing toont van een systeem van stalen stutten', vermeldde het onderschrift van zijn laatste schets.

De zwaartekracht, de aardbevingen, de cyclonen, de wind, de sneeuw... Al die ellende die men exploitatiekosten noemt en die hem, het schoot hem net te binnen, veel plezier bezorgde...

Stuurde een berichtje naar de Highlands en besloot zijn horloge niet bij te stellen.

Wilde in dezelfde tijd als zij leven.

*

Stond erg vroeg op, deed bij de conciërge navraag naar de levering van zijn huursmoking, dronk koffie uit karton, liep Madison af en wandelde, zoals altijd in deze stad, met zijn neus in de lucht rond. New York betekende, voor een kind dat graag met Meccano had gespeeld, slechts een stijve nek.

Voor het eerst sinds jaren ging hij winkels in en kocht kleren. Een colbert en vier nieuwe overhemden.

Vier!

Draaide zich af en toe om. Verwachtte, vreesde iets. Een hand op zijn schouder, een oog in een driehoek, een stem vanaf een wolkenkrabber die hem zou zeggen: 'Hé... Jij... Je hebt niet het recht zo gelukkig te zijn... Wat heb je nu weer gestolen, wat je daar tegen je hart verbergt?'

Nee... maar ik... Ik heb een gekneusde rib, geloof ik...

Armen omhoog, om te laten kijken.

En Charles werd, terwijl hij dit deed, door de stroom *passers-by* meegevoerd.

Schudde het hoofd, verklaarde zichzelf voor gek en keek op zijn horloge om zich te herinneren waar hij was.

Bijna vier uur... De voorlaatste schooldag... De kinderen hadden stellig hun kastjes in hun vermoeide schooltassen geleegd... Zij had hem verteld dat ze hen iedere avond, vergezeld door de honden, aan het eind van de laan op ging wachten, op de plaats waar de bus hen afzette, en dat ze al hun spullen op het pakzadel van de ezel laadden... 'Als ik hem te pakken krijg!'

Had erbij gezegd dat zo'n honderd eiken nauwelijks volstonden om hen allemaal hun hart uit te laten storten en te vertellen wat hun... Een hand legde zich net op zijn schouder. Keerde zich om.

Met de andere wees een man in een donker kostuum hem op de driekleurige lichten: DON'T WALK. Bedankte hem en hoorde antwoorden dat hij welkom was.

Vond de vitaminewinkel en griste de zes doosjes weg die ze in voorraad hadden. Genoeg om een heleboel scheuren mee te dichten... Liet de papieren tas op de toonbank liggen en stopte ze in zijn zakken.

Vond dit een aangename gedachte.

Dat zij een beetje op hem woog.

Duwde de deur van Strand open. 'Achttien mijl boeken' schepte hun slogan op. Kon ze niet allemaal afleggen, maar bracht er een paar uur door. Natuurlijk om de afdeling architectuur te plunderen, maar gaf zichzelf ook een *Digest* met de correspondentie van Oscar Wilde cadeau, een korte roman van Thomas Hardy, *Fellow Townsmen*, vanwege de samenvatting: 'Barnet en Downe, notabelen van de stad Port Bredy in Wessex, zijn twee oude vrienden. Toch heeft het lot hen heel anders behandeld. Barnet, een welvarend man, was ongelukkig in de liefde en kampt nu met de gevolgen van een verstandshuwelijk waaraan tederheid ontbreekt. Downe, een advocaat zonder een cent, straalt van geluk in zijn bescheiden huis, omringd door een liefhebbende vrouw en kinderen die met hem weglopen. Het toeval van een nacht brengt hen ertoe hun lot te heroverwegen,' *their different lots in life*... en het briljante *More Than Words* van Liza Kirwin dat hij met plezier doorvloog toen hij al lopende in de zon een sandwich at.

Het was een selectie geïllustreerde brieven uit het *Smithsonian's Archive Of American Art*.

Verstuurd aan echtgenotes, geliefden, vrienden, werkgevers, klanten of vertrouwelingen, door schilders, jonge kunstenaars, totaal onbekenden, maar ook door Man Ray, de briljante Gio Ponti, Calder, Warhol en Frida Kahlo.

Mooie brieven, ontroerend of louter informatief, altijd versierd met een tekening, een schets, een karikatuur of een vignet met uitleg over een plaats, een landschap, een gemoedstoestand of zelfs een gevoel wanneer het alfabet ontoereikend was.

More than words... Meer dan woorden... Dit boek, dat onze zwijgzame Charles toevallig op een wagentje ontdekte toen hij naar de kassa's liep, verzoende hem met een deel van zichzelf. Het deel dat hij had achtergelaten in een la met z'n in linnen gebonden boekjes en z'n minuscule aquarellendoosje.

Tekende dus voor z'n plezier... Probeerde niet altijd oplossingen te schetsen en had lak aan stalen stutten en andere versterkingen met kabels...

Kreeg een zwak voor een zekere Alfred Frueh, die later een van de grootste karikaturisten van *The New Yorker* zou worden en honderden zonder meer schitterende brieven aan zijn verloofde stuurde. Vertelde haar over zijn reizen in Europa, kort voor de Eerste Wereldoorlog, ging bij elke etappe uitvoerig in op de plaatselijke gebruiken, de gewoontes, de wereld die hem omringde... Klemde een echte gedroogde edelweiss onder de arm en bracht die overgetekend voor haar uit Zwitserland mee, of bewees haar hoe gelukkig hij was wanneer hij haar brieven las, die knipte hij tot postzegelformaat en beeldde zich ermee af: hoe hij haar las in zijn badkuip, voor zijn schildersezel, aan tafel, op straat, onder de vrachtwagen die over hem heen reed, in bed, terwijl zijn huis in brand stond of een tijger hem een sabel dwars door zijn lichaam stak. Stuurde haar ook zijn eigen *art gallery* in duizend stukjes uitgeknipt en driedimensionaal om de schilderijen die hem in Parijs ontroerden met haar te delen, en dat alles was versierd met teksten vol humor, tederheid en zo... elegant...

Had deze man willen zijn. Vrolijk, zelfverzekerd, liefhebbend. En getalenteerd.

En dan die ander, die Joseph Lindon Smith, met de perfecte lijn, die tot in details over zijn tegenslagen in het oude continent als schilder van mensen vertelt aan zijn nogal ongeruste ouders. Die zichzelf onder een muntenregen in een straat van Venetië tekent, of halfdood door het eten van te veel meloen.

Dear Mother and Father, Behold Jojo eating fruits!

Saint-Exupéry als Petit Prince, hij vraagt aan Hedda Sterne of ze zich vrij kon maken voor het diner en... toe, je gaat er later weer mee verder... bladerde het nog één keer door voor het dicht te klappen, zag het zelfportret van een vertwijfelde man, gebukt en met het hoofd in zijn handen, voor een foto van zijn schone. *O! I wish I were with you.*

Ja, inderdaad.

Dat zou ik willen.

Liep om via het Flatiron Building, dat immense gebouw in de vorm van een strijkijzer dat bij zijn eerste bezoek zo veel indruk op hem had gemaakt... Gebouwd in 1902, een van de hoogste destijds en bovenal een van de eerste constructies van staal. Keek omhoog.

1902...

1902 godver!

Wat geniaal...

En bleek, omdat hij de weg kwijt was, voor de etalage te staan van een winkel van spullen voor banketbakkers. N.Y. Cake Supplies. Dacht aan haar, dacht aan hen allemaal, en gaf al zijn geld uit aan bakvormpjes.

Hij had er van z'n leven nooit zoveel gezien. Alle soorten die je je maar voor kunt stellen...

Greep naar honden, katten, een kip, een eend, een paard, een kuiken, een geit, een lama (ja, er waren *cutters* in de vorm van een lama...), een ster, een maan, een wolk, een zwaluw, een muis, een tractor, een laars, een vis, een kikker, een bloem, een boom, een aardbei, een hondenhok, een duif, een gitaar, een libel, een mand, een fles, en eh... een hart.

De verkoopster vroeg hem of hij veel kinderen had.

Yes, he replied.

Kwam doodop in zijn hotel terug, beladen met tassen als de idiote toerist die hij was en die hij met veel plezier was geweest.

Nam een douche, veranderde daarna in een pinguïn en had een heerlijke avond. Howard had hem in zijn armen genomen en '*My son!*' tegen hem gezegd, en had hem aan een heleboel interessante mensen voorgesteld. Had een lang gesprek over Ove Arup met een Braziliaan en ontdekte een ingenieur die aan de schelpen van de opera van Sidney had gewerkt. Naarmate hij meer dronk, werd zijn Engels steeds vloeiender en belandde zelfs op een terras tegenover Central Park, waar hij een knap meisje in the moonlight versierde.

Vroeg haar ten slotte of ze architect was.

'*Nat meee...*' kwaakte ze.

Ze was...

Hij had het niet verstaan. Vervolgde dat het geweldig was en luisterde naar een hoop bullshit over Parijs dat so romantic was, la fromage so good, en de Fransen so great lovers.

Keek naar haar onberispelijke tanden, haar gemanicuurde handen, haar Engels zonder monarchie, haar dunne armen, stelde voor nog een glas champagne voor haar te halen en raakte de weg kwijt.

Kocht plakband en een blok papier in een Pakistaans kraampje, hield een taxi aan, rukte zijn nepboordje af en bleef lang op.

Pakte stuk voor stuk de honden in, de katten, een kip, een eend, een paard, een kuiken, een geit, een lama, een ster, een maan, een wolk, een zwaluw, een muis, een tractor, een laars, een vis, een kikker, een bloem, een boom, een aardbei, een hondenhok, een duif, een gitaar, een libel, een mand, een fles en een hart.

Dat alles goed ingepakt en door elkaar in een pakket, ze zou er niets van merken.

Dacht toen hij insliep aan haar.

Een beetje aan haar lichaam.

Maar vooral aan haar.

Aan haar met haar lichaam eromheen.

Het was een gigantisch bed, in de trant van *double* big zwaarlijvig kingsize, hoe kon het dan toch?

Dat die vrouw die hij amper kende al zo veel plaats innam?

Weer een vraag voor Yacine...

Liet zijn ontbijt in de patio serveren en tekende, op het papier met het briefhoofd van het hotel, de beproevingen van een sukkel in New York.

De zijne dus.

Zijn zakken vol bevervet, zijn zwerftocht door Strand, zijn lezingsessie tussen clochards en rebelse tieners (deed veel moeite om het T-shirt van een van hen leesbaar te maken: KEEP SHOPPING EVERYTHING IS UNDER CONTROL), zijn haar mooi glad in zijn mooie smoking, zijn staart in de wind op het terras met een dasje dat daasde, zijn nacht die hij had besteed aan het afscheuren van plakband dat voortdurend tussen z'n klauwen kwam te zitten en... nee... vertelde niet hoe smal het bed was...

Vond op internet de postcode van Les Marzeray, ging naar het Post Office en zette KATE AND CO. op het pakje.

Stak de oceaan weer over en ontdekte het levenslot van Downe en Barnet.

Vreselijk.

Las daarna de brieven die Wilde in de gevangenis had geschreven.

Refreshing.

Was toen hij landde geïrriteerd vijf uur van z'n leven te hebben verloren. Stelde zijn dossier van 'kredietwaardige huurder' samen, ging bij Laurence langs, deed zijn kleren, een paar platen en een paar boeken in een grotere koffer en liet zijn sleutelbos goed zichtbaar op de keukentafel achter.

Nee. Daar zou ze hem niet zien.

Op het tafeltje in de badkamer.

Totaal idioot gebaar. Hij zou nog zo veel dingen moeten ophalen, maar goed... De slechte invloed van de dandy, zeggen we maar... van hem die, door iedereen verlaten en stervende voor behangpapier dat hij verafschuwde, nog de branie had gehad te fluisteren: 'Hoe dan ook, één van ons moet weg...'

Weg.

7

Had nog nooit zo hard gewerkt als deze julimaand.

Twee van hun plannen kwamen door de eerste ronde. Het ene van minder belang, een overheidsgebouw waarvan ze zouden kunnen eten, het andere was opwindender maar veel ingewikkelder, waaraan Philippe veel waarde hechtte. Het ontwikkelen en realiseren van een nieuwe wijk in een nieuwe voorstad. Het was gigantisch en Charles had veel tijd nodig om overtuigd te raken.

Het terrein was hellend.

'Nou en?' had zijn compagnon gereageerd.

'Tja, ik pak er zomaar... Wel, die van 15 januari jongstleden bijvoorbeeld:

> Als een helling noodzakelijk is om een hoogteverschil te overbruggen, is die minder dan 5 procent. Als hij de 4 procent overschrijdt wordt boven en onder elk schuin stuk om de tien meter een vlak stuk aangebracht. Een leuning ter ondersteuning is verplicht bij elk niveauverschil van meer dan 0,40 meter hoog. Als het technisch onmogelijk is, met name door de topografie en de ligging van bestaande bouwwerken, wordt een hellend vlak van boven de 5 procent toegestaan. Deze helling mag ten hoogste 8 procent zijn over een lengte van twee meter of minder en tot...'

'Stop.'

Ging hoofdschuddend aan zijn werktafel zitten. Achter deze groteske cijfers maakte de overheid hun duidelijk dat de gemiddelde helling van een bouwterrein de 4 procent niet mocht overschrijden.

Zo?

Dacht aan de grote gevaren die de Rue Mouffetard opleverde, de Rue Lepic, de Fourvière in Lyon en de *stradine* die de heuvels van Rome belaagden...

En de Alfama en de Chiado in Lissabon. En San Fran...

Toe... Aan het werk... Laten we het egaliseren, nivelleren, standaardiseren, want dat was wat ze wilden, het land in een gigantisch suburbia veranderen.

En dit moet allemaal duurzaam worden ontwikkeld, nietwaar?!

Reken maar. Reken maar.

Troostte zich door de loopbruggen voor het laatst te bewaren. Charles vond het heerlijk om loopbruggen en bruggen te tekenen en uit te denken. Hier was, leek hem, het spoor van de hand van de mens zichtbaar.

In de lege ruimte moest de industrie nog buigen voor de ontwerper...

Als hij had kunnen kiezen, had hij in de negentiende eeuw geboren willen zijn, in de tijd dat de grote ingenieurs ook grote architecten waren. De mooiste resultaten kreeg je, volgens hem, wanneer ze materialen voor het eerst gebruikten. Beton door Maillart, staal door Brunel, Eiffel of gietijzer door Telford...

Ja, die kerels moeten zich beslist hebben vermaakt... Ingenieurs waren destijds ook aannemers en herstelden hun fouten zodra die aan het licht kwamen. Resultaat: hun fouten waren onberispelijk.

Het werk van Heinrich Gerber, van Ammann of van Freyssinet, het Kochertalviaduct van Leonhardt, en die hangbrug van Brunel in Clifton. En de Verreza... Goed, je dwaalt af, hoor, je dwaalt af. Je hebt nu een nieuwe wijk onder handen, dus treed in overleg met de stedelijke bouwvoorschriften.

'...tot 12 procent over een lengte gelijk aan 0,50 meter of minder.'

Maar deze twijfels waren misschien weldadig... Als je in een winnende positie wilde komen, hield dat in dat je ook in een verliezende positie kon komen. Wilde je hoe dan ook een opdracht binnenhalen, dan moest je voorzichtig en behoudend optreden. Niet choqueren... Philippe en hij waren het wat dit betreft helemaal eens en hij werkte als een bezetene aan dit plan. Maar ontspannen.

Soepel, buigzaam.

Het leven was elders...

At bijna elke avond met de jonge Marc. Ontdekten, aan het eind van onwaarschijnlijke steegjes, achterzalen van tenten die na middernacht nog open waren, aten zwijgend en probeerden bieren uit de hele wereld.

Besloten altijd met de bewering, dronken van uitputting, dat ze een gids gingen schrijven, *Avonturen van een dorstige keel* of *De* WS (Wijkvernieuwing Slokdarm), en dat men eindelijk, *eindelijk* zou inzien hoe briljant ze waren!

Daarna zette Charles hem met de taxi af en stortte zich op een matras die zomaar op de grond lag in een lege kamer.

Een matras, een laken, een stuk zeep en een scheerapparaat, dat was alles wat hij op dit moment had. Hoorde de stem van Kate: 'Dit Robinson-bestaan heeft ons allemaal gered...', viel naakt in slaap, stond op zodra het dag werd en meende met de brug van zijn leven bezig te zijn.

Sprak verschillende keren door de telefoon met Mathilde, vertelde haar dat hij weg was uit de Rue Lhomond en aan de andere kant kampeerde, aan de voet van de Montagne Sainte Geneviève.

Nee, had haar kamer nog niet uitgekozen.

Wachtte tot ze terugkwam...

Had nog nooit zulke lange gesprekken met haar gevoerd en besefte hoeveel rijper ze deze laatste maanden was geworden. Ze sprak met hem over haar vader, over Laurence, over haar jongere halfzuster, vroeg hem of hij Led Zeppelin live had gezien, waarom Claire nooit kinderen had gekregen, en was dat wel waar, dat verhaal met de deur?

Voor het eerst sprak Charles met iemand over Anouk die haar niet had gekend. 's Nachts, lang na hun afscheidskus, leek hem dat vanzelfsprekend. Haar hebben gedeeld met een hart dat even oud was als destijds het zijne...

'Maar hield je uit *liefde* van haar?' had ze hem ten slotte gevraagd.

En hoorde, omdat hij niet meteen had gereageerd, omdat hij een ander woord zocht, nauwkeuriger preciezer minder riskant, haar ontnuchterde gebrom, het was de tik waarop hij al meer dan twintig jaar wachtte waardoor hij weer tot zichzelf zou komen: 'O, wat ben ik toch stom... Hoe kun je anders van iemand houden?'

*

Pakte op de 17de voor de laatste keer de enorme klauw van zijn Russische chauffeur vast. Had net twee dagen op een spookbouwterrein de paar haren die hij nog over had uit z'n hoofd getrokken. Pavlovitch was verdwenen, de meeste kerels waren naar Bouygues overgelopen, degenen die er nog waren dreigden alles te saboteren als zij niet *siu minoutou* werden betaald, van de 250 kilometer kabel was er niet meer dan twaalf over en er was nog die toestemming, die...

'Wélke toestemming?' viel hij uit zonder ook maar de moeite te nemen op Engels over te gaan. 'Wát voor chantage volgt er nog? Hoeveel willen jullie *in totaal*, godverdomme? En waar is hij, die klootzak van een Pavlovitch? Is hij ook naar Bouygues, hij ook?'

Dit project was van begin af aan een puinhoop. Het was trouwens niet eens van henzelf, het was van een vriend van Philippe, een Italiaan die hen was komen smeken *di salvargli, l'onore* en *la reputazione* en *le finanze* en *lo studio* en *la famiglia e la Santa Vergine* te redden. Het scheelde niets of hij had een kruisje geslagen en z'n vingers gekust... Philippe ging akkoord en Charles had niets gezegd.

Vermoedde dat er een soort driebanden achter zat waarvan zijn onomkoopbare geniale handlanger het geheim had. Door dit bouwplan te redden palmde je A in, A die de rechterhand van B was, B die 10.000 vierkante meter van de overheid moest aftroggelen... Kortom, Charles had de plannen gelezen, gemeend dat het eenvoudig zou zijn, zijn vergeelde Tolstoj tevoorschijn gehaald en was, net als de kleine Keizer, met zeshonderdduizend man op pad gegaan om hun eens even te laten zien wat voor geweldige tactici zij waren...

En kwam net als hij verpletterd terug.

Nee, niet eens. Had er volkomen schijt aan. Had alleen nogal lang Viktors hand in de zijne gehouden en zijn vingerkootjes, en hun glimlach, een beetje voelen kraken. In een ander leven waren ze goede vrienden geweest...

Gaf hem ook het laatste stapeltje roebels dat hij bij zich had. De ander stribbelde tegen: 'Voor de lessen Russisch...'

'*Nyèt, nyèt*,' ging hij door en bezorgde hem een pijnlijke middenhand.

'Voor je kinderen...'

Dan wel, ja. Liet hem los.

Draaide zich voor het laatst om, zag niet de naargeestige vlaktes, de resten van de uitgehongerde soldaten met bevroren voeten, gehuld in vodden of schapenvellen, maar een laatste tatoeage. Prikkeldraad over de volle lengte van een arm, die zich heel hoog had geheven om hem veel *shtchastya* te wensen...

Maar de terugtocht werd toch moeilijk. Leven als een oude student wanneer je het heel druk hebt was niet zo erg, maar na een nederlaag landen wanneer je geen dak meer boven je hoofd hebt, dat was... Een ander verhaal...

Had de moed niet een taxi te nemen en zijn falen bleef in de RER aan hem knagen.

Armzalig traject. Treurig en smerig. Links torenflats, rechts Roma-kampementen... Waarom trouwens 'Roma'? Niet zo fijngevoelig doen, krottenbuurt vat het heel goed samen. Die eer moeten we de globalisering gunnen: we kunnen nu van dezelfde bezienswaardigheden genieten als elders... Zag tot vlak bij het spoor een heleboel troep voorbijkomen en bedacht dat hier ergens Anouk was overleden.

Nounou op de plee en zij op haar beginpunt...

In deze wat-een-rotzooi-allemaal-stemming kwam hij terug in zijn kampement aan de andere kant van de Gare du Nord.

Ging meteen naar het kantoor van zijn compagnon en deed zijn munitietas open.

'*Terror belli, decus pacis...*'

'Wat zeg je?' zuchtte Philippe en keek boos.

'Verschrikking in oorlogstijd, schild in vredestijd, ik geef je het terug...'

'Waar heb je het over?'

'Over mijn maarschalkstaf. Ik ga daar niet meer heen...'

Het vervolg van hun gesprek was uiterst technisch, financieel vooral, en toen Charles de deur dichttrok achter alle bitterheid die hij net had veroorzaakt, besloot hij ertussenuit te knijpen zonder het vakje armleuningen aan te doen.

Had meer dan 2500 kilometer aftocht geïncasseerd, twee uur erbij op zijn biologische klok, was weer moe en moest langs de stomerij als hij morgen kleren aan wilde.

Toen hij de deur passeerde, gaf Barbara hem een teken zonder haar telefoongesprek te onderbreken.

Wees naar een pakket op het schap.

Daar zou hij morgen wel naar kijken... Sloeg de deur dicht, stond stil, glimlachte schaapachtig, liep weer terug en herkende het stempel.

Dat het bewees.

Maakte het niet meteen open en liep, net als enkele weken voordien, Parijs door met een verrassing onder zijn arm.

Een zorg minder.

Liep over Boulevard Sébastopol, met lichte tred, zwevende rib, blij als een fatje dat net voor het eerst een afspraakje had geregeld. Glimlachte naar de parkeermeters en keek weer-weer-weer naar zijn adres toen het mannetje op rood stond.

(Die boulevard heet zo, moet daarop gewezen, om een Frans-Engelse overwinning op de Krim te gedenken. Aha!)

Keek er op het zebrapad weer na. Had vermoed dat haar handschrift zo zou zijn. Slank en slangachtig... Net als de motieven op haar jurk... En wist dat het niet in de vakjes zou passen. En dat ze mooie postzegels zou kiezen...

Ze heette Cherrington.

Kate Cherrington...

Wat was hij onnozel...

En wat was hij trots.

Om het op zijn leeftijd nog te zijn.

Nam deze stoot helium te baat om zijn kasten te vullen. Liet een enorme kar achter bij de kassa van het supermarktje en beloofde dat hij twee uur later thuis zou zijn wanneer de bezorger kwam.

Liep de winkel uit met een bezem en een emmer vol schoonmaakmiddelen, maakte voor de eerste keer sinds de bezichtiging zijn appartement schoon, sloot de koelkast aan, pakte de flessen water uit, zette de cornflakes van Mathilde, haar lievelingsjam, haar halfvolle melk en haar zeer milde shampoo ordelijk neer, vouwde de handdoeken uit, draaide lampen in en maakte de eerste steak voor zichzelf klaar in de Impasse des Boeufs.

Schoof zijn bord opzij, veegde de kruimels weg, ging zijn cadeau halen.

Opende het deksel van een blikken trommel en ontdekte honden, katten, kippen, eenden, paarden, kuikens, geiten, lama's, sterren, manen, wolken, zwaluwen, muizen, tractoren, laarzen, vissen, kikkers, bloemen, bomen, aardbeien, hondenhokken, duiven, gitaren, libelles, manden, flessen en...

Goed. Zette ze allemaal op een rij op tafel. Zoals hij graag deed, systematisch en per categorie.

Van alle vormen was er meer dan één zandkoekje, maar van het hart was er maar één.

Was dat een teken? Dat was een teken... *Dat was* een teken!

De term 'onnozel' was in dit geval wel toepasselijk, niet?

Dear Charles,
Ik heb het deeg gemaakt, Hattie en Nedra hebben de cookies gemaakt, Alice heeft er ogen en snorharen op gedaan, Yacine heeft uw adres gevonden (u bent het toch?) en Sam is het gaan posten...
Thanks.
I miss you.
We all miss you.
K.

At er niet één op, zette ze weer op een rij, maar rechtop, op de schoorsteen van de kamer waar hij woonde en viel in slaap terwijl hij aan haar dacht.

Aan de vorm die hij zou aannemen wanneer ze als een bakvormpje op hem kwam.

Tekende de volgende ochtend zijn open haard in de leegte en schreef erbij: *Vous me manquez aussi*, ik mis u ook.

En vond, zoals zij naar aanleiding van het woord 'cuisinière' had opgemerkt, de vaagheid van zijn taal erg handig.

Dat 'vous' kon *you* of *you* betekenen.

Zij kon kiezen...

Had het openlijker kunnen, of moeten, spelen maar wist niet hoe dat ging.

Zijn scheiding van Laurence mocht dan niet onwelkom zijn, hij had er toch een vieze bijsmaak van willoosheid aan overgehouden.

Had zich weer eens achter zijn tekentafel, zijn perspectieven en zijn AutoCAD verscholen. Die software waarop alles perfect was omdat alles virtueel was. Had alles anders geprojecteerd om zelf niets te hoeven uitwerken, en wist toen hij zich schrap zette tegen zijn hoogteverschillen zeker dat hij niet zou struikelen.

Rekende. Nog eens en nog eens.

Dacht voortdurend aan Kate, maar nooit echt.

Het was... Hij had het niet kunnen uitleggen... Als een licht... Als was de zekerheid te weten dat zij bestond, hoe ver ook van hem vandaan, ook buiten hem om, genoeg om hem te kalmeren. Had uiteraard soms meer... *vleselijke* gedachten, maar niet zoveel dat... Speelde een heldenrol als hij droomde koekjes met haar te bakken. Was eigenlijk... hoe moet je het noemen... onder de indruk, misschien. Ja, vooruit... laten we het op *impressed* houden. Al had ze er dan alles aan gedaan om onafhankelijk te zijn, zweten, boeren, hem op laten lazeren met haar ring omhoog, mokken, brommen, vloeken, in haar mouw snuiten, drinken like a fish, het openbare onderwijs verkrachten, het maatschappelijk werk naaien, haar rondingen, haar handen, haar trots hekelen, zichzelf vaak naar beneden halen en hem zonder enig afscheid laten zitten, dit bijvoeglijk naamwoord paste goed bij haar.

Het was idioot, het was jammer, het was verlammend, maar het was zo. Stelde zich, wanneer hij aan haar dacht, eerder een wereld voor dan een vrouw met een stervormig litteken.

Ze had trouwens, als je er goed over nadenkt, de rollen vanaf het begin verdeeld. Hij was de vreemdeling, de bezoeker, *the explorer*, de Columbus die daar was beland omdat hij de weg kwijt was.

Omdat een meisje scheve tanden had en een nog sterker verwrongen moeder.

En had, door hem zonder afscheid verder te laten reizen, welbewust het kompas ontregeld...

We zijn weer terug bij de gebruiksaanwijzingen, zie ik... Nou, hoe zat dat ook weer, met dat verhaal van de brug, dat monnikenleven, deze sublieme Grote Nooddruft? Mis je soms je bed met ganzenveren?

Nee, dat...

Dat wat?

Godver ik heb rugpijn... *Zo'n* rugpijn...

Koop dan een bed!

Nee, dat is niet het enige...

Wat is er dan?

Het schuldgevoel...

Aaaaaah...! Nou eh, veel geluk dan... Omdat je zult merken dat daarvoor geen gebruiksaanwijzingen zijn.

Nee?

Nee. Als je ze zoekt, zul je ze beslist vinden, de kooplieden uit de Tempel zijn overal, maar je zou beter kunnen sparen om in plaats daarvan een spiraalmatras te kopen. Bovendien schreef ze je net dat ze je miste.

Pff... *Miss you* in het Engels, dat zijn loze woorden. Net als *Take care* of *All my love*...

Ze heeft niet geschreven *Miss you*, ze heeft geschreven I *miss you*.

Ja maar...

Maar?

Zij woonde in Verweggistan, ze had een heleboel kinderen, dieren die er pas over dertig jaar aan zouden gaan, een huis dat naar natte hond rook en...

Stop, Charles, stop. Jíj stinkt.

En omdat dit soort palavers tussen zijn cogito en zijn ergo sum hem niets verder brachten, en vooral omdat hij veel werk had, werkte hij liever.

Wat een lul...

Gelukkig, Claire.

8

Zij had hem gezegd: ik moet je absoluut dat stekje laten ontdekken. Het is er niet alleen heerlijk, maar de vent is geniaal.

'Welke vent?'

'De ober...'

'Je fantaseert nog steeds over obers? De duim in het vest en de heupen strak in zijn grote witte schort?'

'Nee, nee, geen sprake van. Hij is, je zult het zien... Ik kan het je niet vertellen... Ik ben gek op hem... Een soort aristocraat van superklasse. Een van de maan gevallen wezen. Een soort kruising tussen Monsieur Hulot en de hertog van Windsor...'

Terwijl hij de datum van die lunch in z'n agenda schreef, had Charles de ogen naar de hemel geheven.

De bevliegingen van zijn zus...

Ze troffen elkaar weer in de eerste dagen van augustus, de tijd om hun dossiers te sluiten en hun respectieve assistenten een fijne vakantie te wensen. Claire zou aan het eind van de middag een trein nemen om een soulfestival bij te wonen in de duistere Périgord.

'Zet je me bij het station af?'

'We nemen wel een taxi, je weet toch dat ik geen auto heb...'

'Daarom juist, dat wilde ik je zeggen... Zou je mijn brik willen houden nadat je me hebt afgezet? Ik heb geen abonnement meer...'

Charles hief de ogen weer. Hij vond het stomvervelend met de Parijse parkeermeters te vechten. Goed... Hij zou hem bij zijn ouders zetten... Hij had hen al zo lang niet gezien...

'Oké.'

'Heb je het adres genoteerd?'

'Ja.'

'Gaat het? Je klinkt zo sombertjes... Is Mathilde terug?'

Yes, she is, maar hij had haar niet gezien. Laurence had haar opgehaald en ze waren meteen naar Biarritz vertrokken.

Charles had niet de gelegenheid, of de moed, zijn huwelijksperikelen met zijn zus te bespreken.

'Ik ben weg, ik heb een afspraak,' zei hij haar.

*

Duidelijker kon je het niet zeggen: de onhandigheid, de poëzie, het slungelachtige van Monsieur Hulot, maar met de allure en de bloem in het knoopsgat van HRH *Edward*.

Opende breed zijn brede armen, ontving hen in zijn minuscule bistro of het om het bordes van Saint James' Palace ging, begroette de nieuwe jurk van Claire in alexandrijnen, en wees hun licht stotterend een tafeltje aan het raam.

'Wat kijk je?' vroeg ze.

'De tekeningen...'

Liet haar menukaart zakken en volgde het profiel van haar broer.

'Wat denk je, is het een man of een vrouw?' vervolgde hij.

'Wat? Die rug daar?'

'Nee. De hand die het roodkrijt vast had...'

'Ik weet het niet. We vragen het hem wel.'

Tati van Windsor bracht hun ongevraagd een glas rode wijn en had zich omgedraaid om het schoolbord toe te lichten toen er een gebrom uit het doorgeefluik klonk: 'Telefoon!'

Verontschuldigde zich en ging het mobieltje halen dat hem werd aangereikt.

Charles en Claire zagen hoe hij rood werd, bleek, de verwarring uit zijn ontstelde ziel opsteeg, hij z'n hand naar zijn voorhoofd bracht, het mobieltje losliet, zich bukte, zijn bril verloor, die weer scheef opzette, zich naar de uitgang haastte, zijn jasje van de kapstok pakte en de deur achter zich dichtsloeg, terwijl de genoemde kapstok op de grond viel en een tafellaken, een fles, twee couverts, een stoel en de paraplubak meesleurde.

Stilte in het restaurant. Iedereen keek elkaar verbijsterd aan.

Een reeks vloeken klonk boven de fornuizen op. De kok verscheen, een jonge vent met een nors uiterlijk die zijn handen aan zijn schort afveegde voor hij zijn mobieltje opraapte.

Legde het, nog steeds in z'n baard mompelend, op de bar, bukte, pakte een magnum champagne en begon heel rustig aan de kurk te frunniken.

Intussen veranderde zijn gefronste voorhoofd in iets wat op een glimlach kon lijken...

'Goed...' zei hij en richtte zich tot iedereen, 'kennelijk heeft mijn compagnon zojuist een erfgenaam aan de kroon geschonken...'

De kurk kwam los. Vulde aan: 'Een rondje van oompje...'

Overhandigde de fles aan Charles en vroeg hem de anderen te bedienen. Hij moest aan het werk.

Verdween met een glas in z'n hand en schudde het hoofd of hij het niet kon vatten zo ontroerd te zijn...

Keerde zich om. Wees hen met zijn kin op het boekje dat op de toog was blijven liggen: 'Graag zelf uw bestellingen doorgeven, door de eerste bladzij af te scheuren en die bij me op het doorgeefluik te leggen,' gromde hij. 'En bewaar zelf een exemplaar. Ik laat u ook uw rekeningen opmaken...'

De deur ging dicht en ze hoorden nog: 'En schrijf in hoofdletters als het kan! Ik ben analfabeet!'

En vervolgens die lach.

Gigantisch. Gastronomisch.

'Godver, Philou van me... Godver!'

Charles wendde zich tot zijn zus: 'Je hebt gelijk, het is een vreselijk origineel stekje...'

Schonk henzelf in en gaf de fles aan de tafel van de buren door.

'Ik kan het niet geloven,' fluisterde ze, 'ik stelde me die vent totaal aseksueel voor...'

'Aha! Echt iets voor jullie meiden... Zodra een jongen aardig is, castreren jullie hem.'

'Ja hoor,' siste ze.

Nam een slok en vervolgde: 'Neem jou... Jij bent de aardigste jongen die ik ken en...'

'En wat?'

'Nee. Niks... Je leeft met een eh... superstralende vrouw...'

'...'

'Sorry,' corrigeerde ze zichzelf. 'Neem me niet kwalijk. Dat sloeg nergens op.'

'Ik ben weggegaan, Claire...'

'Hoezo?'

'Het huis uit.'
'Neeee???' lachte ze.
'Jaaaaa...' somberde hij.
'Champagne!'
En omdat hij niet reageerde: 'Heb je verdriet?'
'Nog niet.'
'En Mathilde?'
'Ik weet het niet... Ze zegt dat ze met mij mee wil...'
'Waar woon je?'
'Dicht bij de Rue des Carmes...'
'Dat verbaast me niets...'
'Dat ik weg ben?'
'Nee. Dat Mathilde met je meegaat...'
'Waarom?'
'Omdat tieners van ruimhartige mensen houden. Later verhardt de huid, maar op die leeftijd heb je nog een beetje welwillendheid nodig... Zeg, hoe ga je het met je werk regelen?'
'Ik weet het niet... Ik zal m'n tijd anders moeten gaan indelen, neem ik aan...'
'Je zult van leven moeten veranderen...'
'Des te beter. Ik was het andere beu... Ik dacht dat het aan de jetlag lag, maar daarvan was geen sprake, het was... wat je net zei... Een kwestie van welwillendheid...'
'Ik sta ervan te kijken... Hoe lang al?'
'Een maand.'
'Sinds je Alexis weer hebt gezien dus?'
Charles glimlachte. Wat een gehaaid vosje...
'Inderdaad...'

Claire wachtte tot ze zich achter de wijnkaart kon verschuilen om een klein 'Dank je, Anouk!' af te vuren.
Hij reageerde niet. Bleef glimlachen.
'O, jij...' zei ze van onder de kaart naar hem kijkend. 'Je hebt iemand ontmoet...'
'Nee...'
'Leugenaar. Je ziet helemaal rood.'
'Het komt door de bubbels...'
'O ja? En hoe zien die bubbels eruit? Zijn ze blond?'
'Amber...'

'Nou... Wacht... Laten we bestellen, willen we niet van die andere neanderthaler op ons donder krijgen en daarna heb ik...' keek op haar horloge, 'drie uur om het uit je te trekken... Wat neem jij? Artisjokken? Een kalfshart?'

Hij zocht naar z'n bril.

'Waar zie je dat?'

'Recht tegenover me,' lachte ze.

'Claire?'

'Mmmm?'

'Hoe gaat dat in de rechtbank met de lui die jij bestrijdt?'

'Ze janken om hun moeder... Goed, ik heb m'n keus gemaakt. En? Wie is het?'

'Ik weet het niet.'

'Niet doen, verdomme... Geen spelletje met mij spelen...'

'Luister, ik vertel je het hele verhaal en jij gaat me, omdat je zo slim bent, zeggen of je ziet wat voor iemand het is...'

'Is het een mutant?'

Hij schudde het hoofd.

'Wat heeft ze voor speciaals?'

'Een lama.'

'?!?'

'Een lama, tweeduizend vierkante meter dak, een rivier, vijf kinderen, tien katten, zes honden, drie paarden, een ezel, kippen, eenden, een geit, een zwerm zwaluwen, volop littekens, een intaglio, zwepen, een miniatuurkerkhof, vier ovens, een kettingzaag, een hakselaar, een paardenstal uit de achttiende eeuw, timmerwerk waarvan je omvalt, twee talen, honderden rozen en een schitterend uitzicht.'

'Wat heeft dat te betekenen?' zei ze met opengesperde ogen.

'O? Je bent niet veel verder dan ik, merk ik...'

'Hoe heet ze?'

'Kate.'

Hij nam hun bestelling op en ging die voor het hol van de leeuw leggen.

'En...' hervatte Claire, 'is ze knap?'

'Dat heb ik je net verteld...'

*

Toen begon Charles uit te pakken.

De grafkuil naast de stortplaats, z'n graffiti op de grafsteen, Sylvie, het knevelverband, de duif, zijn ongeluk op de Boulevard du Port Royal, de lege blik van Alexis, z'n leventje zonder dromen en zonder muziek als vervangende therapie, de silhouetten rond het vuur, de nalatenschap van Anouk, het ballengooien, de kleur van de hemel, de stem van de politiekapitein, de winters op Les Vesperies, de nek van Kate, haar gezicht, haar handen, haar lach, haar lippen die ze nooit met rust liet, hun schaduwen, New York, de laatste zin van de korte roman van Thomas Hardy, zijn bed vol splinters en de koekjes die hij elke avond opnieuw telde.

Claire had haar bord niet aangeroerd.

'Het wordt koud,' waarschuwde hij haar.

'Ja hoor. Als jij daar zo stom met de koekjes blijft rommelen, wordt het koud, dat staat wel vast...'

'Wat moet ik anders?'

'De bouwmeester worden.'

'Je hebt het bouwwerk niet gezien...'

Ze dronk haar glas leeg, wees hem erop dat zij hem had uitgenodigd, keek op het schoolbord en legde het geld op tafel: 'We moeten gaan...'

'Nu al?'

'Ik heb geen kaartje...'

'Waarom rijd je hierlangs?' vroeg hij haar.

'Ik breng je naar huis.'

'En de auto?'

'Die krijg je wanneer je een reistas en je boekjes achterin hebt gelegd...'

'Sorry?'

'Je bent te oud, Charles. Je moet nu iets doen. Je gaat met haar niet weer zo als met Anouk beginnen. Daarvoor ben je gewoon... te oud. Snap je?'

'...'

'Ik zeg je niet dat het gaat lukken weet je, maar... Herinner je je dat je me gedwongen hebt om met jou naar Griekenland te gaan?'

'Ja.'

'Nou... ieder op z'n beurt...'

Hij droeg haar koffer en vergezelde haar tot aan haar coupé.

'En jij, Claire?'

'Ik?'

'Je hebt me niets verteld over jouw liefdes...'

Ze trok een afschuwelijk grijnsje om geen antwoord te hoeven geven.

'Het is te ver,' vervolgde hij.

'Wat?'

'Alles...'

'Dat klopt. Je hebt gelijk. Ga terug naar Laurence, ga door met kaarsen voor Anouk op te steken, met Philippes bedje te spreiden en Mathilde onder te stoppen tot ze ervandoor is, dat is minder vermoeiend.'

Knalde een kus op zijn wang voor ze aanvulde: 'Nu je toch bezig bent, geef de duiven ook maar brood...'

En verdween zonder zich om te draaien.

Charles stopte bij de winkel van de Oude Kampeerder, ging langs kantoor, stopte zijn kofferruimte vol boeken en dossiers, zette zijn computer uit, zijn lamp, en liet voor Marc een lange werknotitie achter. Hij wist niet wanneer hij terug zou komen, zou mobiel moeilijk bereikbaar zijn, zou hem bellen en wenste hem sterkte.

Nam een omweg via de Rue d'Anjou. Er bestond daar een winkel waar hij het beslist zou vinden...

9

Maakte er een echte bioscoop van. Vijfhonderd kilometer trailers en met bijna evenveel verschillende versies van de eerste scène.

Het was even mooi als dat liedje uit *Un homme et une femme*. Hij kwam, zij draaide zich om. Hij glimlachte, zij was versteend. Hij opende zijn armen, zij stortte zich erin. Hij in haar haren, zij in zijn nek. Hij zei tegen haar ik kan niet zonder u leven, zij te ontroerd om te reageren. Hij tilde haar op, zij lachte. Droeg haar naar... eh...

Goed, nou, dit was al de tweede scène en het toneel zou waarschijnlijk vol figuranten zitten...

Vijfhonderd kilometer, dat is heel wat filmrol... Had álles voor zich gezien en natuurlijk verliep alles anders dan verwacht.

Het was bijna tien uur 's avonds toen hij de brug overstak. Het huis was leeg. Hoorde gelach en geluiden van bestek in de tuin, volgde het licht van de kaarsen en zag, net als de vorige keer achter in het weiland, vele gezichten naar hem toe draaien voor hij het hare ontdekte.

Gezichten en silhouetten van onbekende volwassenen. Verdomme... Hij kon alles weer terugspoelen...

Yacine rende hem tegemoet. Zag, toen hij bukte om hem te omarmen, ook haar opstaan.

Hij herinnerde zich niet meer dat ze even mooi was als in zijn herinneringen.

'Wat een leuke verrassing,' zei ze.

'Stoor ik?'

(Ah! Wat een dialogen! Wat een emotie! Wat een intensiteit!)

'Nee, natuurlijk niet... Ik heb voor een paar dagen Amerikaanse vrienden over... Kom... Ik ga ze aan u voorstellen...'

Cut! dacht Charles. Gooi ze er allemaal uit! Die zakkenwassers hebben niks te zoeken bij deze opname!

'Graag...'

'Wat heeft u daar?' vroeg ze, toen ze het boeltje zag dat hij onder z'n arm droeg.

'Een slaapzak...'

En, net als in een film van Charles Balanda, draaide zij zich om, glimlachte naar hem in het halfduister, liet haar hoofd zo zakken dat hij haar nek kon zien, en legde haar hand op zijn rug om hem de weg te wijzen.

Instinctief vertraagde onze jonge held zijn pas.

Vanuit zijn positie heeft de toeschouwer het waarschijnlijk niet in de gaten, maar deze handpalm, deze vijf lange licht gespreide vingers, met een offer van het land ter hoogte van een perfect achterwerk, die zachtjes op het lauwe katoen van zijn overhemd drukte, was... iets bijzonders...

Nam aan het eind van de tafel plaats, kreeg een glas, een bord, bestek, brood, een servet, *Hi*'s, *Nice to meet you*'s, kusjes van kinderen, hondensnuiten, een glimlach van Nedra, een aardig hoofdknikje van Sam, zo van je bent welkom gringo, je kunt altijd proberen op mijn territorium te pissen, dat is immens en je zult nooit ver genoeg komen, geuren van bloemen en gemaaid gras, glimwormen, een maansikkel, een gesprek dat te snel ging en waarvan hij niets begreep, een stoel waarvan de linkerachterpoot zachtjes in de woonkamer van een mol wegzakte, een enorm stuk perentaart, een nieuwe fles, een stippellijn van kruimels tussen zijn bord en alle andere, woordenwisselingen, vragen, twisten over een onderwerp dat hij niet goed gevolgd had. Het woord 'bush' viel vaak maar... eh... ging het om de vent of om planten? en... Kortom, een soort heerlijk zweven.

Maar ook de armen van Kate om haar knieën, haar blote voeten, haar plotselinge vrolijkheid, haar stem die een beetje anders was als ze zich in haar eigen taal uitdrukte en haar zijdelingse blikken die hij tussen twee slokken opving en die iedere keer leken te zeggen: *So*... Is het echt waar? U bent er weer...

Glimlachte terug naar haar en had de indruk, hoe zwijgzaam hij ook nog steeds was, dat hij nooit zo praatziek tegen een vrouw was geweest.

Daarna kwamen de koffie, de shows, de digestieven, de imitaties, de bourbon, meer gelach, meer *private jokes* en zelfs een beetje architectuur, want deze mensen waren goed opgevoed...

Tom en Debbie waren getrouwd en doceerden aan Cornell, de andere, Ken, die met de grote bos haar, was onderzoeker. Hij leek hem veel rond Kate te draaien… *Well*, het was moeilijk te bepalen met die Amerikanen die altijd om het minste of geringste aan elkaar zaten te plukken. Met hun *sweeties*, hun *honeys*, hun *hugs* en hun *gimme a kiss* naar alle kanten…

Charles had er lak aan. Voor het eerst van z'n leven had hij besloten zich te laten leven.

Zich. Te. Laten. Leven.

Wist niet eens of hij tegen zo'n uitdaging was opgewassen…

Hij was hier op vakantie. Gelukkig en een beetje zat. Maakte met suikerklontjes een tempel voor de eendagsvliegen die gestorven waren voor het Licht en die Nedra hem in kroonkurkjes bracht. Antwoordde 'Yes' of 'Sure' als het nodig was, 'No' als dat beter was, en concentreerde zich op het puntje van z'n mes om zijn zuilen een Dorischer touch te geven.

Zijn bestemmingsplannen en bouwvoorschriften zouden hem snel genoeg inhalen…

Loerde tussen twee konvooien door naar z'n rivaal…

Bovendien was lang haar op die leeftijd… *pathetic*.

En verder had hij een grote schakelarmband voor als hij zijn voornaam niet meer zou weten. En zijn voornaam, laten we die niet vergeten. Deed zeer aan Barbie denken.

Alleen de camper ontbrak nog…

Maar vooral, en dat had de harige aap in hawaïshirt totally niet in de gaten, het model dat hij had uitgekozen was de *Himalaya light*.

Een rib uit je lijf, goed, maar gevoerd met eendendons dat met Teflon was bewerkt.

Hoor je me, Simson?

Met Teflon, vriend, met Teflon.

Ik kan het een tijdje volhouden, dat garandeer ik je…

Himalaya, maar light.

Dat is zijn programma voor de zomer.

Toen hij met z'n kaars in de hand naar de binnenplaats verdween, had Kate haar best gedaan om de *perfect housewife* die in haar school te repatriëren door hem de slaakban... slaapbaa aan te bieden.

Maar pff... Ze waren te bezopen om de schone schijn op te houden.

'*Hey*,' riep ze, '*don't*... Steek de boel niet in de fik, hè?'

Charles hief zijn hand om haar te beduiden dat hij toch niet zo *stupid* was.

'Het is al geregeld, baby, het is al geregeld,' grinnikte hij en bleef met z'n voeten in het grind steken.

Ja hoor. Hij was zo gaar als een cookie...

Installeerde zich in de paardenstal, had enorme moeite om de opening van zijn kloteslaapzak te vinden en viel in slaap op een matras van dode vliegen.

Heerlijk hoor...

10

Reken maar dat deze keer Ken de croissants ging halen...

Joggend nog wel...

Met zijn mooie Nikes, zijn paardenstaart (?), en de mouwen van zijn T-shirt opgerold tot zijn schouder. (Glimmend.) (Van het zweet.)

Goed, goed, goed...

Charles hoestte en ruimde zijn hete scenario's op.

Als deze vent nou nog een idioot was geweest... Maar nee. Hij wist veel en had alles op een rij. Een heel aardige man. Geboeid, boeiend, grappig. En zijn landgenoten as well.

De toon was gezet. Er zou in dit huis een sfeer heersen van give me the five, goede kameraadschap, van Baden Powell à la you kai di you kai da. Pech gehad. Des te beter. De kinderen waren blij ineens zo veel volwassenen te hebben om in te schakelen en Kate was blij te zien dat de kinderen blij waren.

Was nog nooit zo mooi geweest... Zelfs vanochtend, haar katerige gezicht achter haar grote donkere bril verborgen...

Mooi zoals een vrouw die de prijs van eenzaamheid uit haar hoofd kent en eindelijk haar wapens neerlegt.

Nam enkele dagen verlof en verwijderde zich, little by little, van hen. Wilde geen initiatieven meer nemen, liet aan hen het huis over, de kinderen, de dieren, de eindeloze weerberichten van René, en het uur van de maaltijden.

Las, zonnebaadde, sliep in de zon en wekte niet eens de schijn hen te willen helpen.

En dat was niet het enige... Had haar hand nooit meer op Charles gelegd. Geen zijdelingse glimlachjes meer en geen nadrukkelijke blikken. Geen kidding me *or* teasing you. Geen schat meer in het stro en dromen over standjes.

Leed eerst onder deze schijnbare koelte die de, vreselijke, vorm had aangenomen van *gezelligheid*.

Was dat het dan? Was hij in al zijn wanhoop gedegradeerd tot eentje uit de groep? Ze noemde hem nooit meer bij zijn voornaam, maar zei 'you guys' in het algemeen.

Shit.

Viel ze op die lange slungel? Moeilijk te zeggen...

Ze viel op zichzelf.

Speelde, deed gek, verdween met de kinderen en lokte het uit om *met hen* te worden uitgekafferd.

Op dezelfde manier als zij.

Prees deze volwassenen door tientallen toosts op hen uit te brengen tijdens de maaltijden die steeds langer duurden en had van hun aanwezigheid gebruikgemaakt om de voogd weg te sturen.

Voelde zich er volmaakt gelukkig bij.

Charles die, heel onbewust... hoe moet je het zeggen... geïntimideerd? belemmerd had kunnen of moeten zijn door die vleugelrudimentjes onder het bh-bandje, hield des te meer van haar.

Maar goed. Wachtte zich wel het haar te laten merken... Had de laatste tijd al heel wat klappen op z'n smoel gekregen en het bot dat op zijn ruggenwervel steunde om zijn hart te beschermen was net aan het herstellen. Het was niet het moment om de armen lukraak open te houden.

Nee. Ze was geen heilige... Ze was een dikke luiwammes die niks uitvoerde, een enorme veelvraat, ze verbouwde hasj (dat waren dus haar luxe geneesmiddelen...) en ze hoorde het niet eens wanneer ze de bel luidden!

Ze had geen enkele moraal.

Oef.

Deze ontdekking woog tegen een beetje onverschilligheid op.

Geduld, kleine slak, geduld...

Maar waar was hij nou eigenlijk mee bezig dat hij de tijd nam om als een oude, verkleumde tiener over al deze onbenulligheden te piekeren?

Hij was vliegen aan het wegvegen.

Was niet alleen. Had Yacine en Harriet bij zich, die omdat ze hun kamers aan the Star-Spangled Banner hadden afgestaan, besloten hadden samen met hem in ballingschap te gaan.

De kamers werden verloot en ze besteedden twee volle dagen aan spinnenwebben vreten en de verschillende schuren door wandelen als waren het de depots van het Nationale Meubelbezit. Tafels, stoelen, spiegels en andere door termieten en boktorren opgevreten resten werden toegelicht, opgelapt, geschuurd, en opnieuw geschilderd. (Yacine, een beetje geïrriteerd door de vaagheid over de wormgaatjes, gaf hun les: de gaten, die waren van boktorren, de rotte, afbladderende, brosse aanblik, dat was van termieten.)

Organiseerden een kleine *house warming* en Kate, die zijn kamer ontdekte, kaal, opgeschuurd, met onverdunde Glorix gebleekt, streng en kloosterachtig, met al die dossiers opgestapeld aan het eind van z'n bed, z'n computer en z'n boeken op het ingenieuze bureau dat ze onder een alkoof in elkaar hadden gezet, bleef even stil.

'U bent hier gekomen om te werken?' fluisterde ze.

'Nee. Het is alleen om indruk op u te maken...'

'Zo?'

Verder was iedereen bij Harriet.

'Er is iets wat ik u zou willen zeggen,' vulde ze aan en ze leunde uit het raam.

'Ja?'

'Ik... U... Nou ja... Als ik...'

Charles hield zich aan zijn handje pinda's vast.

'Nee. Niks,' zei ze en draaide zich om, 'het is hier heel cosy, hè?'

In de drie dagen dat hij hier was, was het de eerste keer dat hij haar voor zich alleen had, legde dus voor twee minuten zijn speldjes van aardige welp weg: 'Kate... Praat met me...'

'Ik... Ik ben net als Yacine,' verklaarde ze plotseling.

'...'

'Ik weet niet hoe ik het u moet zeggen, maar ik... zal nooit meer het minste risico nemen om nog te hoeven lijden.'

'...'

'Begrijpt u dat?'

'...'

'Nathalie heeft het me verteld... Veel pleegkinderen worden wanneer ze merken dat er verandering in de lucht hangt ineens onuitstaanbaar en zorgen voor de grootste moeilijkheden in hun gastgezinnen. En weet u waarom ze zich zo gedragen? Uit overlevingsdrift. Om zich geestelijk en lichamelijk op een nieuwe scheiding voor te bereiden. Ze worden onuitstaanbaar zodat hun vertrek als een opluchting wordt ervaren. Om de liefde kapot te maken... Die... gemene val waar ze bijna weer eens in zijn getrapt...'

Haar vinger streek langs de spiegel.

'Nou, ik ben net als zij, denk daaraan. Ik wil niet meer lijden.'

Charles zocht naar woorden. Een, twee, drie. Meer zelfs, als hij niet met minder toe kon, maar woorden, alsjeblieft, woorden...

'U zegt nooit wat,' zuchtte ze.

En terwijl ze naar de kamer ernaast verdween: 'Ik weet niets over u. Ik weet niet eens wie u bent en waarom u bent teruggekomen, maar één ding moet u weten: ik heb in dit huis veel mensen opgevangen and, inderdaad, *there is a Welcome on the mat but...*'

'Maar?'

'Ik zal u de kans niet geven me in de steek te laten...'

Ze stak het hoofd nog eens in de deuropening, zag hoe dit lichtgewicht staande KO was geslagen en hield op met aftellen: 'Om op serieuzere zaken terug te komen, weet u wat er hier ontbreekt, *darling*?'

En vervolgde omdat hij echt te dizzy was: 'Een Mathilde.'

Spuugde zijn mondbeschermer plus een paar tanden uit, en beantwoordde haar glimlach voor hij haar rond het buffet volgde.

En dacht, terwijl hij haar zag lachen, haar glas opheffen en met de anderen darts spelen: verdomme, ze zou hem dus niet verkrachten...

Herinnerde zich ook een grap van de afwezige in kwestie: 'Weet je waarom slakken niet vooruitkomen?'

'Eh...'

'Omdat slijm plakt.'

Hield dus op met slijmen.

II

Wat nu volgt heet geluk en geluk is heel lastig.
Valt niet te beschrijven.
Wordt gezegd.
Zeggen ze.

Geluk is plat, zoetelijk, *boring* en altijd moeizaam.
Geluk verveelt de lezer.
Een lovekiller.

Als de auteur voor twee stuiver gezond verstand had, zou de auteur overgaan tot een ellips.
Heeft eraan gedacht. Heeft de Gradus geraadpleegd:

> ELLIPS. *Het weglaten van woorden die nodig zouden zijn voor de volledigheid van de constructie, maar waarvan het weglaten de samenhang niet aantast omdat er geen sprake is van duisterheid of onzekerheid.*

???

Waarom van woorden afzien die nodig zouden zijn voor de volledigheid van de constructie van een verhaal dat juist zo veel woorden mist?
Waarom je dit plezier ontzeggen?
Met een letterkundige smoes schrijven 'Deze drie weken op Les Vesperies waren de gelukkigste van zijn leven' en hem terugsturen naar Parijs?
Inderdaad. Bij die vijf woorden – de, gelukkigste, van, zijn, leven – zou van duisterheid of onzekerheid geen sprake zijn...
'Hij werd heel gelukkig en kreeg veel kinderen.'

Maar de auteur stribbelt tegen.
Stuitte op taxichauffeurs, familie-etentjes, bombrieven, jetlag, slapeloosheid, wilde aftochten, mislukte wedstrijden, modderige bouw-

terreinen, een spuit valium/kalium/morfine, begraafplaatsen, lijkenhuizen, as, variétézaaltjes die dichtgingen, de ruïne van een abdij, onthechting, ontkenning, breuken, twee overdoses, een abortus, kneuzingen, te veel opsommingen, uitspraken van de rechter en zelfs hysterische Koreaanse vrouwen.

Verlangt ook naar een beetje hasj...

Sorry. Groen.

Wat moet er gebeuren?

Zich verder verdiepen in deze gids voor literaire middelen.

ANDERE DEF. 1 *Een elliptisch verhaal houdt zich strikt aan de eenheid van handeling, vermijdt elke overbodige nevenhandeling, brengt het essentiële in een paar scènes bijeen.*

We zouden dus recht hebben op een paar scènes...

Bedankt.

Wat is de Académie gul.

Maar welke?

Want álles is een verhaal...

Weiger deze verantwoordelijkheid. Om wat 'overbodig' is en wat niet te scheiden.

En laat het, in plaats van te oordelen, aan de gevoeligheid van je hoofdpersoon over.

Hij heeft zich bewezen...

Opent zijn boekje.

Waarin een ellips een Romeins amfitheater zou kunnen zijn, de zuilen van het Sint Pietersplein of de opera van Peking van Paul Andreu, maar in geen geval een leemte.

Naast de linkerpagina een kassabon van de doe-het-zelfzaak waar Ken, Samuel en hij de dag voordien waren geweest. Je moet kassabonnen altijd bewaren. Dat weet iedereen.

Het klopt nooit. Nooit de goede moer, of de verkeerde spijkerlengte... Je vergeet altijd wat en bovendien hadden ze niet genoeg schuurpapier meegebracht. De meiden hadden gezeurd over de splinters...

Op de bladzij er tegenover schetsen en berekeningen. Niets onoverkomelijks. Kinderspel.

Jawel, een spel voor kinderen. En voor Kate.

Kate die nooit met hen in de rivier ging zwemmen...

'Er is te veel modder,' had ze gegrijnsd.

Charles was het hoofd, Ken de armen, en Tom het ondersteuningsbootje met koud bier aan het eind van een touw dat aan de dol was bevestigd.

Ze hadden met z'n drieën een prachtige aanlegsteiger ontworpen en gebouwd.

En zelfs een duikplank op palen.

Waren bij de stortplaats in de buurt enorme olievaten gaan halen en hadden die met grenenhouten planken verbonden.

Charles had zelfs voor treetjes gezorgd en een reling in 'Russische datsja'-stijl om de badlakens te laten drogen en om tegenaan te leunen tijdens de eindeloze duikwedstrijden die zouden volgen...

Had de hele nacht gepiekerd en was de volgende dag met Sam in een boom geklommen om een stalen kabel tussen de twee oevers te spannen.

Dit zien we op de derde pagina.

Dit rare soort handgreep, in elkaar gezet met een oud fietsstuur: de kabelbaan voor de kinderen.

Was een derde (!) keer teruggegaan naar Dinges Doe-het-zelf en had twee steviger ladders meegebracht. Had daarna de rest van de dag doorgebracht met de andere 'grote mensen', lui op hun chique houten strand, en een hoop penseelaapjes aangemoedigd die over hun hoofden vlogen en Banzaï! schreeuwden voor ze zich midden in de stroming lieten vallen.

'Hoeveel zijn het er?' zei hij stomverbaasd.

'Het hele dorp,' glimlachte Kate.

Zelfs Lucas was er met zijn grote zus...

Degenen die niet konden zwemmen, waren wanhopig.

Maar niet al te lang.

Kate kon niet tegen wanhopige kinderen. Was een touw gaan halen.

Degenen die niet konden zwemmen verdronken dus half. Ze werden aan de kant gehesen en men wachtte tot ze over hun emoties heen waren en over al het water dat ze binnen hadden gekregen eer ze nog eens mochten.

De honden keften, de lama kauwde en de waterspinnen verhuisden.

De kinderen die geen badpak bij zich hadden, waren in onderbroek en de natte onderbroeken werden doorzichtig.

Heel preutse kinderen bestegen hun fietsen weer. De meesten kwamen terug met een badpak én een slaapzak op hun bagagedragers.

Debbie zorgde voor het vieruurtje. She loved *de bakoven van de Aga.*

De tekeningen op de volgende pagina's laten alleen silhouetten zien van kleine Tarzans die tussen hemel en water aan een oud fietsstuur hangen. Met twee handen, met één hand, met twee vingers, met één vinger, vooruit, achteruit, aan de knieën. Op leven en dood.

Maar ook Tom in z'n bootje om de meest aangeslagenen op te vangen, tientallen sandalen en basketbalschoenen op een rij op de oever, zonnestralen die door de takken van een populier heen op het water schitterden, Marion die op het eerste treetje zat en een stuk taart aan haar broer overhandigde, en een grote sul achter haar die haar kort daarna lachend onder zou duwen.

Haar profiel voor Anouk, en dat van Kate voor hem.

Snelle schets. Durfde haar niet te lang te tekenen.

Ontvluchtte de gesprekken van de maatschappelijk werkers.

Alexis kwam om zijn kroost te halen.

'Charles?! Maar wat doe jij hier?'

'Offshore engineering...'

'Maar je... Hoe lang blijf je hier?'

'Dat hangt ervan af... Als we olie onder de rivier vinden nog een tijdje denk ik...'

'Kom eens op een avond bij ons thuis eten!'

En Charles, de aardige Charles, antwoordde nee.

Dat hij er geen zin in had.

Draaide zich om toen de ander wegliep en de vernedering op zijn kinderen afreageerde, wat zijn dat allemaal voor plekken op jullie dijen? en wat zal mama wel niet zeggen? en er zit een gat in je badpak en waar zijn je sokken en meer van dat gezeur, en begreep dat Kate het had gehoord.

U heeft me nog steeds uw verhaal niet verteld... zei haar blik.

'Ik heb een fles Port Ellen in mijn aktetas,' antwoordde hij haar.

'Nee?'

'Yes.'

Ze zette met een glimlach haar bril weer op.

Was nooit het water in gegaan en had niet eens haar badpak aangedaan.

Had hen goed beetgehad...

Droeg lange witte hemden van katoen, met hoge splitten, er ontbraken altijd een paar knopen aan... Charles tekende niet haar, maar wat zich achter haar bevond om haar rustig te kunnen bekijken. Veel tekeningen op deze pagina's leunen dus op haar huid. Kijk goed naar de voorgrond, je ziet altijd de bovenkant van een knie, een stukje schouder of haar hand die op de reling rust...

Die mooie jongen daar?

Nee, dat is niet Ken. Het is haar boyfriend van negentienhonderd jaar.

De volgende twee pagina's zijn uitgescheurd.

Er stonden dezelfde steiger op en dezelfde kabelbaan, maar in het net en helemaal doorgerekend.

Voor Yacine. Die ze naar de redactie van het tijdschrift Leven en Wetenschap junior *had gestuurd naar de rubriek 'Verzin mee'.*

'Kijk...' zei hij hem op een avond en klom op zijn schoot.

'Nee, hè,' zuchtte Samuel, 'begint dat weer... Hij zeurt ons hierover al twee jaar aan het hoofd...'

En omdat Charles er, zoals gewoonlijk, niets van begreep, kwam Kate tussenbeide: 'Hij stort zich elke maand op deze bladzijde om te weten welk klein, maar uiteraard minder slim genie dan hij de 1000 euro heeft gewonnen...'

'1000 euro...' smachtte de echo, 'en hun uitvindingen stellen nooit iets voor... Kijk, Charles, je moet', nam hem het tijdschrift uit handen, 'het prototype van een originele, nuttige, handige, of desnoods grappige uitvinding inzenden. Een dossier opsturen dat schema's en een nauwkeurige beschrijving bevat... Dat is toch precies wat jij hebt gemaakt, nietwaar? Nou dan? Vind je het goed? Vind je het goed?'

De pagina's waren dus verstuurd, en vanaf de volgende dag tot het eind van de vakantie stortten Yacine en Hideous zich op de postbode.

De rest van de tijd vroegen ze zich uitgebreid af wat ze met al dat geld gingen doen...

'Besteed het maar aan een facelift voor je hond!' mokten de afgunstigen.

Een paar regels...

Schatje, liefje, kleine meid, favoriete downloadster...

Waar ben je? Wat doe je? Surfen of surfers?

Ik denk vaak aan...

Daar eindigde het kladje. De bel had geklonken en Charles, nog helemaal groggy door haar, was over de heuvel naar de anderen gegaan. De enige plek waar je een beetje satelliet kon ontvangen als je tenminste op één been ging staan, een arm in de lucht, en je je in westelijke richting in bochten wrong.

Had haar stem gehoord, haar lach, vage echo's en piña colada.

Ze vroeg hem wanneer hij naar hen toe zou komen, maar luisterde niet tot het eind naar het gebrabbel van haar stiefvader. Er werd op haar gewacht.

Gaf hem kusjes en vervolgde: 'Wil je mama nog spreken?'

Charles liet zijn armen zakken.

'Alleen het alarmnummer' knipperde het schermpje.

Wat wilde dit kind van gescheiden ouders kennelijk niet begrijpen?

Dat hij voor de zomer een vrijgezellenflat had betrokken?

Dronk die avond weinig en ging lang voor spertijd naar zijn zolderkamer.

Schreef haar een lange brief.

Mathilde,

Die liedjes waarnaar je de hele dag luistert...

Zocht een tweede envelop.

Geen enkele hoop op winst. Had niets origineels uitgevonden en was voor het eerst van z'n leven niet in staat een nauwkeurig schema te maken.

Koot, achterhand, hoefnagel, mok, maantop, stokmaat, spronggewicht, Charles kende niet één van die termen en toch zijn dit waarschijnlijk de mooiste schetsen in zijn boekje.

Kate had de toeristen meegenomen op excursie en hij had heel de morgen gewerkt.

Lunchte zoals het hem was geleerd, een paar uit de moestuin gestolen lauwwarme tomaten en een stukje kaas, was daarna langs de bosrand gaan lopen met het boek dat ze hem had geleend, 'Wonderbaarlijk leerboek van de architectuur...'

Het leven van de bijen *van Maurice Maeterlinck.*

Zocht naar een mooi uitzichtpunt om zijn zwaarmoedigheid te verdrijven.

Piekerde inderdaad tot steeds later in de nacht, begon tien keer overnieuw met zijn berekeningen en ging op z'n bek met die hellingen van 4 procent.

Was een gezinsman zonder gezin. Was zevenenveertig en wist niet meer zo goed hoe ver hij was op de curve...

Was hij soms halverwege?

Nee.

Ja?

Mijn god...

En nu? Was hij het beetje tijd dat hem restte niet aan het verspillen?

Moest hij weg?

Waarheen?

Naar een leeg appartement voor een dichtgemaakte open haard zitten?

Hoe was het mogelijk? Er op zijn leeftijd zo slecht voorstaan na zo hard te hebben gewerkt?

Die andere del had gelijk...

Was haar als een rat tot de rivier gevolgd.

En nu?

Het touw!

Wie weet ging ze 's nachts van bil met meneer Barbie, terwijl hij z'n klotenieuwbouw fabriceerde.

En zijn kruis jeukte...

(Augustusmijten)

Leunde in de schaduw van een boom.

Eerste zin: 'Ik ben niet van plan een leerboek over imkerij of het houden van bijen te schrijven.'

Las tegen iedere verwachting in het boek in één keer uit. Het was dé detective van de zomer. Alle ingrediënten kwamen bij elkaar: leven, dood, de noodzaak om te leven, de noodzaak om te sterven, trouw, moordpartijen, dwaasheid, offers, het stichten van de staat, de jonge koninginnen, de bruidsvlucht, de moord op de mannetjes en hun geweldige bouwkunst. Deze geweldige zeshoekige cel die 'in alle opzichten de absolute perfectie nadert en [waaraan] alle genieën bij elkaar niets zouden kunnen verbeteren'.

Knikte. Zocht met zijn ogen de drie korven van René en herlas een van de laatste paragrafen: 'En zoals het op de tong, in de mond en in de maag van de bijen geschreven staat dat ze hun honing moeten produceren, staat het in onze ogen, in onze oren, in ons merg, in alle kwabben in ons hoofd, in heel het zenuwstelsel van ons lichaam geschreven dat wij zijn geschapen om de dingen die we uit de aarde opnemen om te zetten in een bijzondere en op deze aardbol unieke kracht. Bij mijn weten is er geen wezen zoals wij in staat die vreemde glans voort te brengen die we gedachte, intelligentie, begrip, rede, ziel, geest, hersenkracht, deugd, goedheid, rechtvaardigheid, kennis noemen; want er zijn duizend namen voor, hoewel hij maar één essentie heeft. Alles in ons is daaraan opgeofferd. Onze spieren, onze gezondheid, de beweeglijkheid van onze ledematen, het evenwicht van onze dierlijke functies, de rust in ons bestaan – ze dragen meer en meer de last van de dominantie hiervan. Het is de kostbaarste en moeilijkste staat waartoe je de materie kunt verheffen. Het vuur, de warmte, het licht, zelfs het leven en het instinct dat subtieler is dan het leven en het grootste deel van de ongrijpbare krachten die voor wij verschenen de wereld bekroonden – ze zijn verbleekt door de aanraking met de nieuwe uitstraling.

We weten niet waarheen die ons leidt, wat die met ons wil, wat wij ermee zullen doen.'

Zo... dacht Charles, we zitten flink in de problemen...

Dutte grinnikend in. Hij was volkomen bereid deze vreemde glans voort te brengen waaraan zijn spieren, de beweeglijkheid van zijn ledematen, het evenwicht van zijn dierlijke functies zouden moeten worden opgeofferd.

Wat een idioot.

Werd in een heel andere gemoedstoestand wakker. Een paard, een groot, dik, vreselijk paard graasde minder dan een meter van hem vandaan. Dacht dat hij flauw zou vallen en kreeg een angstaanval zoals hij maar zelden had gehad.

Bewoog geen millimeter, knipperde alleen met zijn ogen toen er een druppeltje zweet op zijn wimpers viel.

Pakte na een paar minuten tachycardie voorzichtig zijn boekje, veegde zijn hand aan het droge gras af en zette een punt.

'Wat jullie niet begrijpen,' zei hij voortdurend tegen zijn jonge medewerkers, 'wat jullie ontgaat of voor jullie te hoog is gegrepen, moeten jullie tekenen. Hoe slecht, hoe grof ook. Als je iets wilt tekenen, moet je stil blijven staan om het te observeren, en observeren, jullie zullen het zien, is al begrijpen...'

Koot, achterhand, hoefnagel, mok, maantop, stokmaat, spronggewicht, kende die woorden niet, en het kleine ronde handschrift dat ze verklaarde onder zijn aquarelschetsen, die nog golfden van zijn zweet, was van Harriet.

'Top! Wat teken je goed! Mag ik deze hebben?'

Weer een uitgescheurde pagina dus.

Maakte een omweg via de rivier om zijn vel af te spoelen en besloot, terwijl hij zich droogwreef met zijn klamme shirt, van het vertrek van de anderen gebruik te maken om in hun voetspoor te verdwijnen.

Hij werkte niet zoals het moest en had, alles in aanmerking genomen, liever gehad dat ze hem werkelijk had verdronken.

Dit leven tussen twee wateren maakte hem gek.

Besloot het eten klaar te maken terwijl hij op hen wachtte en ging naar het dorp wat boodschappen halen.

Benutte dat hij weer in de beschaafde wereld was om zijn berichten te beluisteren.

Marc legde hem in het kort een heleboel problemen uit en vroeg hem zo snel mogelijk terug te bellen, zijn moeder klaagde over zijn ondankbaarheid en ging uitvoerig in op de zomerkwaaltjes, Philippe wilde weten hoe ver hij was en vertelde hem over zijn afspraak met de afdeling ontwikkeling van Soren-

sen, en ten slotte gaf Claire hem op z'n donder toen hij voor het oorlogsmonument stond.

Wist hij nog dat hij haar auto had?

Wanneer was hij van plan haar die terug te geven?

Was hij vergeten dat ze volgende week naar Paule en Jacques ging?

En dat ze veel te oud was om nog een lift te krijgen?

Waarom was hij niet bereikbaar?

Had hij het te druk met neuken om aan anderen te denken?

Was hij gelukkig?

Ben je gelukkig?

Vertel.

Ging op een terras zitten, bestelde een glas wit en drukte vier keer op het terugbelknopje.

Begon met de ondankbaarste en hoorde vervolgens met veel genoegen de stemmen van wie hem dierbaar waren.

Verzon iets fantastisch.

Likte de houten lepel af, legde deksels terug, dekte zingend de tafel, we hebben vaak genoeg weer het vuur zien oplaaien van een dode vulkaan waarvan we dachten *en al die onzin. Gaf de honden te eten en bracht graan naar de kippen.*

Als Claire hem nu zag... Zijn 'toktoktok' en zijn verheven zaaiersgebaar...

Zag toen hij terugkwam Sam en Ramon, ze trainden op de grote wei, 'de kasteelweide' zogezegd, en slalomden tussen de strobalen.

Ging naar hen toe. Leunde tegen het hek en begroette alle tieners die met hem in de stallen sliepen en met wie hij vaker en vaker eindeloze spelletjes poker speelde.

Had al 95 euro verloren, maar vond dat niet duur betaald om niet meer in het donker te hoeven piekeren.

De ezel zag er niet erg gemotiveerd uit en toen Sam hen mopperend passeerde, flapte Mickaël eruit: 'Maar waarom geef je hem niet met de zweep?'

Charles genoot van zijn antwoord.

Voor echte pikeurs handen en benen, voor onbeholpenen de zweep.

Zo'n openbaring verdiende wel een lege bladzijde.

Sloot z'n boekje weer, ontving de vrouw des huizes en haar gasten met glazen champagne en een feestmaal onder het prieel.

'Ik wist niet dat u zo goed kon koken,' zei Kate verrukt.

Charles schepte haar nogmaals op.

'Ik weet inderdaad niets,' werd ze somber.

'Van uitstel komt geen afstel.'

'Dat hoop ik...'

Haar glimlach bleef heel lang op het tafellaken hangen en Charles meende dat hij de laatste schuilhut voor haar bergpas had bereikt. Wat een afschuwelijke uitdrukking... Voor je laatste stoot met je ijshouweel... Ha! Ha! Vind je dat beter? Hij was weer teut en haakte zich aan alle gesprekken vast die voorbijkwamen zonder er een te volgen. Een dezer dagen zou hij haar bij de haren grijpen en haar over de hele binnenplaats sleuren voor hij haar op zijn geval van Teflon zou leggen om haar schaafwonden te likken.

'Waaraan denkt u?' vroeg ze hem.

'Ik heb er te veel paprika in gedaan.'

Was verliefd op haar glimlach. Had veel tijd nodig om het haar te zeggen maar zou het haar langdurig zeggen.

Was ouder dan twee keer twintig en zat tegenover een vrouw die twee keer meer had meegemaakt dan hij. De toekomst was voor hen iets angstaanjagends geworden.

Verwaarloosde, omdat hij inderdaad iets fantastisch had verzonnen, zijn boekje een paar dagen.

Een tekening als bewijs... En ook nog eens uitgelopen door een kring van pastis...

Het was avond en ze waren met z'n allen op het dorpsplein. De vorige avond waren zijn schatjes uit Parijs met veel bombarie aangekomen (die gekke Claire had de hele eikenlaan lang geclaxonneerd...), Sam en consorten ramden op de flipperkast, terwijl de kleintjes rond de fontein speelden.

Charles had een team gevormd met Marc en Debbie en ze hadden een vreselijke optater gekregen. Terwijl Kate hen had gewaarschuwd: 'Jullie zullen zien, de oudjes laten jullie het eerste potje winnen om jullie vertrouwen te geven and then... they'll kick your ass!!!'

Nadat de ass van die zakken van een Parijzenaars en Yankees goed gekickt was, gingen ze als troost anisette zuipen, intussen probeerden zijn zus, Ken en Kate met pijn en moeite de eer te redden.

Tom telde de punten.

Hoe meer ze verloren, hoe meer rondjes ze betaalden, en hoe meer rondjes er kwamen, des te minder hadden ze in de gaten waar de cochonnet *was, dat fucking balletje dat ze moesten raken.*

Op de enige tekening van een kleurrijk weekend komt Claire dicht bij de cochonnet.

Ze is er met haar gedachten niet zo bij. Flirt met de Barbie boy in een beperkt maar beeldend Engels: 'You kust my bioutifoule chippendale or you kust niet? Bicose if you kust niet correctly, wij are in big shit, you understande? Show mi, plise, what you are capable to do with your two ballen...'

Het supergenie, onderzoeker van atomen in atomen, understandde helemaal niets, alleen dat deze meid geschift was, dat niemand zo goed joints draaide als zij en dat ze voortdurend aan z'n arm hing, terwijl hij wanhopig probeerde zijn laatste beurt te redden, hij gooit haar in de fountain, okay?

Later, en in nauwkeuriger Engels, vertelde Charles hem wat zij deed en dat zij op haar gebied een van de meest geduchte advocaten van Frankrijk was geworden en waarschijnlijk van Europa.

'But... What does she do?'

'She saves the world.'

'No?'

'Absolutely.'

Ken keek op naar de vrouw die met een opaatje stond te dollen en al haar olijvenpitten naar Yacines hoofd spuugde, en stond perplex.

'Wat vertel je hem allemaal?' zei zij ongerust.

'Over je werk...'

'Yes!' she said en richtte zich tot de stomverbaasde man. 'I am very good in global warming! Globally I can anything opwarmen, you know... Do you still live bij your parents?'

Kate lachte. Net als Marc, met wie Claire naar hen toe was gereden en die volgens haar het slechtste navigatiesysteem was dat er op de markt was.

Maar die heel goede muziek draaide... Des te beter, want ze waren zes keer de weg kwijtgeraakt...

Aten tussen twee afstraffingen door buikspek en erg vette friet en waren er door hun grappen en gelach in geslaagd heel het dorp onder de lindebomen te krijgen.

Het was een gave van Kate, dacht Charles.

Om overal waar ze kwam leven te scheppen...

'Waar wacht je op?' vroeg Claire hem twee avonden later, aan de andere kant van de brug, voor ook zij kilo's groente en fruit in haar autootje ging laden.

En gaf haar broer, omdat die doorging met haar voorruit te poetsen, een grote schop onder zijn reet.

'Je bent te stom, Balanda...'

'Au.'

'Weet je waarom je nooit een groot architect zult worden?'

'Nee.'

'Omdat je te stom bent.'

Gelach.

Tom was weer verschenen, de armen vol ice creams voor de kinderen, en Marc was de ballen aan het oprapen toen Kate zei: 'Kom! De troostronde en we gaan...'

De opaatjes trokken doekjes uit hun zakken en knikten.

'Wat is dat?' vroeg Charles bezorgd. 'Een soort vieze brandewijn?'

Blies haar lok weg: 'Wat? De troostronde? Heeft u dat woord nooit eerder gehoord?'

'Nee.'

'Nou... Je hebt de eerste ronde, de tweede, de laatste, de revanche en de troostronde. Het is een spel om niets... Zonder inleg, zonder competitie, zonder verliezers... Voor de lol dus...'

Charles speelde geweldig en bezorgde zijn ploeg de overw... om dit prachtige woord te eren.

De troostronde.

Hij ging naar bed, nam afscheid van iedereen en liet zijn zus met haar privélessen achter (verdacht haar ervan veel beter Engels te spreken en in haar eigen taal dubbelzinnigheden te bedenken), ze zei hem: 'Je hebt gelijk, ga slapen. Je moet morgenochtend om elf uur op het station in Limoges zijn.'

'Limoges? Wat heb ik daar volgens jou verdomme te zoeken?'

'Dit leek me het meest praktisch voor haar.'

'Welke haar?'

'Hoe heet ze ook weer?' en ze deed of ze haar wenkbrauwen fronste. 'Mathilde, geloof ik... Ja, dat is het... Mathilde.'

'De' 'gelukkigste' 'van' 'zijn' 'leven'.

Daarom.

Troffen hen weer eens, zoals gewoonlijk, toen hij met haar terugkwam, met z'n allen aan tafel.

Ze schoven op zodat ze konden gaan zitten en de nieuwe rekruut werd waardig gevierd.

Ze brachten de rest van de namiddag aan de oever van de rivier door.

Voor het eerst sinds hij was aangekomen, had Charles zijn boekje niet bij zich. Alle mensen op deze aarde van wie hij hield zaten om hem heen en er was verder niets wat zich nog voor dromen, fantasieën, gedachten, tekeningen leende.

Absoluut niets.

*

Kwamen de volgende dag Alexis en Mevrouw op de markt tegen.
Claire had een paar tellen nodig eer ze besloot hem te kussen.
Maar kuste hem.
Vrolijk. Teder. Wreed.

Ze waren al een eind verder toen Corinne hem vroeg wie die vrouw was.
'De zus van Charles...'
'O?'
Draaide zich naar de kaasboer: 'Zeg, u bent de gemalen gruyère toch niet vergeten, zoals de laatste keer?'
Vervolgens naar haar schim van een echtgenoot: 'Waarom betaal je niet? Waar wacht je op?'
Nergens op, hij wachtte nergens op. Dat was precies wat hij aan het doen was.

Hij zou de volgende dag weer op Les Vesperies verschijnen onder het mom gereedschap te willen lenen en een van de kinderen zou hem vertellen dat ze al weg was.
Charles, die met Marc in de huiskamer aan het werk was, deed niet de moeite overeind te komen.
Tom, Debbie en Ken gingen, na hun vertrek naar Spanje steeds weer te hebben uitgesteld, ook weg.
En de moeder van Kate, de vorige dag aangekomen, nam Hatties kamer na hen over.
Hattie, die zich heel goed met poker begon te redden en die, met alle plezier, Mathilde haar tweede kamer gaf...
Voor twee nachten maar.
Daarna bracht de ander haar matras naar de zadelkamer.

Charles, die zorgen had gehad over hoe de overplanting 'stadsrat, veldratten' zou aanslaan, was snel gerustgesteld. Ze zat vanaf de tweede dag weer in het zadel, sloot haar luidsprekers aan en plukte ze allemaal kaal.
Wist wel dat ze heel goed kon bluffen. Had hen kunnen waarschuwen...
Ging ontmoedigd naar bed en hoorde haar gelach boven alle anderen uit.

Op een ochtend toen ze alleen waren vroeg ze hem: 'Wat is dat hier, dit huis?'
'Inderdaad... Dit is wat men een huis noemt, geloof ik...'
'En Kate?'
'Wat, Kate?'

'Ben je in love?'

'Denk je?'

'Vet,' zei ze en rolde met haar ogen.

'Verdorie. Moet ik me schamen?'

''k Weet niet... En dat appartement dat ik niet eens heb gezien?'

'Daar verandert niets aan... Maar tussen twee haakjes... Ik wil je iets vragen...'

Hij stelde haar de vraag en kreeg het antwoord dat hij wilde horen. Herinnerde zich toen Claire en haar verhaal over welwillendheid.

Altijd de juiste conclusies, mevrouw de meester...

En ook de goede pleidooien...

'Charles, je hebt een brief gekregen!' gilde Yacine van onderaan de trap.

Herkende het handschrift van zijn zus en de vorm van een cd.

Als de geit je computer niet heeft opgevreten, zet dan non-stop track 18 op. De tekst is niet al te ingewikkeld en met jouw stentorstem komt het best voor elkaar...

Goede lucq.

Draaide het hoesje om. Het was de originele opname van een musical van Cole Porter.

De titel?

Kiss Me, Kate

'Wat is het?' vroeg Mathilde.

'Een dwaasheid van je tante...' glimlachte hij onnozel.

'Pff... Wat zijn jullie allebei kinderachtig...'

Later, toen hij het tekstboekje las, begreep hij dat het om een bewerking van De Getemde Feeks *van Shakespeare ging.*

Weer zo'n slecht vertaalde titel... The Taming, *tam maken, africhten,* Of The Shrew *is jammer genoeg veel minder stellig...*

De volgende vier pagina's zijn een catalogus van houten huisjes.

Op een ochtend had Charles aan Nedra, die úren alleen speelde in het binnenste van een grote buxus achter het kippenhok, voorgesteld een echt huis voor haar te bouwen.

Kreeg als enige reactie een lange oogopslag.

'Regel één: een goede locatie vinden eer je wat dan ook gaat bouwen... Kom dus met me mee om me te vertellen waar je het wilt...'

Ze had even geaarzeld, met haar ogen Alice gezocht, stond toen op en streek haar rokje glad.

'Wat je ramen betreft, wil je de zon op zien komen of de zon onder zien gaan?'

Vond het vervelend haar zo te kwellen, maar hij moest wel, dit was zijn vak...

'De zon op zien komen?'

Knikte van ja.

'Je hebt gelijk. Zuid, zuidoost, dat is het verstandigst...'

Maakten zwijgend een grote ronde om het huis...

'Hier, dit zou goed zijn want je hebt een paar bomen om je schaduw te geven en ook is de rivier niet ver... Heel belangrijk, water in de buurt!'

Ontdooide geleidelijk toen ze hem zo zag schertsen en vergat zich, vanwege de braamstruiken waar ze doorheen moesten, op een gegeven moment zelfs en gaf hem een hand.

Het fundament was gestort.

Na de lunch bracht ze hem zijn koffie, zoals altijd sinds zijn eerste bezoek, en leunde tegen zijn schouder terwijl hij het hele gamma chalets tekende dat de firma Balanda & Co. aan kon bieden.

Begreep haar. Vond net als zij dat tekeningen meer zeggen dan woorden, en tekende voor haar een heleboel combinaties. De afmetingen van de ramen, de hoogte van de deur, het aantal bloembakken, de lengte van het terras, de kleur van het dak en wat moest er midden in de luiken worden geboord: wybertjes of hartjes?

Had geraden welk model ze ging kiezen...

Charles was echt van plan geweest te vertrekken, maar Mathilde was aangekomen, en Kate had hem, tussen haar maffe moeder en Mathilde, een hoogtepunt in het vooruitzicht gesteld. Daarom had hij zich in dit kinderspel gestort.

Had een berg werk met Marc verzet en had hem, met in zijn kofferbak het dikste dossier dat ze hadden, naar het huis van z'n ouders laten vertrekken. Moest nu, om een nieuwe uitdaging te hebben, aan de slag.

En bovendien... het bouwen van miniatuurhuizen was hem tot nu toe niet slecht afgegaan. Als hij goed zocht, zou hij beslist een stuk marmer in de schuren vinden... Dacht laatst een kapotte schoorsteenmantel te hebben gezien...

Eerst ergerde het Kate dat hij Sam en zijn vrienden betaalde, maar Charles wilde er niets over horen. Elke goede werkman verdiende een salaris...

De vrienden, die liever lui dan moe waren, lieten hen snel stikken en zo kregen ze de kans elkaar beter te leren kennen. En te waarderen. Zoals dat vaak gebeurt wanneer je je kapot zweet, tussen twee godvers, een paar biertjes en evenveel blaren.

Op de derde avond, toen ze zich uitkleedden op de ponton, stelde hij aan hem dezelfde vraag als aan Mathilde.

Charles begreep zijn aarzelingen beter dan wie ook. Bevond zich in precies hetzelfde schuitje als hij.

Op de volgende bladzijde is er een foto tussen geslopen. Hij had die lang na zijn thuiskomst afgedrukt en weken op z'n bureau laten slingeren eer hij besloot hem daar weg te halen.

Oplevering nadat de bouw klaar was.
Definitieve oplevering.

Granny had hem genomen en het was een heel gedoe geweest haar uit te leggen dat ze maar op één knopje hoefde te drukken en zich verder nergens druk over hoefde te maken. Poor Granny *had geen benul van digitale hybriden...*

Ze staan er allemaal op. Op de drempel van Nedra's huis. Kate, Charles, de kinderen, de honden, kapitein Haddock en al het pluimvee.

Allemaal met een glimlach, allemaal knap, allemaal aan het trillen van een oude dame gekleefd die voor hen de hele show van achterhaalde diva opvoerde, maar ze hadden er allemaal vertrouwen in.

Ze kenden haar zo langzamerhand... Aan het eind van het liedje zou ze knippen.

Alice had zich met de inrichting belast (was de dag voordien haar boeken komen halen en had hem met het werk van Jephan de Villiers kennis laten maken... En dat waardeerde Charles bij deze kinderen het meest... Hoe ze hem altijd meenamen naar onbekende gebieden... Of het nu ging over Samuels beginselen van dressuur, het talent van Alice, de wrange humor van Harriet of de vijftig anekdotes per minuut van Yacine... Verder waren ze zoals kinderen zijn, vermoeiend, de aandacht opeisend, zonder respect, vol kwade trouw, herrieschoppers, luilakken, gehaaid, ze maakten altijd ruzie, maar hadden iets wat de andere kinderen niet hadden...

Een vrijheid, een tederheid, een frisheid van geest (moed zelfs, want je moest zien hoe ze al het werk aanvaardden dat dit enorme kot hun oplegde zonder dat ze ooit tegenstribbelden of klaagden), een levensvreugde en een soort vertrouwdheid met de wereld die hem bleef boeien.

Herinnerde zich een opmerking van de vrouw van Alexis over hen:'Die kleine mormonen...' maar was het helemaal niet met haar eens. Had ze elkaar van begin af aan als beesten zien afslachten rond de joysticks van videospelletjes, hele middagen bezig gezien met chatten, hun blogs perfectioneren of het beste van YouTube fileren (hadden hem gedwongen alle afleveringen van 'Heeft u het al gezien?' te bekijken) (waarvan hij trouwens geen spijt had, had nooit zo hartelijk gegrinnikt), maar had vooral allerminst de indruk dat ze zich achter hun brug hadden verschanst.

Het was precies andersom... Alles wat nog leefde, kwam naar hen toe. Zich tegen hun vrolijkheid wrijven, hun dapperheid, hun... aristocratie... Op hun binnenplaatsen, hun tafel, hun weilanden, hun matrassen was het een komen en gaan en elke dag verschenen er nieuwe gezichten.

De laatste kassabon van de boodschappen was meer dan een meter lang (hij was ermee belast... vandaar deze aberratie... had zich blijkbaar gedragen als een Parijzenaar op vakantie...) en op drukke tijden bezweek het strand bijna.

Wat was het verschil met andere kinderen? Kate.

En dat deze vrouw die niet bepaald zelfverzekerd was en die, zo had ze hem toevertrouwd, elke winter in een soort depressie belandde die dágen kon aanhouden, ze was dan lichamelijk niet in staat op te staan, deze weeskinderen, zonder vader, zonder moeder, zoals het op de formulieren moest worden vermeld, zo veel zelfvertrouwen had kunnen geven, leek hem... een wonder.

'Kom tegen half december terug,' grinnikte ze om de Dweper te bedaren, 'als het in de huiskamer vijf graden is, als het water van de kippen elke ochtend los moet worden gehakt en wanneer elke maaltijd uit porridge bestaat omdat ik nergens energie meer voor heb... En wanneer kerst nadert... dat prachtige familiefeest met mij als enige vertegenwoordiger van heel de stamboom en begin dan nog maar eens over uw wonder...').

(Maar een andere keer, na een bijzonder deprimerende maaltijd toen onze vier aardbolspecialisten een met cijfers onderbouwd, onweerlegbaar, alarmerend overzicht hadden gegeven van... nou ja... we weten het wel... had ze haar hart uitgestort: 'Dit leven... zo vreemd... discriminerend misschien... dat ik de kinderen opleg... Het is het enige wat voor me pleit... Vandaag is de wereld van de kruideniers, maar morgen? Ik houd mezelf vaak voor dat alleen zij die een bes van een paddenstoel kunnen onderscheiden, of een zaadje kunnen zaaien, gered zullen worden...'

Had daarna, elegant, gelachen en veel onzin uitgekraamd zodat haar scherpzinnigheid door de vingers zou worden gezien...)

Alice had zich dus met de inrichting belast, en Nedra had iedereen uitgenodigd haar paleis te bezichtigen.

Fout. Je mocht wel kijken maar niet naar binnen. Had zelfs een touw voor de deur gespannen. De anderen waren kwaad, maar ze hield vol. Het was haar thuis. Mijn thuis op deze aarde die mij niet wilde, en behalve Nelson en zijn vrouwtje kreeg niemand asiel.

Dan moet je je papieren maar bij je hebben...

Charles en Sam hadden hun zaakjes goed voor elkaar. De wolf kon blazen en nog eens blazen, de bunker zou het volhouden. De posten steunden in een laag beton en de spijkers van de bekisting waren langer dan haar handpalm.

Je ziet trouwens op de foto dat ze een beetje gestrest is...

Toen Granny *hen eindelijk liet gaan, draaide Kate zich naar haar toe: 'Zeg eens, Nedra... Heb je Charles bedankt?'*

De kleine knikte.

'Ik hoor niks,' drong ze aan en boog zich.

Liet haar hoofd zakken.

'Laat maar,' zei hij gegeneerd, 'ik heb haar wel gehoord...'

Voor het eerst zag hij haar boos worden: 'Nou zeg, Nedra, nou... Twee lettergreepjes in ruil voor al dit werk, daar scheurt je mond toch niet van?'

Beet op haar lippen.

Het wettige gezag, zo wit als haar bloes, vervolgde voor ze wegliep: 'Zal ik je eens wat zeggen? Het interesseert me geen zak dat ik het huis van een egoïste niet in mag... Ik ben teleurgesteld. Diep teleurgesteld.'

Ze had ongelijk.

Het woordje waarop zo werd gehoopt stond op de volgende pagina en zou een vorm aannemen die hen allemaal sprakeloos liet.

De tekening is niet van Charles, hij strekt zich uit over een dubbele pagina en het is niet echt een tekening.

Sam heeft het verplichte parcours vluchtig overgetekend om het zich in te prenten.

Vierkantjes, kruisjes, stippen en pijlen in alle richtingen...

Het is zover... Dat befaamde concours waarvoor hij alles had laten schieten...

Derde weekend van augustus... Hij had nog niet de moed gehad het bij Mathilde aan te roeren maar hun dagen waren geteld. Zijn voicemail was vól dreigementen en Barbara, die slimme meid, was erin geslaagd het nummer van Kate te achterhalen. Iedereen wachtte op hem, tientallen afspraken waren al gemaakt en Parijs begon het gareel te ruiken, waarmee we terug zijn bij het moment dat ons bezighoudt...

Een paar uur eerder had Sam glansrijk de laatste voorrondes gewonnen en ze bivakkeerden allemaal aan de andere kant van de paddocks.

Wat een expeditie...

Ramon en zijn berijder waren de dag voordien vertrokken, in hun eigen ritme en voor hun warming-up, en hadden al ter plaatse geslapen.

'Als je door de eerste ronde bent,' had Kate verklaard terwijl ze een mand onder zijn stoel zette, 'komen wij ook met onze slaapzakken en kamperen we onder de blote hemel met jullie, om jullie te supporten bij de proef...'

'To support is *dragen*, niet *aanmoedigen*, Auntie Kay...'

'Thank you sweetheart, *maar ik weet wat ik zeg... We gaan jullie supporten, je ezel en jou, zoals we dat al bijna tien jaar doen. Bent u het ermee eens, Charles?'*

O, hij... Hij was het overal mee eens... Zat met zijn hoofd al bij de strafbepalingen bij te late oplevering... En het zou ook een manier zijn om eens minder dan honderd meter van haar vandaan te slapen...

Zei dit toch alleen om iets te zeggen, nietwaar? Had zijn dromen over vrijpartijtjes al lang geleden laten varen... Deze vrouw had eerder een vriend dan een man nodig. Oké. Bedankt. Hij had het begrepen. Ach... Vrienden zijn minder vergankelijk... Schonk zich op zijn kamertje stiekem bodempjes Port Ellen in en dronk die op de gezondheid van dat geweldige vakantiemaatje dat hij was geworden.

Cheese.

Natuurlijk waren de kinderen door het dolle heen en renden op stel en sprong naar hun kamers, om volop dikke truien en pakken koekjes te halen. Alice schilderde een prachtig spandoek, Zet hem op Ramon!, *maar Sam liet haar beloven het alleen tevoorschijn te halen als ze zouden winnen.*

'Het zou hem uit zijn concentratie kunnen halen, snap je...'

Ze lieten allemaal hun ogen rollen. Inderdaad stoof die andere sufferd al op bij een scheve grasspriet of een vliegenscheet.

We stonden er nog lang niet, op het podium...

Ze zitten met z'n allen in kleermakerszit rond het vuur en grillen, de een worstjes, de een marshmallows, de een camembert, de een stukken brood, en hun gelach en hun verhalen verdwalen tussen deze eh... heel verschillende geuren. De hele troep is verschenen. Bob Dylan speelt z'n toonladders, de oudere meisjes lezen de handen van de jongere meisjes, Yacine legt Charles uit dat dit spinnenweb dicht bij de grond is gemaakt om springende insecten te vangen zoals bijvoorbeeld sprinkhanen terwijl dat, zie je, daarboven, nou, dat is voor de vliegende... Logisch niet? Logisch. En Charles is très friendly voor zijn supervriendin. Was na een clubsandwich voor haar te hebben klaargemaakt een baal stro gaan stelen om haar rug te steunen...

Sigh...

Kate die nogal zenuwachtig was sinds de komst van haar moeder...

'Zijn we hier vanavond allemaal aan de zwier om haar te ontvluchten?' vroeg hij haar.

'Wie weet... Stom hè? Om op mijn leeftijd nog zo gevoelig te zijn voor de stemmingen van je oude mummy... *Het komt doordat ze me aan een andere tijd herinnert... Een tijd dat ik de jongste en de meest zorgeloze was... Ik heb de blues, Charles... Ik mis Ellen... Waarom is zij er vanavond niet? Ik neem aan dat je kinderen krijgt om dit soort momenten te beleven, niet?'*

'Zij is er, want we hebben het over haar,' fluisterde hij.

'En waarom heeft u er nooit gekregen?'

'...'

'Kinderen...'

'Omdat ik hun moeder nooit ben tegengekomen, denk ik...'

'Wanneer gaat u weer weg?'

Hij had deze vraag helemaal niet verwacht. 'Woord' 'Woord' 'Woorden', zijn hersenen raakten in paniek.

'Wanneer Sam heeft gewonnen...'

Well done, *mijn held. Had ver moeten zoeken naar deze glimlach...*

*

Het was bijna elf uur, hadden hun dekens om zich heen geslagen, waakten rond het gloeiend hout 'als cowboys' en probeerden de slaapliedjes van de nacht thuis te brengen. Wat was dit voor een kreet? Dit krassen? Dit krabben? Welke vogel? Welk beestje? En wat betekende dat geschreeuw in de verte?

'Moed houden, kameraden! Over een paar uur hoeven we die stomme tweevoetigen niet meer te vermaken!'

En toen klonk een bevende stem, die van Léo misschien: 'Weten jullie wat... Het is het uur om elkaar griezelverhalen te vertellen...'

Een paar schrille kreten moedigden hem aan. Begon dus aan een gore geschiedenis vol ingewanden en hemoglobine, met wrede marsmannetjes en genetisch gemanipuleerde hommels. Nou ja... Daar zouden ze niet van wakker liggen...

Kate legde de lat heel hoog: 'Heliogabalus? Zegt dat jullie iets?'

Alleen het vuur knapperde.

'Onder de Romeinse keizers waren er heel wat idioten, maar hij spande geloof ik de kroon... Goed, hij heeft al op z'n veertiende de macht gegrepen door op een door naakte vrouwen getrokken zegekar Rome binnen te rijden... Een sterk begin... Hij was gek. Te gek om los te lopen. Men zegt dat hij al zijn eten met fijngemalen edelstenen bestrooide, dat hij parels in zijn rijst deed, dat hij graag rare en wrede dingen at, dat hij weg was van een ragout met nachtegalentongetjes, papegaai en van levende dieren afgerukte hanenkammen, dat hij zijn wilde circusdieren ganzenlever gaf, dat hij op een dag zeshonderd struisvogels had laten slachten om hun nog lauwe hersenen op te kunnen eten, dat hij gek was op vulva's van ik weet niet meer welk vrouwtjesdier, dat... Goed, ik stop. Dit zijn nog maar de amuses.'

Zelfs de vlammen minderden.

'Hier komt de anekdote die Léo graag wil horen: Heliogabalus stond bekend om de orgiastische banketten die hij gaf... Het moest elke keer beter. Dat wil zeggen erger. Hij had steeds meer slachtpartijen nodig, terreur, verkrach-

tingen, losbandigheid, vreten, alcohol... Kortom, meer van alles. Het probleem was dat hij nogal snel verveeld raakte... Dus vroeg hij op een dag aan een beeldhouwer een holle stier van metaal te maken met alleen een deurtje aan de zijkant en een gat ter hoogte van de mond om de geluiden te kunnen horen die eruit zouden komen... Bij het begin van zijn nice parties *ging het deurtje open en werd er een slaaf in opgesloten. Wanneer hij zich een beetje begon te vervelen werd een andere slaaf gevraagd een vuur onder de stier aan te steken en dan kwamen alle genodigden met een glimlach dichterbij. Ja hoor. Dat was me een lol want de stier, nou... die ging brullen.'*

Slik.

Doodstil.

'Is het een waar verhaal?' vroeg Yacine.

'Absoluut.'

Draaide zich, terwijl de kinderen de rillingen over de rug liepen, naar Charles en fluisterde: 'Ik ga het hun natuurlijk niet vertellen, maar ik zie daarin een metafoor voor de mensheid...'

Mijn god... Ze had wel heel erg de blues... Hij moest iets doen...

'Ja maar...' hernam hij, luid genoeg om hun walging te overstemmen, 'die vent is een paar jaar later doodgegaan, op z'n achttiende geloof ik, op de plee, en is gestikt in de spons die diende om z'n reet af te vegen.'

'Is het echt?' vroeg Kate verbaasd.

'Absoluut.'

'Hoe weet u het?'

'Montaigne heeft het me gezegd.'

Trok aan haar deken en kneep haar ogen dicht: 'U bent briljant...'

'Absoluut.'

Bleef het niet lang. Voor zijn eigen verhaal, ofwel hoe er altijd botten werden gevonden als je iets wilde bouwen en je dat aan niemand mocht vertellen, anders zou het onderzoek het stortklare beton verpesten en veel geld verloren gaan, liep niemand warm.

Een flop...

Samuel herinnerde zich het enige lesuur Frans dat hij niet had geslapen: 'Het is het verhaal van een jonge vent, een boer, die weigert zich als een stuk vlees te laten rekruteren voor de legers van Napoleon... Ze noemden het bloedbelasting... Dat duurde vijf jaar, je was er zeker van als een hond te creperen, maar als je geld had, kon je iemand betalen om in jouw plaats te gaan creperen...

Hij heeft geen cent, dus deserteert hij.

De prefect laat zijn vader komen, hij breekt hem en vernedert hem, maar de arme kerel weet echt *niet waar zijn zoon is... Korte tijd later vindt hij hem in het bos, omgekomen van de honger, met nog het sprietje tussen zijn tanden dat hij geprobeerd had te eten. Dan neemt de oude zijn jongen op z'n schouders en draagt hem zonder tegen iemand iets te zeggen drie mijl naar de prefectuur...*

Die klootzak van een prefect was op een bal. Wanneer hij klokslag twee uur 's ochtends thuiskomt, treft hij de arme boer voor z'n deur en die zegt hem: "U wilde hem, meneer de prefect, nou, hier is ie." Vervolgens zet hij het lijk tegen de muur en verdwijnt.'

Dat was al sappiger... Wist het niet helemaal zeker, maar dacht dat het iets van die Balzac weet je wel was...

De meisjes hadden geen verhalen en Clapton hield er liever de stemming in... Gling, gling. Liet lekker macabere staccato's horen...

Yacine moest: 'Goed, ik zeg het jullie maar vast, het wordt iets korts...'

'Gaat het weer over het afslachten van de slakken?' was men ongerust.

'Nee, het gaat over de heren van Franche Comté en de Haute Alsace... De graven van Montjoie en de heren van Méchez, als jullie dat liever willen...'

Gemor bij de koejongens. Als het intellectueel moest wezen, nee, bedankt.

De arme verteller, in z'n enthousiasme gestuit, wist niet meer of hij door moest gaan.

'Kom op,' siste Hattie, 'geef ons nog wat ridderslag en zoutbelasting. We zijn er dol op.'

'Nee, het gaat niet over zoutbelasting, ik wilde het hebben over wat ze "het recht op luieren" noemden...'

'Ha jaaaa... Om hangmatten tussen de kantelen te hangen...?'

'Helemaal niet,' zei hij teleurgesteld, 'wat zijn jullie stom... Op barre winteravonden hadden deze heren, ik open de aanhalingstekens, "het recht om twee van hun lijfeigenen te laten openrijten om hun voeten in de dampende ingewanden te warmen", op grond van, ik zei het jullie net, dit fameuze recht op luieren. Ziezo. Dat is alles.'

Voor een keer allerminst een flop. 'Getvers' en 'Nee tochs?', 'Weet je 't zekers?' en 'Walgel...' warmden net zo doeltreffend zijn hart...

'Goed, kom,' verklaarde Kate, 'beter krijgen we vanavond niet meer... Time to go to bed...*'*

Ze waren al begonnen met de ritssluitingen te worstelen toen een iel protestje hen allemaal versteld deed staan: 'Ik heb ook een verhaal...'

Nee, deed niet iedereen versteld, maar versteend staan.

Sam, altijd een klasse apart, schertste om het moment minder zwaar te maken: 'Weet je zeker dat het gruwelijk is, jouw verhaal, Nedra?'

Ze knikte.

'Want anders,' vulde hij aan, 'zou je voor één keer beter je mond kunnen houden...'

Het gelach dat volgde, moedigde haar aan door te gaan.

Charles keek naar Kate.

Hoe had ze het de vorige avond genoemd? Numb.

She was numb.

Numb en helemaal vol argwanende kuiltjes.

'Het is het verhaal van een regerw...'

'Hè?'

'Wat?'

'Harder praten, Nedra!'

Het vuur, de honden, de roofvogels, zelfs de wind hingen aan haar lippen.

Schraapte haar keel: 'Een, hum... Een regenworm...'

Kate was op haar knieën gaan zitten.

'Dus eh... Op een ochtend gaat hij naar buiten en hij ziet een andere regenworm. Hij zegt tegen hem: Mooi weer, hè? Maar de ander reageert niet. Hij herhaalt: Mooi weer, hè? Nog steeds geen reactie...'

Het was lastig, want ze ging steeds zachter praten en niemand durfde haar in de rede te vallen...

'Woon je in de buurt? vervolgde hij en kronkelde ongemakkelijk, maar de ander bleef maar zwijgen, de regenworm ging toen geïrriteerd terug naar zijn gat met de woorden: O, verdomme, ik heb weer teemenstaar.'

'Wat?' protesteerde het gefrustreerde gezelschap. 'Duidelijk spreken, Nedra! We hebben er niets van begrepen! Wat heeft hij gezegd?'

Hief het hoofd weer, liet een verlegen pruilmondje zien, haalde haar haarlok uit haar mond waarop ze onder het spreken aan het kauwen was en herhaalde dapper: 'O, verdomme! Ik heb weer tegen mijn staart gepraat...'

Het was heel aandoenlijk, want de anderen wisten niet of ze moesten glimlachen of net doen of ze ontsteld waren.

Charles applaudisseerde heel zacht om deze stilte te verbreken. Iedereen volgde hem na, maar zo hard dat de vingers zowat braken. Meteen schrokken de honden op uit hun slaap en begonnen te blaffen, meteen ging Ramon balken, meteen eisten alle ezels van het kampement dat hij ophield. Gevloek, ge-

tier, meer gekef, zweepslagen, uit alle hoeken klonken plaatstaalgeluiden en heel de nacht vierde de hoffelijkheid van een pier.

Kate was te ontroerd om aan deze opschudding mee te doen.

Veel later zou Charles een oogje openhouden om zich ervan te vergewissen dat de coyotes niet voor de deur stonden, zou haar gezicht aan de andere kant van de as zoeken, proberen haar oogleden te onderscheiden, ze vaneen zien gaan om hem op hun beurt te bedanken.

Misschien had hij het wel gedroomd... Deed er weinig toe, zakte diep terug in zijn Himalaya-veren en glimlachte van geluk.

Had beslist ooit gemeend dat hij geweldige dingen zou bouwen en in zijn kring zou worden geëerd, maar de enige gebouwen die in zijn leven echt zouden tellen, daar moest hij zich bij neerleggen, waren poppenhuizen...

*

Om een tot de dag van vandaag onverklaarbare reden weigerde Ramon de laatste wed vlak voor de finish over te steken. Waarin hij toch al tien keer had gepoedeld...

Wat was er gebeurd? Niemand weet het. Misschien dat er kroos op drift was geraakt of dat een grappige kikvors een lange neus naar hem had getrokken... Hoe dan ook, op een paar meter van de titel bleef hij staan en wachtte tot de anderen voorbij waren eer hij zich verwaardigde hen te volgen.

God weet hoe hij was opgetut... De meisjes hadden hem de hele ochtend geborsteld, gekamd, laten blinken en verwend. 'Het is nu wel goed...' had Samuel gemopperd, ' hij is toch geen Polly Pocket...'

Het spandoek was niet tevoorschijn gehaald, er waren geen foto's gemaakt, ze hadden geen zonnebril opgezet om iedere lastige weerspiegeling te vermijden, ze hadden hem voorzichtig aangemoedigd en de billen gespannen tot het pijn deed, maar vergeefs... Had er de voorkeur aan gegeven zijn baasje een lesje te leren... Goed je best doen op school, dat was belangrijk, niet om met karretjes te spelen tussen twee klotehindernissen...

Zijn baasje die voor de gelegenheid het rokkostuum van zijn overgrootvader droeg en de enige van alle deelnemers was die zonder zweep leidde.

Dus eigenlijk de sterkste...

Het enige wat hij wist te zeggen toen ze zich allemaal, de een nog teleurgestelder dan de ander, tegen zijn ziekbed drukten, was: 'Ik vermoedde het al. Hij is zo emotioneel... Nietwaar, schatje? Kom op, wegwezen...'

'En je prijs dan?' tobde Yacine.

'Ach... Kate... Ga jij die ophalen?'

'Goed.'

'Thanks for the great support. I appreciate.'

'You are welcome, darling.'

'And it was a fantastic evening, right?'

'Yes, really fantastic. Today I feel like we're all champions, you know...'

'We sure are.'
'Wat zeggen ze?' vroeg Yacine.
'Dat we kampioenen zijn,' antwoordde Alice.
'Kampioen van wat?'
'Nou, van ezels, natuurlijk!'

Charles stelde voor met hem mee te rijden. Dat was aardig, maar hij woog te veel... En hij had zin om even alleen te zijn...

Hij was gek op dat joch. Zou als hij een jongen had gekregen precies hetzelfde model hebben gekozen...

De tekening die nu volgt is de enige die niet is voltooid.

En langs heel de vouw zitten haren...

Toen hij zijn boekje in zijn aktetas zou stoppen nadat hij alles had ingepakt, was zijn eerste reflex ze weg te blazen en dan toch maar niet, zal ze er voor altijd in laten zitten.

Als boekenlegger.

Op de bladzij die hij had omgeslagen.

Had de ochtend en heel de vorige dag met Yacine doorgebracht, bezeten door het bouwen van een Patator. Hij had een tweede keer naar Dinges Doe-het-zelf gemoeten (no comment) *omdat een pvc-buis niet meer voldeed. Er moest er nu een van metaal komen.*

Voor de chemische Patator... Die een stuk aardappel tot Saturnus kon schieten als de reactie cola-Mentos maar goed verliep (met de reactie zuiveringszout-azijn kwam je niet verder dan de maan, dat was lang niet zo leuk...).

God weet hoe ze in dat geval opgingen... Ze hadden heimelijk aardappelen van René moeten jatten, Kate haar superazijn uit Modena terug moeten geven, en ook nog op hun sodemieter gekregen, terwijl het ding geen snars waard was, op stel en sprong naar de bakker terug gemoeten omdat die stomme meiden alle Mentos hadden opgevreten, moeten voorkomen dat Sam de cola opdronk, Freaky moeten vragen het ventiel waarop hij zat te kauwen uit te spugen, een heleboel tests moeten doen, weer naar de kruidenierszaak gemoeten om een blikje te kopen, want de grote flessen leverden niet genoeg koolzuur op, iedereen moeten wegsturen, naar de rivier moeten hollen om de handen af te spoelen, want die waren te plakkerig om de dop vast te draaien, een vierde keer naar de kruidenierster gemoeten die haar bedenkingen begon te krijgen (hoewel... ze maakte zich al heel lang geen illusies meer over de mentale gezondheid in dat huis...) omdat het met cola light beter zou werken dan met normale cola en...

'Weet je, ik geloof dat het simpeler is met Sergei Pavlovitch een mall in Rusland te bouwen, mijn kleine Yacine...' zuchtte Charles uiteindelijk.

Nu keren ze bedremmeld naar huis terug. Hadden tien kilo friet kunnen bakken met alles wat ze net hadden verpest en moesten nog iets op internet nakijken.

Kate was op de binnenplaats Sams haar aan het knippen.

'Yacine, hierna is het jouw beurt...'

'Maar... We zijn nog niet klaar met onze Patator...'

'Daarom juist,' zei ze en kwam overeind, 'zonder deze haardos kun je helderder denken... En laat Charles een beetje met rust...'

Hij had geglimlacht. Durfde het niet te zeggen maar begon twee grote aardappels onder zijn adamsappel te krijgen... Was zijn boekje gaan halen, een tweede stoel, en ging naast hen zitten om hen te tekenen.

Yacine werd helemaal geplukt, de meiden werden bijgeknipt, korter of opgeknipt volgens de stemming en de laatste trend op Les Vesperies, en lokken in alle lengtes en tinten vielen in het stof.

'U kunt echt alles,' was hij verwonderd.

'Bijna alles...'

Toen Nedra weer opstond, schudde de kapster haar grote vaatdoek-kapmantel uit en draaide zich naar de man die hen aan het tekenen was: 'En u?'

'Ik wat?' antwoordde hij zonder op te kijken.

'Wilt u niet dat ik uw haar ook knip?'

Gevoelig onderwerp. Zijn punt brak af.

'Weet u, Charles,' ging ze verder, 'ik heb weinig principes of theorieën over deze wereld... Ja, u weet het... u heeft gezien hoe wij leven... En wat de mannen betreft nog minder helaas... Maar één ding weet ik absoluut zeker...'

Klikte als een bezetene op zijn Rotring.

'Hoe minder haren een man heeft, hoe minder hij er hebben moet...'

'Par... pardon?' verslikte hij zich.

'Scheer alles eraf!' lachte ze. 'Verlos uzelf voorgoed van dit probleem!'

'Denkt u?'

'Ik weet het zeker.'

'En eh... U weet wel, dat verhaal over mannelijkheid... Als Delila Simson scheert, verliest hij al zijn kracht, en de scalpen en...'

'Come on, Charlie! *Je wordt er duizend keer sexyer door!*'

'Goed... Als u het zegt...'

Wat een ramp... Twintig jaar lang had hij op deze zielige haardos gepast *als een kloek en deze meid ging in twee minuten alles ruïneren...*

Liep naar het schavot en hoorde deze woorden, als door een chirurg uitgesproken: 'Sam, tondeuse.'

Help.

'Kate, laat me de stoel in de richting van het beeld van de faun draaien... Dan kan ik als troost zijn mooie krullen tekenen...'

Haar medewerker kwam terug met het folterkoffertje en de kinderen hadden lol toen de verschillende maten mesjes tevoorschijn kwamen: 'Welke lengte moet je hebben? Vijf millimeter?'

'Nee, dat is veel te lang. Geef maar twee...'

'Ben je gek, dan gaat-ie eruitzien als een skin! Doe maar drie, Kate...'

De veroordeelde gaf geen krimp, maar had geen moeite de spottend-vriendelijke glimlach van de sater, die hem het hoofd bood, weer te geven.

Tekende daarna de lijn van zijn nek, ging tot het korstmos van zijn... Deed zijn ogen dicht.

Voelde haar buik tegen zijn schouderbladen, drukte zich er zo onopvallend mogelijk tegenaan, deed zijn kin omlaag terwijl haar handen langs hem gingen, hem betastten, hem aanraakten, hem streelden, hem borstelden, hem gladstreken, hem masseerden. Raakte zo in de war dat hij zijn boekje hoger op zijn dijen trok en zijn ogen dicht bleef houden zonder zich nog te storen aan het geluid van het apparaat.

Had gewild dat zijn schedel nooit ophield en was bereid alle mannelijkheid van de wereld te verliezen als deze heerlijke kramp maar eeuwig mocht duren.

Ze legde haar tondeuse weg en pakte haar schaar weer om hem mooi af te werken. En terwijl ze zo voor hem stond, zich op de lengte van zijn bakkebaarden concentrerend, en ze zich vooroverboog waarbij ze hem haar warmte, haar geur, haar parfum bood, stak hij zijn hand naar haar heup uit...

'Heb ik u pijn gedaan?' zei ze ongerust en ging een stap achteruit.

Deed zijn ogen weer open, begreep dat zijn publiek er nog steeds stond, de kleintjes in elk geval, die op zijn reactie wachtten als hij zichzelf terug zou zien, en besloot dat nu de tijd was gekomen voor een laatste aanval eer hij de aftocht zou blazen: 'Kate?'

'Ik ben bijna klaar, maakt u zich geen zorgen...'

'Nee. Hou er nooit mee op. Sorry, dat wilde ik niet zeggen... Ik heb over iets nagedacht, weet u...'

Ze stond weer achter hem en schoor zijn nek met een scheermes.

'Zegt u het maar...'

'Eh... Kunt u misschien twee minuten ophouden?'

'Bent u bang dat ik uw keel opensnijd?'

'Ja.'

'O god... Wat hebt u me te zeggen?'

'Tja... Na de vakantieperiode woon ik alleen met Mathilde en ik dacht bij mezelf dat...'

'Dat wat?'

'Als Sam zich echt zo ongelukkig voelt in het internaat, kan ik hem meenemen...'

Het mes hield op.

'Weet u,' vervolgde hij, 'ik heb het geluk in een wijk te wonen vol uitstekende middelbare scholen en...'

'Hoezo na de vakantieperiode?'

'Omdat dat het... Dat is het slot van het verhaal dat in de fles Port Ellen zit...'

Het mes begon weer op te warmen.

'Maar u... Heeft u plaats voor hem?'

'Een alleraardigste kamer met parket, sierlijsten en zelfs een open haard...'

'Zo?'

'Ja...'

'Heeft u het er met hem over gehad?'

'Natuurlijk.'

'En wat vindt hij ervan?'

'Hij vindt het een goed idee, maar hij is bang u alleen te laten... Dat begrijp ik trouwens... Toch zult u hem zi...'

'In de vakanties?'

'Nee, ik... ik dacht u hem ieder weekend terug te brengen...'

Bleef weer onbeweeglijk staan.

'Sorry?'

'Ik zou hem op vrijdagmiddag na het laatste lesuur op kunnen halen, de trein met hem nemen en een autootje kopen dat ik zou laten staan op het station van...'

'Maar,' onderbrak ze hem, 'en uw leven dan?'

'Mijn leven, mijn leven', hij wendde ergernis voor, 'jammer dan voor mijn leven! U heeft niet het monopolie op opofferingsgezindheid, weet u! En bovendien, voor die adoptiegeschiedenis met Nedra, ik wil u niet kwetsen, maar

het zou voor u een stuk gemakkelijker zijn als u op een soort... mannelijke aanwezigheid, zelfs nep, naast u, kunt wijzen... Ik vrees dat deze mensen van de overheid nog heel ouderwets zijn... om niet te zeggen vrouwvijandig...'

'Denkt u?' zei ze en wendde spijt voor.

'Helaas...'

'En u zou dat voor haar doen?'

'Voor haar. Voor hem. Voor mij...'

'Voor u, hoezo?'

'Nou ja... Om mijn ziel te redden, neem ik aan... Om er zeker van te zijn met jullie naar de hemel te gaan.'

Kate hervatte zwijgend haar werk, intussen hield Charles zijn hoofd steeds lager in afwachting van het vonnis.

Hij zag het niet, maar de glimlach van de beul stond op het scheermes.

'U...' fluisterde ze ten slotte, 'u zegt niet veel, maar wanneer u eraan begint, is het...'

'Betreurenswaardig?'

'Nee. Dat zou ik niet zeggen...'

'Wat zou u zeggen?'

Veegde met de punt van de vaatdoek zijn nek schoon, blies zachtjes en heel langdurig in de tussenruimte van zijn boord, bezorgde hem rillingen over de hele lengte van zijn ruggengraat en volop haren in zijn boekje, ging daarna overeind staan en sprak de woorden: 'Ga die verdomde fles halen... Ik zie u voor het hondenhok.'

Charles verdween, uit het veld geslagen, en zij ging naar boven, naar de kamer van Alice.

Mathilde en Sam waren daar ook.

'Luister... Ik neem Charles mee voor een beetje botanie. Ik vertrouw jullie het huis toe.'

'Hoe lang blijven jullie weg?'

'Tot we het vinden.'

'Tot jullie wat vinden?'

Was al de trap afgestormd om een overlevingsmand klaar te maken.

En terwijl zij zich zo opwond, zich niet meer herinnerde waar de keuken was, deuren en laden opende, zich omdraaide, ze weer dichtsloeg, was Charles verbijsterd.

Hij was het, zeker, maar herkende zichzelf niet.

Hij leek ouder, jonger, mannelijker, vrouwelijker, zachter misschien, en toch had hij zich onder haar handpalm zo ruw gevoeld... Schudde zijn hoofd zonder zich druk te maken over hoe z'n lokken zouden vallen, hield zijn hand voor zijn gezicht om weer een vertrouwde maatstaf te hebben, raakte zijn slapen aan, zijn oogleden, zijn lippen, en probeerde te glimlachen om zichzelf makkelijker te kunnen adopteren.

Liet de fles in een van de zakken van zijn colbert glijden (zoals Bogart in Sabrina*) (maar dan zonder diens haar...), en zijn boekje in de andere.*

Nam haar de mand uit handen, legde er de achttienjarige in en volgde haar wijsvinger: 'Ziet u het piepkleine grijze stipje daar beneden?' vroeg ze.

'Misschien wel...'

'Dat is een hutje... Een huisje waar de mensen die op de akkers zwoegden konden uitrusten... Nou, daar breng ik u heen...'

Hoedde zich haar te vragen waarvoor.

Maar zij kon het niet nalaten te verduidelijken: 'De ideale plaats om een adoptiedossier te maken, als u mijn mening wilt weten...'

Dit is de laatste tekening.

En het is haar nek...

Het plekje van haar dat Anouk zo tersluiks had aangeraakt en dat hij zojuist urenlang had gestreeld.

Het was heel vroeg, zij sliep nog, lag op haar buik, en vanuit het minuscule kijkgat onthulde een lichtstraal hem wat hij tot zijn spijt in het donker niet had kunnen onderscheiden.

Was nog mooier dan zijn hand hem had gesuggereerd...

Trok de deken op tot haar schouders en pakte zijn boekje. Spreidde voorzichtig haar haren, verbood zichzelf dit moois nog eens te kussen uit angst haar te wekken en tekende de hoogste top ter wereld.

De mand was omgevallen en de fles leeg. Had haar tussen twee omhelzingen verteld hoe hij bij haar was beland. Vanaf de potjes knikkeren tot Mistinguett, opgehouden tussen het asfalt en het beetje van hem dat die ochtend nog leefde...

Sprak met haar over Anouk, over zijn familie, over Laurence, over zijn vak, over Alexis, over Nounou, bekende haar dat hij vanaf de eerste minuut van haar had gehouden, rond dat grote vuur, en had zijn broek nooit naar de stomerij gebracht om onder in zijn zakken de houtsnippers te bewaren die ze hem bij de begroeting in de handpalm had gestopt.

Niet alleen van haar trouwens... Ook van haar kinderen... Háár kinderen en niet die kinderen, want al weigerde ze het toe te geven en al waren ze nog zo verschillend, ze waren allemaal haar evenbeeld... Absoluut en wonderbaarlijk sparky.

Had aanvankelijk gedacht dat hij te veel onder de indruk zou zijn, of te ontroerd, om de liefde met haar te bedrijven zoals hij haar in zijn dromen neukte, maar daar waren haar strelingen, haar bekentenissen, haar woorden... De zegeningen van de fles en hun tonen van honing en citrusfruit, van hen allebei...

Zijn leven, zijn verhaal, had zich zonder terughoudendheid blootgegeven en had haar dienovereenkomstig bemind. Oprecht, chronologisch. Eerst als een onhandige tiener, daarna als een serieuze student, daarna als een ambitieuze jonge architect, daarna als een vindingrijk ingenieur, ten slotte, en dat was het lekkerste, als een man van zevenenveertig, uitgerust, kaalgeschoren, gelukkig, aangekomen bij een ver doel dat hij nooit voor ogen had gehad, nog minder op had gehoopt, en waarin hij geen andere vlag plantte dan de duizenden kussen die, op een rij, de nauwkeurigste bakvorm zouden opleveren.

Haar lichaam. Om te verkruimelen. Om te knabbelen. Om op te vreten. Aan haar de keus...

Voelde haar hand de zijne zoeken, klapte zijn boekje dicht en vergewiste zich ervan dat hij geen fouten gemaakt had met het perspectief...

'Kate?'

Hij had net de deur opengedaan.

'Ja?'

'Ze zijn allemaal hier...'

'Wie?'

'Je honden...'

'Bloody Hell...'

'De lama ook.'

'Ooooo...' kreunden de dekens.

'Charles?' hernam ze achter hem.

Hij zat in het gras. Beet in een perzik met de kleur van de hemel.

'Ja?'

'Het zal altijd zo blijven, weet je...'

'Nee. Het wordt beter.'

'We zullen nooit rust...'

Kon haar zin niet afmaken. Beet in een mond met een perziksmaak.

12

'En...? Heb je een klavertjevier gevonden?'

'Waarom vraag je me dat?'

'Zomaar,' lachte Mathilde.

Ze lag op de vensterbank.

'Kennelijk vertrekken we morgen weer...'

'Ik moet terug, maar jij kunt nog een paar dagen blijven als je wilt... Kate brengt je wel naar het station...'

'Nee. Ik ga met jou mee.'

'En je... Ben je niet van gedachte veranderd?'

'Waarover?'

'Over de regels voor voogdij en huisvesting...'

'Nee. We zien wel... Ik pas me aan... Ik denk dat mijn vader aan het kortste eind zal trekken, maar goed... ik weet niet eens of hij het wel merkt... Wat mama betreft... dat zal ons goed doen...'

Charles liet zijn papieren twee minuten liggen en wendde zich tot haar: 'Ik weet nooit wanneer je serieus bent of wanneer je stoer doet... Ik heb het idee dat je momenteel veel te verduren krijgt en ik vind je vrolijkheid een beetje verdacht...'

'Wat moet ik dan?'

'Ik weet het niet... Ons verwijten maken...'

'Maar ik maak jullie verschrikkelijke verwijten, dat garandeer ik je! Ik vind jullie waardeloos, egoïstisch, teleurstellend. Volwassenen dus... Bovendien ben ik hyperjaloers... Nu heb je volop andere kinderen dan ik en je zult voortdurend naar het platteland verdwijnen... Alleen zijn er in het leven dingen die je niet kunt downloaden, hè?'

'En dat Sam met ons meegaat, vind je dat vervelend?'

'Nee. Hij is cool... En ik ben heel benieuwd wat die figuur op de binnenplaats van school gaat doen...'

'En als het tegenvalt?'

'Nou, dan kun je je haren uit je hoofd trekken...'

Hi hi hi.

Het hele huishouden liep met hen mee tot de stempelmachines en Kate hoefde hem niet te ontvluchten bij het afscheid: hij zou de volgende week terugkomen om zijn jonge kostganger op te halen.

Joeg de kinderen weg door hun muntjes voor de snoepautomaat te geven, pakte zijn lief bij haar nek om haar te ku...

Van alle kanten klonken 'Ooooooooooo's', deed zijn mond dicht om hen tot zwijgen te brengen, maar Kate maakte die weer open en toonde haar ring aan degenen die hem misschien vergeten waren.

'Waardeloos,' spotte Yacine, 'volgens het *Book of Records* zijn er Amerikanen die elkaar dertig uur en negenenvijftig minuten non-stop hebben gekust.'

'Rustig, meneer Aardappel. We gaan oefenen...'

13

Charles baarde opzien met zijn kale kop. Was bruin, dikker geworden, steviger, stond vroeg op, werkte moeiteloos, stelde aan Marc voor hem in dienst te nemen, regelde de inschrijving van Samuel, kocht bedden, bureaus, liet de twee slaapkamers aan de kinderen en installeerde zich in de woonkamer.

Sliep op een 90 breed en verweet zichzelf zo veel plaats te hebben.

Had een lang gesprek met de moeder van Mathilde, ze wenste hem veel sterkte en vroeg hem wanneer hij zijn boeken zou komen halen.

'En? Het schijnt dat je je op de intensieve veeteelt stort?'

Kon geen antwoord verzinnen. Hing op.

Steeg op naar Kopenhagen en kwam terug via Lissabon. Begon een nieuwe carrière uit te stippelen als adviseur en consultant in plaats van wedstrijden, procedures en verantwoordelijkheden. Ging door met haar dagelijks geïllustreerde brieven te schrijven en leerde haar de telefoon te beantwoorden.

Die avond nam Hattie op: 'Met Charles, gaat het?'

'Nee.'

Het was de eerste keer dat hij dit gekkie hoorde klagen.

'Wat is er?'

'Grote Hond is aan het sterven...'

'Is Kate er?'

'Nee.'

'Waar is ze?'

'Weet ik niet.'

Zegde zijn afspraken af, leende de auto van Marc en trof haar, midden in de nacht, in elkaar gedoken voor haar ovens.

De ander reutelde alleen.

Kwam achter haar en omhelsde haar. Zij raakte zijn handen aan zonder zich om te keren: 'Sam gaat weg, jij zult er nooit zijn en hij laat me ook in de steek...'

'Ik ben er. Ik ben het, achter je.'
'Weet ik, sorry...'
'...'
'We moeten morgen met hem naar de dierenarts...'
'Ik ga wel.'
Hield haar die nacht zo stevig in zijn armen dat hij haar pijn deed. Dat was met opzet. Ze wilde niet, zei ze, huilen om een hond.

Charles keek hoe de spuit zich leegde en dacht aan Anouk, voelde de droge snuit doodgaan in de holte van zijn handpalm en liet Samuel hem naar de auto dragen.
Samuel huilde als een baby en vertelde hem nog eens over de dag dat hij Alice van de verdrinkingsdood had gered... En de dag dat hij alle *confit de canard* had opgevreten... En de dag dat hij alle eenden had opgevreten... En alle nachten dat hij over hen had gewaakt en voor de deur had geslapen wanneer zij in de woonkamer kampeerden om hen tegen de tocht te beschermen...
'Dit wordt moeilijk voor Kate,' fluisterde hij.
'We vangen haar wel op...'
Stilte.
Net als Mathilde maakte deze jongen zich weinig illusies over de wereld van de volwassenen...
Als hij niet zo verdrietig was geweest, had Charles het hem gezegd. Dat hij als natuurlijk persoon en als rechtspersoon onderworpen was aan het juk van tien jaar lang verantwoordelijkheid. Zou het hem natuurlijk met een lach hebben gezegd en eraan hebben toegevoegd dat hij bereid was elke tien jaar hun brug te metselen om te voorkomen dat ze te ver van hem zouden afdrijven.
Maar Sam draaide zich onophoudelijk om, hij wilde weten of de grote Totem van zijn jeugd gemakkelijk op de achterbank lag, daarna snoot hij in het overhemd van een vader die hij nauwelijks had gekend.
Dus zweeg uit fatsoen.

Ze groeven samen het gat terwijl de meisjes gedichten voor hem schreven.
Kate had de plek uitgekozen.
'Laten we hem op de heuvel begraven, dan zal hij ons blijven... sorry,' huilde zij, 'sorry...'

Alle kinderen van de zomer waren er. Allemaal. En René ook, die had voor de gelegenheid een colbert aangetrokken.

Alice las een heel ontroerend tekstje voor dat er ongeveer op neerkwam: je hebt ons het flink lastig gemaakt, maar weet je, we zullen je nooit vergeten... Daarna was het de beurt aan...

Draaiden zich om. Alexis en zijn kinderen klauterden naar hen toe.

Alexis. Zijn kinderen. En zijn trompet.

...de beurt aan Harriet. Die het eind van haar toespraakje niet haalde. Vouwde het dicht en spuugde tussen twee snikken: Ik haat de dood.

De kinderen gooiden suikerklontjes in het gat voor Samuel en Charles het dichtgooiden en terwijl zij allebei op hun schoppen steunden speelde Alexis Le Men.

Charles, die tot nu toe hun emotie had gerespecteerd en begrepen zonder die te delen, hield op met zijn werk als grafdelver.

Bracht zijn hand naar zijn gezicht.

Druppels... zweet verstoorden zijn zicht.

Had niet gedacht dat Alexis zo kon rouwen.

Wat een concert...

Alleen voor hen...

Op een avond aan het eind van de zomer...

Onder de laatste zwaluwvluchten...

Op een heuvel die aan de ene kant boven een weelderige streek uitstak en aan de andere kant boven een boerderij die ontsnapt was aan de Terreur...

De muzikant hield zijn ogen dicht en schommelde zachtjes heen en weer, alsof zijn akkoorden hem zijn eigen adem terugstuurden voor ze in de wolken verdwenen.

Het gebaar met de middelvinger. De ballade. De solo van een man die vast niet meer had gespeeld sinds de jaren dat hij lepeltjes boven een vlam verhitte en die een oude hond benutte om te rouwen over alle doden uit zijn leven...

Ja.

Wat een concert...

'Wat was dat?' vroeg Charles hem toen ze allemaal op een rijtje naar beneden liepen.

'Ik weet het niet... *Requiem voor een smeerlap die twee broeken van me naar de maan heeft geholpen...*'

'Wil je zeggen dat...'

'Jazeker! Ik was te schijterig om niet te improviseren!'

Charles peinsde, volgde hem nog een paar meter, klopte toen op zijn schouder: 'Ja?'

'Welkom, Alex, welkom...'

De ander gaf hem een por in zijn zwakke rib.

Kwestie van hem leren niet de violen te laten janken als je er zo'n slecht oor voor had.

'Jullie blijven natuurlijk alle drie voor het avondeten...' zei Kate.

'Bedankt, maar nee. Ik moet...'

Kruiste de blik van zijn oude buurman, trok een zuur gezicht en ging vrolijker verder: 'Ik moet... bellen!'

Charles herkende dat lachje, het was het lachje dat hij had wanneer hij op de superstuiter van Pascal Brounier mikte én die raakte...

Speelde die avond verder voor de rode oogjes. Al het kattenkwaad uit hun jeugd en de duizend-en-één manieren die ze hadden om Nounou te pesten.

'En *La Strada*?' vroeg Charles...

'Een andere keer...'

Ze stonden bij de auto's.

'Wanneer ga je weg?' vroeg Alexis ongerust.

'Morgen heel vroeg.'

'Dan al?'

'Ja, ik ben alleen gekomen vanwege...'

Wilde zeggen vanwege een spoedgeval.

'...de ontdekking van een jong talent...'

'En wanneer kom je terug?'

'Vrijdagavond.'

'Zou je bij me langs kunnen komen? Ik wil je iets laten zien...'

'Oké.'

'Wegwezen!'

'Zo is dat...'

Kate verstond de laatste woorden niet die hij haar in het oor fluisterde.

Wat is dat toch met jou? Wat doe je met mij? Ben je een fee?

Nee. Dat kan niet. Feeën hebben niet zulke lelijke handen...

14

Stond dus weer voor de intercom van Iependreef 8...

God, wat had hij er een hekel aan het beetje tijd dat hij voor Les Vesperies had in dit klotehuis te verspillen...

'Ik kom eraan!' antwoordde Alexis.

Fantastisch. Hoefde niet op parketsloffen te schaatsen en de schaatsster te verdragen.

Lucas sprong hem om de nek.

'Waar gaan we heen?' vroeg Charles.

'Kom mee.'

'Hier is het...'

'Hier is wat?'

Ze stonden alle drie midden op het kerkhof.

En beduidde Alexis omdat die niet reageerde dat hij het begreep: 'Hoor eens, het is perfect. Hier zal ze precies tussen jouw huis en dat van Kate liggen. Wanneer ze rust nodig heeft, zal ze naar jou gaan, en wanneer ze folklore nodig heeft, zal ze daarheen gaan.'

'O, ik weet best waar ze heen gaat...'

Charles, die deze glimlach een beetje verdrietig vond, glimlachte verdrietig terug.

'Geen probleem,' ging hij verder en hief het hoofd, 'ik heb mijn portie folklore gehad...'

Ze zochten naar Lucas, die met de doden verstoppertje aan het spelen was.

'Weet je... Ik was eerlijk de eerste keer dat je me belde... En ik blijf geloven dat...'

Charles gebaarde hem dat het goed was, dat hij zich niet hoefde te verantwoorden, dat...

'En toen zag ik wat zij allemaal voor hun hond deden, toen... ik...'

'Balanda?'

'Ik zou graag willen dat je de reis met mij maakte...'

Zijn vriend stemde in.

*

Later, toen ze langs de weg liepen: 'Vertel me eens... Is het serieus met Kate?'

'Nee, nee. Helemaal niet. Ik ga alleen met haar trouwen en alle kinderen adopteren. En het vee ook, nu ik er toch ben... Ik neem de lama als bruidsmeisje.'

Herkende deze lach.

Na enkele stappen in stilte: 'Vind je niet dat ze op mama lijkt?'

'Nee,' dekte Charles zich in.

'Toch wel... Ik vind van wel. Hetzelfde type. Maar sterker...'

15

Charles haalde hem af van het station en ze gingen rechtstreeks naar de stortplaats.

Droegen allebei een wit overhemd en een licht jasje.

Toen ze aankwamen, waren twee forse figuren al bezig met haar graf.

Keken met de handen op de rug en zonder ook maar één woord te wisselen toe hoe ze de kist naar boven haalden. Alexis huilde, Charles niet. Herinnerde zich wat hij de dag voordien in zijn woordenboek had nagekeken: *Opgraven, ov. ww. Uit de vergetelheid halen, terughalen.*

De mannen met stropdassen van de begrafenisonderneming namen het over. Droegen haar naar de auto en deden hun twee deuren achter hen drieën dicht.

Zaten tegenover elkaar en waren gescheiden door een raar laag tafeltje van grenenhout...

'Als ik het had geweten, had ik speelkaarten meegebracht,' grapte Alexis.

'Lieve help, nee... Ze zou nog in staat zijn geweest vals te spelen!'

Legden bij hobbels in de weg en in de bochten instinctief hun handen op degene die was ingesnoerd en nog eens ingesnoerd om te voorkomen dat ze weggleed. En als ze er eenmaal lagen, hun handen, lieten ze die lang liggen en streelden haar stiekem onder het mom dat ze de nerven in het hout volgden.

Praatten weinig met elkaar en over onbelangrijke onderwerpen. Hun werk, hun problemen met hun rug, hun tanden, het prijsverschil tussen de tandarts in de stad of op het platteland, de auto die Charles moest kopen, de beste garages voor tweedehands auto's, het abonnement voor de parkeerplaats bij het station en die scheur in zijn trappenhuis... Wat de expert erover had gezegd en de modelbrief die Charles hem voor de verzekering zou geven.

Geen van beiden, dat was zonneklaar, had zin andere dingen op te graven dan het lichaam van haar die zoveel van hen had gehouden.

Maar toch riepen ze op een gegeven moment, en het moest hém wel zijn omdat hij altijd voor de sfeer zorgde en het licht dimde, Nounou in herinnering.

Nee. Geen herinnering. Eerder zijn aanwezigheid. De levendigheid, de opgewektheid van dit opgetutte mannetje dat als de school uitging altijd een chocoladebroodje voor hen had: 'Nounou... We zijn die chocoladebroodjes kotsbeu... Kun je de volgende keer niet iets anders voor ons meenemen?'

'En de mythe dan, schatjes? En de mythe?' reageerde hij en borstelde hun kragen af. 'Als ik iets anders voor jullie meeneem, vergeten jullie me op den duur, terwijl ik jullie nu, je zult het merken, kruimels voor jullie hele leven nalaat!'

Ze hadden het gemerkt.

'Op een dag zouden we met de kinderen naar hem toe moeten gaan,' zei Alexis vrolijk.

'Pff...' zuchtte Charles, waarbij hij het 'pff' overdreef (hij was een heel slechte acteur), 'weet jij dan waar hij ligt?'

'Nee... Maar we zouden het kunnen vragen aan...'

'Aan wie?' reageerde hij fatalistisch. 'Aan de Club van Oude Poepertjes?'

'Hoe heette hij ook weer...'

'Gigi Rubirosa.'

'Krijg nou wat, dat is het... En jij herinnert je dat?'

'Niet echt. Sinds jouw brief zocht ik de naam en die schiet me nu net te binnen.'

'En de andere... Zijn echte naam?'

'Die heb ik nooit geweten...'

'Gigi...' fluisterde Alexis dromerig, 'Gigi Rubirosa...'

'Ja, Gigi Rubirosa, de grote vriend van Orlanda Marshall en van Jackie de Mossel...'

'Hoe weet je dat allemaal nog?'

'Ik vergeet niets. Helaas.'

Stilte.

'Nou ja... Niets wat het onthouden waard is...'

Stilte.

'Charles...' fluisterde de vroegere junk.

'Zwijg.'

'Het moet er toch eens een keer uit...'

'Oké, maar niet vandaag hè? Ieder zijn beurt... Jullie zijn echt vreselijk,' wond hij zich zogenaamd op, 'de familie Le Men met jullie eeuwige psychodrama's! Dat gaat nu al veertig jaar door! En hoe zit het met de rust van de levenden??!'

Pakte zijn aktetas op. Zette die na een aarzeling van een halve seconde voor haar neer, haalde zijn dossiers eruit en bewees Anouk, terwijl hij op haar steunde, dat *nee, je ziet dat ik niet veranderd ben, ik ben nog altijd die jonge vreemdeling die* et cetera.

Nounou zou dit liedje geweldig hebben gevonden...

En de gebruiksaanwijzingen, kijk maar, liggen altijd voor het opscheppen... *En het leven scheidt hen die...* la la la... *Heel zachtjes, zonder lawaai te maken...*

Cora Vaucaire, dat was een ander verhaal. Hij had haar goed gekend...

'Wat neurie je daar?'

'Het is maar onzin.'

*

Het was bijna één uur toen ze in het dorp aankwamen. Alexis stelde de kraaien voor hun een lunch aan te bieden bij de kruidenier-bistro.

De *croque-morts* aarzelden. Hadden haast en lieten hun handel niet graag in de zon staan.

'Toe... Iets kleins...' drong hij aan.

'Alleen een *croque-monsieur,*' grinnikte Charles.

'Je bedoelt een *croque-madame,*' verbeterde Alexis hem.

En ze hadden lol als de twee jonge gekken die ze altijd waren gebleven.

Na de laatste slok bier keerden ze terug naar hun touwen.

*

Toen zij weer in de koelte lag, ging Alexis naar het gat toe, verroerde zich niet, boog zijn hoofd en...

'Kunt u even opzij gaan, meneer?' werd hij gestoord.

'Sorry?'

'Tja, we zijn echt aan de late kant... We gaan dus meteen de andere halen, dan kunt u daarna mediteren...'

'Wat voor andere?' schrok hij.

'Tja... De andere...'

Keerde zich om, ontdekte een tweede kist op een driepoot nabij de familie Vanneton-Marchanboeuf, was nog bozig en had ineens de glimlach van zijn maat in de gaten: 'Wat... Wie is dit?'

'Kom op... Doe eens je best... Zie je de boa's en de roze frutsels niet rond de handvatten?'

Alexis stortte in en Charles had veel tijd nodig om hem te troosten over deze verrassing.

'Hoe... hoe heb je dat voor elkaar gekregen?' stotterde hij, terwijl de specialisten hun spullen weer inpakten.

'Ik heb hem gekocht.'

'Wát?'

'Om te beginnen herinnerde ik me zijn naam heel goed. Ik moet zeggen dat ik de laatste maanden veel heb nagedacht... Daarna ben ik zijn neef gaan opzoeken en heb ik hem gekocht.'

'Ik snap het niet.'

'Er valt niets te snappen. We zaten aan een glas, we praatten, de Normandiër was het er niet mee eens, het schokte hem, zei hij, en ik moest erom lachen dat deze mensen die hem toen hij leefde zo hadden gesmaad ineens zo fijngevoelig voor zijn maden waren... dus heb ik me tot hun niveau verlaagd en heb ik mijn chequeboek gepakt.

Het was prachtig, Alex... Het was grandioos. Het was... net een novelle van Guy de Maupassant... De andere idioot probeerde zich in de intense domheid te wikkelen die hij voor waardigheid versleet, maar op een gegeven moment bemoeide zijn vrouw zich ermee en zei: Toe nou, Jeannot... De verwarmingsketel is aan vervanging toe... En wat kan het jou schelen of Maurice hier rust of elders? Hij heeft de sacramenten gehad... Wát? *De sacramenten...* Fantastisch hè? Toen heb ik gevraagd wat een nieuwe verwarmingsketel kostte. Ze noemden me een bedrag en dat heb ik zonder een kik te geven opgeschreven. Ik denk dat ik voor deze prijs heel de Calvados opwarm!'

Alexis genoot ervan.

'Het mooiste komt nog... Ik had alles goed ingevuld, het controlestrookje, de datum, de plaats, maar toen ik wilde ondertekenen weigerde mijn pen: "Weet u... gezien wat het me kost, heb ik minimaal..." Lange stilte... "zes foto's nodig." "Sorry?" "Ik wil zes foto's van Nou... van Maurice," herhaalde ik, "alles of niets."

Je had de opschudding moeten zien die daar toen ontstond... Ze vonden er maar drie! Ze moesten tante Dinges bellen! Die er maar eentje had! Maar misschien dat Bernadette er ook eentje had! De zoon is op stel en sprong naar Bernadette gegaan! En intussen spitten ze alle albums door en ergerden ze zich aan het pergamijn. O... Mooi was dat... Voor één keer bood ik hem eens een voorstelling... Hoe dan ook...'

Haalde een envelop uit zijn zak: 'Hier zijn ze... Je zult zien hoe schattig hij is... Natuurlijk herken je hem het best als baby, en in zijn blootje, op een dierenvacht... Daar, je voelt het, daar is hij helemaal in zijn element!'

Alexis bekeek ze één voor één met een glimlach: 'Wil jij er niet één?'

'Nee... Houd ze maar...'

'Waarom?'

'Het is jouw enige familie...'

'...'

'En ook van Anouk trouwens... Daarom ben ik hem gaan halen...'

'Ik...' begon hij opnieuw en wreef aan zijn neus, 'ik weet niet wat ik moet zeggen, Charles...'

'Zeg dan niets. Ik heb het voor mezelf gedaan.'

Vervolgens dook hij onverwachts naar voren en deed of hij een van zijn veters opnieuw strikte.

Alexis had hem net bij de schouder gepakt, zoals wapenbroeders dat doen en deze omarming vond hij onplezierig.

Het was voor hem, deze afkoop. De rest, hun verstandhouding, was niet meer van deze wereld.

Kreeg van de laatste, omdat die verbaasd was hem naar de lijkauto te zien lopen, te horen: 'Waar ga je heen?'

'Ik ga met hen terug.'

'Maar... En...'

Charles had de moed niet naar het eind van zijn zin te luisteren. Hij had de volgende dag om zeven uur een bijeenkomst op een bouwterrein en de nacht was niet lang genoeg om die behoorlijk voor te bereiden.

Hij nestelde zich tussen de twee kraaien en had, voelde toen het bord *Les Marzeray*, met een rood kruis doorgestreept, aan zijn rechterkant verdween, het enige verdriet van de dag.

Zo dicht in haar buurt te zijn zonder haar te hebben gekust, dat was... grievend.

Gelukkig ontpopten zijn reisgenoten zich als echte gangmakers.

Begonnen hun gelegenheidsgezichten af te leggen, maakten hun stropdas los, gooiden hun colberts uit, lieten zich uiteindelijk helemaal gaan. Vertelden aan hun passagier een heleboel moppen, de ene nog goorder en geiler dan de andere.

Doden die scheten laten, mobieltjes die afgaan, verstopte minnaressen die met de wijwaterkwast tevoorschijn kwamen, de laatste wensen van bepaalde wijlen grapjassen waarom ze zich, sic, ronduit dood hadden gelachen, de reacties van ontspoorde levenden die een heleboel te gekke anekdotes zouden opdissen voor het pensioen en alles wat je nog kunt verzinnen waardoor je sterft van het lachen.

Toen de bron van de anekdotes was opgedroogd, nam een humoristisch programma op de radio het over.

Grof. Kloterig. Tof.

Charles, die een van hun sigaretten had aangenomen, benutte het moment dat hij zijn peuk uit het raam smeet om tegelijk zijn rouwband weg te gooien.

Grinnikte, vroeg Jean-Claude de radio harder te zetten, liet de rouw achter zich en concentreerde zich op de volgende vraag van mevrouw Defraye.

Toeters.

16

De scène speelt half september. Het vorige weekend had hij twee kilo bramen geplukt, vierentwintig schoolboeken gekaft (vierentwintig!) en Kate geholpen de hoeven van de geit af te steken. Claire was met hem meegekomen en had de plaats van *Dad* voor de koperen pannen ingenomen en kletste úren met Yacine.

De vorige dag was ze tot over de oren verliefd geworden op de hoefsmid en merkte dat ze zich wilde omscholen en liever Lady Chatterley als vak wilde.

'Hebben jullie dat bovenlijf onder de leren schort gezien?' bleef ze tot 's avonds smachten. 'Kate? Heb je het gezien?'

'Vergeet het. Hij heeft een hamer in zijn hoofd...'

'Hoe weet je dat? Heb je hem uitgeprobeerd?'

Wachtte tot haar broer in de kamer ernaast was om haar toe te grijnzen, dat ze inderdaad vroeger als aambeeld had gefungeerd...

'Jaaa maar toch,' zuchtte de kwijlster, 'dat bovenlichaam...'

Een paar uur later, en op gelukkige kussens, zou Kate aan Charles vragen of hij de winter ging doorbrengen.

'Ik begrijp niet wat je met je vraag bedoelt...'

'Vergeet die dan maar,' fluisterde ze, ze draaide zich om en gaf hem zijn arm terug om op haar buik te kunnen slapen.

'Kate?'

'Ja?'

'In het Frans is het een dubbelzinnige uitdrukking...'

'...'

'Waar ben je bang voor, liefje? Voor mij? De kou? Of de tijd?'

'Overal voor.'

Streelde haar lang als enige reactie.

Haar haren, haar rug, haar *bottom*.

Verdedigde zich niet meer met woorden.

Er viel niets te zeggen.

Liet haar weer kreunen.
En in slaap vallen.

Nu was hij op zijn kantoor en probeerde de grafische resultaten te doorgronden van de analyse van de bogen die te maken hebben met een ongelijke belasting en...

'Wat is dit voor gedonder?' dook Philippe als een duveltje uit zijn doosje op en overhandigde hem een stapel papieren.

'Ik weet het niet,' antwoordde hij zonder zijn ogen van het scherm af te wenden, 'maar jij gaat het me vertellen...'

'De bevestiging van een inschrijving voor een of andere klotewedstrijd om een klotefeestzaal te bouwen in Verweggistan-de-Kloten! Moet je nog meer weten?'

'Het wordt helemaal niet klote, mijn feestzaal,' antwoordde hij rustig en boog zich over zijn tekentafel.

'Charles... Wat is dit voor waanzin? Ik hoor dat je afgelopen week in Denemarken was, dat je misschien weer voor de oude Siza gaat werken, en nu dit...'

Zijn schietschijf liet zijn schermen verstarren, rolde naar achteren en pakte zijn colbert: 'Heb je tijd voor een kopje koffie?'

'Nee.'

'Maak tijd.'

En vulde aan omdat de ander in de richting van hun keukentje liep: 'Nee, niet hier. Laten we naar beneden gaan. Ik heb je het een en ander te vertellen...'

'Waarover wil je het verder met me hebben?' zuchtte zijn compagnon in het trappenhuis.

'Over onze huwelijkse voorwaarden.'

*

Vijf lege kopjes scheidden hen nu.

Natuurlijk had Charles hem niet verteld hoe spannend het was om een doodsbange geit bij de hoorns vast te houden als haar hoeven worden verzorgd, maar toch voldoende om zijn ploeggenoot te laten inzien op wat voor rare ark hij was gaan varen.

Stilte.

'Maar... Wat... Wat heb je op die schuit te zoeken?'

'Het droge bereiken,' glimlachte Charles.
Stilte.
'Ken je het gezegde over het platteland?'
'Kom maar op...'
'Overdag verveel je je en 's nachts ben je bang.'
Glimlachte nog steeds. Kon zich niet goed voorstellen hoe je je een seconde kon vervelen in dat huis en waarvoor je bang kon zijn, als je het geluk had in de armen van een superheldin te slapen...
Met zulke mooie borsten...
'Zeg je niks?' hernam hij moedeloos. 'Je zit als een idioot te glimlachen...'
'...'
'Je gaat je kapot ergeren.'
'Nee.'
'Natuurlijk wel... Nu zit je op je wolkje omdat je verliefd bent, maar... gvd nog aan toe! We kennen het leven toch zo'n beetje, niet?'
(Philippe was aan zijn derde echtscheiding toe.)
'Nou nee... Ik kende het eigenlijk niet...'
Stilte.
'Hé!' hernam Charles en klopte op zijn schouder. 'Ik ben niet aan het opzeggen, ik vertel je alleen dat ik anders ga werken...'
Stilte.
'En al die ophef vanwege een vrouw die je amper kent, die vijfhonderd kilometer hier vandaan woont, die al vijf toegetakelde kinderen heeft en geitenwollen sokken draagt, zit ik ernaast?'
'Je zou de situatie niet beter kunnen samenvatten...'
Nog langere stilte.

'Zal ik je eens wat zeggen, Balanda...'
(Oei... Dat betuttelende mierenneukerstoontje... Onuitstaanbaar...)
Zijn compagnon, die zich had omgedraaid om de aandacht van een ober te vangen, keerde terug naar zijn gedachtepuntjes en sprak: 'Het is een mooi project.'

En terwijl hij de deur voor hem openhield: 'Zeg... Stink jij niet een beetje naar koeienstront?'

17

Voor het eerst kwam zijn vader hen niet bij het hek verwelkomen.

Charles vond hem in de kelder, helemaal in de war omdat hij niet meer wist wat hij was komen zoeken.

Kuste hem en hielp hem weer naar boven.

Was nog verdrietiger toen hij hem onder het licht van de wandlampen zag. Zijn trekken, zijn huid waren veranderd.

Zijn huid was dikker geworden. Was vergeeld.

En... had zich erg gesneden ter ere van hen...

'De volgende keer dat ik kom, krijg je een elektrisch scheerapparaat van me, papa...'

'Ach, jongen... Houd je centen toch...'

Begeleidde hem naar zijn stoel, ging tegenover hem zitten en keek naar hem tot hij op dit gekerfde gezicht iets bemoedigenders ontdekte.

Henri Balanda, deze prins, voelde dat en deed erg zijn best om zijn enige jongen op andere gedachten te brengen.

Maar terwijl hij met hem de tuinroddels en de jongste grote gebeurtenissen in de keuken besprak, kon die laatste er niet onderuit met zijn gedachten een beetje verder af te dwalen.

Hij zou dus doodgaan, hij ook...

Zou het dan nooit ophouden?

Niet morgen. Met een beetje geluk overmorgen ook niet, maar uiteindelijk...

De woorden van Anouk bleven maar galmen.

Had Mistinguett aan Alexis gegeven en zou alleen dit als herinnering aan haar bewaren: het leven.

Dit voorrecht.

Het gekrijs van zijn moeder haalde hem uit zijn salon-Senecarijen: 'En ik dan? Kom je me geen kus geven? Tellen in dit huis soms alleen de oudjes?'

En aan haar knotje zwengelend: 'Goeie genade... Dat kapsel... Ik zal er nooit aan wennen... Terwijl je zulk mooi haar had... En waarom sta je als een idioot te lachen?'

'Omdat op de wereld niet één DNA-test tegen dergelijke opmerkingen op kan! Zulk mooi haar... Je moet echt mijn moeder zijn om dat soort onzin uit te kramen!'

'Als ik echt je moeder was,' grijnsde ze, 'zou je op jouw leeftijd niet zo ongemanierd zijn, geloof me maar...'

En liet haar aan de hals hangen die achter zijn oren keurig was geschoren.

Het avondmaal was nauwelijks afgelopen of de mafkezen gingen naar boven het eind van hun film bekijken, intussen hielp Charles de een met afruimen, daarna de ander met het sorteren van zijn papieren.

Beloofde hem dat hij volgende week een avond terug zou komen om te helpen zijn aangifte in te vullen.

Beloofde zichzelf, toen hij dit zei, hem elke week van het lopende belastingjaar op te zoeken...

'Wil je een cognacje?'

'Dank je, papa, maar je weet dat ik de weg op moet... Waar zijn trouwens de sleutels van je auto?'

'Op de console...'

'Charles, het is niet verstandig op dit uur te vertrekken...' zuchtte Mado.

'Maak je geen zorgen. Ik heb twee praatmolens in het handschoenenkastje...'

Tussen twee haakjes... Liep naar de gang en riep met een voet op de eerste trede van de trap naar hen dat het tijd werd om te vertrekken.

'Hé! Hebben jullie me gehoord?'

De sleutels... De console...

'Hé?' verbaasde hij zich. 'Wat hebben jullie met de spiegel gedaan?'

'Die hebben we aan je oudste zus gegeven,' antwoordde zijn moeder van onder uit de vaatwasser vandaan. 'Ze was er erg aan gehecht... Een voorschot op haar erfdeel...'

Charles keek naar de afdruk die het loshaken op de muur had achtergelaten.

Daar was het, dacht hij, dacht ik, dat ik bijna een jaar geleden de kluts kwijtraakte.

Op dit blad lag de brief van Alexis op me te wachten...

Het was niet meer de afwezige blik van een door vier lettergrepen verpletterde figuur waarnaar ik keek, maar een grote witte rechthoek die zich op een bijna ongepaste manier aftekende tegen een grijsachtige, vieze achtergrond.

Nooit eerder vond ik mijn spiegelbeeld beter lijken.

'Sam! Mathilde!' brulde ik nog een keer. 'Jullie gaan je gang maar, maar ik vertrek!'

Ik kuste mijn ouders en holde even koortsachtig de treden van hun bordes af als op mijn zestiende, toen ik over de muur klom om naar Alexis Le Men te gaan.

Om me in te laten wijden in de bebop, in de nicotine, in wat er onder in de flessen was overgebleven van de vrouw die die avond nachtdienst had, in de meisjes die nooit al te lang bleven omdat jazz, dat was 'strontvervelende' muziek, en daarna eindeloos te luisteren hoe hij Charlie Parker blies als troost voor hun vertrek.

Ik claxonneer.

De buren...

Mijn moeder zal me wel vervloeken...

Ik wacht nog twee minuten op hen, maar daarna jammer dan.

Het is toch zo! Die twee maken het te bont! Ik moet dubbel huiswerk maken voor wiskunde, driedubbel voor natuurkunde, de foto's van Ramon in de keuken, de messen onder de Nutella, en zelfs een opstel over *De neef van Rameau* afgelopen donderdag om kwart over twaalf!

Ik breng elke avond een vers stokbrood voor hen mee en probeer het evenwicht tussen groenten, eiwitten en zetmeel goed in de gaten te houden, ik keer hun zakken binnenstebuiten en red iedere keer als ik hun spijkerbroeken was een heleboel troep, ik laat ze begaan wanneer ze met de deuren slaan en ze dagen niet meer met elkaar spreken, ik laat ze begaan wanneer de deuren weer dichtgaan en ze tot diep in de nacht blijven grinniken, ik moet naar hun rotmuziek luisteren en krijg op m'n sodemieter omdat ik niet in staat ben de nuances tussen techno en tektoniek te onderscheiden, ik... Over al die dingen maak ik me niet echt druk, maar ze mogen me *geen seconde* laten verliezen om terug te gaan naar Kate.

Niet één.

Zij hebben hun leven voor zich...

En omdat ik nog de zwakheid had om heel langzaam te rijden pik ik hen buiten adem en pisnijdig bij het volgende stoplicht op.

Altijd hetzelfde liedje, vechten om te bepalen wie van de twee voorin mag zitten.

Ik ben aan de beurt.

Nee, ik.

Rij nog een paar centimeter door om hen een besluit te laten nemen. Slaan keihard op de carrosserie, hun plaats maakt hun nu niets meer uit, ze hebben het veel te druk met me uit te kafferen en me alleen te laten met de dodemansplaats.

'Je bent wel erg, Charles!'

'Zo is dat... Je bent erg...'

'Ben je verliefd of zo?'

Ik glimlach. Ik zoek iets om hen op hun nummer te zetten, die twee idiootjes, en dan houd ik mezelf voor laat maar... het is de jeugd...

En zij zit achterin...